# La cote des prénoms
## en 2009

*Philippe Besnard, directeur de recherche au CNRS et professeur de sociologie à Sciences-Po, a conçu cet ouvrage en 1986 et l'a depuis remis à jour chaque année.*
*Philippe Besnard est décédé le 26 septembre 2003.*
*Joséphine Besnard, sa fille, continue son travail sur* La cote des prénoms.

© Éditions Michel Lafon, 2008
7-13, bd Paul-Émile-Victor – Île de la Jatte
92521 Neuilly-sur-Seine Cedex

Joséphine Besnard

# La cote des prénoms
## en 2009

# Quoi de neuf dans
## *La cote des prénoms*
# en 2009 ?

Bien choisir un prénom, c'est donner une chance supplémentaire à son enfant. Va-t-on faire un choix précurseur, pionnier, conformiste, désuet, classique ou excentrique ?
La mode varie selon les milieux sociaux et les régions. Il faut la connaître si on veut l'anticiper et, en tout cas, éviter d'être à la traîne.

En 2009, la domination d'Emma est très incertaine, tant les scores de ses suivantes sont proches. Les deux principales sont Clara, ex aequo avec la plus jeune Maëlys. Ces dernières pourraient toutefois bien être prises de vitesse par la très ambitieuse Louane, mais aussi par les fringantes Jade et Lilou.
D'autres candidates se dessinent : Lola, Lina, Éva, Louna et Léna. En outre, le palmarès accueille de nouvelles venues : Zoé, Lily, mais surtout Anna qui surgit dans le top 20 à l'issue d'une ascension fulgurante.
Seule Carla passe des espoirs au purgatoire, déchue en raison d'une notoriété en flèche due à la saturation médiatique entourant la nouvelle première dame de France.

Chez les garçons, Mathis s'impose, mettant ainsi un terme au duo latin Mathéo/Enzo. Ces derniers ne s'en bousculent pas moins derrière lui, perpétuant de cette façon la vogue latine en cours : Léo est toujours fringant, devant le déclinant Théo, tandis que frappe à la porte l'ambitieux Timéo devant l'ancien Hugo.
Nathan conforte sa poussée décisive et semble inaugurer une nouvelle vogue pour une terminaison en *an*, avec Adam et Lilian, nouveaux venus dans le top 20.

Le palmarès n'en demeure pas moins dominé par la terminaison en *ane* des prénoms américano-celtiques : les jeunes Ethan, Evan, Nolan, nantis des plus anciens Ryan et Killian, appellent déjà Ilan et Logan. Yanis n'a pas dit son dernier mot, pas plus que l'archange Raphaël, lequel permet l'envol de Gabriel.

Les classiques Charlotte, Louis, Paul ou Alexandre conservent la faveur des milieux BCBG. On y voit cependant émerger les plus originaux Blanche, Philomène et Théophile.

Joséphine Besnard

# Sommaire

# Introduction

Une voix anonyme clame mon prénom dans la rue et me voici, pour un instant, en alerte, sinon en émoi : est-ce moi qu'ainsi on interpelle ou quelque faux frère ? Et mon regard cherche machinalement l'usurpateur comme si je voulais m'assurer d'un possible air de famille.

En ce minuscule drame de la vie quotidienne affleurent, ne serait-ce qu'une seconde, les sentiments confus mais bien enracinés que chacun nourrit envers son prénom. Cette proclamation publique est d'abord ressentie comme une atteinte à mon intimité. Me voici désigné, dévoilé, alors que je marchais tranquillement dans la foule protectrice. Et puis cette gêne se double d'une pointe d'irritation : je ne suis pas seul de mon espèce ; d'autres partagent avec moi ce qui est le support le plus profond de mon identité propre, ce qui fait que je suis moi et non un autre. Car y a-t-il quelque chose, hormis notre bagage génétique, qui nous colle plus à la peau – et cela notre vie durant – que notre prénom, cet assemblage sonore qui a été le premier à nous appeler au monde ?

## L'importance croissante du prénom

Il va bien falloir nous endurcir. Le prénom qui était, et tout particulièrement en France, la marque de l'intimité, à grand-peine celle de la camaraderie, sort de plus en plus de la sphère du privé pour devenir une dénomination publique. À l'école, comme dans l'entreprise, se propage l'habitude américaine d'appeler par le prénom. Et, depuis peu, on désigne par leur prénom des gens que l'on n'a jamais rencontrés, notamment des vedettes ou des personnalités politiques (Nicolas, Ségolène, etc.). Le prénom, tout en restant le point d'ancrage de notre identité privée, tend à devenir l'élément fixe et central de notre identité sociale.

D'où l'importance croissante du prénom qui va marquer et classer l'enfant durant toute sa vie, mais qui va aussi classer durablement les parents qui l'ont choisi.

Bien sûr, il y a belle lurette que les parents y sont attentifs, surtout depuis que le système traditionnel, où le prénom était plus transmis que choisi, s'est effondré. Mais cet acte si grave, ils l'accomplissent dans un épais brouillard. Que peuvent-ils en effet connaître des prénoms entre lesquels ils hésitent? Les saints qui les patronnent, la date de leur fête, leur étymologie, quelques-unes des célébrités qui les ont portés. Les parents sont donc – ou étaient jusqu'au présent livre – démunis des informations essentielles. Ils ignorent tout des mécanismes qui gouvernent les préférences des autres et leurs propres préférences. Chacun, en effet, le sent plus ou moins confusément, les anciennes contraintes ont été remplacées par d'autres plus subtiles et plus impénétrables. C'est désormais la mode qui règle le choix d'un prénom.

## Pourquoi le choix du prénom est-il régi par la mode?

Nous devinons les réticences du lecteur. Suivre la mode est acceptable et même souhaitable en matière vestimentaire, mais non pour un acte aussi personnel et qui engage aussi profondément que le choix d'un prénom pour son enfant. Questionnés sur leurs motivations, les parents opposent même spontanément à cette idée un véritable tir de barrage. Ils mettent en avant leurs préférences personnelles, souvent acquises de longue date (comprenez: avant que le prénom se répande), et qui ont dû passer outre les réticences de leur entourage (comprenez: choix non conformiste).

Ils allégueront encore la tradition familiale (le prénom d'un arrière-grand-oncle) ou bien des mobiles religieux, voire régionalistes. Ne mettons pas en doute leur bonne foi; ces raisons sont de bonnes et de vraies raisons. Et pourtant, le fait demeure: c'est la mode, autrement dit la transformation, à tendance cyclique, du goût collectif, qui orchestre la valse des prénoms.

Tout ce livre le montre assez, mais on peut en administrer une preuve simple. Le répertoire des prénoms est immense, impossible à chiffrer en vérité, en raison notamment des variantes et compositions possibles; disons, à titre indicatif, au moins 2000. Or pour chaque sexe, à un moment donné, les dix prénoms les plus fréquents suffisent à désigner entre un quart et un tiers des nouveau-nés. En soi cela n'a rien de probant, d'autant que la concentration sur quelques prénoms dominants était plus forte autrefois quand le phénomène de mode jouait beaucoup moins. Mais voici la suite: aucun de ces prénoms les plus courants ne se retrouve vingt ans plus tard au palmarès des dix premiers.

Il y a donc un renouvellement rapide et en profondeur des choix, ce qui exclut, ou réduit à presque rien, l'hypothétique permanence de traditions familiales ou religieuses.

Que le lecteur encore sceptique jette un coup d'œil sur les carrières des prénoms décrites dans le détail au milieu de l'ouvrage. Il verra qu'il n'y a pas de prénom éternel et que même ceux que l'on imagine stables ont connu de formidables variations.

Le terme «mode» ne doit pas faire peur ni rebuter. Le fait que des milliers ou des dizaines de milliers d'autres personnes fassent, au même moment, le même choix que moi ne signifie pas que je suis une marionnette manipulée par un obscur et implacable destin.

Le choix du prénom est généralement le fruit d'une stratégie rationnelle ; c'est l'addition de ces choix individuels qui produit des effets inattendus, et cela d'autant plus que l'on est dans l'ignorance des choix d'autrui.

Depuis que les contraintes et les modèles traditionnels (souci de marquer une identité familiale, religieuse ou locale) ont disparu, la motivation fondamentale des parents, ou au moins de la grande majorité d'entre eux, n'a rien de mystérieux ; elle est à la fois consciente et rationnelle, même si elle procède de deux préoccupations contradictoires. D'un côté, les parents veulent individualiser leur enfant : c'est leur enfant et non un autre. Il faut donc éviter un prénom trop répandu, divulgué, voire vulgaire. Mais, d'un autre côté, ils savent bien qu'un prénom excessivement rare court le risque d'être excentrique, extravagant, à la limite intolérable pour son porteur. C'est dans cet entre-deux, dans cet intervalle entre le commun et l'excentrique, que le choix va s'effectuer.

De là vient cette affinité élective entre le prénom et la mode. Car le phénomène de mode naît précisément de cette tension entre l'originalité et le conformisme.

Pour entrer dans la ronde de la mode, un produit nouveau doit être différent du produit antérieur banalisé et usé. Il doit permettre à son acquéreur de se distinguer des autres ou, plus exactement, de marquer ses distances avec ceux dont il entend se démarquer, mais, en même temps, d'affirmer sa ressemblance avec ceux auxquels il s'identifie ou dont il souhaite se rapprocher.

La chose est bien connue : distinction et imitation sont les deux mamelles nourricières de la mode. Le produit nouveau qui a pris racine dans un groupe va se diffuser – si tout va bien pour lui – dans les autres groupes, parcourant le chemin qui va de l'excentrique au distingué, puis au commun, puis au vulgaire, avant d'être abandonné.

Après un certain temps de purgatoire, quelques aventuriers iront dénicher ce produit au charme rétro et pourront le réintroduire dans le cycle infernal de la consommation des biens de mode.

Mais voici une autre raison, plus décisive encore, qui fait du prénom non seulement un bien de mode, mais le bien de mode par excellence.

Beaucoup de comportements de consommation obéissent plus ou moins à la logique sociale de la mode que nous venons d'évoquer. Mais interfèrent d'autres éléments qui empêchent la machine de fonctionner au mieux: l'obstacle financier d'abord, l'utilité objective du produit ensuite (l'aspirine ne se démode pas malgré son énorme diffusion), enfin la possibilité de s'abstenir de consommer. Or le prénom est un bien gratuit dont la consommation est obligatoire. Il est gratuit en ce double sens qu'il ne coûte rien et que son choix n'est pas déterminé par une utilité objective ou une propriété intrinsèque. Gratuit, obligatoire – ajoutons laïc même si ce n'est pas le propos –, voilà ce qui démarque le choix du prénom de tout autre acte de consommation et en fait le terrain de manœuvres privilégié du phénomène de mode dans ce qu'il a de purement social.

## Les réponses que l'on trouve dans ce livre

Revenons à nos futurs parents à la recherche d'un prénom qui ne soit ni trop commun ni trop aventureux. Cet intervalle n'a pas la même définition pour tous. Certains, de par leur âge, leur position sociale, leur profession, perçoivent mieux que d'autres l'évolution du goût collectif. Le présent livre met tout le monde sur le même pied en apportant un niveau d'information incomparablement supérieur à ce que le renifleur social le plus affûté pourrait pressentir. Il est impossible de manière intuitive d'avoir une idée, même approximative, de la fréquence d'un prénom, ou de son profil social, à un moment donné, en l'absence de bases statistiques solides qui sont ici livrées au public.

Un des buts de cet ouvrage est d'éclairer les futurs parents en les informant de manière extrêmement précise sur la carrière passée et présente des prénoms. À eux de voir comment ils veulent jouer avec la mode. Certains voudront s'en accommoder, d'autres lui tourner le dos, d'autres encore tâcher de l'anticiper. Ils ont pour cela toutes les cartes en main. Mais ce livre n'est pas seulement destiné aux futurs parents. Nous avons voulu qu'il puisse intéresser les parents d'hier et aussi un peu tout le monde puisque tout le monde a un prénom. Voyons donc ce qu'on découvrira dans les pages qui suivent et, pour commencer, ce qu'on n'y trouvera pas.

On n'y trouvera pas de conseils du genre: Jean est à éviter si l'on s'appelle Aymard ou Bonnot. L'harmonie du prénom avec le nom de famille doit certainement être un critère essentiel du choix, mais nous croyons les parents assez grands pour en être juges.

Ce livre n'étant fondé que sur des faits, on n'y trouvera rien sur les couleurs, les chiffres, les signes astrologiques qui seraient associés aux prénoms, ou autres fariboles du même ordre. On n'y lira pas qu'un Martial et un Placide sont prédestinés à avoir des tempéraments contraires.

Mais, d'une certaine manière, ce livre est le premier qui fournisse quelques éléments objectifs sur cette question, toujours mal posée, de l'influence éventuelle d'un prénom sur celui qui le porte. Admettons qu'un prénom très marqué (franchement démodé, par exemple) puisse, par des cheminements subtils, modeler dans une certaine mesure l'image que les autres se font de son porteur et affecter par ricochet sa personnalité. Ce n'est pas le prénom qui est en cause, c'est le prénom choisi à un moment donné.

Les prénoms n'ont pas la même image ou la même valeur tout au long de leur carrière ; il n'y a pas de prénom beau ou laid en soi. Cela n'est pas la même chose de s'appeler Marcel quand on est né en 1871, comme Marcel Proust, ou quatre-vingt-dix ans plus tard, en 1961 (c'est, à cette date, encore le lot de 1 garçon sur 400). Marcel Proust est doté d'un prénom qui est encore tout à fait dans le vent quand il a 30 ans, tandis que le Marcel né en 1961 porte un prénom tellement usé que beaucoup le jugeront disgracieux. Il risque de traîner longtemps ce boulet qui le gênera dans ses rapports avec autrui, en attendant un hypothétique retour en grâce de Marcel, qui ne se produira pas avant qu'il ait atteint au moins la cinquantaine.

Inversement, avoir vingt ans d'avance, c'est-à-dire porter un prénom qui est au goût du jour quand on a vingt ans, peut être un atout non négligeable dans les relations interpersonnelles (notamment sentimentales) et même – pourquoi pas ? – dans la vie professionnelle. Certaines vedettes du spectacle doivent sans doute une part de leur renom à leur prénom (réel ou fictif).

On voit toute l'importance qu'il y a pour les futurs parents d'être informés de la fréquence passée, actuelle et prévisible du prénom qu'ils envisagent de choisir. Dans cet ouvrage, ils trouveront tout ce que l'on aurait bien voulu savoir depuis longtemps sur la vie, la mort et la résurrection des prénoms.

On y trouvera donc des réponses précises à ce genre de questions :

- Quels sont aujourd'hui les prénoms les plus en vogue ?
- Quelles sont les tendances actuelles ?
- Quels sont les prénoms qui montent, ceux qui viennent tout juste d'émerger, ceux qui pourraient bien revenir ?
- Quels sont les prénoms qui vont se démoder ?

- Y a-t-il des prénoms classiques, insensibles aux humeurs de la mode?
- Quels sont aujourd'hui les prénoms les plus portés?
- Quels sont les prénoms les plus donnés depuis un siècle, à différentes périodes?
- Quel est l'âge probable de quelqu'un dont je connais le prénom?
- Quel est le profil social de tel ou tel prénom?
- Dans quel milieu, dans quelle région ce prénom a-t-il été le plus répandu?

La carrière des prénoms usuels étant décrite dans le détail de 1930 à 2009 – non sans de fréquents retours en arrière pour ceux qui ont un passé un peu chargé –, tous les parents, quel que soit leur âge, seront en mesure de *tester les choix* qu'ils ont faits pour leurs enfants: ont-ils été pionniers, dans le vent, conformistes, à la traîne, démodés?

Enfin, chacun partira à la découverte de son propre prénom: sa carrière passée, sa fréquence actuelle, les particularités de sa diffusion sociale ou régionale. Il rencontrera ceux qui portent le même prénom: combien sont-ils, quand sont-ils nés? Et il étendra vite sa curiosité aux prénoms de ses proches, et de ses moins proches.

Ce livre est aussi une sorte de banque de données qui peut être interrogée à des fins très diverses. Un exemple: les romanciers et scénaristes, s'ils sont soucieux de réalisme, seraient bien avisés de consulter cet ouvrage. Cela leur éviterait d'affubler leurs personnages, comme c'est souvent le cas, de prénoms improbables.

# Le palmarès
# des prénoms

# Les prénoms les plus donnés à chaque période

Commençons par la manière la plus simple d'illustrer la ronde des prénoms en présentant le palmarès des prénoms le plus fréquemment attribués aux nouveau-nés selon les époques.

Le premier palmarès est établi par périodes, afin de couvrir toutes les années du xxe siècle. De 1900 à 1930, nous avons retenu des périodes de dix ans. À partir de 1930, en raison de la rotation accélérée des prénoms, nous avons opté pour des périodes de cinq ans. Nous indiquons la fréquence relative des prénoms, c'est-à-dire le pourcentage de garçons ou de filles nés pendant la période considérée, que chacun d'eux représente.

Le découpage par périodes a pour effet de lisser les évolutions et variations. C'est pourquoi, après le top 10 par périodes, nous présentons un top 20 pour certaines années : tous les dix ans depuis 1930 (le palmarès prévu pour l'an 2009 étant présenté plus loin page 38). Tout le monde ne se retrouvera pas dans ce top 20. Mais ce procédé permet de faire figurer davantage de prénoms et de faire mieux apparaître les changements.

Comme dans le reste de l'ouvrage, les variantes orthographiques (Jeannine, Jeanine et Janine, Michaël, Mickaël et Mikaël, Thibault, Thibaut et Thibaud, etc.) ont été regroupées, dès lors qu'elles se prononcent de la même manière. C'est le son du prénom qui définit son identité. L'orthographe retenue est l'orthographe la plus fréquente.

Ainsi que dans tout le livre, là encore nous nous sommes efforcés d'isoler Jean, Marie ou Pierre de leurs composés. Les prénoms composés sont traités comme des prénoms à part entière. Signalons qu'au début du xxe siècle il y a presque autant de Marie tout court que de Marie-quelque chose (plus de 15 % des naissances féminines au total). Si l'on ajoute à Jean l'ensemble de ses composés, le total représente 16 % des garçons nés de 1940 à 1954.

| TOP 10 DES PRÉNOMS FÉMININS | | | | | | | |
|---|---|---|---|---|---|---|---|
| **1900-1909** | | **1910-1919** | | **1920-1929** | | **1930-1934** | |
| Marie | 7,5 % | Jeanne | 5,4 % | Jeanne | 3,8 % | Jeannine | 4,6 % |
| Jeanne | 5,5 | Marie | 5,3 | Simone | 3,7 | Jacqueline | 3,8 |
| Marguerite | 3,6 | Madeleine | 3,3 | Marie | 3,1 | Monique | 3,0 |
| Marie-Louise | 3,5 | Yvonne | 3,0 | Denise | 2,8 | Simone | 2,8 |
| Germaine | 3,3 | Simone | 2,9 | Madeleine | 2,7 | Yvette | 2,6 |
| Yvonne | 2,6 | Marguerite | 2,9 | Jeannine | 2,6 | Denise | 2,5 |
| Madeleine | 2,6 | Marie-Louise | 2,7 | Paulette | 2,6 | Jeanne | 2,4 |
| Louise | 2,6 | Suzanne | 2,6 | Suzanne | 2,6 | Paulette | 2,3 |
| Suzanne | 2,4 | Germaine | 2,5 | Jacqueline | 2,6 | Marie-Thérèse | 2,2 |
| Marcelle | 2,0 | Marcelle | 2,4 | Odette | 2,4 | Ginette | 2,0 |
| **1935-1939** | | **1940-1944** | | **1945-1949** | | **1950-1954** | |
| Monique | 4,9 % | Monique | 4,7 % | Danielle | 4,3 % | Martine | 5,2 % |
| Jeannine | 4,1 | Nicole | 3,8 | Michèle | 4,0 | Françoise | 3,7 |
| Jacqueline | 3,7 | Danielle | 3,8 | Monique | 3,8 | Chantal | 3,3 |
| Nicole | 2,9 | Michèle | 3,5 | Françoise | 3,8 | Monique | 2,9 |
| Yvette | 2,3 | Jacqueline | 3,2 | Nicole | 3,8 | Michèle | 2,8 |
| Marie-Thérèse | 2,2 | Françoise | 3,0 | Annie | 3,1 | Nicole | 2,8 |
| Colette | 2,1 | Jeannine | 2,9 | Christiane | 2,7 | Annie | 2,3 |
| Christiane | 2,1 | Christiane | 2,8 | Chantal | 2,5 | Dominique | 2,3 |
| Simone | 2,0 | Marie-Thérèse | 1,9 | Anne-Marie | 1,9 | Danielle | 2,2 |
| Denise | 2,0 | Josette | 1,9 | Martine | 1,9 | Christiane | 1,9 |

| TOP 10 DES PRÉNOMS FÉMININS | | | | | | | |
|---|---|---|---|---|---|---|---|
| **1955-1959** | | **1960-1964** | | **1965-1969** | | **1970-1974** | |
| Martine | 4,7 % | Sylvie | 5,8 % | Nathalie | 7,1 % | Nathalie | 4,8 % |
| Brigitte | 3,8 | Catherine | 4,8 | Isabelle | 5,6 | Sandrine | 4,1 |
| Catherine | 3,6 | Christine | 3,9 | Sylvie | 5,0 | Christelle | 4,0 |
| Sylvie | 3,4 | Isabelle | 3,8 | Valérie | 5,0 | Isabelle | 3,6 |
| Françoise | 3,2 | Véronique | 3,5 | Catherine | 3,4 | Valérie | 3,4 |
| Christine | 3,1 | Patricia | 2,8 | Véronique | 3,2 | Karine | 3,3 |
| Chantal | 2,8 | Corinne | 2,6 | Corinne | 3,2 | Stéphanie | 3,3 |
| Dominique | 2,4 | Nathalie | 2,6 | Laurence | 3,0 | Sophie | 2,5 |
| Michèle | 2,1 | Martine | 2,6 | Christine | 2,9 | Sylvie | 2,4 |
| Patricia | 2,0 | Brigitte | 2,4 | Florence | 2,0 | Laurence | 2,1 |
| **1975-1979** | | **1980-1984** | | **1985-1989** | | **1990-1994** | |
| Stéphanie | 4,3 % | Aurélie | 3,4 % | Élodie | 2,8 % | Laura | 2,2 % |
| Céline | 3,5 | Émilie | 3,0 | Aurélie | 2,7 | Marine | 2,1 |
| Sandrine | 3,1 | Céline | 2,9 | Julie | 2,4 | Julie | 1,9 |
| Christelle | 2,8 | Virginie | 2,3 | Émilie | 2,2 | Camille | 1,8 |
| Virginie | 2,7 | Élodie | 2,2 | Audrey | 1,9 | Élodie | 1,8 |
| Karine | 2,7 | Audrey | 2,1 | Mélanie | 1,8 | Marion | 1,8 |
| Nathalie | 2,4 | Stéphanie | 2,1 | Stéphanie | 1,7 | Pauline | 1,7 |
| Sophie | 2,1 | Julie | 2,0 | Céline | 1,7 | Anaïs | 1,6 |
| Séverine | 2,1 | Lætitia | 2,0 | Jennifer | 1,6 | Mélanie | 1,6 |
| Delphine | 2,1 | Sabrina | 1,8 | Laura | 1,6 | Sarah | 1,5 |

Voir page 27 le top 20 pour 2006 et page 38 les estimations pour 2009.

| TOP 10 DES PRÉNOMS FÉMININS | | | | | |
|---|---|---|---|---|---|
| 1995-1999 | | 2000-2004 | | 2005-2006* | |
| Manon | 2,2 % | Léa | 2,5 % | Emma | 1,99 % |
| Léa | 2,1 | Manon | 1,9 | Léa | 1,83 |
| Camille | 2,0 | Chloé | 1,9 | Clara | 1,67 |
| Chloé | 1,8 | Emma | 1,7 | Chloé | 1,65 |
| Laura | 1,8 | Camille | 1,6 | Manon | 1,55 |
| Sarah | 1,7 | Sarah | 1,5 | Sarah | 1,54 |
| Marie | 1,7 | Océane | 1,4 | Camille | 1,36 |
| Marine | 1,6 | Marie | 1,3 | Inès | 1,34 |
| Pauline | 1,5 | Clara | 1,2 | Jade | 1,15 |
| Julie | 1,4 | Inès | 1,2 | Lucie | 1,11 |

Pour le palmarès BCBG, voir page 383. * Voir page 27 pour le classement féminin 2006.

| TOP 10 DES PRÉNOMS MASCULINS | | | | | | | |
|---|---|---|---|---|---|---|---|
| **1900-1909** | | **1910-1919** | | **1920-1929** | | **1930-1934** | |
| Louis | 4,7 % | Jean | 5,7 % | Jean | 7,8 % | Jean | 7,9 % |
| Pierre | 4,6 | André | 5,2 | André | 6,0 | André | 5,5 |
| Jean | 4,5 | Pierre | 4,7 | Pierre | 5,3 | Pierre | 5,1 |
| Marcel | 4,3 | Marcel | 4,7 | René | 4,8 | Michel | 4,6 |
| André | 4,0 | Louis | 4,3 | Roger | 4,3 | René | 4,1 |
| Henri | 3,9 | René | 4,1 | Marcel | 4,1 | Roger | 3,8 |
| Joseph | 3,8 | Henri | 3,8 | Robert | 3,7 | Jacques | 3,6 |
| René | 3,5 | Georges | 3,4 | Louis | 3,1 | Claude | 3,5 |
| Georges | 3,3 | Roger | 3,1 | Henri | 3,0 | Robert | 3,4 |
| Paul | 2,7 | Maurice | 3,0 | Georges | 3,0 | Marcel | 3,1 |
| **1935-1939** | | **1940-1944** | | **1945-1949** | | **1950-1954** | |
| Jean | 6,6 % | Michel | 7,1 % | Michel | 7,3 % | Michel | 5,7 % |
| Michel | 6,0 | Jean-Claude | 4,7 | Alain | 5,2 | Alain | 5,2 |
| Claude | 5,1 | Jean | 4,4 | Gérard | 4,3 | Bernard | 4,0 |
| André | 4,7 | Bernard | 3,9 | Daniel | 4,3 | Gérard | 4,0 |
| Pierre | 4,5 | Daniel | 3,8 | Bernard | 4,1 | Christian | 3,9 |
| Jacques | 3,8 | Gérard | 3,8 | Christian | 4,0 | Patrick | 3,8 |
| Bernard | 3,3 | Claude | 3,8 | Jean-Pierre | 4,0 | Daniel | 3,6 |
| René | 3,2 | Jacques | 3,8 | Jean-Claude | 3,6 | Jean-Pierre | 2,8 |
| Roger | 2,9 | Jean-Pierre | 3,7 | Jacques | 3,5 | Philippe | 2,7 |
| Robert | 2,8 | André | 3,7 | Claude | 2,8 | Jacques | 2,5 |

| TOP 10 DES PRÉNOMS MASCULINS | | | | | | | |
|---|---|---|---|---|---|---|---|
| 1955-1959 | | 1960-1964 | | 1965-1969 | | 1970-1974 | |
| Patrick | 5,2 % | Philippe | 5,9 % | Christophe | 4,9 % | Stéphane | 5,1 % |
| Philippe | 4,9 | Pascal | 4,6 | Philippe | 4,8 | Christophe | 4,7 |
| Michel | 4,4 | Éric | 4,4 | Laurent | 4,2 | David | 4,4 |
| Alain | 4,3 | Thierry | 4,1 | Thierry | 4,1 | Laurent | 3,9 |
| Christian | 3,7 | Patrick | 3,8 | Éric | 3,9 | Frédéric | 3,4 |
| Dominique | 2,9 | Alain | 3,1 | Pascal | 3,7 | Olivier | 3,2 |
| Bernard | 2,9 | Michel | 3,0 | Frédéric | 3,3 | Sébastien | 2,7 |
| Didier | 2,8 | Didier | 2,9 | Stéphane | 3,1 | Éric | 2,5 |
| Pascal | 2,4 | Bruno | 2,6 | Olivier | 2,5 | Philippe | 2,4 |
| Daniel | 2,3 | Dominique | 2,4 | Bruno | 2,3 | Jérôme | 2,3 |

| 1975-1979 | | 1980-1984 | | 1985-1989 | | 1990-1994 | |
|---|---|---|---|---|---|---|---|
| Sébastien | 4,9 % | Nicolas | 4,4 % | Julien | 3,6 % | Kevin | 3,3 % |
| David | 3,4 | Julien | 3,8 | Nicolas | 2,8 | Thomas | 2,5 |
| Christophe | 3,4 | Sébastien | 3,1 | Jérémy | 2,4 | Alexandre | 2,4 |
| Nicolas | 3,3 | Mickaël | 2,9 | Romain | 2,4 | Nicolas | 2,4 |
| Frédéric | 3,2 | Mathieu | 2,4 | Anthony | 2,4 | Maxime | 2,3 |
| Stéphane | 3,2 | Guillaume | 2,3 | Mickaël | 2,3 | Julien | 2,2 |
| Jérôme | 2,9 | Cédric | 2,3 | Mathieu | 2,3 | Anthony | 2,0 |
| Mickaël | 2,6 | David | 2,1 | Guillaume | 2,1 | Jérémy | 1,9 |
| Cédric | 2,4 | Jérôme | 1,9 | Thomas | 2,1 | Mathieu | 1,9 |
| Olivier | 2,2 | Vincent | 1,7 | Alexandre | 2,1 | Romain | 1,9 |

Voir page 29 le top 20 pour 2006 et page 38 les estimations pour 2009.

| TOP 10 DES PRÉNOMS MASCULINS | | | | | |
|---|---|---|---|---|---|
| 1995-1999 | | 2000-2004 | | 2005-2006* | |
| Thomas | 2,5 % | Lucas | 2,4 % | Lucas | 2,38 % |
| Alexandre | 2,2 | Théo | 2,1 | Mathis | 2,35 |
| Nicolas | 2,1 | Thomas | 2,1 | Mathéo | 2,24 |
| Hugo | 2,0 | Hugo | 1,9 | Enzo | 2,19 |
| Quentin | 1,9 | Mathéo | 1,5 | Théo | 1,47 |
| Lucas | 1,7 | Maxime | 1,5 | Hugo | 1,46 |
| Antoine | 1,7 | Enzo | 1,4 | Nathan | 1,45 |
| Dylan | 1,6 | Mathis | 1,4 | Noah | 1,44 |
| Kevin | 1,6 | Alexandre | 1,3 | Thomas | 1,40 |
| Alexis | 1,6 | Alexis | 1,3 | Killian | 1,31 |

Pour le palmarès BCBG, voir page 383. * Voir page 29 pour le classement masculin 2006.

| PRÉNOMS FÉMININS | | | | |
|---|---|---|---|---|
| Année 1930 | Année 1940 | Année 1950 | Année 1960 | Année 1970 |
| Jeannine | Monique | Martine | Catherine | Nathalie |
| Jacqueline | Nicole | Françoise | Sylvie | Valérie |
| Simone | Jacqueline | Monique | Christine | Sandrine |
| Jeanne | Jeannine | Nicole | Brigitte | Isabelle |
| Denise | Michèle | Michèle | Martine | Christelle |
| Yvette | Françoise | Danielle | Patricia | Sylvie |
| Marie | Danielle | Chantal | Véronique | Sophie |
| Paulette | Christiane | Annie | Françoise | Laurence |
| Monique | Marie-Thérèse | Christiane | Isabelle | Catherine |
| Marie-Thérèse | Colette | Jacqueline | Pascale | Véronique |
| Ginette | Josette | Anne-Marie | Chantal | Karine |
| Odette | Yvette | Josiane | Dominique | Corinne |
| Madeleine | Anne-Marie | Annick | Corinne | Christine |
| Suzanne | Denise | Claudine | Nadine | Florence |
| Andrée | Simone | Dominique | Michèle | Carole |
| Renée | Andrée | Évelyne | Annie | Patricia |
| Micheline | Liliane | Jeannine | Béatrice | Stéphanie |
| Yvonne | Thérèse | Jocelyne | Marie-Christine | Delphine |
| Thérèse | Jeanne | Catherine | Évelyne | Céline |
| Marcelle | Paulette | Marie-Claude | Monique | Fabienne |

| PRÉNOMS FÉMININS | | | |
|---|---|---|---|
| Année 1980 | Année 1990 | Année 2000 | Année 2006 |
| Céline | Élodie | Léa | Emma |
| Émilie | Laura | Chloé | Léa |
| Aurélie | Julie | Manon | Clara |
| Virginie | Marine | Camille | Chloé |
| Stéphanie | Marion | Emma | Sarah |
| Lætitia | Pauline | Marie | Manon |
| Audrey | Aurélie | Océane | Camille |
| Sandrine | Camille | Sarah | Inès |
| Sabrina | Mélanie | Laura | Jade |
| Delphine | Sarah | Mathilde | Maëlys |
| Sophie | Émilie | Julie | Lola |
| Caroline | Marie | Marine | Lilou |
| Christelle | Audrey | Margaux | Lucie |
| Julie | Anaïs | Lucie | Anaïs |
| Élodie | Amandine | Pauline | Océane |
| Karine | Charlotte | Anaïs | Marie |
| Nathalie | Sophie | Inès | Louane |
| Magali | Lætitia | Clara | Lisa |
| Angélique | Mathilde | Justine | Éva |
| Séverine | Lucie | Lisa | Romane |

| PRÉNOMS MASCULINS | | | | |
|---|---|---|---|---|
| Année 1930 | Année 1940 | Année 1950 | Année 1960 | Année 1970 |
| Jean | Michel | Michel | Philippe | Christophe |
| André | Claude | Alain | Patrick | Stéphane |
| Pierre | Jean-Claude | Gérard | Pascal | Laurent |
| René | Jean | Bernard | Alain | David |
| Michel | André | Daniel | Michel | Olivier |
| Roger | Pierre | Christian | Éric | Frédéric |
| Jacques | Jacques | Jean-Pierre | Thierry | Philippe |
| Robert | Bernard | Jacques | Christian | Éric |
| Marcel | Jean-Pierre | Patrick | Didier | Franck |
| Claude | Gérard | Jean-Claude | Dominique | Thierry |
| Georges | Daniel | Claude | Bruno | Pascal |
| Maurice | René | Pierre | Jean-Luc | Fabrice |
| Henri | Robert | André | Jean-Pierre | Emmanuel |
| Louis | Guy | Jean-Paul | Daniel | Bruno |
| Raymond | Roger | Guy | Bernard | Patrick |
| Bernard | Marcel | Philippe | Gilles | Sébastien |
| Joseph | Georges | Serge | Pierre | Didier |
| Paul | Alain | Jean-Louis | Serge | Jérôme |
| Guy | Maurice | Joël | Marc | Nicolas |
| Lucien | Henri | Yves | Gérard | Alain |

| PRÉNOMS MASCULINS | | | |
|---|---|---|---|
| Année 1980 | Année 1990 | Année 2000 | Année 2006 |
| Nicolas | Kevin | Thomas | Lucas |
| Sébastien | Thomas | Lucas | Mathis |
| Julien | Jérémy | Théo | Mathéo |
| Mickaël | Julien | Hugo | Enzo |
| David | Nicolas | Maxime | Nathan |
| Christophe | Alexandre | Nicolas | Noah |
| Cédric | Anthony | Quentin | Théo |
| Jérôme | Maxime | Alexandre | Hugo |
| Frédéric | Romain | Antoine | Thomas |
| Guillaume | Mathieu | Alexis | Raphaël |
| Mathieu | Benjamin | Clément | Killian |
| Vincent | Mickaël | Valentin | Tom |
| Alexandre | Guillaume | Mathieu | Yanis |
| Olivier | Florian | Julien | Louis |
| Stéphane | Jonathan | Romain | Clément |
| Laurent | Pierre | Florian | Maxime |
| Ludovic | Vincent | Louis | Ryan |
| Thomas | Clément | Paul | Léo |
| Grégory | Antoine | Benjamin | Alexis |
| Anthony | Quentin | Anthony | Alexandre |

## CHRONOLOGIE DES RÈGNES

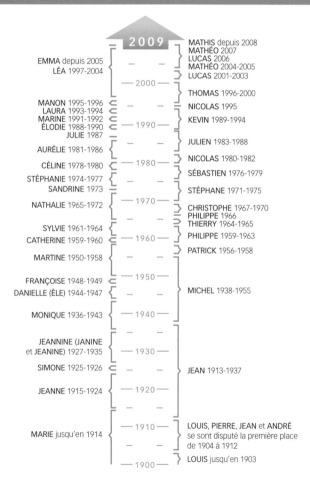

**2009**

MATHIS depuis 2008
MATHÉO 2007
LUCAS 2006
MATHÉO 2004-2005
LUCAS 2001-2003

EMMA depuis 2005
LÉA 1997-2004

— 2000 —

THOMAS 1996-2000

MANON 1995-1996
LAURA 1993-1994
MARINE 1991-1992
ÉLODIE 1988-1990
JULIE 1987

NICOLAS 1995

KEVIN 1989-1994

— 1990 —

JULIEN 1983-1988

AURÉLIE 1981-1986

NICOLAS 1980-1982

CÉLINE 1978-1980

— 1980 —

SÉBASTIEN 1976-1979

STÉPHANIE 1974-1977
SANDRINE 1973

STÉPHANE 1971-1975

NATHALIE 1965-1972

— 1970 —

CHRISTOPHE 1967-1970
PHILIPPE 1966
THIERRY 1964-1965

SYLVIE 1961-1964
CATHERINE 1959-1960

— 1960 —

PHILIPPE 1959-1963

MARTINE 1950-1958

PATRICK 1956-1958

— 1950 —

FRANÇOISE 1948-1949
DANIELLE (ÈLE) 1944-1947

MICHEL 1938-1955

MONIQUE 1936-1943

— 1940 —

JEANNINE (JANINE
et JEANINE) 1927-1935

— 1930 —

SIMONE 1925-1926

JEAN 1913-1937

JEANNE 1915-1924

— 1920 —

— 1910 —

MARIE jusqu'en 1914

LOUIS, PIERRE, JEAN et ANDRÉ
se sont disputé la première place
de 1904 à 1912

— 1900 —

LOUIS jusqu'en 1903

# Les prénoms
# les plus portés aujourd'hui

Attention! Avec le palmarès qui suit, on passe à tout autre chose. Nous considérons ici non pas les prénoms les plus donnés à une période particulière, mais les prénoms les plus *portés* aujourd'hui, ceux qui sont les plus répandus en France à l'heure actuelle *tous âges confondus.* Les prénoms qui jouissent de la faveur du moment ne peuvent figurer en bonne place au palmarès parce qu'ils sont d'usage trop récent, n'étant portés, pour l'essentiel, que par des enfants. Ils ne font pas le poids face aux prénoms phares des années 1920-70 qui ont pu accomplir l'ensemble de leur carrière et rassemblent donc un plus grand nombre de Français actuellement en vie. Inversement, un prénom comme Louis, le plus donné pour les garçons à l'aube du XXe siècle, obtient un classement médiocre puisque beaucoup de Louis ont disparu. Si des prénoms comme Jean, Marie ou Jeanne se trouvent encore en bonne position, c'est en raison de leur succès passé considérable et aussi parce qu'ils ne se sont pas évanouis du jour au lendemain.

Chez les hommes, Jean (sans ses nombreux composés) n'est plus qu'au troisième rang, la première place étant occupée par le plus récent Michel, immense gloire des années 1940. En janvier 2009, on dénombre 631 000 Michel. Dans le groupe des dix prénoms les plus courants, on trouve surtout des gloires passées. Philippe a été longtemps le seul à avoir culminé depuis 1960 ; Nicolas, Romain, Jérémy, Cédric et surtout Kevin apportent un peu de sang neuf.

Marie (tout court) est, depuis des siècles, le prénom féminin le plus porté en France ; c'est aussi un prénom souvent choisi aujourd'hui. Et pourtant, son règne vient de se terminer. Le renouveau récent n'a pas suffi à enrayer un déclin inscrit dans la répartition par âge de ce prénom. Monique, grande vedette des années 1935-45, a accédé au premier rang des prénoms féminins les plus portés en

1999. Cette reine de transition vient d'être remplacée par la plus jeune Nathalie, qui triompha de 1965 à 1972.

Cette jeunesse est un gage de longévité : on ne voit guère de rivale susceptible de détrôner Nathalie dans les années qui viennent.

La chute de Marie dans le palmarès du stock des prénoms portés va se poursuivre. C'est un événement onomastique : pour la première fois depuis des siècles, Marie n'est plus le prénom féminin le plus répandu en France. Encore une fois, rappelons qu'il s'agit de Marie tout court. Si l'on y ajoute les Marie-quelque chose, ce prénom restera encore en tête de très loin et pour très longtemps.

Ce palmarès fait la part belle aux prénoms traditionnels et relativement durables. Isabelle y figure en bonne place – et va bientôt atteindre le 2e rang – sans avoir jamais été en tête des prénoms les plus donnés. Jacqueline prend sa revanche sur Jeannine, et Sophie rejoint Stéphanie. Hélène, discrète mais constante, est mieux classée que Brigitte, qui fut, un temps, particulièrement en vue. Bien des prénoms figurant dans ce palmarès ne se sont, à aucun moment, approchés du top 10 des plus attribués : Anne, Cécile, Claudine, Geneviève, Claire, Élisabeth, Gilles, Guy, François, Marc, Serge, Yves. Il s'agit de prénoms à cycle lent, dont la carrière s'est étalée dans le temps.

Le décompte des prénoms les plus portés fait ressortir le contraste entre prénoms masculins et prénoms féminins. La ronde des prénoms a été plus précoce et souvent plus rapide pour les filles que pour les garçons, ce qui entraîne une dispersion accrue. Ce n'est qu'à partir du 65e rang que les prénoms féminins l'emportent sur les prénoms masculins de même classement.

Avec le temps, les prénoms les plus anciens vont fléchir. Jean et Marie perdront encore beaucoup de terrain tandis que Michel se maintiendra longtemps en tête. Philippe, son successeur désigné par la démographie, ne pourra le détrôner avant une dizaine d'années.

| LES SOIXANTE PRÉNOMS FÉMININS LES PLUS PORTÉS | | | | | |
|---|---|---|---|---|---|
| Nathalie | 355 000 | Véronique | 218 000 | Élodie | 147 000 |
| Monique | 348 000 | Céline | 215 000 | Cécile | 141 000 |
| Isabelle | 347 000 | Chantal | 215 000 | Colette | 140 000 |
| Catherine | 345 000 | Annie | 199 000 | Camille | 140 000 |
| Françoise | 344 000 | Christelle | 198 000 | Caroline | 140 000 |
| Sylvie | 339 000 | Hélène | 196 000 | Madeleine | 139 000 |
| Marie | 330 000 | Patricia | 190 000 | Claudine | 139 000 |
| Martine | 301 000 | Brigitte | 189 000 | Léa | 139 000 |
| Jacqueline | 300 000 | Simone | 183 000 | Sarah | 138 000 |
| Jeannine | 269 000 | Julie | 172 000 | Paulette | 136 000 |
| Michèle | 264 000 | Corinne | 166 000 | Florence | 135 000 |
| Nicole | 264 000 | Aurélie | 166 000 | Lætitia | 134 000 |
| Christine | 261 000 | Denise | 165 000 | Geneviève | 133 000 |
| Valérie | 233 000 | Laurence | 164 000 | Évelyne | 133 000 |
| Jeanne | 228 000 | Anne | 162 000 | Suzanne | 130 000 |
| Sandrine | 224 000 | Émilie | 159 000 | Élisabeth | 130 000 |
| Sophie | 220 000 | Dominique | 157 000 | Laura | 130 000 |
| Stéphanie | 220 000 | Virginie | 156 000 | Audrey | 129 000 |
| Danielle | 219 000 | Karine | 155 000 | Claire | 129 000 |
| Christiane | 218 000 | Yvette | 150 000 | Pauline | 128 000 |

**Estimation pour janvier 2009**

| LES SOIXANTE PRÉNOMS MASCULINS LES PLUS PORTÉS | | | | | |
|---|---|---|---|---|---|
| Michel | 631000 | Stéphane | 272000 | Jérôme | 186000 |
| Pierre | 510000 | David | 271000 | Paul | 186000 |
| Jean | 475000 | Pascal | 264000 | Roger | 185000 |
| Philippe | 463000 | Thierry | 252000 | Antoine | 177000 |
| Alain | 423000 | François | 244000 | Maxime | 171000 |
| Nicolas | 364000 | Olivier | 241000 | Anthony | 169000 |
| Bernard | 350000 | Alexandre | 240000 | Serge | 168000 |
| Patrick | 339000 | Jean-Claude | 237000 | Romain | 167000 |
| Christophe | 339000 | Thomas | 237000 | Franck | 164000 |
| Daniel | 335000 | René | 213000 | Georges | 156000 |
| Christian | 332000 | Michaël | 207000 | Yves | 155000 |
| Jacques | 330000 | Didier | 202000 | Gilles | 153000 |
| André | 320000 | Mathieu | 202000 | Marcel | 152000 |
| Claude | 302000 | Dominique | 201000 | Henri | 151000 |
| Gérard | 296000 | Robert | 200000 | Jérémy | 149000 |
| Éric | 281000 | Vincent | 200000 | Kevin | 147000 |
| Frédéric | 281000 | Guillaume | 194000 | Cédric | 137000 |
| Laurent | 280000 | Guy | 191000 | Rémi | 132000 |
| Julien | 277000 | Marc | 188000 | Joseph | 128000 |
| Sébastien | 273000 | Louis | 187000 | Maurice | 126000 |
| Jean-Pierre | 272000 | Bruno | 186000 | | |

Estimation pour janvier 2009

# Choisir un prénom
## en 2009

# Les stratégies
# pour jouer avec la mode

D'une manière générale, il n'est pas recommandé de choisir un prénom actuellement en déclin, surtout s'il a culminé à un niveau élevé. Le pari qui consisterait à escompter un retour en grâce de ce prénom à courte ou moyenne échéance est perdu d'avance. En revanche, ce prénom risque d'être jugé disgracieux ou même ridicule dans vingt ou trente ans. Et il donnera un petit coup de vieux à son porteur.

Mieux vaut donc éviter un prénom décrit dans le répertoire alphabétique comme « à la traîne », « démodé » ou « désuet » en 2009. Pour la définition précise de ces termes, on se reportera au mode d'emploi (voir p. 82). De même on se détournera d'un prénom décrit comme « en reflux », sauf, peut-être, si ce reflux est tout récent et si le prénom n'a eu qu'un succès très modeste. Notons aussi que les prénoms de type « classique » ou de type « bourgeois » se démodent moins vite que les autres.

Les parents qui sont soucieux d'éviter un prénom trop répandu ou trop commun excluront ceux qui sont aujourd'hui à leur sommet, ou dont le déclin est récent.

Voici la liste des prénoms qui devraient être les plus donnés en France en 2009, présentés par ordre décroissant de fréquence.

Cet ordre est approximatif, puisque nous ne disposons évidemment pas de données statistiques pour l'année 2009. Mais ce palmarès, établi par extrapolation, se révélera sans doute assez proche de la réalité.

| LES PALMARÈS DES PRÉNOMS : PRÉVISIONS POUR 2009 | | | |
|---|---|---|---|
| Prénoms féminins | | Prénoms masculins | |
| 1. Emma | 11. Lola | 1. Mathis | 11. Tom |
| 2. Clara | 12. Lina | 2. Mathéo | 12. Louis |
| 3. Maëlys | 13. Éva | 3. Enzo | 13. Ryan |
| 4. Louane | 14. Manon | 4. Nathan | 14. Gabriel |
| 5. Jade | 15. Zoé | 5. Noah | 15. Nolan |
| 6. Sarah | 16. Louna | 6. Raphaël | 16. Léo |
| 7. Lilou | 17. Anna | 7. Lucas | 17. Théo |
| 8. Inès | 18. Marie | 8. Ethan | 18. Killian |
| 9. Chloé | 19. Lily | 9. Yanis | 19. Adam |
| 10. Léa | 20. Léna | 10. Evan | 20. Lilian |

Hormis les derniers du top 20 féminin, tous ces prénoms sont au-dessus du seuil de fréquence de 1 %. Autrement dit, ils seront attribués à plus de 1 garçon ou de 1 fille sur 100. Soulignons que nombre de prénoms masculins sont proches ou au stade de ce seuil : les déclinants Arthur, Thomas, Clément, Alexis, les plus stables Jules et Hugo, les plus jeunes Timéo, Maël, Sacha, Noé.

D'ailleurs, cette liste n'a pas, en elle-même, beaucoup de signification. Elle mélange des prénoms qui grandissent à d'autres qui culminent ou qui déclinent. Ajoutons qu'il s'agit d'une moyenne nationale. Les palmarès des prénoms bourgeois et populaires ne se ressemblent guère. Le palmarès moyen permet tout de même de donner des idées de prénoms à ne pas choisir pour ceux qui craignent par-dessus tout de faire comme les autres.

Les mêmes parents épris d'originalité se détourneront des prénoms que nous donnons comme favoris pour les premières places dans les années qui viennent (voir le chapitre suivant).

Encore faut-il préciser que la mode n'est plus ce qu'elle était. Aujourd'hui, même les prénoms préférés ne sont pas omniprésents : aucun n'atteint à son sommet le score de 3 % des naissances du sexe considéré. On est loin des scores de Michel dans les années 1940 ou de Nathalie dans les années 1960. Les Emma, Mathis ou Mathéo qui naissent aujourd'hui ne risquent guère d'avoir quatre ou cinq camarades de classe répondant au même prénom.

D'autres parents, au contraire, redoutant l'excentricité et souhaitant donner à leur enfant un prénom porté par le flux ascendant de la mode mais qui ne soit pas encore très répandu, pourront s'inspirer de cette liste de prénoms qui montent ou même retenir ceux qui culminent depuis peu à un niveau modeste. Dans le répertoire central, ils s'orienteront vers les choix décrits en 2009 comme «pionnier», «dans le flux», «plutôt conformiste» ou même «dans le vent».

Les futurs parents qui veulent anticiper la mode plutôt que l'accompagner s'orienteront vers les prénoms en voie d'émergence ou qui frémissent (voir p. 71) et se risqueront à puiser dans la liste des prénoms qui pourraient bientôt revenir (voir p. 75). Les choix «précurseur» et «pionnier» leur conviendront, sauf si le choix du prénom est caractérisé comme pionnier depuis une dizaine d'années.

Les plus audacieux s'aventureront jusqu'aux prénoms en vogue dans les années 1920 ou 1930, pariant sur une renaissance de ces prénoms désuets vers 2010. Pour limiter les risques, mieux vaut alors se tourner vers des prénoms dont la réussite n'a pas été trop spectaculaire.

Quant aux futurs parents qui souhaitent avant tout que le prénom de leur enfant échappe aux humeurs de la mode, ils opteront pour les prénoms classiques, ou plutôt à tendance classique car les vrais classiques n'existent pas. Mais qu'ils prennent garde! D'abord, certains des prénoms que nous avons traités comme classiques dans la période récente (comme Benoît ou Vincent) étaient à la limite du choix conformiste. D'autres, peu courants dans l'ensemble de la population, sont conformistes actuellement en milieu bourgeois. Certains des plus classiques se sont effondrés (Hélène, Anne ou François), d'autres sont à la hausse. Il reste que la grande majorité de ces prénoms de type classique ne devraient pas connaître de poussée vertigineuse. On a vu, il est vrai, des prénoms traditionnels, comme Catherine, Michel ou Philippe, être saisis par la mode et s'envoler jusqu'aux sommets. Mais, en général, ils se sont démodés moins vite que les autres, et leur essor avait été précédé d'une période de désaffection, voire de purgatoire.

Enfin, ceux des futurs parents qui se moquent de la mode, ou bien entendent lui tourner le dos, pourront tâter du choix «excentrique». Mieux encore, ils pourront faire le contraire de ce que nous préconisons.

# Combinaisons et variations

On ne choisit pas un prénom isolément. Ce choix s'inscrit dans un contexte dont il convient de tenir compte : les prénoms de la famille ou de la parenté et, particulièrement, ceux des frères ou sœurs de l'enfant à naître s'il n'est pas l'aîné. De plus, on ne choisit pas, généralement, un seul prénom. Ce sont ces stratégies secondaires qui sont décrites ici.

## Un plus : plusieurs prénoms

Certains parents n'attribuent à leur enfant qu'un seul prénom. Cette pratique paraît peu recommandable d'abord parce qu'elle comporte des risques d'homonymie ou d'indistinction : en raison de la concentration des noms, beaucoup de personnes ont le même nom et le même premier prénom. De plus, l'usage de prénoms multiples présente l'avantage de diversifier les choix, et donc de diminuer les risques. Quand il sera devenu adulte, votre enfant, s'il n'est pas satisfait de son premier prénom, pourra plus facilement imposer comme prénom usuel son deuxième ou son troisième qu'un autre, étranger à son état civil.

Si donc vous choisissez trois prénoms pour votre enfant, pourquoi ne pas les emprunter à des registres différents ? Par exemple, un prénom en train de percer pour le premier, accompagné d'un prénom actuellement désuet ou au purgatoire et d'un autre à tendance classique. Ces prénoms supplémentaires peuvent être ceux du parrain, de la marraine ou d'un autre membre de la parenté. Voilà qui permet de concilier l'ancienne tradition avec la stratégie avisée que requiert aujourd'hui le choix des prénoms pour ses enfants. On voit d'ailleurs, de plus en plus souvent, les parents énoncer, dans les faire-part de naissance, l'ensemble des prénoms choisis. Cette pratique, inconnue naguère, est le signe de l'importance nouvelle, et légitime, accordée aux prénoms multiples.

# Les nouveaux prénoms composés

Faut-il aller plus loin, en apposant un tiret entre les deux premiers prénoms ? Les prénoms composés ont connu un immense succès dans les années 1935-60. Près de 1 garçon sur 6 et de 1 fille sur 9 nés au plus haut de la vague (vers 1945-50) ont été dotés d'un prénom double. Le reflux a été rapide dans les années 1960. Depuis 1970, les prénoms composés ne sont guère donnés à plus de 1 nouveau-né sur 30 et ils ne sont pas non plus ceux d'hier.

| LE PALMARÈS DES PRÉNOMS COMPOSÉS | | | |
|---|---|---|---|
| Prénoms féminins | | Prénoms masculins | |
| 1. Lou-Anne | 6. Anne-Charlotte | 1. Léo-Paul | 6. Pierre-Antoine |
| 2. Marie-Lou | 7. Anne-Lise | 2. Jean-Baptiste | 7. Paul-Louis |
| 3. Marie-Alice | 8. Anne-Sophie | 3. Marc-Antoine | 8. Paul-Antoine |
| 4. Lisa-Marie | 9. Anne-Laure | 4. Pierre-Louis | 9. Jean-François |
| 5. Marie-Sarah | 10. Marie-Amélie | 5. Paul-Henri | 10. Paul-Émile |

Jean-Baptiste – faux composé puisque doté d'un saint patron unique –, qui était ces trente dernières années et de loin le prénom double le plus donné en France, a été détrôné par le galopant Léo-Paul. Ce dernier, mêlant deux prénoms aux goûts du jour, a effectué une percée spectaculaire depuis l'an 2000. Dans son sillage, il entraîne d'autres composés de Paul : Paul-Henri, Paul-Louis, Paul-Antoine et même le plus ancien Paul-Émile. Cela fait qu'en l'espace de quelques années Pierre n'est plus le pivot préféré des combinaisons actuelles pour les garçons, en dépit de la croissance rapide de Pierre-Louis.

Les Jean-quelque chose, dont Jean-François toujours au palmarès, ne sont plus, quant à eux, que des gloires déclinantes. Jean-Sébastien se maintient, flanqué du non moins chic Jean-Eudes. Marc, quant à lui, n'est vainqueur que par Marc-Antoine, romain très ambitieux qui pourrait même dépasser Jean-Baptiste. Le traditionnel François-Xavier (à patron unique) distance les non moins BCBG et rares Charles-Henri (y) et Charles-Édouard qui demeurent sur-représentés dans le *Bottin mondain*, où l'on retrouve également les étonnants Jean-Étienne, Henri-Gabriel, Jean-Côme ou Pierre-Albéric.

Chez les filles, le phénomène le plus marquant est le triomphe de Lou, associée soit à Marie, soit surtout à Anne, sous les formes Lou-Anne ou, plus rarement, Lou-Ann. Le prénom Louane, qui s'écrit une fois sur deux Lou-Anne, n'aurait pas gagné la tête du top 20 féminin que nous prévoyons pour 2009 sans l'apport de cette forme composée. Lou-Anne est d'ailleurs une exception notable à la disgrâce actuelle des prénoms composés en France.

Anne fait donc aujourd'hui jeu égal avec Marie, malgré le déclin de deux vedettes d'hier, Anne-Sophie et Anne-Laure. Anne-Lise, poussée par la cote de Lise, est venue en renfort, mais a été prise de vitesse par Lisa-Marie, forte de la plus grande popularité de Lisa tout court. Marie-Amélie marque le pas alors que la plus jeune Marie-Sarah (ou Sara) se maintient. On assiste à la progression de Marie-Alice, déjà en 3e position, accompagnée par la plus discrète Marie-Alix, proche du top 10. Marie-Ange et Marie-Laure n'en sont pas loin mais, au contraire, sur une pente déclinante.

Au début des années 1990, des combinaisons nouvelles, comme Laure-Anne, Laure-Line ou Carole-Anne, ont parfois été choisies, faute de mieux, au lieu des Lauranne, Laureline ou Carolane souhaitées. Mais ces dernières ont désormais le champ libre. On ne peut d'ailleurs s'empêcher de voir dans le succès grandissant de Loane, petite sœur de Louane, une autre preuve de la faveur dont jouissent ces prénoms « contractés », au détriment des composés jugés trop longs.

Les prénoms composés féminins sont beaucoup plus en vogue au Québec. Marie-Ève et Marie-Pier (forme que prend là-bas Marie-Pierre) y ont été en vedette dans les années 1980. Aujourd'hui, c'est au tour de Marie-Anne, autant appréciée que Marianne, d'être dans la lumière.

On aura noté que le répertoire, malgré son renouvellement, reste assez limité. Les possibilités de composition ne sont pas infinies, d'abord parce qu'il convient d'éviter les cacophonies du genre Aurélie-Lise, ou Carine-Camille. Les mariages heureux ne sont pas si nombreux. Le premier prénom, généralement traditionnel, doit être bref (Anne, Jean, Marc, etc.) et se prêter au jumelage, comme Marie. Le second ne peut guère excéder trois syllabes. Marie-Élisabeth fait moins recette que Marie-Lise. Et rares sont les prénoms à trois syllabes qui s'associent volontiers à Marie. Il y eut jadis Marie-Madeleine et Marie-Antoinette, mais Marie-Dominique n'a pas réussi à s'imposer dans les années 1950 et 1960.

Les parents qui hésitent à franchir le pas du trait d'union ont toujours la ressource de faire enregistrer les prénoms de leur enfant dans un ordre tel qu'ils puissent se composer. Ils déclareront, par exemple, Marc Olivier Martin, plutôt que de mettre Martin derrière Marc, ou Paul Étienne Grégoire s'ils trouvent Paul un peu court ou s'ils craignent qu'il ne redevienne trop courant. Cette formule plus souple permet de faire un placement diversifié qui augmentera plus tard leur marge de choix et celle de leur enfant.

# Les diminutifs

Les uns se délectent à l'idée d'appeler Tim leur Timothée ou Tom leur Thomas. D'autres, au contraire, redoutent que leur Augustin puisse donner prise à Gus ou Tintin. Les diminutifs sont une question sur laquelle les parents se partagent. Ce sont eux, d'ailleurs, qui donneront le ton sur ce point.

Il est des prénoms qui sont particulièrement prolifiques en diminutifs ou dérivés. Le cas le plus frappant est celui d'Élisabeth qui a produit Isabelle, Élise, Élisa, Lise, Lisa, Liliane, Elsa, Lisbeth, Lisette, Babette, Betty, et peut-être Éliane. Notons que tous ces diminutifs sont devenus des prénoms à part entière, la plupart depuis très longtemps. Les diminutifs peuvent ainsi prendre leur autonomie et être enregistrés à l'état civil, par exemple Cathy, Katia, Nelly, Peggy, tous les prénoms avec suffixe en *ette*, ainsi que certaines formes contractées, Ginette (Geneviève), Maryse (Marie-Louise), Marlène et Mylène (Marie-Hélène). Nous voyons aujourd'hui se répandre des diminutifs anglo-américains, notamment Teddy, Tom, Jimmy, Sandy.

Enregistrer un diminutif à l'état civil peut avoir l'inconvénient de restreindre les options ultérieures. Dans les années 1940, mieux valait déclarer sa fille comme Anne plutôt que comme Annette ; sans empêcher l'usage d'Annette, cela permettait un retour à Anne, moins daté. Bien des Jeannine souhaiteraient aujourd'hui avoir reçu le plus classique Jeanne. De même, un Frédéric pourra toujours se faire appeler Fred s'il y tient, l'inverse étant moins vrai. Une petite Mandy, diminutif qui perce actuellement, préférera peut-être Amandine quand elle aura grandi.

# Les variantes orthographiques

Les prénoms peuvent aussi se transformer par leur orthographe, encore que, selon nous, c'est le son d'un prénom qui lui donne son identité propre.

Les évolutions graphiques obéissent parfois à une certaine logique. Mickaël l'emporte sur Michaël pour éviter un doute sur la prononciation ; Matthieu est distancé par le plus simple Mathieu depuis que ce prénom est à la mode ; Hadrien ne fait plus le poids face à Adrien ; Jérémie a été complètement supplanté ces dernières années par Jérémy, parce que la terminaison en *ie* est spécifique aux filles. Pour la même raison, on a vu apparaître Magalie, Murielle, et même Maude, à l'exemple d'Aude.

Ces variantes peuvent être source d'embarras pour les porteurs de prénoms qui ont beaucoup d'orthographes possibles : Christelle, Yoann, Laurène. Les records actuels sont Ryan (nous avons recensé 28 orthographes différentes) suivi de Tiphaine (26), Maëlis (25), Aymeric (22), Tiffany (20). La gêne sera d'autant plus grande s'il s'agit de variantes très rares qui témoignent d'une recherche d'originalité assez mal placée. On ne voit guère l'avantage qu'il y a à s'appeler Gérôme ou Lorent.

Et pourtant, certains parents tiennent à faire enregistrer Maryne, qui se répand au lieu de Marine, Mélanye pour Mélanie, Aymeline pour Émeline ou Cloé pour Chloé. Combien de fois un pauvre Arnauld devra-t-il épeler son prénom, à moins qu'il ne renonce à ce *l* supplémentaire auquel ses parents tenaient tant !

Le lecteur attentif de notre partie dictionnaire remarquera que les différentes formes orthographiques d'un même prénom n'ont pas toujours le même profil social. Ainsi, Héloïse est plus chic qu'Éloïse, Matthieu est plus bourgeois que Mathieu, Karine plus populaire que Carine, alors que Jérémie l'est beaucoup moins que Jérémy. Lorraine est très en vue dans les milieux BCBG, qui ignorent presque Laurène.

## Faut-il faire des séries ?

Depuis que les prénoms ne se transmettent plus d'une génération à l'autre, un nouveau souci surgit : apparenter les prénoms des enfants. Nombreux sont les parents qui éprouvent une certaine satisfaction à mettre sur leur progéniture une estampille commune. Ils font une série de prénoms ayant la même initiale, la même première syllabe (Aude, Audrey, Aurore...) ou la même terminaison.

Cette dernière option n'est pas sans inconvénients pratiques. Si vos trois filles se prénomment Émilie, Aurélie et Julie et que vous appeliez l'une d'elles à haute voix (avec accent inévitable sur *lie),* vous pouvez les voir accourir toutes les trois ; avec le temps, vous n'en verrez plus aucune, surtout si quelque corvée est dans l'air. L'initiale identique ou même la première syllabe commune – Juliette et Justine – provoquent moins de confusion sonore, mais comportent aussi un risque d'indistinction dans certaines circonstances, pour le courrier par exemple.

Certains parents fabriquent des séries en jouant sur les prénoms composés. En juillet 1993, Anne-Karoline, Charles-Henry et Charles-Xavier faisaient part, dans *Le Monde*, de la naissance de Charles-

Gauthier. N'oublions pas que Caroline (ici avec un *K* initial!) est un féminin de Charles. En juin 1994, les quatre enfants annonçaient la venue de leur sœur Claire-Hélène: renoncement à Charles mais non aux composés et à la lettre C. D'autres préfèrent les enchaînements du genre: Oscar, Arnaud, Norbert, Bertille…

Le goût pour les assonances, s'il est poussé trop loin, peut nuire à une individualisation convenable de chaque enfant. Rémy fait avec Jérémy une rime trop riche. Caroline et Coraline forment un couple trop intime, même, et peut-être surtout, pour des jumelles. Alizée et Élisa, Chloé et Cléo, Léa et Léo sont encore trop voisins. Théotime fait à Timothée un écho subtil, mais qui peut faire trébucher.

Au XIXe siècle, les parents du grand géographe Élisée Reclus manifestaient déjà, pour leurs quatorze enfants, un penchant pour les séries: Élie, Élise, Élisée, suivis de Zéline et Onésime; parmi les sœurs plus jeunes, Louise succédait à Loïs et Yohanna à Anna.

On peut jouer sur des affinités sonores plus lointaines. Avec leur *r* final, Arthur, Victor et Gaspard forment une jolie déclinaison, à compléter éventuellement par Kléber et Casimir. Il n'y a pas que les sonorités qui puissent apparenter les prénoms des frères et sœurs. Adrien et Maxime ont presque tout en commun, hormis leur son. Le risque, ici, est de se laisser aller à la facilité du couple célèbre, du genre Tristan et Yseult. Victor et Hugo tirent vers le calembour, tout comme Jules associé à Romain ou à César. Ce dernier fera un peu ambitieux avec Alexandre.

Mieux vaut, dans ces assemblages, garder un peu de distance et de discrétion. Gustave, Honoré et Émile, prénoms qui devraient revenir, rendent hommage à trois grands écrivains du XIXe siècle. On peut encore donner sa préférence à des séries déjà éprouvées, comme Anne, Émilie et Charlotte, prénoms des trois sœurs Brontë.

## Le sexe de Loïs: les prénoms mixtes aujourd'hui

Aux côtés des prénoms mixtes traditionnels et strictement homonymes que sont Camille, Dominique ou Claude, le XXe siècle a vu apparaître une foule de prénoms homophones dont la sonorité ne permet pas de distinguer les sexes: René et Renée, Pascal et Pascale, Michel et Michelle et tous les prénoms en *el*… Même indistinction, plus récemment, avec les prénoms en *an* prononcés à l'anglaise (Morgan, Jordan, etc.).

Nous nous intéressons ici aux prénoms mixtes *stricto sensu*, ceux qui ont la même orthographe, qu'ils soient portés par une fille ou un garçon. La venue en masse de prénoms exotiques indifféremment anglo-celtiques, arabes ou bretonnants, introduit souvent un doute sur le sexe du prénom.

Voici la liste des prénoms mixtes d'aujourd'hui établie par le dépouillement des dernières années de l'état civil, ce qui permet d'inclure des prénoms peu usités.

| LES PRÉNOMS MIXTES AUJOURD'HUI | | | | | |
|---|---|---|---|---|---|
| classés par taux décroissant de féminité (% de filles) | | | | | |
| Tiphaine | 100 % | Alix | 77 | Clarence | 34 |
| Nolwen | 98 | Sydney | 75 | Swann | 34 |
| Camille | 95 | Jordane | 66 | Charlie | 23 |
| Sandy | 95 | Sidney | 65 | Ange | 19 |
| Lou | 93 | Gwenn | 57 | Morgan | 15 |
| Maé | 91 | Morgann | 55 | Jessy | 14 |
| Jessie | 88 | Sasha | 53 | Sacha | 13 |
| Andrea | 88 | Anaël | 52 | Dominique | 13 |
| Nolwenn | 87 | Mahé | 46 | Loan | 13 |
| Nour | 85 | Noa | 46 | Aloïs | 12 |
| Kim | 83 | Louison | 44 | Maël | 3 |
| Eden | 82 | Deniz | 42 | Noah | 3 |
| Joyce | 80 | Loïs | 41 | Alex | 2 |
| Mallory | 78 | Gillian | 40 | Maxence | 1 |

Nous avons retenu Tiphaine, bien qu'il soit totalement féminin aujourd'hui, parce qu'il a été donné jadis à des garçons. À l'autre extrême se trouve Maxence, masculin malgré sa sonorité et une sainte Maxence légendaire, tandis que le peu connu Clarence, masculin en Grande-Bretagne au XIXe siècle, est très équivoque (34 %).

Des prénoms mixtes traditionnels en France, le seul qui connaisse une grande vogue aujourd'hui est Camille ; mais son androgynie s'est fortement estompée : jadis plutôt masculin, il est devenu féminin à 95 %. Car le sexe des prénoms évolue dans le temps. Dominique fut le prénom mixte par excellence du XXᵉ siècle ; il s'est virilisé lors de sa disgrâce.

Claude, également très rare aujourd'hui, voit s'accroître encore une prédominance masculine qu'il a toujours connue et vient de disparaître chez les filles.

Alix, autre prénom de mixité ancienne (au moins depuis un siècle), se féminise au contraire en grandissant un peu, malgré le succès persistant d'une bande dessinée dont le jeune héros romain est lui-même quelque peu androgyne.

C'est dans la zone moyenne qu'il faut aujourd'hui rechercher les prénoms les plus indécis quant au sexe. Gillian est féminin dans les pays anglophones, où on le rattache à Julienne. En France, Gilles, combiné au succès de la terminaison masculine en *ian*, le virilise à moitié. Louison fait penser aussi bien à Bobet qu'à la petite fille du *Malade imaginaire*. Mais le tout neuf (et rare) Anaël est aussi un prénom complètement androgyne pour le moment, né aux côtés d'Anaëlle, prénom féminin plus courant, de création récente, et qui a fait ses premiers pas en Bretagne. Or, la tradition bretonnante, qui refuse un féminin en *elle*, est un facteur important d'indistinction. Nolwen, Gwenn, Maëlig sont en principe féminins, mais la sonorité et l'absence du e final abusent certains parents (hors de Bretagne). À l'inverse, Morgane est une féminisation erronée aux yeux des bretonnants pour qui Morgan convient à une fille ; d'où aussi le refuge dans Morgann au sexe très incertain. Voilà qui explique aussi les quelques Maël filles. Actuellement, Louan est attribué aux garçons, alors que Louann est choisi pour les filles. Lénaïg est totalement féminin, alors que Lénaïc est plutôt masculin.

L'incertitude sexuelle accompagne souvent les doutes sur l'orthographe de prénoms nouveaux. Le Noah anglo-américain est presque totalement masculin, tandis que Noa est très équivoque. Les variantes orthographiques font aussi varier le *sex ratio* : Sasha est bien moins masculin que Sacha. Un prénom féminin en *y* perd un peu de sa féminité : d'où quelques Laury garçons et le contraste entre Jessy, masculin à 86 %, et Jessie, féminin à 88 %. Inversement, une terminaison en *ée* pour un prénom de garçon brouille les pistes. Cela a été le cas lors des premiers pas de Timothée (aujourd'hui clairement masculin, mais qui tend à perdre son e final) ; cela reste vrai pour Orphée et Élisée, trop rares aujourd'hui pour figurer sur notre liste. Dans d'autres cas, c'est la coexistence de traditions nationales diverses qui explique la mixité. Andrea est André en Italie, et non pas son féminin comme il l'est dans plusieurs pays. Kim est féminin comme diminutif de Kimberley et fait penser à deux actrices, Novak et Bassinger, mais il n'en va pas de même en Corée, ni pour Rudyard Kipling.

Certains prénoms venus d'ailleurs gardent en France leur mixité originelle, tels l'arabe Nour et les anglophones Charlie, Eden et Joyce. En revanche, Jordan, typiquement mixte aux États-Unis, ne l'est pas en France, et même la forme Jordane, en net déclin, a longtemps été majoritairement masculine.

La terminaison en *is* a durablement été typique des prénoms féminins (Alice, Anaïs). C'est moins vrai aujourd'hui avec la poussée de Yanis, Mathis ou Joris. D'où une équivoque pour Loïs, forme ancienne de Louis, fortement amplifiée par la Loïs compagne de Clark-Superman, qui contribue à féminiser ce prénom, affectant même le vieil Aloïs.

# L'enregistrement des prénoms à l'état civil

De plus en plus nombreux sont les parents qui cherchent pour leur enfant un prénom vraiment original, neuf ou n'ayant pratiquement pas servi.

Cette diversité croissante des choix n'empêche pas les mouvements de mode, car ils peuvent être des milliers à avoir la même idée au même moment. Mais elle se traduit statistiquement par un tassement des prénoms vedettes qui n'atteignent plus les scores majestueux de naguère.

## Les prénoms « originaux » et leurs problèmes

Voici que nos parents se sont enfin mis d'accord, non sans peine parfois, sur l'oiseau rare. Jusqu'en 1993, leur déconvenue était grande lorsque, au moment de la déclaration de naissance, ils se heurtaient à un refus de la part du service de l'état civil de la mairie. Depuis la nouvelle loi du 8 janvier 1993, la situation des donneurs de prénoms a beaucoup changé. Pour apprécier cette nouveauté, rappelons ce qu'était le régime antérieur.

La législation en matière de prénom(s) était contenue dans les articles 276 à 281 de l'Instruction générale relative à l'état civil (titre III, chap. I). S'inspirant de la loi du 11 germinal an XI (1er avril 1803), ce texte, révisé en 1966 et plus encore en 1987 dans le sens d'un libéralisme accru, restait finalement assez flou.

Jusqu'en 1987, il posait des limites assez strictes au répertoire des prénoms possibles : seuls pouvaient être reçus sur les registres « les prénoms en usage dans les différents calendriers et ceux des personnages connus dans l'histoire ancienne ». Les calendriers en question, était-il précisé, sont ceux « de langue française ». Quant à l'histoire ancienne, elle était limitée « à la Bible et à l'Antiquité gréco-romaine», et cette disposition restait toujours en vigueur. Le goût pour la culture gréco-romaine, propre à l'époque révolutionnaire, a continué de régler nos choix pendant près de deux siècles. Voilà qui ouvrait d'ailleurs un champ immense et très peu exploité. On ne pouvait, en principe, refuser Aristote, Héraclite, Socrate, Solon, Clisthène, Thalès, Xénophon, pas plus que Cassius, Cicéron, Tibère, Agrippine, ni même Néron ou Caligula. En revanche, par personnages, il fallait entendre «personnages historiques», ce qui conduisait à «exclure en principe» le répertoire mythologique.

Cependant, l'article suivant indiquait que pouvaient être admis «les prénoms de la mythologie (tels Achille, Diane, Hercule, etc.)». Notons que Achille et Diane étaient de mauvais exemples, puisque ce sont aussi des prénoms chrétiens. La même tolérance pouvait être accordée aux prénoms régionaux, aux prénoms étrangers, aux prénoms composés et, «avec une certaine prudence», à «certains diminutifs», «certaines contractions de prénoms doubles», «certaines variations d'orthographe». Tant de «certains» faisaient beaucoup d'incertitudes.

En 1987, une modification de ce texte ouvrait largement la porte aux prénoms étrangers. D'abord, référence était faite aux prénoms des calendriers français et étrangers; concession sans grande portée pratique puisque les calendriers répertoriant les saints ne sont pas en usage dans les pays anglo-saxons, principaux fournisseurs d'exotisme. Mais le nouveau texte précisait aussi que pouvaient être choisis «les prénoms consacrés par l'usage et relevant d'une tradition étrangère ou française, nationale ou locale».

Pourtant, les difficultés d'enregistrement d'un prénom étranger ne cessèrent pas du jour au lendemain. C'est que les parents devaient justifier que le prénom et son «orthographe exacte» étaient bien en usage en France ou à l'étranger, ce qui n'est pas toujours chose facile. En outre, le texte laissait en fait une grande marge d'appréciation personnelle à l'officier de l'état civil par la référence qu'il faisait à la consécration du prénom grâce à un «usage suffisamment répandu».

La notion d'un «usage suffisamment répandu» pouvait aussi paraître contradictoire avec la première délimitation du répertoire: les calendriers et l'histoire ancienne. La grande majorité des noms de personnages connus de l'Antiquité n'a jamais été utilisée comme prénoms. Du calendrier des Postes, repris dans les agendas et qui ne recense guère plus de trois cents prénoms, on a vite fait le tour. Force est de se référer aux calendriers liturgiques de l'Église catholique, c'est-à-dire aux innombrables noms de saints. Certains figurent au calendrier romain général, d'autres au calendrier des saints de France, d'autres encore au calendrier propre à chaque diocèse, à quoi s'ajoutent les saints locaux.

On peut ainsi fêter une bonne dizaine de saints chaque jour. Parmi eux un grand nombre sont complètement délaissés.

Ils sont légion ces noms de saints qui, par leur sens ou par leur sonorité, prêtent à de trop faciles plaisanteries et sont en totale disgrâce : Cucufat, Cunégonde, Cuthbert, Malachie, Goneri, Pothin, Pulchérie, et autres Cloud, Fiacre, Arcade, Bède, Ouen, Prétextat, Fridolin, etc. Même les moins risibles Amour, Fidèle, Juste, Parfait et Modeste (à la fois) seront assez lourds à porter (encore que Aimé et Aimée aient eu des adeptes au début du XXᵉ siècle).

Et qu'en est-il de l'éphémère calendrier républicain de l'époque révolutionnaire qui honorait plantes, légumes, fruits et outils agricoles ? Il a déjà servi de référence, par exemple, pour faire accepter certains noms de fruits, tel Cerise qui y figure. Mais cette référence ne pouvait suffire. Si elle a aidé à faire enregistrer Coriandre ou Garance, elle n'a pas permis que d'autres parents aient l'idée étrange d'appeler leur fils Épinard ou Artichaut : ce dernier fut enregistré le 13 messidor an II à Champagne-Saint-Hilaire, dans la Vienne.

Les officiers de l'état civil avaient donc une tâche bien difficile. D'une manière générale, ils firent preuve de tolérance dans l'application de la loi.

Nous avons rencontré, dans nos dépouillements, assez de prénoms bizarres et de graphies abracadabrantes pour en témoigner. Certes, les protestations provoquées par des refus perçus comme arbitraires et même les litiges n'ont cessé de croître jusqu'en 1992. Mais c'est parce que ceux qui recherchent l'originalité à tout prix sont de plus en plus nombreux. Il n'était pas mauvais qu'une limite fût posée face à l'imagination débordante de certains parents et aussi, sans doute, que soit un peu contenue l'américanisation galopante des prénoms.

Ce qui constituait une cause légitime d'irritation, c'est que ces limites étaient fluctuantes. Tel prénom, déjà accepté depuis deux ans dans une ville, était refusé dans une autre ; et cela ne concernait pas seulement les prénoms régionaux.

C'est ainsi que Cassandre fut l'objet de célèbres litiges. Ce prénom, en usage dans les pays anglo-saxons sous la forme Cassandra, pouvait pourtant se réclamer de Ronsard aussi bien que de la prophétesse de malheur. Cerise et Prune ont naguère défrayé la chronique judiciaire, tandis qu'Alizée et Océane furent longtemps bridées dans leur élan. Mélodie eut aussi quelque peine à s'imposer.

On a vu récemment apparaître Charlélie (masculin) grâce à un chanteur, et Swann à cause du film tiré de l'œuvre de Proust. L'actrice Nastassia Kinski a inspiré des parents qui durent se rabattre sur Nastasia, dont la prononciation est différente. Bruce, pourtant vieux nom normand passé en Écosse, a posé bien des problèmes. Aubéri (ie ou y), connu grâce à une journaliste de télévision, a eu du mal à se faire admettre, tout comme Titouan, diminutif méridional d'Antoine qu'un navigateur a fait découvrir.

Les prénoms mythologiques auraient dû fleurir depuis 1987 ; pourtant, les Ulysse, Pénélope, Calypso et autres Clio, Eurydice, Isis ou Danaé ne naissent qu'en petit nombre. Des difficultés subsistaient pour les noms d'inspiration mythologico-astronomique du genre Cassiopée et Orion ; Astrée aurait eu sans doute plus de chance grâce au roman du XVIIᵉ siècle.

L es prénoms anglo-américains, souvent entendus dans les séries télévisées, ont constitué la principale source de litiges. Nous ne parlons pas ici de ceux – ils sont légion – qui sont désormais d'usage courant, alors qu'ils auraient été impitoyablement refoulés naguère. Nous ne parlons pas non plus de ceux qui ont la chance de figurer dans la Bible ou d'être dotés d'un saint patron, même obscur, comme Nelson ou Edwin. Le triomphe récent de Kevin et Audrey vient de ce qu'ils trouvent place au calendrier des Postes. Mais il y a toujours de nouveaux candidats à la naturalisation. Leur période probatoire était plus ou moins longue et on les admettait d'abord plus volontiers si l'un des parents n'était pas de nationalité française. Actuellement, Eliott (avec un ou deux *l* et un ou deux *t*) est sur sa lancée, après avoir passé de mauvais moments. Gary et Candice (féminin) sont en plein essor, alors que Lindsay (féminin) et Wesley (masculin), longtemps contestés, gagnent du terrain. L'étrange Gaylord a suscité de fortes oppositions, légitimes à notre sens, dans beaucoup de services de l'état civil ; il s'est un peu répandu pourtant, en dépit du sens qu'a pris le mot « gay ». Beverly et Kimberley (féminins) ont été acceptés ici et refusés ailleurs, le diminutif Kim paraissant provoquer moins de réticences. Stacy (ie) a été un bon exemple de prénom de feuilleton qui avait beaucoup de mal à être enregistré. Même les Sullivan, Dylan, Donovan, et autres, malgré leur percée, étaient, jusqu'en 1992, contestés dans certaines mairies.

C es résistances sont assez compréhensibles. Les prénoms anglo-américains peuvent poser une foule de problèmes dont les parents n'ont pas toujours conscience. Séduits par leur sonorité, ils ne réalisent pas que, prononcés à la française, ces prénoms risquent d'être disgracieux. Il est heureux que Sue-Ellen n'ait pratiquement pas franchi le seuil des mairies. Les prénoms masculins terminés par *an*, si on les prononce en *ane*, conduisent à un doute sur le sexe : comment distinguer Lilian de Liliane ou Morgan de Morgane ? Comment savoir que Jordane est presque exclusivement masculin, tout comme Sofiane, prénom arabe qui n'a rien à voir avec Sophie ? Même équivoque pour les prénoms en *y* : Jessy est surtout masculin, alors que Sandy est féminin (aujourd'hui en France). Mieux vaudrait franciser les diminutifs féminins en *ie* : Sandie, Mandie, etc. De même, Mallaury, Mallory ou Malory serait plus clairement féminin avec *ie* ; on pourrait d'ailleurs revenir à l'orthographe française traditionnelle du nom, Malaurie. Les prénoms changent parfois de sexe en passant les frontières. Leslie fut masculin en Grande-Bretagne au début du XXᵉ siècle ; Joan (comme Jean) est féminin dans les pays anglo-saxons, alors que Laurence y est masculin. On voit même des parents, sous influence télévisée, vouloir appeler leur fille Alexis, qui s'est féminisé outre-Atlantique, ou même Maxine, fâcheusement proche de Maxime.

Le texte de 1987 a eu des effets indésirables de ce point de vue. Prouver l'orthographe d'un prénom d'après son usage à l'étranger freinait sa francisation : voilà pourquoi on trouve tant de Kathleen, de Laureen, de Maureen, ces dernières étant plus nombreuses que les Maurine. On a même vu naguère un service de l'état civil imposer Meg-Ann pour Mégane, adaptation française de Megan !

## La loi du 8 janvier 1993

Cette nouvelle loi modifiant le Code civil représente une petite révolution pour le choix des prénoms en France, qui restait jusqu'alors sous le régime d'une liberté surveillée d'assez près.

Désormais, « l'officier de l'état civil porte immédiatement sur l'acte de naissance les prénoms choisis » par les parents (sous-entendu qu'ils lui plaisent ou non). Toutes les références à des calendriers ou à l'usage du prénom en France et à l'étranger ont disparu du texte.

La principale restriction qui subsiste est la suivante : si les prénoms ou l'un d'entre eux paraissent à l'officier de l'état civil « contraires à l'intérêt de l'enfant », il avise le procureur de la République et celui-ci peut saisir le « juge aux affaires familiales » institué par la même loi. Ce juge pourra faire supprimer le prénom litigieux des registres de l'état civil.

S'y ajoute une restriction touchant à la protection des patronymes : on ne pourra pas, semble-t-il, choisir en toute liberté comme prénom le nom d'une personne connue.

La grande différence avec le régime antérieur est que ce n'est plus aux parents de saisir, en cas de litige, le procureur de la République puis, en cas de nouveau refus, le tribunal de grande instance. Cette voie judiciaire était parfois longue et toujours coûteuse, nécessitant l'assistance d'un avocat. Dans l'attente du jugement, l'enfant était dépourvu de prénom (si un seul était prévu) et cette identité incomplète pouvait entraîner la suspension des allocations familiales. Nombre de parents répugnaient à se lancer dans une procédure et se soumettaient à la décision de l'officier d'état civil ou du procureur.

Le prénom choisi est désormais inscrit aussitôt sur l'acte de naissance, même s'il est litigieux. Une circulaire du 3 mars 1993 précise ce qu'il faut entendre par «contraire à l'intérêt de l'enfant»: sont visés les prénoms «ayant une apparence ou une consonance ridicule, péjorative ou grossière, ceux difficiles à porter en raison de leur complexité ou de la référence à un personnage déconsidéré dans l'histoire», ou encore les vocables «de pure fantaisie». On peut penser que le procureur de la République hésitera à saisir trop souvent le juge aux affaires familiales qui risquerait d'être vite débordé.

La liberté de choix n'est pas vraiment totale: en septembre 1993, Babar, considéré comme un nom d'animal, a été supprimé de l'état civil d'une petite fille où il avait été inscrit en troisième prénom. Céleste eût, évidemment, mieux fait l'affaire.

On manque actuellement de recul pour apprécier l'effet de cette nouvelle loi. Elle ne devrait pas, à notre sens, bouleverser le système de prénomination en France. Mais elle peut avoir des conséquences qui ne seront pas toutes heureuses. Elle risque d'abord d'entraîner la multiplication d'orthographes bizarres qui obligeront celui ou celle qui en sera affublé à épeler son prénom toute sa vie durant (exemple actuel: Brayan pour Bryan). Elle peut aussi favoriser l'apparition de prénoms «politiques» faisant référence à des événements historiques ou à des personnalités politiques d'hier ou d'aujourd'hui. On a évité, dans les années 1940 et 1950, le prénom Staline qui serait assez lourd à porter aujourd'hui. Il n'était pas à l'époque, en tout cas pas pour tout le monde, «déconsidéré par l'histoire». Enfin, cette nouvelle loi ne met plus aucune borne à l'américanisation des prénoms français. Cette tendance ne sera pas nécessairement durable, mais on ne la voit pas s'essouffler pour le moment, tout au contraire.

Sans revendiquer une «clause d'exception culturelle», on peut souhaiter que se maintienne le patrimoine, si riche, des prénoms d'usage ancien en France. Nous en citons beaucoup, tout au long de ce livre, qui sont propres à satisfaire les amateurs de rareté.

Voici, pour commencer, un premier bouquet de prénoms qui ont très peu servi, choisis parmi ceux que nous n'aurons pas l'occasion de mentionner ailleurs.

- Prénoms féminins: Aglaé, Aloïse, Armande, Aure, Aureline, Béline, Brune, Colombe, Colombine, Donatienne, Elvire, Eudoxie, Fantine, Gaëtane, Gervaise, Hermance, Hermione, Iphigénie, Luce, Ondine, Pélagie, Prudence, Véra, Yveline.
- Prénoms masculins: Abélard, Andéol, Aristide, Barnabé, Calixte, Clémentin, Eustache, Évariste, Évrard, Ferréol, Florimond, Gatien, Gaubert, Horace, Hugolin, Irénée, Lambert, Landry, Léandre, Marien, Mayeul, Nestor, Odon, Orphée, Samson, Saturnin, Séverin, Zéphirin.

On en découvrira beaucoup d'autres dans la liste des deux mille cinq cents prénoms présentée à la fin de l'ouvrage.

# Les prénoms
de demain

# Les tendances actuelles

Dans ce chapitre, de nature prospective, nous quittons pour un temps le territoire du vérifié pour aborder les rivages du probable et du possible.

Cependant, nous ne lisons pas l'avenir dans une boule de cristal ; nous continuons à nous appuyer sur des faits constatés. Pour définir la cote des prénoms qui montent, parmi lesquels se trouvent ceux qui devraient figurer aux premières places dans les prochaines années, nous nous fondons sur plusieurs critères : leur score actuel, leur distribution sociale et l'allure de leur progression.

Il est toujours périlleux de prolonger des courbes de croissance. Nous avons rencontré bien des prénoms qui, partis d'un bon pas, s'étaient vite essoufflés pour plafonner à un niveau médiocre, d'autres qui ont longtemps hésité avant de prendre leur essor, d'autres encore qui, après avoir fait mine de percer, sont retombés dans la zone du confidentiel.

Il nous a paru toutefois utile d'informer les futurs parents sur les tendances actuelles et prévisibles de la mode, de leur signaler les prénoms qui sont en progression et même ceux qui viennent tout juste d'émerger ou qui pourraient bien sortir prochainement du purgatoire.

Le fait d'avoir suivi la carrière de centaines de prénoms en dépouillant des dizaines de milliers de chiffres ne nous confère pas un pouvoir de divination. Mais il nous autorise peut-être à avancer quelques prévisions. Celles que nous avions faites dans les précédentes éditions de ce livre se sont réalisées, à quelques nuances près.

## Les sources de la mode

Le répertoire des prénoms actuellement en vogue ou en progression s'alimente à plusieurs sources :

- **La source rétro** est la plus permanente, en raison du caractère cyclique de la mode. Elle a déjà fait revenir des prénoms de la seconde moitié du XIXe siècle (Jules, Victor, Joséphine) ou du début du

XXe, comme Camille. Étant donné le goût pour l'antique qui caractérisa le XIXe siècle, la source rétro se confond actuellement en grande partie avec la source suivante.

- **La source antique,** gréco-romaine mais surtout romaine, a été importante dans les années 1980 et 1990, avec des prénoms en vedette tels Émilie, Julie, Aurélie, Julien, Maxime, Alexandre, Adrien, Quentin, sans oublier Romain. Cette source se tarit quelque peu aujourd'hui.
- **La source biblique** a propagé des prénoms de l'Ancien Testament d'usage confidentiel jusqu'alors, comme Benjamin, Sarah, Nathan, plus récemment Noé, Adam et Tobias. Elle se renforce actuellement.
- **La source bretonnante** a surgi, dans les années 1970, à la faveur des revendications d'identité bretonne. Elle s'illustre actuellement par des prénoms très sur-représentés dans leur province d'origine, mais qui pourraient revendiquer un destin national, par exemple, Énora, Maëlle, Maïwenn chez les filles, et Malo, Ewen ou Titouan chez les garçons.
- **La source américano-celtique** mêle l'ancienneté des Celtes (y compris la source bretonnante) au modernisme anglo-américain. C'est l'effet Halloween, ancienne fête celtique des morts que les Irlandais ont fait prospérer aux États-Unis et qui s'est installée en France à la fin des années 1990. Ce mélange a été récemment très porteur : Kevin (gallois d'origine passé par les États-Unis) a triomphé en France dès les années 1980. Sont venus ensuite les gallois Morgan ou Dylan, l'écossaise Fiona et la cohorte des irlandais : Kelly, Maureen, Bryan, Ryan, Killian et les plus discrets Sullivan, Brendan ou Donovan. Cette source reprend de la vigueur aujourd'hui en se masculinisant avec le succès de Nolan, Ilan, Ethan, Evan et la percée de Kelian et Logan.
- **La source latine,** d'apparition récente, est très en vue de nos jours avec des prénoms ibériques – Inès, Lola, Pablo, Mateo, Esteban, Diego – et plus encore italiens, avec Mathéo, Enzo, Carla, Anna, Chiara et beaucoup d'autres qui émergent, du genre Fabio, Tiago, Nino, Flavio ou Paolo.

Comme on l'a vu, les courants peuvent se combiner. Certains d'entre eux se recouvrent en partie et la conjonction de leurs flux peut emporter jusqu'au sommet les prénoms qui savent naviguer.

C'est ainsi que Léa a profité à la fois des sources biblique, antique et rétro.

La source biblique se confond souvent avec la source anglo-américaine puisque les prénoms tirés de l'Ancien Testament (tels Jérémy, Jonathan, Jessica et les plus neufs Ethan et Evan) sont, de longue date, d'usage courant dans les pays d'obédience protestante.

Dans leur immense majorité, les prénoms aujourd'hui en ascension ou en voie d'émergence peuvent être rattachés à une ou plusieurs de ces sources de la mode actuelle. Mais cela ne signifie pas que tous les prénoms en usage dans les pays anglo-saxons, ou encore tous les prénoms bibliques, aient une chance de s'imposer en France. Le succès de Ruth, trop difficile à prononcer à l'anglaise et scabreux si on le francise, est bien improbable.

## Les couleurs de demain

En matière de prénoms, les couleurs de la mode ne sont pas autre chose que leur sonorité définie en grande partie par leur terminaison. Chez les filles, la terminaison en *ie*, prépondérante dans les années 1980, est en voie d'effondrement. Ces prénoms ne sont plus qu'une poignée (notamment Marie, Lucie, Noémie).

La terminaison en *ine,* momentanément négligée, avait repris du poil de la bête (Pauline, Marine, Justine, Clémentine, entre autres). Elle pèse aujourd'hui beaucoup moins lourd que la finale en *a* écrasante (Emma, Clara, Sarah, Léa, Lola, Lina, Éva, Louna, Anna, Léna, etc.), renforcée de sa variante en *ia* (Célia, Maya, Julia, Alicia). On peut relever une petite poussée de la terminaison en *ane*, moins forte que chez les garçons (Louane, Romane, Océane, Jeanne). Mais on est surtout frappé par l'éparpillement sonore actuel, avec Maëlys, Chloé, Camille, Inès, Lilou, Manon, Jade, Lily, etc. Il faut y voir sans doute une réaction normale à la domination excessive d'une sonorité particulière.

Chez les garçons, la vogue récente des prénoms en *ien*, illustrée naguère par Fabien, Sébastien, Julien, Damien, Aurélien, Adrien, se tarit, malgré la présence de Bastien, Émilien, Cyprien, Flavien, Maximilien, Victorien.

Plus nouvelle, et d'ailleurs assez voisine, est la terminaison en *in* ou *ain,* dont Romain, Benjamin et Sylvain ont été les principaux représentants. Elle s'est répandue plus récemment par le sous-groupe en *tin* – Quentin, Valentin, Martin, Corentin et Augustin –, et amorce un modeste retour avec Gabin, Robin, Antonin, Justin, Albin, Lubin, Colin, Aubin et Célestin.

La terminaison en *an* ou *en,* avec Nathan, Adam, Lilian, Clément, Tristan, Florian, Alban, Gaétan, Armand, Ronan, est fortement concurrencée par le succès actuel de la terminaison en *ian* prononcée *iane*. Cette sonorité fut en vogue autour des années 1940 pour les prénoms féminins (Christiane, Liliane, Josiane, Éliane, etc.). Elle est aujourd'hui réservée aux petits garçons, de plus en plus nombreux à s'appeler Killian, Ryan, Dorian, Bryan, Julian. Aujourd'hui, la terminaison en *ane* fait cependant davantage recette avec la consécration d'Ethan et Evan et la vogue de Nolan, Dylan, Esteban, Johan, Yoann, Erwan, Loan, Ilan et Morgan.

La sonorité finale en *is* a aujourd'hui le vent en poupe pour les deux sexes : du côté masculin, des nouveautés (Mathis, Yanis, Joris) ; du côté féminin, le répertoire en expansion est un peu plus traditionnel (Alice, Bérénice, Clarisse) sans exclure l'exotisme, l'invention ou la redécouverte, avec Maëlys, Candice, Iris, Thaïs ou Athénaïs.

Voici un autre exemple, plus subtil que les terminaisons : le succès récent des prénoms contenant un *x*, tels que Axel, Maxime, Maxence, Alexandre, Alexis, Alexia, Alix ou Roxane.

Mais la grande tendance actuelle est la juxtaposition de voyelles.

Elle caractérise nombre de prénoms en vedette – songeons à Léa, Chloé, Mathéo, Théo ou Léo – en progression. On remarquera que ces juxtapositions se font écho. Quelques grands couples apparaissent :

Le principal est *éo*, avec notamment Théo, Mattéo, Léo (plus les tout nouveaux Timéo, Néo ou Cléo) auquel répond le groupe en *oé* dont Chloé, Zoé, Noé sont les représentants.

Vient ensuite le couple *éa-aë* : d'un côté Léa, Cléa, Éléa, Théa, Andréa, de l'autre Maéva, Maë, Maëlle, Maëlys, Anaëlle.

La terminaison très fréquente en *ia* (Célia, Julia, Mia, Leia) trouve même son pendant dans Thaïs, Naïs ou Maïwenn.

Bien plus rare est le couple *oa-ao* illustré par les nouveaux Noah (ou parfois Noa chez les filles) et Tao.

# Les prénoms courts
# ont la cote

On assiste, depuis une quinzaine d'années, à un renversement de situation : alors que l'on observait à partir du début du XXe siècle une tendance marquée à l'allongement des prénoms, désormais ceux-ci se raccourcissent nettement.

Tout d'abord, les prénoms sont de plus en plus courts à écrire : assez paradoxalement, la multiplication récente des variantes orthographiques – les records en la matière étant détenus à ce jour par Ryan et Tiphaine avec respectivement 28 et 26 orthographes différentes recensées – a surtout conduit à une diminution du nombre de lettres utilisées. En effet, la volonté de singulariser le prénom de son enfant en changeant l'orthographe d'origine s'est le plus souvent traduite par la modification de voyelles mais surtout par la suppression de consonnes « muettes », sans doute jugées superflues. Pour ne citer qu'un grand classique, songeons à Mathieu, aujourd'hui deux fois plus fréquent que son homophone d'origine biblique, Matthieu.

Les statistiques à cet égard sont éloquentes. Alors que les prénoms masculins de dix lettres et plus représentaient environ 10 % des prénoms attribués à la fin des années 1960 (période marquant notamment le triomphe des prénoms composés), ils sont descendus en dessous de 1 % depuis 1999. Dans un mouvement inverse, toujours chez les garçons, les prénoms limités à quatre ou cinq lettres ont connu un nouvel essor à partir des années 1980, et l'on assiste même depuis le milieu des années 1990 à la percée, encore modeste, des prénoms composés de trois lettres seulement, dont certains, tels Tom ou Léo, figurent dans les palmarès les plus récents. Chez les filles, la montée des prénoms de trois lettres est statistiquement beaucoup plus spectaculaire, menée par la très populaire Léa et plus récemment par la conquérante Lou.

Mais ne nous égarons pas : le nombre de lettres composant un prénom est anecdotique, c'est le son d'un prénom qui lui donne son identité propre. Autrement dit, la longueur effective, et surtout vécue, d'un prénom se mesure à sa prononciation, c'est-à-dire au nombre de syllabes, sans compter les muettes. Or celle-ci diminue sensiblement depuis une quinzaine d'années, à l'encontre de la tendance, particulièrement marquée à partir du milieu du xxᵉ siècle, qui faisait jusqu'alors la part belle à l'allongement des prénoms.

Pour s'en convaincre, il suffit de comparer les différents palmarès établis pour les deux dernières décennies :

- Chez les filles, le palmarès des vingt prénoms les plus donnés en 2009 en comporte dix-huit de deux syllabes, contre dix pour celui de 1990 et seulement cinq pour celui de 1980.
- Chez les garçons, l'évolution est un peu moins marquée : seize prénoms de deux syllabes dans le top 20 de 2009, contre onze en 1990 et dix en 1980.

La montée en puissance des prénoms courts n'est cependant pas homogène. Ainsi, elle ne touche que très marginalement l'évolution des palmarès des prénoms les plus donnés dans les milieux BCBG (cf. p. 383), dans lesquels les prénoms de trois syllabes et plus continuent d'être largement sur-représentés chez les garçons (Augustin, Adrien, Amaury, Stanislas) mais surtout chez les filles où ils sont légion (Eugénie, Joséphine, Capucine, Éléonore, Adélaïde, Ombeline, Héloïse, Madeleine, Philippine). Moins sensibles aux mouvements de mode en matière de prénoms, privilégiant des valeurs classiques au détriment des nouveaux arrivants, les milieux BCBG continueront sans nul doute de résister au raccourcissement des prénoms.

Comme on le constate à la lecture des graphiques ci-contre, la tendance au raccourcissement est beaucoup plus accentuée chez les filles, où la ronde des prénoms est plus animée et la mode plus marquée que chez les garçons dont les palmarès évoluent moins rapidement. Logiquement, on retrouve, en suivant les courbes, l'impact des grands succès des décennies passées :

- Chez les filles, dans les années 1950 et 1960 les deux syllabes triomphent, notamment grâce aux règnes de Martine, Monique, Nicole, Michèle, Danielle, Chantal, puis ceux de Sylvie ou Christine. Les trois syllabes, progressant déjà avec Jacqueline, puis Catherine et Véronique, prennent un nouvel essor dans les années 1970 grâce à Isabelle, Valérie, Nathalie, et talonnent les deux syllabes au début des années 1980, propulsées par les cortèges des Stéphanie, Virginie, Émilie, Aurélie, Caroline, Élodie. Puis les trois syllabes déclinent lentement mais sûrement, tandis que les deux syllabes regagnent, dès le milieu des années 1990, le terrain qu'elles avaient perdu. Céline, Julie, puis Marine, Laura, et plus récemment Manon, Chloé et Léa y ont largement contribué.

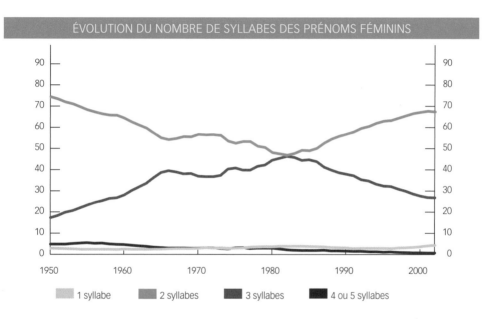

ÉVOLUTION DU NOMBRE DE SYLLABES DES PRÉNOMS FÉMININS

■ 1 syllabe   ■ 2 syllabes   ■ 3 syllabes   ■ 4 ou 5 syllabes

Chez les filles, au tournant des années 1980, les prénoms de trois syllabes représentaient environ 45 % des prénoms donnés, devancés de très peu par les prénoms de deux syllabes, autour de 48 %. Aujourd'hui, ces derniers avoisinent les 70 % des prénoms donnés, tandis que les trois syllabes sont passés en dessous des 30 %.

- Chez les garçons, la lutte a été bien moins acharnée et légèrement décalée dans le temps. Ainsi, les prénoms masculins de trois syllabes ont connu leur plus forte progression au cours des années 1970, alors que l'ascension des trois syllabes féminines avait été plus précoce. Comme chez les filles toutefois, le tournant des années 1980 marque à la fois l'apothéose des prénoms de trois syllabes, avec les très emblématiques Nicolas, Sébastien, Jérémy, Anthony puis Alexandre, mais inaugure également une nouvelle phase de déclin. Aujourd'hui, les prénoms de deux syllabes sont un peu plus prospères chez les garçons que chez les filles (respectivement 73 % et 68 % des prénoms donnés), mais ces derniers avaient, il est vrai, moins de chemin à rattraper.

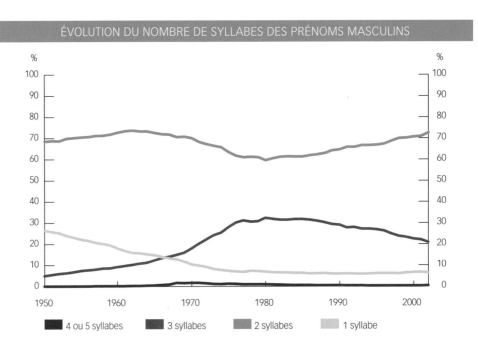

ÉVOLUTION DU NOMBRE DE SYLLABES DES PRÉNOMS MASCULINS

■ 4 ou 5 syllabes    ■ 3 syllabes    ■ 2 syllabes    ▢ 1 syllabe

Chez les garçons, les prénoms de trois syllabes se maintiennent au-dessus de 30 % jusqu'à la fin des années 1980. Puis ils déclinent au profit des deux syllabes, qui représentent aujourd'hui plus de 70 % des prénoms choisis.

On l'aura compris, le match des prénoms courts contre les prénoms longs oppose principalement les trois syllabes aux deux syllabes. Il ne faut pas pour autant oublier les nouveaux prénoms monosyllabiques qui accentuent la tendance décrite et dont certains gagnent le peloton de tête des palmarès. On pense ici chez les filles à Lou, et surtout à Jade, déjà à la 5ᵉ place du top 20 prévu pour 2009.

On pourrait avancer de multiples explications, plus ou moins hasardeuses à ce phénomène : ainsi l'hypothèse d'une compensation du rallongement des noms de famille juxtaposant plus souvent qu'autrefois celui de la mère à celui du père. On retrouve un cas de figure similaire chez les jeunes conjoints, les femmes mariées qui ont une vie professionnelle optant de plus en plus fréquemment pour un double patronyme. Cependant, s'ils peuvent jouer un rôle à l'avenir, ces deux phénomènes sont évidemment bien trop récents et restreints pour expliquer l'évolution observée.

En réalité, plusieurs tendances récentes, déjà décelées dans cet ouvrage, peuvent contribuer à expliquer le raccourcissement des prénoms. Ainsi, les prénoms courts font particulièrement ressortir le choc sonore des voyelles juxtaposées dont Théo, Léo, Noah chez les garçons, et Chloé ou Léa chez les filles sont des exemples très en vogue. On peut également penser à tous les dérivés ou diminutifs qui ont pris leur envol en tant que prénoms autonomes, telles Lisa et Peggy, découlant respectivement des moins brèves Élisabeth et Margaret. Et l'on ne peut s'empêcher d'invoquer, comme souvent en matière de prénoms, l'imprégnation anglo-saxonne. En effet, alors que les diminutifs français, marques d'une intimité relationnelle, s'épanouissent généralement dans la sphère privée, les « *nicknames* » sont monnaie courante et publique outre-Atlantique : Robert y sera toujours Bob à la maison comme au bureau, et William sera toujours Bill même s'il est président des États-Unis.

# Les prénoms qui montent

Nous signalons ici non seulement les candidats aux premières places dans les années qui viennent, mais aussi des prénoms dont la percée est récente et même certains qui sont à peine sur le point d'émerger. Quelques-uns d'entre eux devraient grandir assez pour s'imposer dans la deuxième décennie du XXIe siècle.

## Prénoms masculins

En 2009, Mathis s'impose, mettant ainsi un terme au duo latin Mathéo/Enzo pour la 1re place du palmarès. Ces derniers ne s'en bousculent pas moins derrière lui, perpétuant ainsi la vogue latine en cours dans l'Hexagone depuis près de quinze ans. Ils ne sont pas les seuls représentants de la terminaison en *o* du top 20: Léo est toujours fringant, devant le déclinant Théo; sans compter que figurent aux portes du palmarès l'ambitieux Timéo, juste devant le persistant Hugo.

En 4e position, derrière Enzo, Nathan conforte sa poussée décisive. Il semble également inaugurer une nouvelle vogue pour une terminaison en *an*. En queue du top 20, Adam et Lilian viennent en effet de faire leur entrée.

L'attrait pour cette nouvelle sonorité est cependant bien minoritaire comparée à celle des prénoms américano-celtiques en *ane*, toujours très présents: les jeunes Ethan, Evan, Nolan, nantis des plus anciens Ryan et Killian (respectivement en 13e et 18e place), appellent déjà Ilan et Logan, en forte hausse pour 2009.

Lucas, après avoir effectué un bref retour surprise en 2006, a désormais véritablement entamé son déclin. En dépit d'une terminaison commune, il est difficile de voir en Noah son successeur, tant leurs origines divergent. Il n'en reste pas moins que Noah conforte son envol: en 5e place du palmarès 2009, il figure un leader à part, qui n'est entraîné par aucun autre candidat pas plus qu'il n'en entraîne lui-même.

Les prénoms venus du XIXᵉ siècle ne sont plus représentés que par Louis, lequel parvient à se maintenir autour du seuil des 1 % mais ne fera sans doute pas mieux. La progression de Jules, proche du top 20, s'est ralentie. Quant à Arthur, il s'est essoufflé bien trop vite pour briguer le palmarès. Il faudra encore attendre pour voir ce que donnent Oscar et Gaspard, pour l'instant lointains mais frémissants. Enfin, le reflux est bien consommé pour les espoirs d'hier que furent Alexis, Baptiste, Quentin, Maxime, Antoine ou Adrien. Romain, après un léger sursaut, semble avoir lui aussi définitivement renoncé.

Le leader Mathis n'a pas le monopole de la terminaison en *is* : il la partage avec le gréco-arabe Yanis, toujours bien présent dans le top 10 (9ᵉ position). Yanis n'a sans doute pas dit son dernier mot, pas plus que l'archange Raphaël (en 6ᵉ position) qui permet l'envol de Gabriel ; ce dernier fait une entrée remarquée dans le top 20 (14ᵉ position).

Enfin, en 2009, il faudra toujours compter avec Tom (11ᵉ position), lequel a l'avantage de ne compter qu'une syllabe dans une ère où les prénoms courts emportent plus facilement l'agrément des futurs parents.

Il serait imprudent de négliger d'autres nouveaux venus, très proches du palmarès : le breton Maël, le grec Sacha, l'anglo-saxon Lenny, le nordiste Maxence, l'américain multiforme Eliott, le biblique Noé, le celtique Tristan, ainsi que l'ancien grec Timothée qui fait redécouvrir Théotime (souvent orthographié Téotime).

Laissant de côté ceux qui tergiversent, ne franchissant pas le seuil de 1 sur 1 000 – tels le breton Ronan ou ceux qui peinent à retrouver une nouvelle jeunesse, comme Élie ou Félix – on terminera sur les prénoms encore bien rares mais dont les frémissements sont assez nets pour que leur décollage soit très probable : Alban et Augustin (décidés à sortir de leur petit monde), Gabin, Marin, Colin, Émilien, Flavien. À côté de ces sonorités d'hier, on trouve les anciens Théophile, Élias, Hippolyte, Basile, l'anglo-américain Liam, les bretons Gwendal, Ewen et Malo, les bibliques Zacharie, Joachim, Jonas, Ismaël et Joshua (plutôt que Josué). Le bouquet final sera coloré en *o* avec l'espagnol Pablo, mais surtout la vague montante italianisante de Lorenzo, Angelo, Fabio, Nino, Elio et Marco, qui réveille l'ancien Marceau.

# Prénoms féminins

**B**ien que la première place d'Emma semble affermie à l'issue de cinq années de règne, la succession de Léa, régnante de 1997 à 2004, n'est pas encore réglée. De fait, la domination d'Emma est très incertaine, tant les scores de ses suivantes se révèlent serrés.

Les deux principales concurrentes d'Emma à ce jour s'avèrent être Clara, sa plus ancienne et proche rivale, ex æquo avec la plus jeune Maëlys. Ces dernières pourraient cependant bien être prises de vitesse par la très ambitieuse Louane (en 4e position, qui s'écrit près d'une fois sur deux Lou-Anne, et plus rarement Lou-Ann et Louanne) mais aussi par les fringantes Jade et Lilou (respectivement 5e et 7e du classement que nous prévoyons pour 2009).

La rotation de la mode s'accélérant au fil des ans, en particulier chez les filles, d'autres candidates à la première place se dessinent : Lola confirme sa vigueur, à l'instar de Lina, Éva et, à un moindre degré, Louna et Léna. En outre, le palmarès accueille de nouvelles venues très prometteuses : Zoé, Lily, mais surtout Anna qui surgit dans le top 20 à l'issue d'une ascension fulgurante.

En revanche, si Sarah, Chloé et Manon parviennent encore à se maintenir, elles sont bel et bien vouées au déclin, à l'instar de Camille ou Océane qui a consommé son reflux. Le cas de Marie, toujours modestement présente, est plus intéressant car elle a toutes les chances de devenir un prénom « classique ».

Outre celles précédemment citées, mais qui ne figurent pas dans le top 20, d'autres espoirs féminins confirment leur percée : Ambre, Célia, Luna et Loane (entraînées par Louane et Louna), Romane, Lana et Léane (attirées par Léna, Lina et Louane), Noémie, Maéva, Nora, Méline, Maya (ou Maïa), Julia, Alicia, Ninon, la hongroise Ilona, les bretonnantes Anaëlle et Maëlle ou encore Éléa, chère à Barjavel. Seule Carla passe des espoirs au purgatoire, déchue en raison d'une notoriété en flèche due à la saturation médiatique entourant la nouvelle première dame de France.

**M**ieux vaut sans doute, pour repérer les succès d'après-demain, se tourner vers des prénoms qui viennent à peine ou sont sur le point d'émerger. Voici ceux qui nous paraissent les plus prometteurs, regroupés par terminaisons. Un peu de diversité sonore d'abord, avec les revenantes Adèle et Angèle, Constance, Céleste, Victoire, Lison, Cassandre, Garance et Eden. Emmy et Léonie sont un peu seules face aux bataillons de *ine* – Méline, Faustine, Sixtine, Sirine, Philippine, Apolline, Capucine, Éline, Line – et de *ane* – Léane, Doriane, Albane, Juliane, Servane, Vinciane, Orlane, Oriane. Les prénoms en *a* continuent d'être légion et d'origines variées ; ne citons que Léana, Luna, Lila, Chiara, (souvent écrite Ciara, voire Kiara), Cléa, Ornella, Élina, Lorena, Camélia, Tessa, Théa (ou Téa), la bretonne Énora, qui engendre Énola. Plus nouvelles sont les sonorités en *ille* (Bertille, Domitille, Priscille, Myrtille, Sibylle) ; en *is* (Naïs, Thaïs, Athénaïs, Isis et Iris) ; enfin en *é,* avec Maé, Daphné ou Danaé. Bien sûr, ces prénoms ne sont pas tous promis à un grand avenir. Certains resteront assez confidentiels. Mais c'est parmi eux que se trouvent les succès des années 2015.

# Les prénoms
# qui devraient revenir

La tendance cyclique de la mode fait que nombre de prénoms de demain sont aussi des prénoms d'hier. Ils renaissent au terme d'une période de purgatoire plus ou moins longue selon l'allure de leur carrière passée. Il est donc instructif, pour déchiffrer l'avenir, de se tourner vers les prénoms en usage au XIX<sup>e</sup> siècle et au tout début du XX<sup>e</sup>, dont beaucoup sont d'ailleurs déjà revenus.

## Prénoms masculins

Commençons par les cas les plus délicats, c'est-à-dire les prénoms à succès du XIX<sup>e</sup> siècle qui ont eu une carrière de prénom à la mode et subi, pour cette raison, un purgatoire particulièrement sévère. Nous pensons notamment à Jules et Eugène (au plus haut dans les années 1860). Leur destin respectif est contrasté : tandis que Jules a repris du service gaillardement, on attend toujours le retour d'Eugène.

Les Alexandre, Édouard et Victor qui sont déjà parmi nous ont été à la mode au XIX<sup>e</sup> siècle, mais leur réussite était plus modeste. On peut tabler sur le retour proche de prénoms du même genre : Alphonse, Ernest et Augustin. Ce dernier, déjà là, va entraîner les deux autres «gus», Auguste et Gustave.

Des prénoms très fréquents au XIX<sup>e</sup> siècle mais stables et traditionnels, tels que Pierre, Charles et Louis, ont déjà retrouvé une nouvelle jeunesse ; la renaissance de Joseph est donc probable.

On peut aussi se tourner, et peut-être avec moins de réticence, vers des prénoms dont la fréquence a été moyenne ou médiocre au XIX<sup>e</sup> siècle. Nombre d'entre eux devraient bientôt revenir au goût du jour. Nos préférés sont Anatole, Armand, Casimir, Célestin, Élie, Félicien, Félix, Ferdinand, Hippolyte,

Honoré, Léonard, Mathurin; mais on peut songer aussi à Achille, Ambroise, Barthélemy, Constant, Edmond, Firmin, Isidore, Octave, Léopold, Philibert, Théodore et Théophile. Adolphe serait déjà de retour s'il n'y avait pas eu Hitler qui fait peser sur lui un véritable tabou.

On prendra un peu plus de risques en s'aventurant dans la période 1890-1910. Les prénoms les plus typiquement à la mode de l'époque, tels Léon ou Gaston, sont presque mûrs pour une sortie du purgatoire. Émile entame lentement son retour. Et Paul, dont le succès a été notable, est déjà là, grâce à la régularité de son parcours passé; Henri pourrait bientôt le rejoindre. Et l'on peut chercher du côté des prénoms dont la carrière a été modeste (à l'exemple d'Adrien). Marius et Gabriel, qui n'ont pas dépassé le niveau de 1 %, sont déjà sortis du purgatoire; Alfred est un autre candidat du même genre, tout comme Raoul qui n'a pas été donné à plus de 1 garçon sur 300 vers 1910.

Le xixe siècle n'est pas le seul vivier d'où peuvent émerger des prénoms anciens qui retrouveraient une nouvelle jeunesse. À côté de Léonard, déjà cité mais en déclin durant le xixe, on peut songer à ses confrères en *ar* que sont Gaspard et Oscar (déjà lancés), Adémar, César, Edgar, ou encore à des prénoms absents au xixe siècle, comme Anselme, Basile, Blaise, Clovis, Clotaire ou Hilaire.

## Prénoms féminins

Beaucoup de prénoms féminins en usage et à la mode au xixe siècle sont déjà revenus (Julie et Pauline, entre autres). Nous assistons aujourd'hui au retour, un peu laborieux dans ses débuts, des deux prénoms les plus typiquement à la mode des années 1860-90, Joséphine et Eugénie. Leurs contemporaines Augustine et Léontine pourraient se joindre à elles.

Quant aux grands prénoms traditionnels qui ont reculé de manière spectaculaire au début du xxe siè- cle, Louise, Jeanne et Marguerite, leur renaissance est en cours. La chose a été un peu plus difficile pour Madeleine, en raison du regain de vigueur qu'elle connut dans les années 1900-20, mais elle frémit à nouveau.

Une bonne part des prénoms féminins qui progressent aujourd'hui, ou qui viennent de percer, proviennent du stock de prénoms qui ont eu un parcours assez tranquille et une fréquence moyenne ou modeste au xixe siècle (par exemple, Adèle, Adélaïde, Apolline, Constance, Léonie,

Perrine, Victoire, Valentine et beaucoup d'autres). Mais il reste à redécouvrir les charmes d'Alexandrine, Alphonsine, Blanche, Célestine, Désirée, Ernestine, Félicie, Félicité, Hortense, Octavie, Victorine, et ceux de prénoms plus rares au XIXe, tels que Anastasie, Angéline, Céleste, Césarine, Eulalie, Euphrasie, Euphrosine, Florentine, Honorine, Marcelline, Séraphine ou Sidonie.

Devront attendre un peu avant de revenir au goût du jour les prénoms à la mode les plus typiques du tournant du siècle dernier, comme Germaine et Berthe, encore que celle-ci se perpétue dans la discrète Bertille ; Marthe, à la carrière moins pointue, aurait plus de chances à moyenne échéance. La prochaine résurrection de prénoms au succès moindre, tels que Albertine ou Adrienne, apparaît quasi certaine.

Nous n'évoquons pas les prénoms qui ont culminé dans les années 1920 ou 1930, comme Denise, Paulette ou Jeannine, car leur fortune est trop récente pour qu'elles reviennent en grâce d'ici peu.

# La cote :
# mode d'emploi

Avant de présenter les mécanismes de la mode qui gouvernent les choix des prénoms, ce qui fera l'objet du chapitre «La vie sociale des prénoms», nous passons directement aux travaux pratiques. Pour cela, nous avons répertorié les prénoms en usage depuis 1930 et décrit très précisément leur carrière jusqu'à aujourd'hui.

Pourquoi 1930? D'abord parce que c'est le moment où le système de la mode s'installe pleinement. Ensuite parce que tous les parents d'aujourd'hui auront ainsi la possibilité de *tester les choix* qu'ils ont faits pour leurs enfants. Ont-ils suivi la mode? Ont-ils été plutôt en avance ou plutôt en retard? Chacun pourra aussi tester le choix que ses parents ont fait pour lui, connaître la fréquence passée et actuelle de son propre prénom, les particularités éventuelles de sa diffusion sociale ou régionale.

## Si mon prénom m'était compté

La sélection des prénoms retenus dans ce répertoire n'est pas arbitraire. Elle est fondée sur leur fréquence. A d'abord droit à une notice tout prénom qui, à un moment ou à un autre depuis 1930, a été attribué au moins à 1 garçon sur 300 ou à 1 fille sur 300. Certains des prénoms qui figurent dans ce répertoire n'ont même pas atteint ce niveau: il s'agit de prénoms rares mais relativement stables dans le temps, ce qui augmente le nombre de leurs porteurs, ou bien de prénoms en progression. En outre, nous avons évoqué la carrière ou fait mention de prénoms bien plus rares encore, qui se prêtaient, pour une raison ou une autre (dérivés, variantes ou analogies plus lâches), à être rattachés à certaines notices.

Attirons sur ce point l'attention de l'utilisateur: s'il est à la recherche d'un prénom peu courant, qu'il consulte d'abord la vraie liste en fin de volume. Par exemple, la carrière d'Ariane est évoquée dans la notice Marianne; celle d'Harmonie dans la notice Mélodie. D'autre part, nombre de prénoms rares cités dans d'autres chapitres ne figurent pas dans ce répertoire central.

Si un prénom n'est pas mentionné dans ce livre, on peut être assuré qu'il s'agit d'un prénom hors d'usage depuis 1930 et même rarissime depuis un siècle, ce qui constitue en soi une information.

Il faut encore préciser ce que nous entendons par un prénom. Notre principe a été d'assimiler toutes les variantes orthographiques d'un prénom dès lors qu'elles se prononcent de la même manière.

Notamment, nous décomptons ensemble les Christelle, Cristel, Kristèle, etc.; nous traitons comme un seul prénom Michèle et Michelle, mais aussi Karine et Carine. En revanche, nous étudions séparément Sandrine et Sandra et n'additionnons jamais à un prénom ses diminutifs ou dérivés déclarés comme tels à l'état civil : Catherine, Cathy, Katia ont droit à des notices indépendantes.

Ce principe nous semble préférable à tout autre. Il est vrai que quelques nuances ont parfois séparé des variantes orthographiques. Simonne était une orthographe assez fréquente au début de la carrière de Simone, par analogie avec Yvonne qui triomphait alors. Jeannine est peut-être en moyenne un peu plus ancienne que Janine. Mais les dissocier eût présenté beaucoup plus d'inconvénients que d'avantages. Le son d'un prénom nous paraît l'élément déterminant de son identité.

## Comment tester vos choix ou ceux de vos parents

La carrière des différents prénoms est découpée en périodes. À chaque période est affecté un qualificatif qui situe le choix du prénom considéré par rapport à la mode.
En voici les définitions :

- Pionnier : un choix de lanceur de mode. Ceux qui l'ont fait ne se doutaient probablement pas que ce prénom pouvait se répandre quelques années plus tard.
*Fréquence : 1 sur 1 000 en début de période, moins de 1 sur 100 à la fin. Pour les prénoms ne montant pas très haut, notamment les plus récents, la limite supérieure est abaissée à 0,8 %.*
- Dans le vent : le choix est encore en avance sur la mode, et même innovateur en tout début de période. Le prénom a le vent en poupe et progresse rapidement.
*Fréquence : 1 % (ou 0,8 %) en début de période ; limite supérieure variable selon les prénoms mais toujours en dessous de 4 %.*
- Conformiste : le choix est conforme au goût collectif du moment. Le prénom est au sommet ou proche du sommet de sa carrière.
*Fréquence : limite inférieure de 1 %, limite supérieure de 5 %.*
- Hyperconformiste : choix d'un prénom à la mode et particulièrement fréquent à ce moment précis, puisqu'il est donné à plus de 1 garçon sur 20 ou de 1 fille sur 20.
*Fréquence : égale ou supérieure à 5 %.*

- À la traîne : choix un peu en retard par rapport à la mode, fait à un moment où le prénom commence à décliner.
  *Fréquence : limite supérieure variable selon les prénoms, mais toujours en dessous de 4 % ; limite inférieure de 1 % (ou 0,8 %).*
- Démodé : choix franchement retardataire. Le prénom est démodé, même s'il n'est pas encore complètement hors d'usage. Il est très improbable que le prénom revienne au goût du jour du vivant de son porteur ; et ce dernier aura eu le temps de souffrir.
  *Fréquence : de 1 % (ou 0,8 %) à 1 sur 1 000.*
- Classique : choix refuge dans une valeur sûre. Le prénom échappe, au moins pour un temps, aux humeurs de la mode. Il est stable sur une durée minimale de quinze ans.
  *Fréquence : plus de 0,33 % (1 sur 300), pas de limite supérieure.*
- Rare : sans être inexistant, le prénom est rare à cette période et relativement stable.
  *Fréquence : elle est comprise entre 1 sur 1 000 et 1 sur 300.*
- Plutôt conformiste : le prénom choisi est à son sommet, sans être pour autant très répandu. Il n'a eu qu'un succès modeste.
  *Fréquence : moins de 1 % sur l'ensemble de la période.*
- Dans le flux : choix d'un prénom qui monte mais dont la progression est lente ou de faible ampleur. C'est un prénom d'allure classique ou bien un prénom qui n'atteint qu'un niveau modeste.
  *Fréquence : la limite inférieure est toujours de 1 sur 1 000.*
- En reflux : choix d'un prénom qui décline, mais dont la régression est lente ou de faible ampleur. Même type de prénoms que ci-dessus.
  *Fréquence : la limite inférieure est toujours de 1 sur 1 000.*
- Précurseur : le choix est fait très en avance sur la mode, à un moment où le prénom est encore quasi inexistant. Il s'apprête à sortir du purgatoire, ou est encore dans les limbes s'il s'agit d'un nouveau prénom.
  *Fréquence : inférieure à 1 sur 1 000.*
- Désuet : le choix est effectué avec un retard considérable sur la mode, à un moment où le prénom vient d'entrer au purgatoire et devient très rare, voire presque inexistant.
  *Fréquence : inférieure à 1 sur 1 000.*
- Excentrique : le prénom est inexistant ou presque. Ce choix tourne le dos à la mode, à moins qu'il ne soit extraordinairement en avance, en retard, ou encore les deux à la fois.
  *Fréquence : inférieure à 1 sur 1 000.*

Tout découpage comporte une part d'arbitraire. Pour bien situer le choix par rapport au mouvement de la mode, on regardera si la date de naissance tombe au début ou à la fin de la période. Ce n'est pas la même chose d'avoir choisi un prénom au tout début de la période «dans le vent» quand il est encore peu répandu, ou à son terme quand il est proche de sa période «conformiste».

Il ne faut pas oublier non plus que les termes que nous avons choisis s'appliquent au choix fait à un moment donné, et non pas au prénom lui-même. Monique, par exemple, n'est pas en 2008 un prénom excentrique, puisqu'il est le prénom féminin le plus porté. Mais le choix du prénom Monique pour son enfant en 2008 est un choix excentrique.

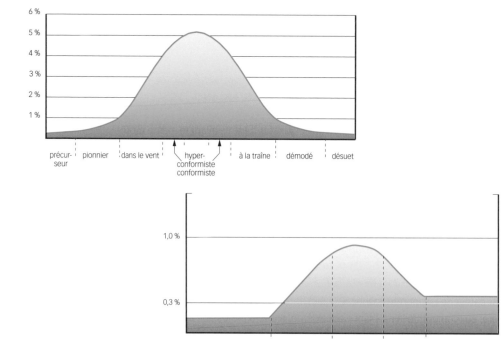

# Compliquons un peu : handicap et bonus

Grâce au découpage précis de la carrière des prénoms en périodes, il vous est facile de situer le choix qui a été fait d'un prénom à telle ou telle date par rapport à sa diffusion dans l'ensemble de la population française. La position par rapport à la mode que vous avez trouvée est une réalité. Vous pouvez en rester là.

Mais on peut être plus exigeant. Nous verrons que certains éléments de la situation des parents les inclinent à être plutôt en avance ou plutôt retardataires. Nous proposons donc de compliquer le test en tenant compte de ces éléments pour égaliser les chances : le choix du prénom sera alors apprécié par rapport à la catégorie de personnes ayant les mêmes caractéristiques que les parents qui ont fait ce choix.

Voici un exemple : donner à son garçon le prénom de Bruno en 1955 est encore un choix pionnier par rapport à sa diffusion moyenne dans l'ensemble de la population. Mais, si ce Bruno est le premier enfant d'une femme âgée de 23 ans, parisienne et mariée à un médecin, ce choix, toujours en 1955, est conformiste quand on le compare aux choix des parents ayant le même profil.

Comment calculer cela ? Par un système simple de handicap et de bonus que l'on appliquera à la date de naissance.

Commençons par le plus facile : le rang de naissance. Si l'enfant est l'aîné (ou enfant unique), il a un peu plus de chances de recevoir un prénom en ascension. On appliquera donc un handicap de 1 an en retardant la naissance de une année : 1955 + 1 = 1956. On procédera de même si la mère, à la naissance de cet enfant, est âgée de moins de 27 ans. Au contraire, si elle a 32 ans ou plus, on appliquera un bonus de 1 an, en avançant de une année la naissance : 1955 − 1 = 1954. Le même système s'applique au type d'agglomération (grandes villes, petites villes, communes rurales) où les parents résidaient, et à leur catégorie socioprofessionnelle du moment.

Par catégorie socioprofessionnelle, il faut entendre la profession du chef de famille, généralement le père, au moment de la naissance considérée. Si cette profession est incertaine, pas encore fixée, ou si la mère est célibataire et inactive, on prendra la profession du père de la mère (le grand-père maternel de l'enfant dont on considère le prénom).

Les catégories sont celles de l'INSEE. Leur contenu est décrit page 372.

| HANDICAP ET BONUS | | |
|---|---|---|
| | Handicap (ajouter) | Bonus (retrancher) |
| **Rang de naissance** | | |
| Aîné ou enfant unique | + 1 an | – |
| Autre | – | – |
| **Âge de la mère** | | |
| Moins de 27 ans | + 1 an | – |
| De 28 ans à 31 ans | – | – |
| 32 ans et plus | – | - 1 an |
| **Type d'agglomération** | | |
| Paris | + 2 ans | – |
| Agglomération parisienne et villes de plus de 1 000 000 d'habitants | + 1 an | – |
| Villes petites et moyennes | – | – |
| Communes rurales (moins de 2 000 habitants) | – | - 2 ans |
| **Agriculteurs** | | |
| | – | - 3 ans |
| **Artisans, commerçants, chefs d'entreprise** | | |
| Artisans | – | – |
| Commerçants | + 1 an | – |
| Chefs d'entreprise | + 3 ans | – |
| **Cadres et professions intellectuelles supérieures** | | |
| Professions libérales et professions de l'information et du spectacle | + 4 ans | – |
| Autres : professeurs, cadres administratifs du public et du privé, ingénieurs | + 3 ans | – |
| **Professions intermédiaires** | | |
| Instituteurs et assimilés, santé, travail social | + 2 ans | – |
| Autres : fonction publique, entreprise, techniciens, contremaîtres | + 1 an | – |
| **Employés** | | |
| Employés de commerce | + 1 an | – |
| Autres | – | – |
| **Ouvriers** | | |
| | – | - 1 an |

## Raffinements supplémentaires

La durée de vie des prénoms s'est raccourcie depuis les années 1930 et les décalages dans leur diffusion sociale tendent à s'amenuiser. Il convient donc, pour être plus précis, d'augmenter de une année les handicaps et bonus relatifs à la catégorie socioprofessionnelle pour les naissances situées avant 1950. Inversement, pour les naissances qui ont eu lieu depuis 1975, on diminuera ces handicaps et bonus de une année. Cela signifie, par exemple, que le bonus des ouvriers est supprimé. Pour les agriculteurs, on peut annuler la totalité de leur bonus depuis 1980.

On peut tenir compte, mais avec prudence et mesure, de la profession du grand-père maternel (si elle n'a pas déjà été utilisée à la place de celle du père). Par exemple, dans le cas où le père est médecin (profession libérale) et la mère issue du même milieu (fille de médecin), on augmentera le handicap d'une seule année et non de quatre. Dans des situations discordantes, on pourra corriger la position professionnelle du chef de famille par celle du grand-père maternel : par exemple si la mère est l'épouse d'un cadre et la fille d'un ouvrier, on réduira le handicap à deux années.

Il faut encore considérer l'allure de la courbe de diffusion du prénom. Les handicaps et bonus proposés mesurent des écarts moyens pour des prénoms de type mode. Certains ont une durée de vie plus longue que les autres. Les prénoms ayant une diffusion sociale très particulière sont signalés comme tels dans la liste.

On sera enfin attentif aux particularités éventuelles de la diffusion géographique du prénom mentionnées dans la notice qui accompagne chaque prénom. Un prénom comme Annick n'est pas conformiste au même moment dans toutes les régions.

## Exemples de calcul

Commençons par un cas extrême : un Didier est né en 1946, choix pionnier, à Paris (+ 2) ; il est le premier enfant (+ 1) d'une mère de 22 ans (+ 1) dont le mari est journaliste (+ 4). On arrive, après toutes ces additions, à 1954 ; le choix n'est plus pionnier mais dans le vent. Si l'on tient compte encore du fait que la naissance est antérieure à 1950 (+ 1) et que la mère est fille de médecin (+ 1), le choix situé en 1956 devient conformiste.

Autre exemple, plus simple, d'un Didier né en 1968 (choix à la traîne), fils d'instituteur (+ 2) d'une commune rurale (- 2). Il est le cadet (0) et sa mère a 28 ans (0). Le handicap et le bonus s'annulant, on ne modifiera pas la date de naissance.

Le choix de Stéphane, hyperconformiste en 1970, devient dans le vent si la mère, âgée de 32 ans (- 1), et le père ouvrier (- 1) résident dans une ville moyenne (0) : 1968.

Ce système de handicap et de bonus doit être aussi appliqué aux périodes où le prénom est encore au purgatoire ou dans les limbes (ainsi qu'en fin de parcours). Le choix de Camille pour une petite fille née en 1972 est précurseur, mais il n'est que pionnier si Camille est le premier enfant (+ 1), si la mère est jeune (+ 1), mariée à un ingénieur (+ 3), et vit dans une grande ville (+ 1) : 1978.

# La cote
# d'Adam à Zoé

# Adam

Adam, le premier nom du genre humain selon la Bible, vient de l'hébreu *Adama*, qui signifie «la terre», dans le sens de glèbe et non pas de globe terrestre.

Connu au Moyen Âge, Adam avait été complètement oublié en France alors qu'il survivait un peu dans les pays anglophones, comme tant d'autres prénoms bibliques. C'est en Angleterre qu'il vient de connaître sa plus grande faveur, dans le top 20 de 1982 à 1996. Son arrivée en France a d'abord été visible en Île-de-France et Rhône-Alpes, puis ce prénom s'est rapidement propagé au point qu'Adam entre en 2009 dans le top 20, prénommant plus de 1 garçon sur 120.

Les petits Adam qui naissent aujourd'hui rencontreront des Éva plus souvent que des Ève.

# Adèle

Ce vieux nom d'origine germanique (*adal*, «noble») a eu un certain succès au XIX$^e$ siècle, attribué à 1 fille sur 100 vers 1830, et encore à 1 fille sur 300 en 1900. Adèle a entamé sa nouvelle carrière dans l'Ouest, particulièrement en Basse-Normandie.

Sa cousine **Adélaïde**, de même étymologie, hésite à revenir, avec ses quatre syllabes. Elle eut des adeptes aux XVIII$^e$ et XIX$^e$ siècles; il est vrai que ce prénom était porté par deux princesses. On la trouve aujourd'hui en milieu BCBG.

# Adeline

| | |
|---|---|
| 1930-63 | EXCENTRIQUE |
| 1964-73 | PRÉCURSEUR |
| 1974-89 | DANS LE FLUX |
| 1990-92 | PLUTÔT CONFORMISTE |
| 1993-03 | EN REFLUX |
| DEPUIS 04 | DÉSUET |

Adeline est un dérivé d'Adèle, de grande ancienneté, qui s'était raréfié durant la première moitié du XXᵉ siècle.

Après des débuts prometteurs, elle plafonne dans les années 1980, n'ayant pas prénommé plus de 1 fille sur 140, et commence même à fléchir. La voici soudain qui recommence à grandir de 1990 à 1992 (1 fille sur 110), en raison, peut-être, de ses rapports avec Hallyday, avant de retrouver le cours de son déclin normal.

Sans profil social bien marqué à ses débuts, hormis une réticence des cadres, Adeline a ensuite été appréciée chez les ouvriers et les agriculteurs.

# Adrien

| | |
|---|---|
| 1930-37 | EN REFLUX |
| 1938-47 | DÉSUET |
| 1948-67 | EXCENTRIQUE |
| 1968-77 | PRÉCURSEUR |
| 1978-84 | PIONNIER |
| 1985-88 | DANS LE VENT |
| 1989-99 | CONFORMISTE |
| 2000-01 | À LA TRAÎNE |
| DEPUIS 02 | DÉMODÉ |

Adrianus était le nom d'une famille romaine originaire de la ville d'Adria d'où vient le nom de la mer Adriatique.

Sans avoir jamais été très répandu, Adrien n'était pas inconnu au XIXᵉ siècle, notamment dans ses dernières années où il prénommait 1 garçon sur 140. On trouve encore de rares Adrien dans les années 1940, après quoi ses mémoires s'estompent.

La véritable carrière de ce prénom est donc récente. Après une percée rapide, surtout chez les cadres, Adrien renonce à jouer les tout premiers rôles, culminant au niveau honorable de 1 garçon sur 80. En 2009, il est retombé à 1 sur 210.

Nous avons assimilé à Adrien l'orthographe plus rare **Hadrien**, mais non les quelques **Adrian**.

# Agathe

| | |
|---|---|
| 1930-70 | EXCENTRIQUE |
| 1971-82 | PRÉCURSEUR |
| 1983-96 | PIONNIER |
| DEPUIS 97 | DANS LE FLUX |

Agathe est pleine de bonté par son étymologie grecque (*agathos*, «bon»).

Ce prénom est connu, de longue date, par le martyre de sainte Agathe, qui eut les seins coupés, et aussi par la tradition qui voulait que le 5 février (jour de la Sainte-Agathe) les femmes laissent aux hommes les tâches domestiques.

En usage – sans être fréquente – au XIXe siècle, Agathe a longtemps frémi avant de naître, grandissant surtout en milieu bourgeois dans les années 1980. Sa progression, corollaire d'une certaine démocratisation, s'est ralentie depuis 1996 (1 fille sur 250).

# Agnès

| | |
|---|---|
| 1930-49 | RARE |
| 1950-59 | DANS LE FLUX |
| 1960-69 | PLUTÔT CONFORMISTE |
| 1970-89 | EN REFLUX |
| 1990-99 | DÉSUET |
| DEPUIS 00 | EXCENTRIQUE |

Si Agathe est bonne, Agnès est pure (du grec *agnê*). La confusion avec *agnus*, l'agneau de Dieu, en fit un des grands prénoms féminins du Moyen Âge.

Il déclina durant les XIVe et XVe siècles, mais sans jamais disparaître complètement. Du début du XXe siècle jusqu'aux années 1940, Agnès ne prénomme que 1 fille sur 500. Quand elle culmine dans les années 1960, elle ne franchit même pas le seuil de 1 fille sur 100.

Agnès a été appréciée en milieu agricole, mais bien davantage encore en milieu bourgeois. Dès 1956, elle dépasse le niveau de 1 % chez les cadres, qui la choisissent pour 1 de leurs filles sur 60 dans les années

1960, alors qu'elle obtient ses scores les plus médiocres chez les ouvriers.

Ce prénom tranquille, de type classique, faute d'avoir complètement échappé au mouvement de la mode, vient de tomber au purgatoire. Mais il se perpétue dans Inès.

# Alain

| | |
|---|---|
| 1930-37 | PIONNIER |
| 1938-44 | DANS LE VENT |
| EN 1945 | CONFORMISTE |
| 1946-53 | HYPERCONFORMISTE |
| 1954-57 | CONFORMISTE |
| 1958-71 | À LA TRAÎNE |
| 1972-88 | DÉMODÉ |
| 1989-98 | DÉSUET |
| DEPUIS 99 | EXCENTRIQUE |

Alain est probablement d'origine celtique, nom d'un saint breton légendaire. Mais c'était aussi le nom d'un peuple d'origine iranienne, les *Alani*, qui occupa la Gaule au IVe siècle.

Ce prénom qui nous est familier était rarissime dans les siècles précédents, encore qu'il ait été connu dès le Moyen Âge. Il émerge vers 1920 et s'épanouit dans les années d'après-guerre : à son sommet (1949), il est donné à 1 garçon sur 16. Alain s'impose assez également dans toutes les régions, sauf en Alsace, et dans tous les groupes sociaux. Cependant, il ne parvient à dépasser Michel que chez les professions intermédiaires où il prénomme jusqu'à 1 garçon sur 12 de 1945 à 1949 et où il reste en tête jusqu'en 1954. La diffusion d'Alain a été plus précoce en Île-de-France, Picardie, dans le Centre ainsi qu'en Provence, Languedoc et Aquitaine.

# Alan et Allan

| | |
|---|---|
| 1930-75 | EXCENTRIQUE |
| 1976-85 | PRÉCURSEUR |
| 1986-96 | DANS LE FLUX |
| 1997-02 | PLUTÔT CONFORMISTE |
| DEPUIS 03 | EN REFLUX |

Au moment où Alain tombait en désuétude, sa forme anglaise a surgi en France et a gagné rapidement du terrain (1 garçon sur 170 en 1998-99 et un tassement depuis). Les deux formes, avec un ou deux *l*, font à peu près jeu égal au niveau national. Mais les Bretons, qui apprécient beaucoup ce prénom (en raison de sa probable origine celtique), l'écrivent presque toujours Alan.

# Albert

| | |
|---|---|
| 1930-37 | À LA TRAÎNE |
| 1938-59 | DÉMODÉ |
| 1960-69 | DÉSUET |
| DEPUIS 70 | EXCENTRIQUE |

De lointaine origine germanique – *adal*, «noble», et *berht*, «célèbre» –, Albert grandit dans les dernières décennies du XIXe siècle et culmine pendant la Première Guerre mondiale (1 garçon sur 40) au moment où Albert Ier, le roi des Belges, est extrêmement populaire en France. Ayant ouvert la voie aux Robert et autres Gilbert, Albert commence à reculer dans les années 1920, mais il est encore donné à plus de 1 garçon sur 100 jusqu'en 1937.

Le retour d'Albert n'est pas en vue, tandis qu'on observe, depuis 1983, la naissance de quelques **Aubin** ou **Albin**, et surtout une poussée prometteuse d'**Alban**, déjà très présent, tout comme sa sœur **Albane**, en milieu BCBG. Ces prénoms dérivent du latin *albus*, «blanc».

# Alex

| | |
|---|---|
| 1930-80 | EXCENTRIQUE |
| 1981-90 | PRÉCURSEUR |
| 1991-96 | DANS LE FLUX |
| 1997-03 | PLUTÔT CONFORMISTE |
| DEPUIS 04 | DÉMODÉ |

Nous ne parlons ici que des Alex déclarés comme tels à l'état civil et non pas des innombrables Alexandre ou Alexis que l'on appelle en fait ainsi. Ce diminutif n'est pas nouveau, mais il est devenu prénom à part entière. Le recul de ses grands frères l'affecte : il n'est plus donné qu'à 1 garçon sur 700.

# Alexandra

| | |
|---|---|
| 1930-55 | EXCENTRIQUE |
| 1956-65 | PRÉCURSEUR |
| 1966-72 | PIONNIER |
| 1973-77 | DANS LE VENT |
| 1978-82 | CONFORMISTE |
| 1983-92 | À LA TRAÎNE |
| DEPUIS 93 | DÉMODÉ |

Comme féminin d'Alexandre, le XIXe siècle connaissait des Alexandrine, mais point d'Alexandra. La situation s'est inversée aujourd'hui, même si naissent quelques Alexandrine.

Alexandra a prénommé 1 fille sur 75 durant sa période conformiste. Sa percée n'avait pas été spectaculaire et son déclin actuel est loin d'être une déroute.

Ce prénom s'est réparti assez également dans les divers groupes sociaux, étant un peu plus fréquent chez les commerçants et les employés. Il s'est mieux maintenu en Île-de-France.

# Alexandre

| | |
|---|---|
| 1930-36 | EN REFLUX |
| 1937-46 | DÉSUET |
| 1947-54 | EXCENTRIQUE |
| 1955-64 | PRÉCURSEUR |
| 1965-74 | PIONNIER |
| 1975-85 | DANS LE VENT |
| 1986-96 | CONFORMISTE |
| 1997-04 | À LA TRAÎNE |
| DEPUIS 05 | DÉMODÉ |

Du grec alexein, «défendre», et andros, «homme», ce nom fut rendu illustre d'abord par Alexandre le Grand. Mais il fut aussi porté par huit papes et de nombreux tsars, rois ou princes de toutes époques en Russie, Pologne, Bulgarie, Yougoslavie, Grèce ou Écosse.

Choisi, en France, pour près de 1 nouveau-né sur 100 pendant une bonne partie du XIXe siècle, Alexandre décline doucement depuis 1890 et ne disparaît pas complètement pendant sa période de purgatoire. Sa nouvelle carrière, d'abord lente à se dessiner, l'a conduit au sommet : 1 garçon sur 40, et cela dans tous les milieux sociaux, presque toutes les régions, et durant onze ans. Alexandre a été grand, mais son déclin est bien entamé.

Il a frôlé la première place en 1995, dépassé d'un cheveu par Nicolas, encore plus durable. Il a tout de même été en tête dans plusieurs régions et a régné sur Paris durant la totalité des années 1990.

Apprécié dans tous les milieux, Alexandre aura été un prénom de consensus social, peut-être un des derniers.

# Alexia

| | |
|---|---|
| 1930-70 | EXCENTRIQUE |
| 1971-80 | PRÉCURSEUR |
| 1981-93 | DANS LE FLUX |
| 1994-98 | PLUTÔT CONFORMISTE |
| DEPUIS 99 | EN REFLUX |

Ce prénom tout neuf en France a profité du déclin d'Alexandra et de la poussée d'Alexis dont elle est la nouvelle compagne.

Alexia a grandi à bonne allure dans toutes les catégories sociales (y compris chez les cadres), mais a plafonné assez vite au niveau de 1 fille sur 200. À ses côtés surgissent d'autres nouveautés : **Alexiane**, **Alexane** et **Alexine**.

# Alexis

| | |
|---|---|
| 1930-37 | DÉSUET |
| 1938-60 | EXCENTRIQUE |
| 1961-70 | PRÉCURSEUR |
| 1971-88 | PIONNIER |
| 1989-94 | DANS LE VENT |
| 1995-01 | CONFORMISTE |
| 2002-04 | À LA TRAÎNE |
| DEPUIS 05 | DÉMODÉ |

Ce dérivé d'Alexandre a pris très vite son autonomie, prospérant d'abord sur les mêmes terres. Il fut porté par plusieurs empereurs byzantins et par des tsars. En France, Alexis est connu au XIXe siècle (Tocqueville) et à l'aube du XXe. Il passe, peu avant 1930, sous la barre de 1 sur 1 000.

Le retour d'Alexis, dans le sillage d'Alexandre, n'est pas spectaculaire à ses débuts. Il ne brille alors que dans les milieux chics. Mais sa progression récente, qui l'a propulsé dans le top 10, a été la conséquence d'une totale démocratisation. Il lui aurait fallu conquérir le sud de la France pour accéder aux tout premiers rangs et rejoindre ou même dépasser Alexandre. À noter la présence récente d'**Alexy**.

Ce prénom s'est féminisé aux États-Unis.

# Alfred

| | |
|---|---|
| 1930-48 | EN REFLUX |
| 1949-58 | DÉSUET |
| 1959-97 | EXCENTRIQUE |
| DEPUIS 98 | PRÉCURSEUR |

D'étymologie incertaine, soit germanique de *adal,* « noble », et *fried,* « paix », soit du vieil anglais *aelf,* « elfe », et *raed,* « conseil », Alfred est un prénom dont l'usage remonte au Moyen Âge. Mais c'est au début du xxᵉ siècle qu'il connaît son plus grand succès dans plusieurs pays européens, notamment en Allemagne et en Italie, mais aussi en Angleterre : Alfred Hitchcock est né à Londres en 1899. En France, sa vogue est un peu plus modeste (près de 1 garçon sur 100 vers 1900) et il s'éclipse dans les années 1960. Même si les frémissements ne sont pas encore perceptibles, le cycle de la mode doit le faire revenir dans un avenir très proche. Attendons donc le nouveau bonjour d'Alfred.

# Alice

| | |
|---|---|
| 1930-50 | DÉMODÉ |
| 1951-62 | DÉSUET |
| 1963-74 | PRÉCURSEUR |
| 1975-91 | DANS LE FLUX |
| 1992-01 | PLUTÔT CONFORMISTE |
| DEPUIS 02 | EN REFLUX |

Prénom anciennement dérivé d'Adélaïde, et donc noble par son étymologie germanique, Alice a eu son heure de gloire, sans faire vraiment de merveilles, à la Belle Époque, prénommant 1 fille sur 75 nées entre 1900 et 1910. Son reflux est lent, mais elle se démode dans les années 1930 (1 fille sur 150 vers 1930).

Alice est de retour après une courte période de purgatoire pendant laquelle elle n'avait pas totalement disparu. Elle semble se contenter d'une faveur assez modeste (plus de 1 fille sur 200).

Alice s'est affirmée surtout chez les cadres (1 fille sur 75) puis dans les professions intermédiaires, pénétrant mal en milieu populaire.

**Alix**, prénom ancien, bien connu dans les milieux BCBG, est de moins en moins discret chez les filles. 1 Alix sur 5 est un garçon.

# Alicia

| | |
|---|---|
| 1930-71 | EXCENTRIQUE |
| 1972-81 | PRÉCURSEUR |
| 1982-92 | DANS LE FLUX |
| DEPUIS 93 | PLUTÔT CONFORMISTE |

Cette forme latinisée d'Alice a d'abord concurrencé sa sœur dans les pays anglophones, avant de débarquer en France où elle l'a dépassée chez les ouvriers. Flanquée de quelques **Alycia, Alissia** et **Alyssia**, Alicia, qui est proche du top 20, n'a peut-être pas dit son dernier mot.

# Aline

| | |
|---|---|
| 1930-73 | RARE |
| 1974-79 | DANS LE FLUX |
| 1980-86 | PLUTÔT CONFORMISTE |
| 1987-01 | EN REFLUX |
| DEPUIS 02 | DÉSUET |

Aline n'est pas le féminin d'Alain mais plutôt une contraction probable d'Adeline. Aline a été un prénom d'une étonnante stabilité à partir de 1920, donné à 1 fille sur 430 pendant plus d'un demi-siècle. Une poussée, contemporaine de la montée d'Adeline, l'amène au niveau modeste de 1 fille sur 180. Il n'y a guère à dire de plus sur un prénom aussi ennemi de toute aventure qui s'est également réparti dans tous les groupes sociaux, à peine plus fréquent chez les agriculteurs.

# Alison

| | |
|---|---|
| 1930-70 | EXCENTRIQUE |
| 1971-80 | PRÉCURSEUR |
| 1981-92 | DANS LE FLUX |
| EN 1993 | CONFORMISTE |
| 1994-07 | DÉMODÉ |
| DEPUIS 08 | DÉSUET |

Alison, écrit aussi **Allison** et **Alisson** quand ce n'est pas avec un y, est un dérivé d'Alice, introduit en Angleterre par les Normands. Son retour tout récent en France a été favorisé par un feuilleton télévisé américain, *Peyton Place*.

Sa forte poussée de 1993 (1 fille sur 100), surtout dans le Nord et en milieu ouvrier, a été éphémère.

# Alizée

| | |
|---|---|
| 1930-79 | EXCENTRIQUE |
| 1980-89 | PRÉCURSEUR |
| 1990-01 | PIONNIER |
| DEPUIS 02 | EN REFLUX |

On surveillait ce prénom depuis une quinzaine d'années. Il a fallu une chanteuse pour le faire s'envoler en 2000 et 2001. Est-ce l'effet, fréquemment observé, de saturation médiatique ? Alizée marque le pas depuis. Une des premières Alizée fut la fille de Jenna et Arnaud de Rosnay, maîtres du vent.

La forme **Alizé** est rare.

# Amandine

| | |
|---|---|
| 1930-65 | EXCENTRIQUE |
| 1966-75 | PRÉCURSEUR |
| 1976-81 | PIONNIER |
| 1982-85 | DANS LE VENT |
| 1986-92 | CONFORMISTE |
| 1993-97 | À LA TRAÎNE |
| DEPUIS 98 | DÉMODÉ |

Ce prénom aimable – du latin *amandus*, «à aimer» – était presque tout neuf quand il a percé rapidement et atteint la dixième place en 1986-87 (1 fille sur 70). Son déclin est rapide. Sa clientèle est à dominante populaire. On notera son plus grand succès dans le Nord et en Poitou-Charentes.

Amandine a été accompagnée de quelques **Amanda** et autres **Mandy**, vivaces en Champagne-Ardenne.

# Ambre

| | |
|---|---|
| 1930-83 | EXCENTRIQUE |
| 1984-93 | PRÉCURSEUR |
| 1994-01 | PIONNIER |
| 2002-05 | DANS LE FLUX |
| DEPUIS 06 | PLUTÔT CONFORMISTE |

L'ambre jaune est une pierre semi-précieuse ; mais l'ambre gris, substance odorante, de l'arabe *ambar*, est une origine plus probable de ce prénom que certains rattachent au mot «embrun». Le grand succès du livre de Kathleen Windsor *Ambre,* porté à l'écran, a fait découvrir ce prénom vers 1960, mais son véritable essor est bien plus récent, peut-être lié à celui de Jade.

Comme Jade, Ambre s'implante d'abord dans le Sud. Elle vient de faire naître **Ambrine**.

# Amélie

| | |
|---|---|
| 1930-63 | EXCENTRIQUE |
| 1964-73 | PRÉCURSEUR |
| 1974-81 | DANS LE FLUX |
| 1982-91 | CONFORMISTE |
| 1992-01 | EN REFLUX |
| DEPUIS 02 | DÉMODÉ |

Plutôt qu'une variante d'Émilie, Amélie, dont l'usage semble être ancien, se rattache à la racine germanique *amal*, de signification incertaine.
Au XIXᵉ siècle, les Amélie ont été moins nombreuses que les Émilie et sont nées plus tard. Amélie prénomme près de 1 fille sur 160 dans les années 1900, quand Feydeau demande qu'on s'en occupe. Elle revient pourtant en même temps qu'Émilie et ses premiers pas sont tout aussi prometteurs. Mais elle a plafonné, sans dépasser le seuil de 1 fille sur 100, sauf en 1991 où ce prénom essoufflé connaît un étrange sursaut (1 fille sur 80) avant de reprendre son lent et incertain déclin.
Quelques **Amélia** et **Ameline** l'entourent.

# Anaëlle

| | |
|---|---|
| 1930-78 | EXCENTRIQUE |
| 1979-88 | PRÉCURSEUR |
| 1989-99 | PIONNIER |
| DEPUIS 00 | DANS LE FLUX |

C'est évidemment le succès d'Anaïs qui a fait naître ce prénom, inconnu jusqu'aux années 1970. La forme **Annaëlle**, qui rappelle le lien avec Anne, est minoritaire (cinq fois moins fréquente). La combinaison d'Anne et d'une terminaison en *el* ne pouvait que séduire les Bretons, qui l'ont adoptée avant les autres. Après des débuts un peu lents, le démarrage est assuré. Il a fait naître **Anaë** et **Hanaé**.

# Anaïs

| | |
|---|---|
| 1930-69 | EXCENTRIQUE |
| 1970-79 | PRÉCURSEUR |
| 1980-85 | PIONNIER |
| 1986-92 | DANS LE VENT |
| 1993-94 | CONFORMISTE |
| 1995-03 | À LA TRAÎNE |
| DEPUIS 04 | EN REFLUX |

Malgré son petit air rétro, ce prénom, dérivé de la plus classique Anne, n'a pas de vrai passé, même si l'on voit naître quelques Anaïs de 1890 à 1930. Il démarre et grandit avec la fougue d'un prénom tout neuf dans les années 1980. En 1993, Anaïs est, à égalité avec Camille, au troisième rang des prénoms féminins les plus donnés en France, derrière Laura et

Marine. On l'imagine alors en course pour la première place mais, en fait, la décrue s'amorce l'année suivante.

Anaïs s'est imposée sur l'ensemble du territoire, malgré la réticence de l'Alsace et de l'Île-de-France, mais n'a pas fait parler beaucoup d'elle en milieu bourgeois. Fut-elle victime du parfum qui lui emprunta son nom, lorsque le prénom était dans le vent? Anaïs a fait découvrir **Naïs**, chère à Pagnol, qui perce près de la Méditerranée.

# André

| 1930-35 | HYPERCONFORMISTE |
| 1936-39 | CONFORMISTE |
| 1940-57 | À LA TRAÎNE |
| 1958-72 | DÉMODÉ |
| 1973-82 | DÉSUET |
| DEPUIS 83 | EXCENTRIQUE |

André est masculin par nature puisqu'il est «homme» en grec. Son usage est ancien mais discret jusqu'à ce qu'il prenne son envol à la fin du XIXᵉ siècle. André s'épanouit entre 1910 et 1935, étant alors le deuxième prénom, derrière Jean.

C'est dans les années 1920 qu'André est au zénith de son parcours, à plus de 6 % (1 garçon sur 16), mais il est encore hyperconformiste dans la première moitié des années 1930 et le reste jusqu'en 1943 chez les ouvriers et les agriculteurs. De même, il se maintient à plus de 5 % jusqu'en 1940 dans les régions de l'Est et du Sud, de la Franche-Comté au Midi-Pyrénées (sauf en Provence).

Les légions de Dédé ont fondu comme neige au soleil dans les années 1950, et ce prénom ne reviendra pas de sitôt.

Le diminutif anglais **Andy**, apparu voilà une quinzaine d'années, ne s'est pas imposé.

# Andréa

Cette forme cosmopolite d'Andrée (anglaise, allemande ou espagnole) a grandi à bonne allure en France où elle était d'ailleurs connue, mais rare, depuis plus d'un siècle. Mais cette poussée est éphémère et Andréa décline aujourd'hui (1 fille sur 600). C'est sans doute l'effet de la concurrence d'**Andrea**, prénom masculin en Italie et qui commence à l'être en France, surtout en Provence.

# Andrée

La carrière d'Andrée, féminisation d'André propre au XX$^e$ siècle (et étrange du point de vue de l'étymologie virile), est plus brève que celle de son homologue masculin et surtout n'atteint pas les mêmes sommets : à peine plus de 1 fille sur 50 pendant les années 1920.

Son déclin s'amorce dès 1930, sauf dans l'Est et le Sud où Andrée, arrivée plus tard, s'épanouit encore (à noter sa rareté en Alsace et en Bretagne).

# Angèle

Angèle vient du grec *angelos* qui signifie «messager», l'ange étant le messager de Dieu. Le prénom connaît une petite vogue autour de 1900, attribué à 1 fille sur 120. Il s'éclipse dans les années 1950. Angèle amorce son retour, déjà bien visible dans le Centre-Ouest et en Normandie.

**Angela**, **Angelina**, **Angeline** (ou Angéline) sont présentes discrètement depuis plus d'un siècle. Même chose pour **Ange**, mixte à prépondérance masculine, en légère hausse et mieux connu en Corse et en Provence. Au masculin, Ange est devancé aujourd'hui par l'italien **Angelo** et même par le nouvel **Angel**.

# Angélique

| | |
|---|---|
| 1930-55 | EXCENTRIQUE |
| 1956-65 | PRÉCURSEUR |
| 1966-72 | PIONNIER |
| 1973-74 | DANS LE VENT |
| 1975-83 | CONFORMISTE |
| 1984-89 | À LA TRAÎNE |
| 1990-01 | DÉMODÉ |
| DEPUIS 02 | DÉSUET |

Cousine d'Angèle, Angélique avait eu son moment de gloire au XVIIIe et jusqu'au début du XIXe. Une poussée subite l'amène à son plus haut niveau en 1975 (1 fille sur 60), après quoi elle se stabilise un peu plus bas (1 fille sur 80). Angélique est un prénom de type populaire, quasi ignoré chez les cadres, alors que les ouvriers constituent le gros bataillon de sa clientèle. Sa vogue a sans doute procédé davantage du succès de *La Marquise des Anges* que du souvenir de l'abbesse de Port-Royal ou d'un hommage à l'Angélique du *Dialogue des carmélites*.

# Anna

| | |
|---|---|
| 1930-40 | EN REFLUX |
| 1941-50 | DÉSUET |
| 1951-84 | EXCENTRIQUE |
| 1985-07 | DANS LE FLUX |
| DEPUIS 08 | DANS LE VENT |

Anna, qui l'emportait sur Anne au début du XXe siècle (1 fille sur 120), est en train de renaître (1 fille sur 105 en 2009). On l'écrit aussi **Hanna** ou **Hannah**, ou même **Ana**, forme espagnole et portugaise.

Signalons l'échec d'**Annabelle**, malgré ses débuts prometteurs dans les années 1970 (1 fille sur 400), et la présence de l'arabe **Anissa**.

# Anne

| | |
|---|---|
| 1930-45 | CLASSIQUE |
| 1946-62 | DANS LE FLUX |
| 1963-79 | CLASSIQUE |
| 1980-99 | EN REFLUX |
| DEPUIS 00 | DÉSUET |

Anne, qui vient de l'hébreu *hannah,* «la grâce», perce au XVIᵉ siècle, comme les autres noms de la famille du Christ, et devient, jusqu'au milieu du XIXᵉ, un très grand prénom que l'on trouve un peu partout dans le peloton de tête, en général entre la troisième et la cinquième place. Au terme d'une régression importante, Anne se stabilise, de 1915 à 1945, au niveau de 1 fille sur 300, tout en restant bien plus répandue en Alsace et surtout en Bretagne. C'est alors qu'elle reprend des forces et s'installe, après une lente croissance, dans une nouvelle période classique pendant laquelle elle prénomme 1 fille sur 100.

Ce classique est un prénom chic et très bourgeois, six fois moins fréquent, depuis plus d'un demi-siècle, chez les ouvriers que chez les cadres. Dans cette dernière catégorie, Anne est conformiste de 1961 à 1971, choisie pour plus de 1 fille sur 30, avec une pointe à 1 sur 20 en 1966-67.

Anne est, comme Marie, un prénom qui se prête à composition. Depuis que Anne tout court décline à nouveau, atteignant aujourd'hui son niveau le plus bas depuis des siècles, apparaissent des composés dont les moins rares, en dehors d'Anne-Laure et d'Anne-Sophie, traitées à part, sont : **Anne-Claire**, **Anne-Charlotte**, **Anne-Lise**.

Anne s'est aussi mariée naguère avec Florence, Catherine ou Isabelle, ayant un penchant accusé pour les prénoms de type classique et/ou de type bourgeois.

Enfin, n'oublions pas **Annette**, dont l'existence officielle n'a pas été négligeable dans les années 1935-50 : plus de 1 fille sur 400.

# Anne-Laure

| | |
|---|---|
| 1930-62 | EXCENTRIQUE |
| 1963-72 | PRÉCURSEUR |
| 1973-81 | DANS LE FLUX |
| 1982-88 | PLUTÔT CONFORMISTE |
| 1989-94 | EN REFLUX |
| 1995-06 | DÉSUET |
| DEPUIS 07 | EXCENTRIQUE |

Malgré son net déclin, Anne-Laure demeure, après Anne-Sophie, le composé d'Anne le plus fréquemment attribué aujourd'hui. Il n'a pourtant pas atteint le niveau de 1 fille sur 200.

Plus chic encore qu'Anne-Sophie, ce prénom a connu un succès appréciable en milieu bourgeois et chez les agriculteurs, mais il n'a guère pénétré chez les ouvriers.

C'est aujourd'hui **Anne-Charlotte** qui se distingue dans le palmarès BCBG.

# Anne-Marie

| | |
|---|---|
| 1930-40 | DANS LE VENT |
| 1941-48 | CONFORMISTE |
| 1949-58 | À LA TRAÎNE |
| 1959-76 | DÉMODÉ |
| 1977-86 | DÉSUET |
| DEPUIS 87 | EXCENTRIQUE |

Prénom ancien, qui était donné depuis la fin du XIX<sup>e</sup> siècle à 1 fille sur 120 environ, Anne-Marie est entraînée dans les années 1930 par la marée montante des composés de Jean et de Marie.

Prénommant jusqu'à 1 fille sur 50 au milieu des années 1940, Anne-Marie rencontre un accueil plus favorable encore dans ses deux zones de force : le Nord-Est (Lorraine et Franche-Comté) et le Sud-Ouest (Aquitaine et Midi-Pyrénées). Anne-Marie a été le prénom composé féminin le plus donné dans les années 1940.

# Anne-Sophie

| | |
|---|---|
| 1930-58 | EXCENTRIQUE |
| 1959-68 | PRÉCURSEUR |
| 1969-79 | DANS LE FLUX |
| 1980-88 | PLUTÔT CONFORMISTE |
| 1989-97 | EN REFLUX |
| 1998-07 | DÉSUET |
| DEPUIS 08 | EXCENTRIQUE |

Le mariage de ces deux prénoms bourgeois s'est produit quand Sophie atteignait son sommet. Il a donné naissance au prénom composé féminin le plus substantiel des vingt dernières années, encore un des plus souvent choisis aujourd'hui.

Il n'a pourtant pas été donné, à son sommet, à beaucoup plus de 1 fille sur 200. Mais ce score a été nettement dépassé en milieu bourgeois.

# Annick

| | |
|---|---|
| 1930-37 | PIONNIER |
| 1938-42 | DANS LE VENT |
| 1943-52 | CONFORMISTE |
| 1953-59 | À LA TRAÎNE |
| 1960-73 | DÉMODÉ |
| 1974-83 | DÉSUET |
| DEPUIS 84 | EXCENTRIQUE |

Anne est déjà bretonne d'adoption; le *ick* final en rajoute. C'est pourquoi le choix d'Annick est conformiste, dès la fin des années 1930, en Bretagne et dans les provinces voisines (Anjou, Maine, Normandie). Annick est même le premier prénom en Bretagne vers 1940 (près de 1 fille sur 20). Elle ne se diffuse que tardivement et avec un succès bien moindre hors de l'ouest de la France.

Considéré sur l'ensemble de l'Hexagone, le tableau est celui d'un parcours bien calme : Annick prénomme pendant dix ans 1 fille sur 75, avec un petit sommet en 1947 (1 sur 60). Cette stabilité apparente résulte de la difficulté que rencontre cette bretonnante à s'imposer partout.

**Anouk** et **Anouck**, présentes discrètement depuis vingt-cinq ans, progressent quelque peu.

# Annie

| | |
|---|---|
| 1930-38 | PIONNIER |
| 1939-44 | DANS LE VENT |
| 1945-50 | CONFORMISTE |
| 1951-62 | À LA TRAÎNE |
| 1963-75 | DÉMODÉ |
| 1976-85 | DÉSUET |
| DEPUIS 86 | EXCENTRIQUE |

Dérivé moderne d'Anne, inconnu au XIXe siècle, Annie a mieux réussi sur l'ensemble de l'Hexagone que sa contemporaine Annick. Elle est en effet choisie pour 3 filles sur 100 à son sommet (1947-48), ce qui la place au sixième rang.

Annie est entravée là où Annick a pris son essor (Normandie, Pays de la Loire, Centre), sauf en Bretagne où elle s'impose comme tout ce qui vient d'Anne.

On peut aussi noter son succès précoce en Aquitaine et en Provence, ainsi que l'échec de cette innovation dans les milieux BCBG.

# Anthony

| | |
|---|---|
| 1930-59 | EXCENTRIQUE |
| 1960-69 | PRÉCURSEUR |
| 1970-78 | PIONNIER |
| 1979-85 | DANS LE VENT |
| 1986-92 | CONFORMISTE |
| 1993-00 | À LA TRAÎNE |
| DEPUIS 01 | DÉMODÉ |

Cette forme anglaise d'Antoine est d'importation récente en France, puisqu'on n'en trouve pas trace avant les années 1960, et d'origine populaire. Qu'il soit boudé par les cadres – fidèles à Antoine – n'a pas empêché une croissance rapide d'Anthony, un des tout premiers prénoms à la fin des années 1980, choisi pour 1 garçon sur 40 et plus chez les ouvriers. Il a remplacé Antoine dans le Midi.

Anthony a été un grand prénom dans tous les pays anglophones et figure encore dans le top 20 américain.

Nous y avons ajouté les **Antony**, moins fréquents, mais le prénom Tony est traité à part.

# Antoine

| | |
|---|---|
| 1930-34 | CLASSIQUE |
| 1935-40 | EN REFLUX |
| 1941-75 | RARE |
| 1976-85 | DANS LE FLUX |
| 1986-93 | DANS LE VENT |
| 1994-00 | CONFORMISTE |
| 2001-03 | À LA TRAÎNE |
| DEPUIS 04 | EN REFLUX |

Issu d'Antonius, nom d'une famille romaine d'étymologie incertaine, Antoine a un passé prestigieux. Son ascension date du xve siècle et il a été un très grand prénom du xvie au xviiie siècle, figurant souvent au deuxième ou troisième rang, surtout dans la partie méridionale de la France.

Il est encore en bonne place dans la première moitié du xixe, le sixième ou le septième prénom sur l'ensemble de la France (1 garçon sur 30). Il régresse ensuite jusqu'en 1915, moment où il se stabilise pour vingt ans au niveau de 1 garçon sur 200 (restant plus fréquent dans le Sud-Est). Une nouvelle décrue l'entraîne à son étiage entre 1941 et 1975 (1 garçon sur 330).

Depuis 1976, Antoine connaît un nouvel essor qui l'amène en 1994 dans le top 10, avec une petite pointe en 1996 (1 garçon sur 55). Pendant bourgeois d'Anthony, ce classique a été conformiste chez les cadres dans les années 1980 (près de 1 garçon sur 40) et continue de plaire en milieu BCBG. C'est aujourd'hui dans l'Ouest (Bretagne, Pays de la Loire,

Normandie) qu'il est en vedette, alors qu'il est plus rare dans le Midi. Même en Corse, où il régna si longtemps, on lui a préféré Anthony.

# Antoinette

1930-54    EN REFLUX
1955-64    DÉSUET
DEPUIS 65    EXCENTRIQUE

Grand prénom féminin au cours des XVII^e et XVIII^e siècles, surtout dans le Midi, Antoinette est encore présente au XIX^e (1 fille sur 100). De 1890 à 1925, elle se maintient au niveau de 1 fille sur 160. La lenteur de son déclin ultérieur vient sans doute de la vogue des terminaisons en *ette* dont elle ne peut pourtant tirer profit.

Quant à **Marie-Antoinette**, rare depuis le début du XX^e siècle, elle termine sa carrière dans les années 1940.

# Antonin

1930-80    EXCENTRIQUE
1981-90    PRÉCURSEUR
DEPUIS 91    DANS LE FLUX

Dérivé ancien d'Antoine, Antonin a connu une toute petite vogue dans les années 1890-1920, illustrée surtout par le poète Antonin Artaud (1896-1940). Il frémit dans les années 1980, mais sa nouvelle croissance se confirme depuis peu, notamment dans les Pays de la Loire et en Poitou-Charentes, avec parfois la forme bizarre **Anthonin**.

# Apolline

1930-85    EXCENTRIQUE
1986-95    PRÉCURSEUR
DEPUIS 96    DANS LE FLUX

Le nom d'Apollon, dieu grec aux multiples attributs (dont la beauté), se rattache à *apellos*, «qui inspire». Son féminin Apolline, en usage discret au XIX^e siècle, semble décidé à sortir du milieu BCBG qui l'a vue renaître. Le XIX^e siècle connaissait aussi des **Apollonie**.

# Arlette

| | |
|---|---|
| 1930-34 | DANS LE VENT |
| 1935-39 | CONFORMISTE |
| 1940-46 | À LA TRAÎNE |
| 1947-60 | DÉMODÉ |
| 1961-70 | DÉSUET |
| DEPUIS 71 | EXCENTRIQUE |

Dérivant peut-être de **Charlette**, féminisation ancienne et rare de Charles, Arlette a aussi de l'ancienneté puisque la mère de Guillaume le Conquérant portait ce nom. Elle connaît une petite vogue dans la seconde moitié des années 1930 : elle est alors choisie pour 1 fille sur 90.

Comme elle obtenait son meilleur score en Provence (1 fille sur 60), on pouvait la prendre pour une Arlésienne.

# Armand

| | |
|---|---|
| 1930-34 | CLASSIQUE |
| 1935-49 | EN REFLUX |
| 1950-59 | DÉSUET |
| 1960-92 | EXCENTRIQUE |
| 1993-00 | RARE |
| 2001-05 | PRÉCURSEUR |
| DEPUIS 06 | PIONNIER |

D'origine germanique, *harja*, «armée» et *man*, «homme», Armand correspond au Hartmann allemand.

Depuis le XIXe siècle, et jusqu'au début des années 1930, c'est un prénom stable et peu courant qui ne dépasse pas le niveau de 1 garçon sur 250. Armand est devenu très rare depuis 1950 sans être complètement absent et est en train de sortir de ce doux purgatoire. Il a déjà reconquis les milieux BCBG.

# Armelle

| | |
|---|---|
| 1930-50 | EXCENTRIQUE |
| 1951-81 | RARE |
| DEPUIS 82 | EXCENTRIQUE |

**Armel** est bien breton avec son étymologie celtique : *arzh*, «ours» et *mael*, «prince». Il est resté rarissime. C'est la féminisation Armelle qui s'est fait connaître un peu. Inexistant ou presque jusqu'en 1950, ce prénom demeure constant dans la rareté (jamais plus de 1 fille sur 400).

Armelle a été connue dans les milieux chics, mais plus que discrète en milieu populaire.

**Arielle** est encore plus confidentielle depuis les années 1950.

# Arnaud

| | |
|---|---|
| 1930-49 | EXCENTRIQUE |
| 1950-59 | PRÉCURSEUR |
| 1960-69 | PIONNIER |
| 1970-72 | DANS LE VENT |
| 1973-80 | CONFORMISTE |
| 1981-92 | À LA TRAÎNE |
| 1993-05 | DÉMODÉ |
| DEPUIS 06 | DÉSUET |

D'origine germanique – *arn*, «aigle» –, Arnaud fut très connu au Moyen Âge puis s'éclipsa durablement tandis qu'**Arnold** survivait un peu en Allemagne ou en Angleterre. Dès le début du XXᵉ siècle, on trouve des Arnaud dans les familles nobles. Mais le vrai retour date de la fin des années 1950. Arnaud n'atteint dans les années 1970 qu'un niveau relativement modeste : 1 garçon sur 80.

Ce prénom chic, de longue date prisé avec la particule, a été particulièrement bien accueilli en milieu bourgeois, beaucoup mieux que chez les ouvriers. Les cadres lui restent d'ailleurs assez fidèles lors de sa lente décrue et il est encore aujourd'hui en bonne place dans les palmarès BCBG.

Arnaud s'est aussi mieux implanté qu'ailleurs dans le Nord-Ouest, de la Normandie aux Ardennes, et finit sa carrière en Alsace.

Notons la petite crue récente d'**Arno**, qui est un fleuve et un chanteur belge, mais non pas de l'Arnaud italien, **Arnaldo**.

# Arthur

| | |
|---|---|
| 1930-73 | EXCENTRIQUE |
| 1974-83 | PRÉCURSEUR |
| 1984-98 | PIONNIER |
| 1999-06 | PLUTÔT CONFORMISTE |
| DEPUIS 07 | EN REFLUX |

L'origine de ce très ancien prénom est incertaine, mais très probablement celtique : *arto*, «ours» ou *art*, «pierre». Il fut rendu célèbre par le légendaire **Artus** ou Arthur, grand maître des chevaliers de la Table ronde dont les exploits furent narrés par les bardes gallois puis par divers auteurs dont Chrétien de Troyes au XIIᵉ siècle.

Porté par plusieurs ducs de Bretagne du XIIᵉ au XVᵉ siècle, Arthur fut le premier nom celtique à se diffuser de manière importante.

Ce prénom eut quelques adeptes durant le XIXᵉ (Rimbaud) et au début du XXᵉ siècle, avant de tomber dans l'oubli. Il a refait surface, s'imposant d'abord chez les cadres, et commençant à pénétrer dans les milieux populaires. En léger déclin, il est choisi aujourd'hui pour 1 garçon sur 130.

# Aude

| | |
|---|---|
| 1930-62 | EXCENTRIQUE |
| 1963-72 | PRÉCURSEUR |
| 1973-82 | DANS LE FLUX |
| 1983-89 | PLUTÔT CONFORMISTE |
| 1990-99 | EN REFLUX |
| DEPUIS 00 | DÉSUET |

L'étymologie d'Aude est probablement germanique : *aud*, «richesse» ou *ald*, «ancien». Ancien, très ancien même, ce prénom, qui était bien oublié, prend un assez bon départ quand il resurgit, étant choisi pour 1 fille sur 100 chez les cadres vers 1980.

Mais ce prénom chic plafonne, ne prénommant guère plus de 1 fille sur 300 dans l'ensemble de la population, puis décline.

Aude a toujours été un peu en retrait sur sa contemporaine et jumelle Maud.

# Audrey

| | |
|---|---|
| 1930-62 | EXCENTRIQUE |
| 1963-70 | PRÉCURSEUR |
| 1971-75 | PIONNIER |
| 1976-81 | DANS LE VENT |
| 1982-87 | CONFORMISTE |
| 1988-94 | À LA TRAÎNE |
| 1995-05 | DÉMODÉ |
| DEPUIS 06 | DÉSUET |

Un prénom bien anglais, d'origine anglo-saxonne, dont la forme ancienne était *Etheldreda*, «noble et puissant».

Tout à fait inconnu en France jusqu'aux années 1960, ce prénom fait une percée rapide à un moment où il est démodé dans les pays anglophones. Il est attribué à près de 1 fille sur 45 à son sommet, ce qui le situe aux places d'honneur.

Les employés sont la catégorie sociale qui lui fait le meilleur accueil, alors qu'il est boudé dans les milieux chics.

Audrey conquiert d'abord le Nord-Est et le Sud-Est, mais prend sa retraite en Bretagne.

# Aurélie

| | |
|---|---|
| 1930-59 | EXCENTRIQUE |
| 1960-69 | PRÉCURSEUR |
| 1970-76 | PIONNIER |
| 1977-80 | DANS LE VENT |
| 1981-86 | CONFORMISTE |
| 1987-92 | À LA TRAÎNE |
| 1993-04 | DÉMODÉ |
| DEPUIS 05 | DÉSUET |

Aurélie se rattache à l'aurore par le grec *aurios*, qui se mêla à l'or du latin *aureus*. Dotée d'une sainte patronne assez obscure, Aurélie était très rare au xix$^e$ siècle et inexistante au xx$^e$ jusqu'en 1960.

C'est donc un prénom pratiquement tout neuf qui s'élance dans les années 1970 jusqu'au sommet: il est en tête de 1981 à 1986, donné à 1 fille sur 30, talonné de près, il est vrai, par Émilie. Aurélie a conquis tous les groupes sociaux à peu près en même temps. Mais les cadres l'ont vite délaissée, et ne l'ont jamais placée parmi leurs prénoms favoris.

La Basse-Normandie a été sa région de prédilection à ses débuts. Son déclin est rapide.

Nous décomptons à part **Aurélia**, prénom nervalien attribué à 1 fille sur 400 dans les années 1980.

# Aurélien

| | |
|---|---|
| 1930-64 | EXCENTRIQUE |
| 1965-74 | PRÉCURSEUR |
| 1975-81 | PIONNIER |
| 1982-85 | DANS LE VENT |
| 1986-89 | CONFORMISTE |
| 1990-93 | À LA TRAÎNE |
| 1994-03 | DÉMODÉ |
| DEPUIS 04 | DÉSUET |

Est-ce sous l'empire de son nom (voir Aurélie) que l'empereur Aurélien voulut instituer à Rome le culte du Soleil?

Jusqu'au début des années 1970, Aurélien est quasi inexistant. Il démarre un peu avant Adrien, autre empereur romain, mais, à la différence de ce dernier, il remporte ses premiers succès aussi bien parmi les professions intermédiaires et les employés que chez les cadres.

Aurélien n'a pas atteint les mêmes sommets que son homologue féminin, Aurélie. Il a plafonné sans avoir nettement dépassé le seuil de 1 garçon sur 100. Et ce prénom assez éphémère est déjà bien démodé.

**Augustin**, connu depuis trente ans en milieu BCBG, est en train de prendre le relais (1 garçon sur 600).

# Auriane voir Oriane

# Aurore

| | |
|---|---|
| 1930-60 | EXCENTRIQUE |
| 1961-70 | PRÉCURSEUR |
| 1971-79 | PIONNIER |
| 1980-84 | DANS LE VENT |
| 1985-87 | CONFORMISTE |
| 1988-91 | À LA TRAÎNE |
| 1992-04 | DÉMODÉ |
| DEPUIS 05 | DÉSUET |

De même étymologie, ici plus transparente, qu'Aurélie, dépourvue de sainte patronne ou de saint patron, Aurore a toujours été confidentielle avant de se lever au début des années 1970, à la remorque d'Aurélie.

Elle n'a brillé de ses plus beaux feux (près de 1 fille sur 80) que de manière éphémère, et la voilà qui vire au crépuscule.

Aurore a été surtout appréciée en milieu populaire, où l'on se lève tôt.

# Axel

| | |
|---|---|
| 1930-74 | EXCENTRIQUE |
| 1975-84 | PRÉCURSEUR |
| 1985-95 | DANS LE FLUX |
| DEPUIS 96 | PLUTÔT CONFORMISTE |

Axel est communément considéré comme un dérivé scandinave du nom hébraïque Absalon, signifiant «mon père est paix», bien connu par la Bible.

Pourquoi cette percée récente en France d'un prénom qui était jusqu'alors surtout connu dans les pays scandinaves ou germaniques?

Le succès d'Alexandre et d'Alexis y est peut-être pour quelque chose, Axel étant l'anagramme d'Alex.

Axel prénomme aujourd'hui plus de 1 garçon sur 160.

# Axelle

1930-83   EXCENTRIQUE
1984-93   PRÉCURSEUR
1994-03   DANS LE FLUX
DEPUIS 04   EN REFLUX

Cette féminisation du prénom scandinave Axel est évidemment une nouveauté. Mais un prénom en *el* peut difficilement grandir sans entraîner son féminin ou le créer, surtout si une chanteuse s'en mêle. Sa poussée, d'abord vive, se ralentit (1 fille sur 600 en 2009).

# Aymeric et Émeric

1930-74   EXCENTRIQUE
DEPUIS 75   RARE

D'origine germanique – *haim*, «maisonnée» et *ric*, «puissant» –, ce prénom du Moyen Âge (d'où sa fréquence comme patronyme) a été hors d'usage pendant des siècles. Il refait surface dans les années 1970, mais ne progresse qu'à petits pas (au mieux 1 garçon sur 340 en 1998). La forme Aymeric l'emporte de plus en plus et l'on voit naître aussi quelques **Aymerick** ou **Émerick.**

Aymeric est très présent en milieu BCBG, tout comme le traditionnellement chic **Amaury**, d'étymologie voisine.

# Baptiste

*Baptistè*, en grec, est «celui qui immerge», donc qui baptise. Bien moins courant que Jean-Baptiste au XVIIIe et au XIXe siècle, Baptiste est revenu presque en même temps, mais il a grandi plus vite et plus longtemps. Sa clientèle est moins bourgeoise.

Baptiste est alors beaucoup plus visible dans le Centre-Ouest (de la Normandie au Poitou) que dans le Midi méditerranéen.

# Barbara

Barbara est une «étrangère» par son étymologie grecque. Elle fut aussi longtemps étrangère en France.

À force de vouloir se rappeler Barbara, on a failli l'oublier. Ni le poème mis en chanson, ni la chanteuse, ni même son usage américain n'ont pu lancer ce prénom qui a végété, n'ayant jamais été choisi pour plus de 1 fille sur 300.

Quant à **Barbe**, qui n'était pourtant pas rare dans le courant du XVIIe siècle, il y a peu de chances qu'elle repousse.

Et l'on ne voit pas non plus poindre l'ancienne **Barberine**, pas plus que Barbie malgré la poupée.

# Bastien

| | |
|---|---|
| 1930-70 | EXCENTRIQUE |
| 1971-79 | PRÉCURSEUR |
| 1980-93 | DANS LE FLUX |
| 1994-00 | PLUTÔT CONFORMISTE |
| DEPUIS 01 | EN REFLUX |

Raccourci de Sébastien, Bastien a émergé quand Sébastien entamait son déclin. Sa croissance a été bien plus lente.

Bastien a été donné au mieux à 1 garçon sur 160, en 1998 et 1999, avec une prime en milieu paysan et une nette prédilection pour le sud de l'Hexagone.

# Béatrice

| | |
|---|---|
| 1930-40 | PRÉCURSEUR |
| 1941-54 | PIONNIER |
| 1955-60 | DANS LE VENT |
| 1961-68 | CONFORMISTE |
| 1969-74 | À LA TRAÎNE |
| 1975-87 | DÉMODÉ |
| 1988-97 | DÉSUET |
| DEPUIS 98 | EXCENTRIQUE |

*Beatrix* en latin est «heureuse» et elle rend aussi les autres heureux. Prénom d'usage ancien, puisque chanté par Dante, mais presque oublié au XIXe siècle, Béatrice revient dans les années 1940. Sa carrière n'est pas spectaculaire, mais durable.

À son sommet, en 1963-64, ce prénom est donné à moins de 1 fille sur 60, étant assez loin du peloton de tête. Béatrice a connu un vif succès en milieu BCBG dès la fin des années 1930.

Elle a été bien accueillie par les cadres (1 fille sur 65 en moyenne de 1954 à 1969) et avec plus de faveur encore chez les agriculteurs, qui l'ont choisie pour 1 de leurs filles sur 40 de 1966 à 1973. Cette double préférence est souvent le lot des prénoms tranquilles.

Béatrice s'est mieux épanouie dans l'ouest de la France, de la Picardie à l'Aquitaine, tandis que ses zones de notable faiblesse étaient situées dans l'Est (Bourgogne, Franche-Comté, Provence).

# Bénédicte

| | |
|---|---|
| 1930-54 | EXCENTRIQUE |
| 1955-91 | RARE |
| DEPUIS 92 | EXCENTRIQUE |

Au XIX<sup>e</sup> siècle, **Benoîte** l'emportait sur Bénédicte, cette dernière étant plus proche du *benedictus* latin. Benoîte disparaissant complètement dans les années 1920, laisse le champ libre à sa rivale. Bénédicte est restée discrète, sauf dans les milieux chics, six fois plus choisie par les cadres que par les ouvriers, plus constante dans la rareté, et donc plus BCBG encore que son frère Benoît.

Bénédicte a été un peu plus en usage dans les années 1970, sans dépasser toutefois le niveau de 1 fille sur 300 (en 1972-73). Son score a été évidemment bien plus élevé en haut de l'échelle sociale où elle est encore présente, mais en net déclin.

# Benjamin

| | |
|---|---|
| 1930-60 | EXCENTRIQUE |
| 1961-70 | PRÉCURSEUR |
| 1971-78 | PIONNIER |
| 1979-88 | DANS LE VENT |
| 1989-95 | CONFORMISTE |
| 1996-01 | À LA TRAÎNE |
| DEPUIS 02 | DÉMODÉ |

Dans la Bible, Benjamin est le second (et le préféré) fils de Jacob ; sa mère Rachel meurt en lui donnant la vie. *Binyamin* signifie «fils de la droite», ce qui peut vouloir dire «fils de la chance» ou «fils du Sud».

À la différence de David, ce prénom biblique a mis du temps pour s'imposer en milieu populaire, parce que moins porté par la mode américaine. D'où une progression assez lente au terme de laquelle il culmine à un niveau honorable (1 garçon sur 55) sans grimper aux toutes premières places.

La diffusion sociale de Benjamin a été assez homogène, avec une petite prime aux couches moyennes et une réticence des gens du *Bottin mondain*. Il s'est bien implanté dans l'Ouest, mais médiocrement en Provence.

# Benoît

| | |
|---|---|
| 1930-40 | EXCENTRIQUE |
| 1941-50 | PRÉCURSEUR |
| 1951-74 | DANS LE FLUX |
| 1975-89 | CLASSIQUE |
| 1990-06 | EN REFLUX |
| DEPUIS 07 | DÉSUET |

Benoît est la forme française du *benedictus* latin, «béni», qu'on lit plus facilement dans le féminin Bénédicte, le Benedict anglais, ou l'ordre des Bénédictins fondé par saint Benoît. C'est un prénom d'usage courant dans les siècles passés, porté par quinze papes et qui est encore bien connu au XIXᵉ siècle. Il disparaît presque dans la première moitié du XXᵉ.

Sa nouvelle carrière en fait, conformément à son passé, un prénom d'allure classique qui s'est stabilisé autour de 1 % pendant quinze ans à partir de 1975. Mais ce score était dépassé dès 1970 chez les cadres. Car Benoît, comme Vincent son contemporain, est un prénom bourgeois, apprécié aussi en milieu agricole, mais plus rare chez les ouvriers. Son reflux est bien plus rapide que sa croissance, et l'élection de Benoît XVI ne semble pas susciter de nombreuses vocations.

# Bérénice voir Véronique

# Bernadette

| | |
|---|---|
| 1930-34 | DANS LE VENT |
| 1935-59 | CLASSIQUE |
| 1960-63 | À LA TRAÎNE |
| 1964-71 | DÉMODÉ |
| 1972-81 | DÉSUET |
| DEPUIS 82 | EXCENTRIQUE |

Les rencontres de Bernadette Soubirous avec l'Immaculée Conception n'ont pas, malgré leur rapide retentissement, été fécondes de petites Bernadette, puisque ce féminin de Bernard n'apparaît qu'au début du XXᵉ siècle. En revanche, la béatification (1925), puis la canonisation (1933) de la petite bergère ont pu favoriser l'essor de ce prénom porté aussi par la marée montante des prénoms en *ette* et les progrès de Bernard.

C'est alors que se produit une sorte de miracle : tandis que ses consœurs en *ette* plient bagage dans les années 1930 ou 40, Bernadette, après son élévation au niveau de 1 fille sur 90, s'y maintient pendant un quart de siècle, défiant les lois de la gravité sociologique.

Hélas, ce miracle-là ne résiste pas à l'analyse. Cette stabilité dissimule les pérégrinations de Bernadette qui suit les mêmes chemins que Bernard, avec plus de lenteur encore. Elle arrive du Nord-Ouest (et non de Lourdes), ne s'attarde pas en Île-de-France, s'implante bien dans un large Nord-Est (sauf l'Alsace où elle est tardive), prend son temps avant de franchir la Loire et ne parvient qu'exténuée en Provence.

Une fois le voyage terminé, et donc l'illusion dissipée, la chute de ce faux classique est naturellement brutale, même si les agriculteurs lui restent longtemps fidèles.

Bernadette avait été appréciée en milieu BCBG dans les années 1930. Y a figuré longtemps la discrète **Bérengère** (ou **Bérangère**) qui s'éclipse.

# Bernard

C'est vers 1910 que l'on voit naître Bernard, ou plutôt renaître, car ce vieux prénom d'origine germanique – *Bern-hard*, « ours fort » – a été très fréquent au Moyen Âge : c'est pourquoi Bernard est au deuxième rang des noms de famille les plus répandus, derrière Martin. Comme prénom, il est en usage jusqu'au début du XIXᵉ siècle, dans le Sud-Ouest notamment.

Considéré sur l'ensemble de la France, Bernard est attribué à 1 garçon sur 25 pendant dix ans (1 sur 22 au mieux en 1948-49), ce qui le situe entre le cinquième et le troisième rang. Cette moyenne nationale dissimule des écarts régionaux, importants dans le cas de Bernard qui s'est propagé par vagues successives. La première le fait débarquer en Normandie ; de là il se répand dans la moitié nord jusqu'en Alsace où il devient le premier prénom vers 1940. Il ne franchit la Loire que dans les années 1940 pour retrouver ses anciennes terres d'Aquitaine et de

Midi-Pyrénées, alors qu'il est déjà sur le déclin dans le Nord-Ouest. Lorsqu'il atteint le Languedoc et la Provence, il est à bout de souffle et ne peut s'y imposer.

Bernard fut d'abord un prénom très chic, leader dans les milieux BCBG durant les années 1930, avant de devenir un prénom rustique au terme de sa carrière : les agriculteurs l'ont mis au deuxième rang de 1948 à 1955.

# Bertrand

| | |
|---|---|
| 1930-37 | EXCENTRIQUE |
| 1938-47 | PRÉCURSEUR |
| 1948-57 | DANS LE FLUX |
| 1958-79 | CLASSIQUE |
| 1980-92 | EN REFLUX |
| 1993-02 | DÉSUET |
| DEPUIS 03 | EXCENTRIQUE |

Comme Bernard, Bertrand fut un nom répandu au Moyen Âge et d'origine germanique : *bercht*, « brillant » et *hramm*, « corbeau ».

Bertrand s'était éclipsé au XIXe siècle et jusque dans les années 1940. Sa nouvelle carrière est celle d'un prénom classique et assez rare puisqu'il n'a guère été donné à plus de 1 garçon sur 250 pendant une vingtaine d'années.

C'est aussi un prénom bourgeois, cinq fois moins choisi par les ouvriers que par les cadres, seul groupe où il dépasse 1 % de 1960 à 1967 et de 1972 à 1979. Dans l'aristocratie et la haute bourgeoisie, son succès a été plus éclatant et plus durable encore : 1 garçon sur 50 des années 1930 aux années 1960. Pourtant, là comme ailleurs, il s'est démodé.

# Blandine

| | |
|---|---|
| 1930-60 | EXCENTRIQUE |
| 1961-00 | RARE |
| DEPUIS 01 | EXCENTRIQUE |

Le XIXe siècle connaissait **Blanche** (prénom qui devrait revenir) et non Blandine. Cette dernière ne s'est pas imposée et reste discrète (moins de 1 fille sur 400), s'épanouissant un peu plus en milieu bourgeois.

L'origine du nom est latine : *blandus*, « caressant, flatteur ».

# Boris voir Dimitri

# Brandon

1930-92  EXCENTRIQUE
DEPUIS 93  RARE

Dérivé de Brendan, nom d'un saint irlandais, ce prénom s'est imposé récemment aux États-Unis et progresse en Angleterre. Un feuilleton télévisé a provoqué sa brusque percée en France : 1 garçon sur 300 en 1994-95.

Attisé surtout dans le Nord, ce Brandon ne sera sans doute guère plus qu'un feu de paille. Il en va de même pour sa jumelle **Brenda**, aussi éphémère. Et même **Brendan** ne paraît pas s'installer.

# Brice

1930-65  EXCENTRIQUE
1966-75  PRÉCURSEUR
1976-05  RARE
DEPUIS 06  DÉSUET

Le *bri* de Brice évoque une origine celtique : *bri*, « élévation, dignité » ou *brigh*, « puissance », même si saint Britius, successeur de saint Martin, était tourangeau.

Presque inconnu avant les années 1970, réveillé peut-être par Fabrice, ce très ancien prénom, est réapparu voilà vingt-cinq ans. Il se maintient longtemps dans la zone de 1 garçon sur 500 et tend à se raréfier.

Le breton **Brieuc,** anglophone mais d'origine normande, est très rare, tout comme **Bruce**.

# Brigitte

| | |
|---|---|
| 1930-32 | PRÉCURSEUR |
| 1933-48 | PIONNIER |
| 1949-55 | DANS LE VENT |
| 1956-61 | CONFORMISTE |
| 1962-65 | À LA TRAÎNE |
| 1966-75 | DÉMODÉ |
| 1976-85 | DÉSUET |
| DEPUIS 86 | EXCENTRIQUE |

Brigitte est dotée d'une double ascendance. Elle est d'abord le nom d'une déesse celtique en Irlande – à rattacher sans doute à *brigh*, « puissance » –, puis de la sainte légendaire qui patronne l'Irlande. Son nom se mêle ensuite à celui d'une sainte suédoise du XIV$^e$ siècle. D'où l'image d'un prénom qui vient du Nord quand ce prénom commence à grandir en France, dans les années 1930.

On voit donc que ce n'est pas l'immense popularité de B.B. qui explique le succès de Brigitte. En 1956, quand sort sur les écrans *Et Dieu créa la femme*, ce prénom est déjà conformiste : il culmine en 1958-59, donné à 1 fille sur 22. Et dès 1952, il était choisi par les cadres pour 1 de leurs filles sur 25. Au contraire, Brigitte a été victime du mythe Bardot (dont les parents avaient fait un choix pionnier) puisque sa chute est particulièrement rapide.

Brigitte a atteint le deuxième rang des prénoms en 1959, dépassée de peu par Catherine.

Un prénom sans particularité sociale marquée (à peine plus répandu chez les cadres, les commerçants et les agriculteurs) et dont la diffusion régionale a été assez uniforme.

# Bruno

| | |
|---|---|
| 1930-37 | PRÉCURSEUR |
| 1938-55 | PIONNIER |
| 1956-60 | DANS LE VENT |
| 1961-66 | CONFORMISTE |
| 1967-73 | À LA TRAÎNE |
| 1974-95 | DÉMODÉ |
| 1996-05 | DÉSUET |
| DEPUIS 06 | EXCENTRIQUE |

Après un démarrage un peu lent, Bruno a suivi le parcours typique d'un prénom à la mode sans atteindre de véritables sommets puisqu'il culmine à 3 % (1 garçon sur 33) en 1963-64.

Picardie et Normandie ont été les régions préférées de Bruno, qui est bien moins connu dans le Nord-Est.

Ce prénom s'est réparti à peu près également dans tous les milieux, hormis une réticence des agriculteurs.

De lointaine origine germanique – *braun*, «brun» ou *brünne*, «cuirasse» –, Bruno a été adopté par les parents de nationalité portugaise qui ont retardé sa chute.

# Bryan et Brian

| | |
|---|---|
| 1930-78 | EXCENTRIQUE |
| 1979-88 | PRÉCURSEUR |
| 1989-95 | DANS LE FLUX |
| 1996-00 | PLUTÔT CONFORMISTE |
| DEPUIS 01 | EN REFLUX |

Traditionnel en Irlande, mais répandu au XXe siècle dans tous les pays anglophones, Brian arrive en France. La forme Bryan prédomine de plus en plus. La prononciation plus ou moins à l'anglaise (d'où quelques **Brayan**) l'emporte nettement sur la française, «brillant». Pourtant ce nom pourrait être d'origine française: Briand est un patronyme connu, notamment en Bretagne. L'origine du nom est celtique, avec la même incertitude vue pour Brice quant au sens du *bri* initial.

Cette percée, forte dans le Nord, a un peu réveillé le traditionnel **Briac**, et fait surgir Ryan, Rayan et Rayane.

# Camille

Dans la Rome ancienne, les *camilli* étaient les jeunes gens de bonne famille aidant aux sacrifices, les enfants de chœur en quelque sorte. Camillus et Camilla donnant tous deux Camille, ce prénom était destiné à être mixte. Camille se fait rare au XIX<sup>e</sup> siècle et il est alors plus masculin que féminin. Cela reste vrai dans la première moitié du XX<sup>e</sup> siècle. Sa nouvelle carrière en fait un prénom à nette prédominance féminine (95 %). Camille au masculin a réapparu en même temps que sa sœur ; mais il n'a pas atteint le niveau de 1 garçon sur 500 et est aujourd'hui en recul.

Camille au féminin, que nous considérons ici, a connu une toute petite vogue dans les années 1910-30 puis est revenue avec beaucoup plus de vigueur.

Longtemps en tête chez les cadres, Camille a manqué de peu le premier rang des prénoms féminins, faute d'avoir mobilisé complètement son armée de réserve industrielle : elle a tardé à s'imposer chez les ouvriers.

Camille n'a vaincu ses rivales que dans le Nord-Ouest.

La forme Camilia commence à apparaître, se transformant en fleur dans Camélia.

# Capucine

| | |
|---|---|
| 1930-86 | EXCENTRIQUE |
| 1987-96 | PRÉCURSEUR |
| DEPUIS 97 | PIONNIER |

Ce nom de fleur ne figurait pas au calendrier républicain : importée du Pérou, la capucine était encore peu cultivée à la fin du XVIIIe siècle. Quant au prénom, il est quasi inexistant avant 1980. En usage d'abord dans les milieux BCBG, Capucine se démocratise et pousse à bonne allure (près de 1 fille sur 400 en 2009).

# Carine voir Karine

# Carla

| | |
|---|---|
| 1930-84 | EXCENTRIQUE |
| 1985-94 | PRÉCURSEUR |
| 1995-02 | PIONNIER |
| 2003-06 | DANS LE VENT |
| DEPUIS 07 | DÉMODÉ |

Pourquoi cette soudaine poussée, surtout en Corse, Provence et Languedoc, d'un féminin de Charles inconnu jusqu'alors en France ? Les premiers succès de Carla sont dus à l'hégémonie de Clara et peut-être également à la découverte de la mannequin-chanteuse. Les espoirs du prénom Carla s'effondrent lorsque cette dernière devient la nouvelle première dame de France. Nul prénom, aussi populaire soit-il, ne saurait résister à une notoriété en flèche, conséquence d'une saturation médiatique sans précédent.

# Carole

| | |
|---|---|
| 1930-41 | EXCENTRIQUE |
| 1942-51 | PRÉCURSEUR |
| 1952-62 | PIONNIER |
| 1963-66 | DANS LE VENT |
| 1967-72 | CONFORMISTE |
| 1973-79 | À LA TRAÎNE |
| 1980-94 | DÉMODÉ |
| 1995-04 | DÉSUET |
| DEPUIS 05 | EXCENTRIQUE |

Carole, comme Caroline, provient de la forme latine de Charles. Mais, à la différence de Caroline, Carole était inconnue en France avant le milieu du XXᵉ siècle. Elle émerge quand triomphent Martine, le prénom, et Martine Carol, l'actrice, notamment dans *Caroline chérie*.

Carole n'est pas donnée à plus de 1 fille sur 70 lorsqu'elle culmine, se répartissant également dans les divers milieux sociaux.

Elle a ouvert la voie non seulement à Caroline, mais aussi peut-être à Carine ou Karine, et anticipé le retour de Charlotte. Elle ne s'est approchée que lentement du purgatoire dans lequel elle vient de rentrer.

Carole se combine parfois avec Anne pour donner **Carole-Anne** ou bien la nouvelle **Carolane** qui s'est imposée au Québec.

# Caroline

| | |
|---|---|
| 1930-44 | EXCENTRIQUE |
| 1945-54 | PRÉCURSEUR |
| 1955-70 | PIONNIER |
| 1971-76 | DANS LE VENT |
| 1977-82 | CONFORMISTE |
| 1983-92 | À LA TRAÎNE |
| 1993-05 | DÉMODÉ |
| DEPUIS 06 | DÉSUET |

Ce féminin de Charles est d'usage ancien : Caroline est connue sans être bien fréquente au XIXᵉ siècle, et son retour est long à se confirmer dans les années 1950 et 1960.

Ni le succès de *Caroline chérie* (série romanesque inaugurée en 1946 et portée à l'écran dans les années 1950), ni la naissance de Caroline de Monaco (1957) ne la décident à s'élancer. Elle fait sa coquette, reste en coulisse, attendant pour entrer en scène que Carole, Corinne et Carine aient bien chauffé la salle. Son numéro n'est pourtant pas exceptionnel, puisqu'elle n'arrive même pas, au mieux de sa forme, à séduire plus de 1 couple de parents sur 60.

Mais Caroline sait se faire apprécier en milieu bourgeois : dans les années 1975-79, elle est en première position, à égalité avec sa contemporaine Céline, chez les cadres (1 fille sur 30); et ces derniers lui demeurent fidèles lors de son reflux. Elle reste aujourd'hui présente dans le palmarès BCBG.

Caroline a été assez bien accueillie dans les autres catégories sociales, sauf chez les ouvriers dont elle n'a pas su s'attirer les faveurs. En cela aussi elle rime avec Catherine et lui succède.

# Cassandra

| | |
|---|---|
| 1930-81 | EXCENTRIQUE |
| 1982-88 | PRÉCURSEUR |
| 1989-92 | DANS LE FLUX |
| 1993-94 | PLUTÔT CONFORMISTE |
| 1995-05 | EN REFLUX |
| DEPUIS 06 | DÉMODÉ |

En raison de son association avec la prophétesse troyenne, annonçant les malheurs, **Cassandre** fut naguère objet de litiges à l'état civil. Ce prénom féminin, qui pouvait aussi se réclamer de Ronsard, est en train de s'installer dans le Centre et l'Ouest.

Mais c'est la forme internationale Cassandra, bien connue aux États-Unis, qui a surgi brusquement, séduisant surtout les milieux populaires et le nord de l'Hexagone, de la Picardie à la Lorraine. Après une pointe à 1 fille sur 170 en 1993, le reflux est d'abord rapide, puis hésitant, au gré des feuilletons télévisés.

# Catherine

| | |
|---|---|
| 1930-38 | PRÉCURSEUR |
| 1939-48 | PIONNIER |
| 1949-57 | DANS LE VENT |
| 1958-61 | CONFORMISTE |
| 1962-63 | HYPERCONFORMISTE |
| 1964-65 | CONFORMISTE |
| 1966-75 | À LA TRAÎNE |
| 1976-89 | DÉMODÉ |
| 1990-99 | DÉSUET |
| DEPUIS 00 | EXCENTRIQUE |

On rattache communément Catherine au *katharos* grec, «pur». Cette étymologie est très douteuse, mais explique les variantes dotées d'un *K* initial.

Catherine est un grand prénom traditionnel en France, dans les tout premiers du XVe siècle jusqu'au début du XIXe, et qui se raréfie progressivement, sans être complètement absent, dans les premières décennies du XXe siècle.

Catherine repart pendant la Seconde Guerre mondiale, et son essor est peut-être favorisé par la canonisation de Catherine Labouré (1947), qui ajoute une troisième fête de Catherine au calendrier.

Catherine parvient au premier rang en 1959-60, avant même d'atteindre la zone de l'hyperconformisme (1 fille sur 20) : elle est alors dépassée par Sylvie. Dans sa nouvelle jeunesse, ce prénom ancien est avant tout bourgeois. Que l'on en juge : premier prénom chez les cadres de 1947 à 1963, il est choisi dans cette catégorie pour 1 fille sur 16 de 1950 à 1964 avec une pointe à 1 sur 12 en 1956.

Les professions intermédiaires et indépendantes font également bon accueil à Catherine, qui s'impose nettement moins chez les ouvriers et les agriculteurs.

Ses régions préférées sont la Normandie, la Picardie et la Bretagne, alors qu'elle est moins répandue en Languedoc et en Provence.

Comme la plupart des prénoms bourgeois et anciens (par exemple Philippe, son contemporain), Catherine se démode lentement et elle s'est perpétuée dans ses diminutifs ou dérivés.

# Cathy

| | |
|---|---|
| 1930-45 | EXCENTRIQUE |
| 1946-55 | PRÉCURSEUR |
| 1956-69 | DANS LE FLUX |
| 1970-75 | PLUTÔT CONFORMISTE |

Sans compter son usage privé, ce diminutif de Catherine a eu une existence officielle non négligeable, puisqu'il a été donné à 1 fille sur 200 pendant six ans et que sa carrière est assez durable.

Nous avons ajouté à Cathy les **Kathy**, **Katy** et autres **Cathie**, mais non les plus rares **Kathleen** ou **Kateline**, pas plus que Katia, traitée à part.

# Cécile

| | |
|---|---|
| 1930-40 | EN REFLUX |
| 1941-62 | RARE |
| 1963-68 | DANS LE VENT |
| 1969-83 | CLASSIQUE |
| 1984-02 | EN REFLUX |
| DEPUIS 03 | DÉSUET |

Caecilius était le nom d'une famille romaine, se rattachant peut-être à *caecus*, « aveugle ».

Discrète au XIXe siècle, Cécile prénomme 1 fille sur 200 à l'aube du XXe. Elle décline très doucement jusqu'en 1940 et stagne alors au niveau de 1 fille sur 500.

Est-ce la chanson *Cécile ma fille* (1962) de Nougaro qui réveille cette patronne des musiciens ? Sa progression est nette mais brève et Cécile se stabilise à nouveau, étant choisie pour 1 fille sur 80 durant quinze ans.

Ce prénom de type classique est aussi typiquement un prénom bourgeois, trois fois plus fréquent chez les cadres que chez les ouvriers. Cécile est conformiste de 1970 à 1976 parmi les cadres (plus de 1 fille sur 40) et a gardé leur faveur lors de son déclin.

# Cédric

| | |
|---|---|
| 1930-55 | EXCENTRIQUE |
| 1956-65 | PRÉCURSEUR |
| 1966-71 | PIONNIER |
| 1972-75 | DANS LE VENT |
| 1976-81 | CONFORMISTE |
| 1982-88 | À LA TRAÎNE |
| 1989-04 | DÉMODÉ |
| DEPUIS 05 | DÉSUET |

D'origine incertaine, peut-être galloise, de Cedrych, nom d'un chef de guerre au Ve ou VIe siècle, Cedric apparaît sous la plume de Walter Scott dans *Ivanhoé* (1819) comme nom d'un prince saxon. C'est aussi le nom du héros du *Petit Lord Fauntleroy* de Burnett (1886). Mais son usage a toujours été rare dans les pays anglophones.

C'est en France que Cédric va trouver sa terre d'accueil, bien qu'il n'ait même pas le soutien d'un saint patron. Mais il succède en quelque sorte à Éric et Frédéric. C'est une véritable innovation dans les années 1960. On n'en trouve pas trace auparavant. Son essor est rapide : attribué à plus de 1 garçon sur 40 pendant sa période conformiste, il se situe alors entre le sixième et le quatrième rang.

Cédric est un prénom plutôt populaire. Il obtient ses meilleurs scores parmi les ouvriers et les employés. Sur l'ensemble de sa carrière, il a été beaucoup moins en faveur chez les cadres, pourtant les premiers à l'avoir adopté.

# Célia

| | |
|---|---|
| 1930-69 | EXCENTRIQUE |
| 1970-79 | PRÉCURSEUR |
| 1980-01 | PIONNIER |
| DEPUIS 02 | DANS LE VENT |

Ce dérivé de Cécile, tout nouveau en France mais connu dans les pays anglophones, a fait son apparition vers 1980 et sa progression actuelle est forte. Il est donné à plus de 1 fille sur 130 aujourd'hui, et fait mieux encore dans le Midi et le Nord-Est.

Cécilia, la Cécile hispanique qui a émergé au même moment, a atteint un niveau plus modeste (moins de 1 fille sur 230) et régresse. À ne pas confondre avec Clélia, également romaine par son étymologie, qui pourrait se lancer.

Célia a fait naître Célian pour les garçons et fait frémir les anciennes Céleste et Célestine.

# Céline

| | |
|---|---|
| 1930-52 | EXCENTRIQUE |
| 1953-62 | PRÉCURSEUR |
| 1963-69 | PIONNIER |
| 1970-75 | DANS LE VENT |
| 1976-81 | CONFORMISTE |
| 1982-90 | À LA TRAÎNE |
| 1991-04 | DÉMODÉ |
| DEPUIS 05 | DÉSUET |

Céline pourrait dériver de Cécile, *via* Célia ou Célie, mais est plus probablement un diminutif de Marcelline. En usage au XIX<sup>e</sup> siècle, Céline était devenue rarissime lorsque s'amorce, dans les années 1960, sa véritable carrière. Sa percée est rapide et l'amène au premier rang des prénoms féminins de 1978 à 1980, même si elle n'est pas donnée alors à plus de 1 fille sur 28.

Moins répandu chez les cadres et les agriculteurs, ce prénom a reçu un accueil très favorable parmi les employés qui l'ont tôt adopté et choisi pour 1 de leurs filles sur 20 de 1976 à 1978. Céline a perpétué la tradition des grands prénoms féminins en *ine*, la relève étant assurée par Pauline et Marine.

Notons l'émergence en Alsace de **Selin**.

# Chantal

| | |
|---|---|
| 1930-31 | PRÉCURSEUR |
| 1932-42 | PIONNIER |
| 1943-49 | DANS LE VENT |
| 1950-55 | CONFORMISTE |
| 1956-65 | À LA TRAÎNE |
| 1966-77 | DÉMODÉ |
| 1978-87 | DÉSUET |
| DEPUIS 88 | EXCENTRIQUE |

Ce prénom issu d'un nom de lieu devenu patronyme (celui de sainte Jeanne de Chantal) est une nouveauté des années 1930. Il atteint le troisième rang pendant sa période conformiste, étant alors choisi pour 1 fille sur 30.

C'est dans une zone allant du Nord et de la Normandie à la Champagne et la Bourgogne que Chantal remporte ses premières victoires, ne se propageant que sur le tard dans le Midi (de l'Aquitaine à la Provence) et en Alsace. Ce dernier trait la distingue de Gérard avec qui elle partage une réputation un peu fausse de prénom bourgeois. Il est vrai que Chantal séduit précocement les milieux BCBG. Mais, après une pointe à 4 % en 1950, les cadres l'ont vite abandonnée, la chute étant spectaculaire en 1956, au moment des histoires de Gérard et Marie-Chantal.

C'est dans les professions intermédiaires que Chantal a atteint son plus haut niveau (1 fille sur 20 en 1951), et plutôt parmi les employés et les agriculteurs qu'elle a atteint sa réussite la plus affirmée et la plus durable.

Ce prénom est complètement hors d'usage aujourd'hui.

# Charlène

| | |
|---|---|
| 1930-71 | EXCENTRIQUE |
| 1972-89 | DANS LE FLUX |
| 1990-95 | PLUTÔT CONFORMISTE |
| 1996-03 | EN REFLUX |
| DEPUIS 04 | DÉSUET |

Forme francisée d'une féminisation anglo-américaine récente de Charles, Charlène s'est installée en France (1 fille sur 150) avec une prédilection pour la Bourgogne et les Pays de la Loire. Très peu connue chez les bourgeois, fidèles à Charlotte, elle a concurrencé celle-ci chez les ouvriers. Son reflux a été rapide.

# Charles

| | |
|---|---|
| 1930-31 | À LA TRAÎNE |
| 1932-57 | DÉMODÉ |
| 1958-71 | RARE |
| 1972-83 | DANS LE FLUX |
| 1984-99 | CLASSIQUE |
| DEPUIS 00 | EN REFLUX |

Ce prénom si illustre est d'origine incertaine ; il peut provenir de plusieurs mots germaniques signifiant «homme» ou «homme marié» ou «armée», lesquels se latinisent en *carolus*. La gloire de Charlemagne, alias *Karl der Grosse* ou *Carolus magnus*, fut pour beaucoup dans la diffusion de ce nom qui restera l'un des prénoms favoris des familles régnantes en Europe.

Fréquent dans le nord-ouest de la France aux XVIIe et XVIIIe siècles, Charles se classe, avec constance, entre le septième et le neuvième rang des prénoms durant le XIXe. Sa décrue est régulière depuis le début du XXe siècle, encore qu'il se maintienne dans le peloton de tête en Alsace jusque vers 1940.

C'est sous la présidence de Charles de Gaulle qu'il atteint son étiage (1 garçon sur 800 de 1962 à 1969). Charles grandit ensuite doucement et se stabilise au niveau de 1 garçon sur 270 (d'où le statut de «classique»).

Il réussit bien mieux chez les cadres et figure, depuis vingt ans, dans le peloton de tête des prénoms BCBG. En milieu populaire, il est fortement concurrencé, depuis les années 1980, par la forme anglo-américaine Charly ou Charlie, en net recul aujourd'hui.

Jean-Charles, rare (1 garçon sur 600) des années 1950 aux années 1970, tend à disparaître.

# Charline

| | |
|---|---|
| 1930-75 | EXCENTRIQUE |
| 1976-84 | PRÉCURSEUR |
| DEPUIS 85 | RARE |

Ce féminin de Charles a été en usage aux États-Unis, tout comme Charlene, avant de grandir en France, où il existait, mais de manière confidentielle, depuis 1920. Charline est un prénom quasi régional, beaucoup plus apprécié en Franche-Comté qu'ailleurs. Sur l'ensemble de l'Hexagone, il n'a pas atteint le seuil de 1 fille sur 300. On l'écrit aussi **Charlyne**.

# Charlotte

| | |
|---|---|
| 1930-50 | EN REFLUX |
| 1951-61 | DÉSUET |
| 1962-72 | PRÉCURSEUR |
| 1973-84 | PIONNIER |
| 1985-88 | DANS LE VENT |
| 1989-94 | CONFORMISTE |
| 1995-02 | À LA TRAÎNE |
| DEPUIS 03 | EN REFLUX |

Voilà un féminin de Charles bien traditionnel en France. Attribuée à 1 fille sur 200 au début du XXᵉ siècle, Charlotte régresse ensuite, tout doucement, pour disparaître, ou presque, dans les années 1950 et 1960.

Charlotte revient, d'abord à petits pas, en milieu bourgeois, où elle est conformiste dès 1987 (plus de 1 fille sur 50). Elle est alors en tête du palmarès du *Bottin mondain*. Il lui fallait séduire davantage les ouvriers pour prétendre aux toutes premières places. Elle a plafonné au niveau de 1 fille sur 90 dans l'ensemble de la population et se tasse aujourd'hui. Elle conserve les faveurs des palmarès BCBG et pourrait devenir un prénom classique.

# Chloé

| | |
|---|---|
| 1930-69 | EXCENTRIQUE |
| 1970-79 | PRÉCURSEUR |
| 1980-89 | PIONNIER |
| 1990-96 | DANS LE VENT |
| 1997-01 | CONFORMISTE |
| DEPUIS 02 | À LA TRAÎNE |

Connue pour ses liens avec Daphnis, Chloé était inusitée comme prénom en France. C'est peut-être le succès posthume de l'œuvre de Boris Vian (*L'Écume des jours*) qui l'a mise en piste.

La poussée de cette «jeune plante» (c'est le sens de ce mot grec) a été rapide, d'abord chez les cadres, puis dans les professions intermédiaires. Elle a un peu tardé à s'implanter chez les ouvriers, sans prospérer pour autant en milieu BCBG. Un temps candidate au premier rang, Chloé a renoncé faute de s'être imposée dans le Sud-Est. Elle a atteint le premier rang dans le Centre-Ouest avant que Léa n'y arrive. Sans accent, elle règne jusqu'en 2001 en Grande-Bretagne, rare concomitance.

Certains parents, en nombre malheureusement croissant, la privent de son *h*, la transformant en **Cloé**, anagramme de la rare **Cléo** qui s'éveille. Si Daphnis est inconnu, **Daphné**, nom de la nymphe transformée en laurier, pousse doucement.

# Christelle

| | |
|---|---|
| 1930-48 | EXCENTRIQUE |
| 1949-58 | PRÉCURSEUR |
| 1959-66 | PIONNIER |
| 1967-70 | DANS LE VENT |
| 1971-74 | CONFORMISTE |
| 1975-85 | À LA TRAÎNE |
| 1986-95 | DÉMODÉ |
| 1996-05 | DÉSUET |
| DEPUIS 06 | EXCENTRIQUE |

Cette forme nouvelle de Christine est un prénom protéiforme que l'on peut écrire de multiples manières : avec ou sans *h*, avec un *K* initial, avec un *y* au lieu du *i*, terminé en *el*, *èle* ou *elle*. On voit toutes les combinaisons possibles. L'orthographe Christelle l'emporte malgré tout, et nettement, sur les **Christel**, **Chrystelle** ou autres **Kristèle**.

En additionnant tout cela, on obtient un prénom tout neuf et dont la carrière a été belle : il a été attribué à 1 fille sur 25 à son sommet, atteignant en 1973 le deuxième rang des prénoms, dépassé de très peu par Sandrine.

C'est surtout dans les milieux ouvriers et agricoles que ce prénom a fait fureur.

# Christian

| | |
|---|---|
| 1930-35 | PIONNIER |
| 1936-45 | DANS LE VENT |
| 1946-55 | CONFORMISTE |
| 1956-67 | À LA TRAÎNE |
| 1968-88 | DÉMODÉ |
| 1989-98 | DÉSUET |
| DEPUIS 99 | EXCENTRIQUE |

Christian n'était aux siècles précédents que la forme savante de Chrétien, inusitée en France comme prénom. C'est vers 1920 qu'il fait ses premiers pas, qui le portent autour d'un axe Bordeaux-Paris : Aquitaine, Poitou-Charentes, Île-de-France et Picardie sont les premières terres qu'il explore.

Porté par un mouvement de grande ampleur, il prénomme 1 garçon sur 25 pendant dix ans, se classant aux quatrième et cinquième rangs. Son reflux n'est pas une débandade et Christian a pris tout son temps pour entrer au purgatoire.

# Christiane

| | |
|---|---|
| 1930-38 | DANS LE VENT |
| 1939-47 | CONFORMISTE |
| 1948-57 | À LA TRAÎNE |
| 1958-72 | DÉMODÉ |
| 1973-82 | DÉSUET |
| DEPUIS 83 | EXCENTRIQUE |

Invention du XXe siècle, Christiane apparaît un peu avant Christian, vers 1905, et culmine plus tôt, mais à un niveau moindre : 1 fille sur 35 durant sa période conformiste dépourvue de sommet.

Sa diffusion géographique est au départ assez banale : Christiane prend son essor dans le Nord-Ouest (Haute-Normandie, Picardie, Île-de-France) où elle culmine dès la fin des années 1930. Mais elle obtient ses meilleurs scores, pendant les années 1940, dans l'Est, des Alpes à l'Alsace : dans cette dernière région elle est alors, et de loin, le premier prénom féminin.

# Christine

| | |
|---|---|
| 1930-38 | PRÉCURSEUR |
| 1939-50 | PIONNIER |
| 1951-58 | DANS LE VENT |
| 1959-65 | CONFORMISTE |
| 1966-74 | À LA TRAÎNE |
| 1975-89 | DÉMODÉ |
| 1990-99 | DÉSUET |
| DEPUIS 00 | EXCENTRIQUE |

Les Christine sont plus jeunes que les Christiane de vingt ans en moyenne. Et pourtant, à la différence de Christiane, Christine est un prénom ancien, qui remonte au Moyen Âge, richement doté en saintes patronnes. C'est sans doute le plus ancien des prénoms rattachés au nom du Christ. Mais depuis le XIX$^e$ siècle il a été très discret, jusqu'aux années 1940 où il s'ébranle. Il est attribué jusqu'à 1 fille sur 25 à son sommet, atteignant le troisième rang.

Christine s'est répartie à peu près également dans tous les milieux, avec les décalages habituels dans le temps. On peut tout de même noter un accueil plus favorable dans les couches sociales moyennes et aisées, et une petite réticence chez les ouvriers qui lui préféreront sa remplaçante Christelle.

# Christophe

| | |
|---|---|
| 1930-43 | EXCENTRIQUE |
| 1944-53 | PRÉCURSEUR |
| 1954-61 | PIONNIER |
| 1962-66 | DANS LE VENT |
| 1967-72 | HYPERCONFORMISTE |
| 1973-87 | À LA TRAÎNE |
| 1988-00 | DÉMODÉ |
| DEPUIS 01 | DÉSUET |

Conformément à la légende de saint Christophe, Christophe est celui qui porte le Christ: du grec *Kristos* et *phoros,* «qui porte». Très rare dans le passé, mais moins exceptionnel que Christian, Christophe prend très exactement la relève de ce dernier. L'un émerge quand l'autre amorce sa régression; l'un culmine quand l'autre se démode.

La carrière de Christophe est moins étale mais plus brillante que celle de Christian. Elle le porte très vite jusqu'au sommet: 1 garçon sur 17 en 1968-69, premier prénom de 1967 à 1970, mettant un terme définitif au règne de Philippe.

L'engouement pour Christophe n'épargne aucun groupe social. Mais il est particulièrement spectaculaire chez les professions intermédiaires où ce prénom est choisi pour 1 enfant sur 14 en 1967-68.

**Jean-Christophe** n'a pas eu beaucoup de succès : à peine 1 garçon sur 250 lorsque Christophe culminait, et il est en train de s'éclipser.

# Christopher

| | |
|---|---|
| 1930-70 | EXCENTRIQUE |
| 1971-80 | PRÉCURSEUR |
| 1981-88 | DANS LE FLUX |
| 1989-93 | PLUTÔT CONFORMISTE |
| 1994-03 | EN REFLUX |
| DEPUIS 04 | DÉSUET |

Cette forme anglaise de Christophe figure dans le peloton de tête des prénoms aux États-Unis depuis trente ans. Nouveau venu en France, Christopher a relayé quelque peu Christophe, le dépassant en 1989. C'est un prénom essentiellement populaire, ignoré dans les milieux bourgeois. Il a atteint le niveau de 1 garçon sur 150, faisant bien mieux en Picardie et dans le Nord.

# Cindy

| | |
|---|---|
| 1930-65 | EXCENTRIQUE |
| 1966-75 | PRÉCURSEUR |
| 1976-81 | PIONNIER |
| 1982-86 | DANS LE VENT |
| 1987-93 | CONFORMISTE |
| 1994-95 | À LA TRAÎNE |
| 1996-03 | DÉMODÉ |
| DEPUIS 04 | DÉSUET |

D'où vient Cindy ? D'Amérique, bien sûr, où ce diminutif de Cynthia a été en usage dans les années 1960.

Accompagné de quelques **Cyndie** et **Sindy**, ce prénom a fait, en France, une percée spectaculaire parmi les ouvriers, alors qu'il restait complètement inconnu en milieu bourgeois. Il a été choisi à son sommet pour près de 1 fille sur 90.

La beauté de Cindy Crawford a retardé sa chute, brutale aujourd'hui.

Un prénom très apprécié chez les parents d'origine portugaise, et qui a prospéré en Franche-Comté.

# Claire

| | |
|---|---|
| 1930-59 | RARE |
| 1960-75 | CLASSIQUE |
| 1976-81 | DANS LE VENT |
| 1982-95 | PLUTÔT CONFORMISTE |
| 1996-00 | EN REFLUX |
| DEPUIS 01 | DÉMODÉ |

Point d'obscurité dans l'étymologie latine : *clarus*, «clair, brillant».

Depuis deux siècles, et peut-être davantage, Claire est un prénom assez discret, mais constant : il n'a jamais été l'objet d'un enthousiasme éphémère, ce qui lui a évité, du même coup, de disparaître, même provisoirement, des registres de l'état civil.

Son parcours n'est pas pour autant rectiligne. Des années 1920 aux années 1950, il est à son étiage, à un niveau bien modeste (1 fille sur 600). Après quinze années où le choix est «classique» (1 fille sur 250), une brusque progression l'amène à un nouveau plateau à partir de 1982. Claire est désormais choisie pour 1 fille sur 120. Le reflux semble amorcé aujourd'hui.

On ne s'en étonnera pas, ce classique est aussi un bourgeois. Chez les cadres, il est choisi pour 1 fille sur 100 dès 1956, grandit dès 1972 et figure aux premières places dans les années 1980. Il a été une des valeurs sûres en milieu BCBG.

Par contraste, il n'a pas su s'implanter parmi les ouvriers et a mis du temps à gagner les faveurs paysannes, alors qu'on pouvait croire que la ferme tuerait Claire.

# Clara

| | |
|---|---|
| 1930-77 | EXCENTRIQUE |
| 1978-87 | PRÉCURSEUR |
| 1988-94 | PIONNIER |
| 1995-02 | DANS LE VENT |
| DEPUIS 03 | CONFORMISTE |

Clara est la forme la plus cosmopolite de Claire, puisqu'on la trouve dans les pays anglophones, germanophones, hispanophones et, bien sûr, en Italie. En France, c'est presque une nouveauté, mais son essor a été très rapide, d'abord en Île-de-France et en Provence, puis un peu partout. Clara a rejoint dès 2002 le peloton de tête du top 10 (1 fille sur 56 en 2009).

Autre forme italienne de Claire, Chiara arrive en France par la Provence, mais aussi l'Alsace, et progresse vite.

# Clarisse

| | |
|---|---|
| 1930-80 | EXCENTRIQUE |
| 1981-90 | PRÉCURSEUR |
| DEPUIS 91 | PIONNIER |

Ce prénom dérivé de Claire est présent discrètement depuis plus d'un siècle. Clarisse profite aujourd'hui de la marée montante des terminaisons en *is*, se plaisant en Bourgogne et en Poitou-Charentes.

# Claude (m)

| | |
|---|---|
| 1930-33 | DANS LE VENT |
| 1934-35 | CONFORMISTE |
| 1936-39 | HYPERCONFORMISTE |
| 1940-41 | CONFORMISTE |
| 1942-60 | À LA TRAÎNE |
| 1961-75 | DÉMODÉ |
| 1976-85 | DÉSUET |
| DEPUIS 86 | EXCENTRIQUE |

Claudius était le nom d'une grande famille romaine se rattachant au mot latin *claudus*, «boiteux». En France, Claude est, à l'origine, un prénom régional et masculin. Il vient de Franche-Comté où il occupe la première place au XVIIe siècle.

C'est dans les années 1920 que Claude (masculin) se lance dans une carrière nationale, et son ascension l'amène au troisième rang des prénoms de 1935 à 1939 (plus de 1 garçon sur 20). À cette époque, il triomphe en Île-de-France, Normandie et Champagne-Ardenne (1 garçon sur 13).

En revanche, Claude ne pénètre que difficilement en Bourgogne et Rhône-Alpes (il y était pourtant connu au XIXe siècle) et modestement dans tout l'est de la France, sauf en Franche-Comté, sa terre d'origine, où il obtient un succès honorable et plus durable qu'ailleurs.

# Claude (f)

| | |
|---|---|
| 1930-37 | DANS LE FLUX |
| 1938-46 | PLUTÔT CONFORMISTE |
| 1947-65 | EN REFLUX |
| 1966-75 | DÉSUET |
| DEPUIS 76 | EXCENTRIQUE |

L'immense succès de Claude au masculin, dans les années 1930, a eu pour contrepartie une poussée de diverses féminisations de ce prénom. Mais, même additionnées, elles sont loin d'atteindre le score de Claude chez les garçons.

Claude au féminin apparaît dans les années 1920 et sa réussite est bien modeste : guère plus de 1 fille sur 140 à son sommet.

# Claudette

| | |
|---|---|
| 1930-35 | DANS LE FLUX |
| 1936-43 | PLUTÔT CONFORMISTE |
| 1944-57 | EN REFLUX |
| 1958-67 | DÉSUET |
| DEPUIS 68 | EXCENTRIQUE |

La vague déferlante de la terminaison en *ette* a fait surgir cette nouvelle féminisation de Claude qui naît, elle aussi, au milieu des années 1920. Claudette atteint un niveau à peine plus élevé que Claude au féminin (1 fille sur 125 au mieux en 1939-40) et sa carrière est plus éphémère.

# Claudie

| | |
|---|---|
| 1930-37 | EXCENTRIQUE |
| 1938-68 | RARE |
| DEPUIS 69 | EXCENTRIQUE |

La petite dernière des féminins de Claude, à un double titre : elle a été la dernière à démarrer et c'est aussi celle qui a le moins bien réussi (moins de 1 fille sur 300 dans les années 1950). Depuis que Claudie a disparu, quelques **Claudia** sont nées.

# Claudine

| | |
|---|---|
| 1930-35 | PIONNIER |
| 1936-44 | DANS LE VENT |
| 1945-53 | CONFORMISTE |
| 1954-61 | À LA TRAÎNE |
| 1962-75 | DÉMODÉ |
| 1976-85 | DÉSUET |
| DEPUIS 86 | EXCENTRIQUE |

Le plus traditionnel des féminins de Claude, originaire comme lui de Franche-Comté, et dont l'importance n'est pas négligeable au XIXe siècle (1 % vers 1830), est aussi celui qui s'est le mieux imposé dans le courant du XXe.
Claudine réapparaît vers 1925 (comme Claudette et Claude au féminin), mais grandit plus longtemps et culmine plus tard.
Son succès est moyen, mais assez durable : 1 fille sur 70 pendant une dizaine d'années.

# Clémence

Un prénom doux par son étymologie latine (*clemens*). En usage au XIXᵉ siècle, mais bien oubliée depuis, Clémence entame sa nouvelle carrière un peu après Clément et, comme lui, ne grandit que très lentement. Elle semble pour l'instant avoir atteint un palier (1 fille sur 200), prenant une allure de classique.

Bien implantée dans le Centre-Ouest, Clémence est aujourd'hui très prisée dans les milieux chics comme chez les agriculteurs. Pour progresser encore, il lui faut séduire davantage les ouvriers et le Sud-Est. En milieu BCBG, ses rivales sont ses consœurs **Hortense** et **Constance**. Cette dernière se démocratise.

# Clément

Prénom rare et stable depuis le XIXᵉ siècle et jusqu'en 1935, Clément est de retour depuis une vingtaine d'années. Sa croissance, d'abord longue à se dessiner, l'a amené au niveau de 1 garçon sur 65 (bien plus chez les cadres et les professions intermédiaires et dans le Centre-Ouest). Il a atteint le dixième rang et aurait pu faire mieux encore s'il s'était imposé dans les milieux populaires.

# Clémentine

Tout comme Clémence, Clémentine est connue au XIXᵉ siècle avant même que le fruit du même nom ne soit créé. Comme Clémence encore, Clémentine a d'abord été goûtée en milieu bourgeois. Sa progression s'est arrêtée en 1990 au niveau de 1 fille sur 500.

Malgré la célèbre chanson *My darling Clementine*, ce prénom n'a jamais eu de succès dans les pays anglophones.

# Colette

| | |
|---|---|
| 1930-34 | DANS LE VENT |
| 1935-41 | CONFORMISTE |
| 1942-53 | À LA TRAÎNE |
| 1954-65 | DÉMODÉ |
| 1966-75 | DÉSUET |
| DEPUIS 76 | EXCENTRIQUE |

Apparue peu avant 1920 dans la vague des prénoms en *ette*, Colette devance de quelques années Nicole dont elle dérive.

Donnée à plus de 1 fille sur 50 durant sa période conformiste, elle atteint le cinquième rang des prénoms vers 1937-38.

Colette a eu une région de prédilection, la Franche-Comté, où s'illustra sainte Colette. Elle y est en deuxième position de 1935 à 1939, attribuée à 1 fille sur 25. Elle s'est bien implantée en Bourgogne, dans le Centre et en Haute-Normandie, difficilement en Alsace, Bretagne et Provence, et tardivement au sud de la Loire.

# Coline

| | |
|---|---|
| 1930-79 | EXCENTRIQUE |
| 1980-89 | PRÉCURSEUR |
| DEPUIS 90 | DANS LE FLUX |

Il est logique de voir dans ce prénom tout neuf un dérivé de Nicole, comme Colin se rattache à Nicolas. Mais la présence simultanée de quelques **Coleen** ou **Colleen** atteste une influence anglo-américaine : Colleen, variante de l'irlandais *cailin*, « fille », a connu une certaine vogue dans les années 1960 aux États-Unis.

# Coralie

| | |
|---|---|
| 1930-63 | EXCENTRIQUE |
| 1964-73 | PRÉCURSEUR |
| 1974-86 | DANS LE FLUX |
| 1987-94 | PLUTÔT CONFORMISTE |
| 1995-03 | EN REFLUX |
| DEPUIS 04 | DÉMODÉ |

L'étymologie la plus probable de Coralie (comme de Cora ou Corinne) est *koré*, la «jeune fille» grecque, autre nom de Perséphone, la reine des Enfers.

Coralie a vu le jour quand Corinne se démodait. Ses progrès sont réguliers mais assez lents, si bien qu'elle plafonne sans avoir atteint le seuil de 1 %. Ce prénom est un peu boudé chez les cadres.

La succession de Coralie ne sera pas assurée par la récente **Coraline** (à ne pas confondre avec Caroline) dont la poussée faiblit.

# Corentin

| | |
|---|---|
| 1930-78 | EXCENTRIQUE |
| 1979-88 | PRÉCURSEUR |
| 1989-93 | PIONNIER |
| 1994-95 | DANS LE VENT |
| 1996-00 | CONFORMISTE |
| 2001-03 | À LA TRAÎNE |
| DEPUIS 04 | DÉMODÉ |

Kaourintin est la forme primitive de ce nom bien breton dont l'étymologie est incertaine : *kaour*, «secours», ou *kar*, «ami», ou *karent*, «parenté». Saint Corentin fut le premier évêque de Quimper au V<sup>e</sup> siècle et son nom resta longtemps associé à cette ville.

C'est moins la mode bretonnante que la poussée de ses frères en *entin*, Quentin et Valentin, qui a fait sortir Corentin de son purgatoire. Certes, il a pris son premier élan en Bretagne, mais il s'est répandu à vive allure dans les régions voisines, surtout dans les Pays de la Loire. Puis en Picardie et dans le Nord, sans s'implanter dans le Sud-Est. Sur l'ensemble de l'Hexagone, il a à peine dépassé le niveau de 1 garçon sur 100.

En milieu BCBG, on lui préfère **Constantin** ou bien **Cyprien,** lequel semble se décider à se démocratiser.

# Corinne

| | |
|---|---|
| 1930-40 | EXCENTRIQUE |
| 1941-50 | PRÉCURSEUR |
| 1951-57 | PIONNIER |
| 1958-61 | DANS LE VENT |
| 1962-69 | CONFORMISTE |
| 1970-74 | À LA TRAÎNE |
| 1975-86 | DÉMODÉ |
| 1987-96 | DÉSUET |
| DEPUIS 97 | EXCENTRIQUE |

Corinne étant le nom d'une poétesse grecque, son origine doit être identique à celle de Coralie. Malgré M^me de Staël, Corinne est ignorée au XIX^e siècle.

C'est donc un prénom nouveau quand il émerge dans les années 1950. Il se hisse assez vite à un niveau élevé, choisi pour plus de 1 fille sur 35 pendant huit ans, avec un sommet à 1 sur 27 en 1966. Cela suffirait aujourd'hui pour être au premier rang, mais Corinne n'a pu rivaliser avec les grands succès de l'époque et s'est contentée de la sixième place. Corinne a surtout eu les faveurs des classes moyennes ; elle a été moins bien accueillie chez les cadres et les agriculteurs.

# Cynthia

| | |
|---|---|
| 1930-66 | EXCENTRIQUE |
| 1967-76 | PRÉCURSEUR |
| 1977-85 | DANS LE FLUX |
| 1986-92 | PLUTÔT CONFORMISTE |
| 1993-00 | EN REFLUX |
| DEPUIS 01 | DÉSUET |

Ce prénom qui vient d'Amérique, malgré son origine grecque, est une bête curieuse chez les cadres, qui l'ignorent. Né en même temps que Cindy (son diminutif), sa progression a été bien plus modeste, ne l'amenant qu'au niveau de 1 fille sur 300.

Aphrodite étant originaire de l'île de Cynthos, dira-t-on que Cynthia est la Diane du pauvre ?

**Diane** est, en effet, connue de longue date dans l'aristocratie et les milieux chics. Toujours bien placée dans les palmarès BCBG, elle s'est un peu démocratisée (1 fille sur 750 de 1987 à 1993).

# Cyrielle

1930-81   EXCENTRIQUE
1982-95   RARE
DEPUIS 96   EXCENTRIQUE

Ce prénom tout neuf, féminisation de Cyrille, a fait son apparition au début des années 1980. Après un début prometteur, ses progrès sont très modestes (1 fille sur 500 au mieux) et la voilà qui s'en va.
Aujourd'hui on voit émerger **Sirine**.

# Cyril et Cyrille

1930-51   EXCENTRIQUE
1952-61   PRÉCURSEUR
1962-68   PIONNIER
1969-71   DANS LE VENT
1972-80   CONFORMISTE
1981-89   À LA TRAÎNE
1990-03   DÉMODÉ
DEPUIS 04   DÉSUET

Cyrille vient du grec *kyrillos*, qui se rattache à *kyrios*, «maître», «souverain». L'usage de ce prénom a longtemps été une quasi-exclusivité des pays de l'Europe orthodoxe et slave, Cyrille et son frère Méthode étant considérés comme les évangélisateurs des Slaves.

L'orthographe Cyril s'est imposée aux dépens de celle de Cyrille, plus traditionnelle mais jugée sans doute trop féminine, lorsque ce prénom a entamé sa carrière en France.

Carrière assez moyenne, puisque Cyril n'est guère choisi pour plus de 1 garçon sur 80 pendant neuf ans, se répartissant dans tous les groupes sociaux, avec un peu plus de succès parmi les employés. Mais cette modestie est compensée par la lenteur de son déclin.

# Damien

Damianus, nom d'un martyr romain, se rattache peut-être au grec Damia, nom de la déesse de la fertilité et des moissons.

Inconnu, ou presque, jusqu'alors, Damien naît après Fabien, étant le deuxième de cette série récente de prénoms «romains» en *ien*. Son parcours ressemble à celui de Fabien : après une croissance assez longue à se dessiner, il culmine au même niveau de 1 garçon sur 70.

Les cadres n'ont pas fait preuve de beaucoup d'empressement pour adopter Damien, qui a, en revanche, été très tôt bien accueilli par les agriculteurs.

Autre singularité : il a d'abord conquis le Nord-Est, avant de migrer vers l'Ouest.

Et enfin – faut-il s'en étonner ? –, depuis que Damien est en faveur, on voit apparaître **Côme**, à qui la légende l'a uni pour toujours, l'associant au patronage des médecins. Côme, déjà en vue en milieu BCBG, progresse doucement mais sûrement (près de 1 garçon sur 340 prévu en 2009).

# Daniel

Prénom biblique, celui d'un prophète, signifiant «Dieu m'a jugé», Daniel n'est pas une nouveauté du XXᵉ siècle, mais il n'avait guère fait parler de lui avant sa forte progression des années 1930 qui l'amène au troisième rang des prénoms masculins, à égalité avec Gérard, de 1944 à 1947 (1 garçon sur 22).

Cette moyenne cache d'ailleurs de fortes disparités régionales. Daniel a été, au début des années 1940, hyperconformiste (plus de 5 %) au nord d'une ligne Le Havre-Genève (à l'exception de l'Alsace), alors qu'il était, au même moment, trois fois moins fréquent au sud d'une ligne La Rochelle-Nice.

Démodé depuis plus de trente ans, Daniel, qui avait su dominer les lions, a longtemps rechigné à affronter le purgatoire, épaulé par **Dany**.

# Danielle et Danièle

| | |
|---|---|
| 1930-36 | PIONNIER |
| 1937-42 | DANS LE VENT |
| EN 1943 | CONFORMISTE |
| 1944-45 | HYPERCONFORMISTE |
| 1946-47 | CONFORMISTE |
| 1948-59 | À LA TRAÎNE |
| 1960-72 | DÉMODÉ |
| 1973-82 | DÉSUET |
| DEPUIS 83 | EXCENTRIQUE |

Ce féminin de Daniel – l'orthographe Danielle l'emportant sur Danièle – est une nouveauté des années 1930. Sa percée soudaine est impressionnante et l'amène jusqu'au premier rang des prénoms féminins de 1944 à 1947, détrônant Monique (plus de 1 fille sur 20 en 1944-45).

Danielle est en tête, à un moment ou à un autre, dans tous les groupes sociaux, sauf chez les agriculteurs où elle ne parvient pas à supplanter Monique. Ses scores les plus élevés sont obtenus parmi les professions intermédiaires (1 fille sur 12 en 1942-43), les artisans et commerçants (1 sur 15 en 1943-44) et les employés (1 sur 13 en 1944-46). Elle a eu relativement peu de succès en milieu BCBG.

Danielle s'est bien diffusée sur l'ensemble du territoire, s'étant épanouie un peu mieux et un peu plus tôt qu'ailleurs en région parisienne, mais aussi, ce qui est moins courant, en Provence et Rhône-Alpes. Sa réussite a été plus spectaculaire que celle de Daniel, mais sa chute a été plus rapide.

# David

| | |
|---|---|
| 1930-51 | EXCENTRIQUE |
| 1952-60 | PRÉCURSEUR |
| 1961-66 | PIONNIER |
| 1967-69 | DANS LE VENT |
| 1970-75 | CONFORMISTE |
| 1976-90 | À LA TRAÎNE |
| DEPUIS 91 | DÉMODÉ |

David, de l'hébreu *daoud*, «le bien-aimé», est un nom biblique s'il en est, celui du célèbre roi d'Israël. Comme prénom en France, il a pris le relais de Daniel, autre prénom biblique.

Inexistant jusqu'aux années 1950, David connaît une brusque poussée et retrouve le niveau de Daniel: troisième prénom masculin pendant six ans, donné à 1 garçon sur 23.

Ce prénom a été boudé par les cadres, alors qu'il a été hyperconformiste de 1972 à 1975 parmi les ouvriers (1 garçon sur 18). Il décline bien moins vite qu'il n'avait surgi, mais son succès est moins durable que dans les pays anglo-saxons, où il régna dès les années 1950, ou qu'en Suisse, lente à l'abandonner.

Notons l'émergence récente, mais modeste, de **Davy**.

# Déborah

| | |
|---|---|
| 1930-64 | EXCENTRIQUE |
| 1965-74 | PRÉCURSEUR |
| 1975-84 | DANS LE FLUX |
| 1985-94 | PLUTÔT CONFORMISTE |
| 1995-03 | EN REFLUX |
| DEPUIS 04 | DÉSUET |

Ce prénom biblique et anglo-saxon apparaît un peu après Sarah, sans connaître la même réussite.

Il n'a pas atteint le niveau de 1 fille sur 200 et est en train de s'éclipser. C'est en milieu populaire et en Alsace qu'il a été le plus apprécié.

Nom de l'abeille en hébreu, Déborah ne fait plus le poids face à l'abeille grecque Mélissa.

# Delphine

| | |
|---|---|
| 1930-54 | EXCENTRIQUE |
| 1955-64 | PRÉCURSEUR |
| 1965-69 | PIONNIER |
| 1970-73 | DANS LE VENT |
| 1974-79 | CONFORMISTE |
| 1980-85 | À LA TRAÎNE |
| 1986-99 | DÉMODÉ |
| DEPUIS 00 | DÉSUET |

C'est bien sûr le dauphin (*delphis* en grec) qui est le père de Delphine. Deux bienheureuses Delphine ayant vécu au XIIIe siècle, originaires respectivement du Luberon et du Languedoc, témoignent de l'ancienneté de ce prénom en France. Il est bien mieux connu au XIXe siècle que Corinne, autre héroïne de Mme de Staël. Cependant, Delphine était tombée dans un oubli total lorsqu'elle surgit au milieu des années 1960. Sa montée est rapide, et pourtant Delphine n'atteint pas les toutes premières places, se contentant d'un niveau assez honorable : plus de 1 fille sur 50 pendant six ans.

Delphine s'est diffusée très équitablement, et presque simultanément, dans les divers groupes sociaux. C'est sans doute la raison de la brièveté de sa carrière.

Quoique sa patronne, la bienheureuse Delphine (ou **Dauphine**) de Sabran, ait vécu dans le Vaucluse, le prénom Delphine a eu de la peine à s'implanter en Provence, ses zones de force se situant dans le Nord-Ouest.

# Denis

| | |
|---|---|
| 1930-54 | DANS LE FLUX |
| 1955-66 | CONFORMISTE |
| 1967-91 | EN REFLUX |
| 1992-01 | DÉSUET |
| DEPUIS 02 | EXCENTRIQUE |

Denis vient de Dionysos, le dieu grec correspondant au Bacchus romain. Le martyr légendaire saint Denis, premier évêque de Paris au IIIe siècle, rendit ce nom plus présentable pour un baptême.

Connu de longue date, mais peu répandu au XIXe siècle, Denis est un prénom au cycle lent dont l'allure est presque classique. S'il n'échappe pas au mouvement de la mode, son sommet est peu accusé (1 garçon sur 75 en 1962-63) et, pendant douze ans, il est resté un peu au-dessus de 1 %. Les agriculteurs l'ont choisi plus volontiers et plus durablement que les autres catégories sociales. Au terme d'une lente décrue, le voilà maintenant au purgatoire.

# Denise

| | |
|---|---|
| 1930-32 | CONFORMISTE |
| 1933-45 | À LA TRAÎNE |
| 1946-65 | DÉMODÉ |
| 1966-75 | DÉSUET |
| DEPUIS 76 | EXCENTRIQUE |

Ce féminin de Denis fait son apparition dans les dernières années du XIXᵉ siècle. À son sommet (1924-1932), il est choisi pour 3 filles sur 100, ce qui le situe au cinquième rang.

Denise a triomphé en Haute-Normandie où elle a occupé la première place (1 fille sur 20), et s'est bien implantée en Franche-Comté, Bourgogne et Île-de-France, mais n'a que médiocrement réussi dans le Midi (de l'Aquitaine à la Provence).

Son reflux, d'abord modéré, a été rapide dans les années 1940.

# Didier

| | |
|---|---|
| 1930-37 | PRÉCURSEUR |
| 1938-49 | PIONNIER |
| 1950-55 | DANS LE VENT |
| 1956-63 | CONFORMISTE |
| 1964-72 | À LA TRAÎNE |
| 1973-87 | DÉMODÉ |
| 1988-97 | DÉSUET |
| DEPUIS 98 | EXCENTRIQUE |

Né à la fin des années 1930, Didier a suivi le parcours normal d'un prénom porté par la mode. Il a atteint un niveau honorable à son sommet : près de 1 garçon sur 30 en 1959, ce qui le situait à la sixième ou septième place.

Didier n'a pas battu de record ni présenté de notables particularités. On peut toutefois citer une certaine préférence pour le sud-ouest de la France, sans rapport avec les lieux où ont vécu les deux martyrs qui le patronnent.

Didier a pris la relève de **Désiré**, dont il dérive étymologiquement (du latin *desideratus*), en usage au XIXᵉ siècle et qui s'éclipse vers 1930.

# Dimitri

| | |
|---|---|
| 1930-64 | EXCENTRIQUE |
| 1965-73 | PRÉCURSEUR |
| 1974-86 | DANS LE FLUX |
| 1987-93 | PLUTÔT CONFORMISTE |
| 1994-06 | EN REFLUX |
| DEPUIS 07 | DÉMODÉ |

*Via démétrios*, Dimitri est issu de Déméter, nom de la déesse grecque des moissons. Il s'est répandu dans les pays de la chrétienté orthodoxe.

Ce gréco-slave, inédit en France avant les années 1970, s'est implanté lentement et a fini par plafonner à un niveau assez modeste (1 garçon sur 200). Picardie et Normandie d'un côté, Poitou de l'autre ont été ses deux fiefs.

Son camarade Boris, d'origine slave (*borets*, «combattant»), apparu vers 1972 quand on redécouvrait Boris Vian, a végété (à peine 1 garçon sur 500), et nous quitte.

# Dominique (m)

| | |
|---|---|
| 1930-32 | PRÉCURSEUR |
| 1933-48 | PIONNIER |
| 1949-54 | DANS LE VENT |
| 1955-62 | CONFORMISTE |
| 1963-70 | À LA TRAÎNE |
| 1971-89 | DÉMODÉ |
| 1990-99 | DÉSUET |
| DEPUIS 00 | EXCENTRIQUE |

Dominique, de *dominicus,* «seigneur», signifiant «béni du Seigneur», est bien connu dès le Moyen Âge, mais rare au XIX$^e$ siècle. Sa carrière moderne est étrangement semblable à celle de Didier. Les deux prénoms sont d'ailleurs contemporains avec juste quelques mois d'avance pour Dominique.

L'apogée de ce dernier se situe en 1958-59, au même niveau que Didier (1 garçon sur 30). Seule différence : Dominique s'est épanoui en Poitou-Charentes, dans les Pays de la Loire et, bien sûr, en Corse où son implantation est ancienne.

À la différence de Dominique chez les filles, Dominique au masculin s'est également réparti dans les divers milieux sociaux, avec les décalages habituels dans le temps.

# Dominique (f)

| | |
|---|---|
| 1930-38 | PRÉCURSEUR |
| 1939-47 | PIONNIER |
| 1948-51 | DANS LE VENT |
| 1952-58 | CONFORMISTE |
| 1959-66 | À LA TRAÎNE |
| 1967-76 | DÉMODÉ |
| 1977-86 | DÉSUET |
| DEPUIS 87 | EXCENTRIQUE |

La féminisation de Dominique, qui semble propre au XXᵉ siècle, en a fait le prénom mixte par excellence. Ayant émergé plus tard que Dominique chez les garçons, Dominique au féminin culmine avant lui et à un moindre niveau : ce prénom est choisi pour plus de 1 fille sur 40 dans sa période conformiste, sans sommet bien marqué (1 sur 36 en 1955), et ne dépasse pas le septième rang.

C'est un prénom de type bourgeois qui occupe la seconde place de 1950 à 1955 chez les cadres et les professions intermédiaires, donné à près de 1 fille sur 20. Ces deux catégories sociales le choisissent, sur l'ensemble des années 1950, deux fois et demie plus souvent que les ouvriers et six fois plus que les agriculteurs.

Comme son homologue masculin, Dominique a été plus répandue qu'ailleurs en Corse, en Poitou-Charentes et dans le Centre, mais aussi en Bourgogne.

Aujourd'hui, Dominique est bien plus rare que **Domitille**, pourtant discrète, sauf en milieu BCBG.

# Dorian

| | |
|---|---|
| 1930-78 | EXCENTRIQUE |
| 1979-88 | PRÉCURSEUR |
| DEPUIS 89 | DANS LE FLUX |

L'étymologie de Dorian est incertaine, mais probablement grecque : soit de *doros*, «don», comme Théodore, soit de *doris*, nom de lieu en Grèce centrale. Ce prénom n'avait pas fait parler de lui avant Oscar Wilde et son *Portrait de Dorian Gray* (1891).

La vogue des prénoms anglais en *an* l'a fait naître en France (surtout en Languedoc et Midi-Pyrénées), qui est en passe de devenir sa patrie d'adoption.

L'irlandais **Donovan**, à l'origine nom de famille signifiant «brun foncé», s'est installé, lui, dans le Nord bien plus discrètement.

# Dorothée

| | |
|---|---|
| 1930-67 | EXCENTRIQUE |
| 1968-87 | RARE |
| DEPUIS 88 | EXCENTRIQUE |

*Dorotheos* en grec est le «don de Dieu»; Dorothée est donc Théodore inversé et au féminin. Ce prénom a piétiné une vingtaine d'années, sans avoir jamais prénommé plus de 1 fille sur 300 (en 1980-81), et a disparu aujourd'hui, tandis que l'on voit naître **Dorine** et **Doriane**.

# Dylan

| | |
|---|---|
| 1930-79 | EXCENTRIQUE |
| 1980-89 | PRÉCURSEUR |
| 1990-93 | PIONNIER |
| EN 1994 | DANS LE VENT |
| 1995-97 | CONFORMISTE |
| 1998-00 | À LA TRAÎNE |
| DEPUIS 01 | DÉMODÉ |

Naguère typique du pays de Galles, signifiant (peut-être) «né de la vague», Dylan est né en France dans la vague des prénoms celtiques terminés en *an*. Bob Dylan, qui avait choisi son pseudonyme en hommage au poète Dylan Thomas, ne semble pas y être pour grand-chose. C'est plutôt un feuilleton télévisé qui a poussé Dylan, frémissant depuis peu, sur le devant de la scène.

Poussée fulgurante qui l'a amené tout de suite dans le top 10 (1 garçon sur 55 en 1996) et au premier rang dans trois régions du Nord. Mais succès éphémère.

# Édith

Pas de carrière triomphale en France pour ce prénom de tradition anglaise et d'étymologie germanique : *ed*, «biens» et *gyth*, «guerre». Il n'est pas donné à plus de 1 fille sur 250, alors même que Piaf atteint la gloire.

**Edwige**, qui n'a d'autre rapport avec Édith qu'une étymologie germanique voisine, n'a pas percé, oscillant autour du niveau de 1 fille sur 1 000 depuis les années 1940. On la trouve rarement, dans les milieux chics, sous la forme **Hedwige**.

# Édouard

Nom royal en Angleterre, Edward vient du vieil anglais *eadweard*, «gardien des biens».

En France, Édouard connaît une première vogue voilà un siècle, choisi alors pour 1 garçon sur 100. Il fait moins bien lors de son retour (1 garçon sur 400 au mieux), restant presque confiné en milieu bourgeois. Son reflux date de 1994.

Un des prénoms favoris dans le *Bottin mondain* depuis 1980, Édouard ne s'est pas aventuré en milieu ouvrier, sauf en se déguisant en **Eddy** ou, mieux, en **Teddy**. Ce dernier peut aussi se réclamer de **Théodore**.

**Edwin**, qui tente d'apparaître en France, est un prénom autonome, également d'origine anglo-saxonne : «ami de la prospérité».

Le vieil **Edgar** est en train de se réveiller.

# Éliane

Faut-il rattacher Éliane à Élie ou Élisabeth ? En tout cas, c'est un prénom tout neuf qui apparaît vers 1915, s'inscrivant dans la vogue des prénoms en *iane* (Christiane, Liliane, Josiane). Son parcours est peu mouvementé. Éliane tourne pendant dix ans autour de la barre de 1 % et son déclin est peu sensible jusqu'en 1959. Elle a été un peu plus précoce dans le Nord-Ouest, un peu plus tardive dans le Midi, à une notable exception près : les Provençaux lui réservent un accueil très favorable, la choisissant pour près de 1 de leurs filles sur 50. De rares **Éliette** l'ont accompagnée. Aujourd'hui apparaît **Élia**.

# Eliott

Depuis son arrivée en France, ce prénom a quatre formes : Eliott l'emporte devant **Eliot** et **Elliot**, tandis qu'**Elliott** est l'orthographe la moins fréquente. Le jeune héros du film de Spielber *E.T.* a contribué à faire découvrir ce prénom aux parents français (plus de 1 garçon sur 160 en 2009).

Eliot est au départ un nom de famille écossais, d'étymologie inconnue, devenu prénom. Il est possible qu'il se rattache au biblique **Élie**, de l'hébreu El Yah, « Seigneur Dieu ». Ce dernier, assez connu au XIXe et au début du XXe siècle, frémit depuis quinze ans sans démarrer pour l'instant. La forme **Élias** le concurrence de plus en plus, en Alsace comme à Paris, tout comme le nouvel **Élian**.

# Élisa

| | |
|---|---|
| 1930-76 | EXCENTRIQUE |
| 1977-86 | PRÉCURSEUR |
| 1987-95 | DANS LE FLUX |
| 1996-05 | PLUTÔT CONFORMISTE |
| DEPUIS 06 | EN REFLUX |

Ce diminutif d'Élisabeth n'est pas inédit en France. Il a existé discrètement depuis plus d'un siècle, moins visible qu'Eliza dans les pays anglophones. Le succès de Lisa a dopé sa croissance qui semble aujourd'hui marquer un palier (1 fille sur 250, mais bien plus en Lorraine et Languedoc).

# Élisabeth

| | |
|---|---|
| 1930-40 | RARE |
| 1941-49 | DANS LE FLUX |
| 1950-61 | CONFORMISTE |
| 1962-83 | EN REFLUX |
| 1984-92 | RARE |
| DEPUIS 93 | EXCENTRIQUE |

Élisabeth vient de l'hébreu *elisheba*, «Dieu est promesse». Nom de la mère de saint Jean-Baptiste, Élisabeth a été un des premiers prénoms féminins issus du Nouveau Testament à se répandre au Moyen Âge. C'est un prénom d'usage courant pendant des siècles, mais qui occupe rarement les toutes premières places, d'autant qu'il est concurrencé par son dérivé Isabelle. Il recule au cours du XIXe siècle et stagne de 1880 à 1940 au niveau de 1 fille sur 400.

Sa nouvelle carrière est calme et peu spectaculaire; Élisabeth prénomme un peu plus de 1 fille sur 100 pendant douze ans. Le mariage (1947) puis le couronnement (1952) d'Élisabeth II n'ont pas sensiblement affecté son parcours, malgré leur retentissement.

Sur-représentée dans le *Bottin mondain* depuis le début du XXe siècle, Élisabeth s'est démocratisée, mais reste plus appréciée par les cadres et les agriculteurs que chez les ouvriers.

Élisabeth a donné naissance à de nombreux diminutifs dont beaucoup sont assez importants pour avoir droit à une notice. Ce n'est pas le cas de **Betty**, hésitant à émerger.

Autre prénom à quatre syllabes, **Éléonore** (d'étymologie embrouillée et incertaine), après avoir oscillé longtemps autour du seuil de 1 fille sur 1000, s'élance hors du milieu BCBG, accompagnée de la plus rare **Aliénor**.

# Élise

| | |
|---|---|
| 1930-41 | EN REFLUX |
| 1942-51 | DÉSUET |
| 1952-64 | EXCENTRIQUE |
| 1965-74 | PRÉCURSEUR |
| 1975-85 | DANS LE FLUX |
| DEPUIS 86 | CLASSIQUE |

Depuis l'aube du XXᵉ siècle, où elle prénommait 1 fille sur 160, Élise, dérivé d'Élisabeth, est descendue doucement jusqu'au purgatoire dont elle franchit la porte dans les années 1940.

Son retour s'amorce bien, mais ne l'amène finalement qu'à un niveau modeste (1 fille sur 200), sauf en Basse-Normandie où elle prospère. Sa constance actuelle, très remarquable depuis vingt ans, autorise l'appellation «classique».

Son succès, plus net chez les cadres et dans les professions intermédiaires, a permis l'émergence de **Lise**.

# Élodie

| | |
|---|---|
| 1930-60 | EXCENTRIQUE |
| 1961-70 | PRÉCURSEUR |
| 1971-79 | PIONNIER |
| 1980-85 | DANS LE VENT |
| 1986-91 | CONFORMISTE |
| 1992-96 | À LA TRAÎNE |
| 1997-07 | DÉMODÉ |
| DEPUIS 08 | DÉSUET |

On ne sait trop d'où vient Élodie : peut-être du grec *élodié*, «fleur fragile» ou du latin *alodis*, «propriété». Une sainte Alodia aurait vécu en Aragon au IXᵉ siècle. Et quelques rares Élodie naissent en France au tout début du XXᵉ siècle. Lorsqu'elle surgit au début des années 1970, Élodie a la vigueur d'un prénom vierge de toute carrière passée. Elle atteint, en 1988, le premier rang des prénoms féminins qu'elle occupe trois ans, choisie pour 1 fille sur 32 à son sommet en 1988-89. Belle performance pour un prénom qui ne figure pas dans les calendriers usuels !

Élodie s'est répandue à peu près uniformément dans toutes les régions et dans les divers groupes sociaux, sauf chez les cadres, qui l'ont vite boudée. Son déclin est très rapide.

# Éloïse et Héloïse

1930-69    EXCENTRIQUE
1970-79    PRÉCURSEUR
1980-98    PIONNIER
DEPUIS 99  DANS LE FLUX

La possibilité du *H* initial exclut qu'Éloïse soit le féminin du rare **Éloi** («élu» en latin) qui progresse depuis peu; il est plus vraisemblable d'y voir une variante de Louise. **Aloïs** en serait alors le correspondant masculin. Un prénom de grande ancienneté, en tout cas, comme l'atteste l'histoire d'*Héloïse et Abélard*, mais d'une grande discrétion depuis des siècles, malgré Jean-Jacques Rousseau. La nouvelle Héloïse a été lente à s'affirmer mais poursuit sa progression (1 fille sur 190 en 2009).

Sa percée est plus nette en milieu bourgeois où la forme Héloïse l'emporte nettement. En revanche, Éloïse devance Héloïse dans l'ensemble de la population.

# Elsa

1930-78    EXCENTRIQUE
1979-04    RARE
DEPUIS 05  DANS LE FLUX

Ce diminutif d'Élisabeth, bien connu en Allemagne, a démarré sans hâte. Après une éphémère poussée en 1988-89 (plus de 1 fille sur 300), Elsa se stabilise à un niveau plus modeste et semble vouloir grandir de nouveau.

# Émeline

1930-67    EXCENTRIQUE
1968-77    PRÉCURSEUR
1978-89    DANS LE FLUX
1990-99    PLUTÔT CONFORMISTE
DEPUIS 00  EN REFLUX

Émeline n'est pas une variante d'Émilie; son étymologie est germanique – *amal*, «travail» – et elle a sa propre sainte patronne. Mais le succès d'Émilie n'a pas été étranger à l'émergence de ce prénom tout nouveau qu'on écrit parfois **Emmeline** ou, moins rarement, **Émelyne**.

Émeline a grandi doucement, plafonnant au niveau de 1 fille sur 240, appréciée dans tous les groupes sociaux, malgré une certaine réticence des cadres. Son succès a été bien plus net dans le Nord.

# Émeric voir Aymeric

# Émile

| | |
|---|---|
| 1930-51 | DÉMODÉ |
| 1952-61 | DÉSUET |
| 1962-93 | EXCENTRIQUE |
| 1994-02 | PRÉCURSEUR |
| DEPUIS 03 | PIONNIER |

La vogue des prénoms de l'Antiquité gréco-romaine assura, au XIX$^e$ siècle, le succès d'Émile qui vient du latin *Aemilius*, nom d'une grande famille romaine. Cette mode avait débuté dès la seconde moitié du XVIII$^e$ siècle. Jean-Jacques Rousseau, souvent précurseur pour le choix des noms de ses personnages, avait choisi *L'Émile* pour titre de son ouvrage sur l'éducation des enfants. En fait, ce prénom n'émerge vraiment que vers 1830 et n'atteint son apogée que dans les années 1890, au dixième rang, quand Émile Zola fait beaucoup parler de lui.

Émile prénomme encore 1 garçon sur 120 au début des années 1930, mais est déjà démodé. Le frémissement qui l'agite aujourd'hui, annoncé depuis 1980 par celui d'**Émilien** qui vient enfin de percer, est de plus en plus prometteur (déjà près de 1 garçon sur 900 en 2009).

# Émilie

| | |
|---|---|
| 1930-62 | EXCENTRIQUE |
| 1963-72 | PRÉCURSEUR |
| 1973-78 | PIONNIER |
| 1979-80 | DANS LE VENT |
| 1981-86 | CONFORMISTE |
| 1987-93 | À LA TRAÎNE |
| DEPUIS 94 | DÉMODÉ |

Sans être en vedette, ce féminin d'Émile est connu au XIX$^e$ siècle, notamment entre 1840 et 1890 quand il est attribué à plus de 1 fille sur 150. Ses deux saintes patronnes les plus illustres, Émilie de Rodat et Émilie de Vialar, meurent respectivement en 1852 et 1856.

Émilie s'éclipse dans les années 1920, mais **Émilienne**, qui avait eu une petite vogue entre 1910 et 1920 (1 fille sur 150), est encore donnée dans les années 1940 à quelques rares filles d'ouvriers et d'agriculteurs.

Quand Émilie renaît, dans les années 1970, elle reçoit un très bon accueil et son essor rapide, favorisé ou reflété par des chansons (*Émilie jolie*, 1980) et des livres pour enfants, l'amène à prénommer 3 filles sur 100 et à disputer la première place à Aurélie. Elle l'a emporté sur sa rivale parmi les cadres.

# Emma

| | |
|---|---|
| 1930-77 | EXCENTRIQUE |
| 1978-87 | PRÉCURSEUR |
| 1988-96 | PIONNIER |
| 1997-99 | DANS LE VENT |
| DEPUIS 00 | CONFORMISTE |

Loin d'être un diminutif de la biblique Emmanuelle, Emma est un prénom d'origine germanique, connu en Europe dès le Moyen Âge, venant probablement de *ermin*, «grand, puissant», tout comme **Irma**. Mais c'est au XIXe siècle que son usage se répand dans la plupart des pays européeens, l'Angleterre donnant le ton, la France étant en retrait. L'*Emma* de Jane Austen (1816) précède nettement celle de Flaubert (*Madame Bovary*, 1857), ces deux chefs-d'œuvre donnant au prénom une aura littéraire tout en étant ancrés dans la réalité onomastique du temps.

Jusqu'à présent, la Grande-Bretagne fut le pays de prédilection d'Emma, un des prénoms les plus donnés autour de 1890, puis de nouveau vers 1990.

La tradition anglophile de l'Aquitaine et, plus sûrement, le goût qui s'y manifeste pour les prénoms féminins en *a* ont fait de cette région le foyer de diffusion d'Emma entamant sa nouvelle carrière. Son destin national est assuré malgré une réticence du Nord. Donnée à près de 1 fille sur 50, Emma domine depuis 5 ans le palmarès féminin.

Faut-il rattacher à Emma le prénom anglo-américain **Emmy** qui a de plus en plus d'adeptes depuis peu, accompagné des formes **Emy** et Emmie? On trouve aussi **Amy**, de même prononciation. Si l'on rattache Emmy à Amy, prénom en vogue actuellement en Grande-Bretagne, l'étymologie est française : Amy est la version anglaise de **Aimée**, bien oubliée aujourd'hui en France.

# Emmanuel

| | |
|---|---|
| 1930-41 | EXCENTRIQUE |
| 1942-51 | PRÉCURSEUR |
| 1952-67 | DANS LE FLUX |
| 1968-71 | CONFORMISTE |
| 1972-01 | EN REFLUX |
| DEPUIS 02 | DÉSUET |

C'est par le nom hébreu *Immannouela,* «Dieu est avec nous», que le prophète Isaïe désignait le futur messie. Ce prénom semble être d'usage ancien, mais rare jusqu'aux années 1950. Emmanuel connaît une lente progression qui s'accélère en 1966-67 et l'amène à prénommer 1 garçon sur 60 pendant quatre ans. C'est un prénom chic et bourgeois : il a atteint le niveau de 1 garçon sur 37 chez les cadres en 1967-68, et son score a été supérieur encore dans le *Bottin mondain*.

Normandie et Franche-Comté ont été les deux provinces préférées d'Emmanuel. Lors de son lent reflux, il s'est mieux maintenu dans les Pays de la Loire.

# Emmanuelle

| | |
|---|---|
| 1930-49 | EXCENTRIQUE |
| 1950-59 | PRÉCURSEUR |
| 1960-67 | DANS LE FLUX |
| 1968-83 | CLASSIQUE |
| 1984-99 | EN REFLUX |
| DEPUIS 00 | DÉSUET |

Le parcours de cette féminisation moderne d'Emmanuel ne se dessine pas de manière très nette. Emmanuelle (rarement orthographiée **Emmanuèle**) apparaît vers 1960, mais sa progression s'arrête vite. Pendant une quinzaine d'années, elle fluctue autour du niveau de 1 fille sur 140, ce qui oblige à traiter comme classique ce prénom pourtant tout récent.

Emmanuelle s'apparente aussi à un classique par la faveur toute particulière dont elle jouit en milieu bourgeois. Ce prénom biblique et rendu illustre par livres et films érotiques n'a pas été jugé sulfureux par les cadres, qui l'ont choisi pour 1 de leurs filles sur 50 de 1968 à 1973. Il est, encore aujourd'hui, assez fréquent dans le *Bottin mondain*.

Emmanuelle a su aussi séduire les professions intermédiaires, mais elle a laissé de glace les ouvriers et les agriculteurs.

# Énora

| | |
|---|---|
| 1930-88 | EXCENTRIQUE |
| 1989-98 | PRÉCURSEUR |
| DEPUIS 99 | PIONNIER |

Forme bretonne d'**Honorine**, Énora est complètement hors d'usage jusqu'aux années 1990. Elle naît évidemment en Bretagne où elle s'impose vite, donnée à près de 1 fille sur 80. Son succès est bien plus modeste ailleurs, notamment dans le Sud-Est où elle est peu connue.

Sur l'ensemble de l'Hexagone, Énora est concurrencée par la toute neuve **Énola**, venue d'on ne sait où, à rapprocher peut-être de la forte poussée d'Ilona qui flirte avec le top 20 (plus de 1 fille sur 400 en 2009).

# Enzo

| | |
|---|---|
| 1930-81 | EXCENTRIQUE |
| 1982-91 | PRÉCURSEUR |
| 1992-98 | PIONNIER |
| 1999-02 | DANS LE VENT |
| DEPUIS 03 | CONFORMISTE |

Henri en italien devient Enrico, mais aussi Enzo, issu de Heinz, lui-même diminutif du Heinrich allemand. Le premier Enzo connu, roi de Sardaigne au XIIIe siècle, était d'ailleurs le fils naturel de l'empereur germanique Frédéric II. Longtemps associé pour les Français à Ferrari, Enzo a été révélé par *Le Grand Bleu* (1988), film culte d'une génération pas encore en âge de procréer. D'où un effet différé d'une petite dizaine d'années sur l'envol du prénom. La chanteuse qui porte ce nom deux fois ajouta peut-être sa touche, sans tromper son monde : Enzo est totalement masculin.

L'engouement pour Enzo est particulièrement visible près de l'Italie, se diffusant vers le Languedoc et l'Aquitaine. Bénéficiant de la mode des prénoms en *o*, Enzo est, après Mathéo (ou Matteo), le leader de la vogue latine actuelle, avec Lorenzo (qu'il ne peut renier), Marco, sans parler de **Kenzo**, moins fréquent que le féminin **Kenza**. En 2009, il devrait s'adjuger la 2e place ex aequo du palmarès masculin, choisi pour 1 garçon sur 50.

# Éric

| | |
|---|---|
| 1930-34 | EXCENTRIQUE |
| 1935-44 | PRÉCURSEUR |
| 1945-55 | PIONNIER |
| 1956-60 | DANS LE VENT |
| 1961-66 | CONFORMISTE |
| 1967-79 | À LA TRAÎNE |
| 1980-96 | DÉMODÉ |
| 1997-06 | DÉSUET |
| DEPUIS 07 | EXCENTRIQUE |

Éric, ou Erik, est de longue date associé à la Scandinavie : il a été porté par de nombreux rois de Suède et de Danemark. Son étymologie est un peu incertaine, mais on y reconnaît le *rik* final qui signifie «souverain», «puissance». Presque inexistant en France au XIX<sup>e</sup> siècle et jusqu'en 1930, Éric surgit dans les années 1940 et se hisse au troisième rang de 1960 à 1963. Il est attribué à 1 garçon sur 21 au faîte de sa carrière en 1963-64. C'est dans les couches sociales aisées et moyennes qu'il est le mieux accueilli : son choix est hyperconformiste (plus de 5 %) chez les cadres de 1960 à 1963, dans les professions intermédiaires de 1962 à 1965, chez les commerçants de 1961 à 1965. Les agriculteurs l'ont adopté plus tardivement (4 garçons sur 100 de 1970 à 1974). La lenteur de son déclin contraste avec son essor rapide. La *Mort d'Éric,* annoncée par Serge Dalens quand le prénom naissait, a été lente à venir.

Éric a eu comme variantes orthographiques, assez rares, **Érick** et **Érik**. Le féminin **Érika**, en usage discret depuis un demi-siècle, a surmonté le naufrage.

# Erwan

| | |
|---|---|
| 1930-61 | EXCENTRIQUE |
| 1962-71 | PRÉCURSEUR |
| 1972-94 | RARE |
| DEPUIS 95 | DANS LE FLUX |

Un breton au carré : Erwan est la forme bretonnante d'Yves, lui-même breton d'adoption. Faut-il préciser que c'est en Bretagne qu'il s'est imposé (1 garçon sur 50 dès 1975) ? Sur l'ensemble du territoire, la carrière d'Erwan, flanqué du rare **Erwann**, est moins flatteuse : 1 garçon sur 500 dans les années 1980. Il a récemment repris de la vigueur, grâce au succès d'Evan, mais semble avoir atteint un palier (1 garçon sur 200).

# Esteban

| | |
|---|---|
| 1930-86 | EXCENTRIQUE |
| 1987-96 | PRÉCURSEUR |
| 1997-03 | PIONNIER |
| DEPUIS 04 | DANS LE VENT |

Cet Étienne espagnol était totalement inusité en France jusqu'aux années 1980. Il s'acclimate fort bien dans l'ensemble de l'Hexagone (1 garçon sur 230 en 2009), sa région préférée étant aujourd'hui la Franche-Comté, loin des Pyrénées.

# Estelle

| | |
|---|---|
| 1930-54 | EXCENTRIQUE |
| 1955-64 | PRÉCURSEUR |
| 1965-73 | DANS LE FLUX |
| 1974-79 | PLUTÔT CONFORMISTE |
| 1980-89 | EN REFLUX |
| 1990-92 | DANS LE FLUX |
| 1993-95 | PLUTÔT CONFORMISTE |
| 1996-05 | EN REFLUX |
| DEPUIS 06 | DÉSUET |

Estelle est une star ou une étoile, du latin *stella*. En usage discret depuis le XIXe siècle, Estelle a d'abord la carrière type d'un prénom à la mode, à ceci près qu'elle culmine à un niveau très modeste (1 fille sur 140). Son choix est «pionnier» de 1965 à 1971 et «dans le vent» en 1972-73.

Mais voici où Estelle nous peine : alors que son déclin était bien entamé, elle a rebondi, depuis 1990, remontant au niveau de 1 fille sur 150. Sans doute un effet Hallyday, déjà observé avec Adeline.

Dans sa première carrière, Estelle a été un prénom de type bourgeois florissant dans le Nord-Est, particulièrement en Alsace. Dans sa seconde vie, Estelle s'est démocratisée, ignorée en Alsace et s'épanouissant dans le Sud-Ouest.

La forme latine et internationale, **Stella**, rare mais présente en France depuis plus d'un siècle, progresse. La biblique **Esther**, où l'on retrouve l'étoile dans son origine perse, longtemps frémissante, pourrait se décider à émerger.

# Étienne

DEPUIS 30   RARE

Étienne est la forme traditionnelle en France de Stéphane, du grec *stephanos*, «couronne». Prénom répandu depuis le XVIᵉ siècle, Étienne occupe encore une place honorable dans la première moitié du XIXᵉ siècle (autour du dixième rang).

Dans les premières décennies du XXᵉ siècle, il fait figure de prénom démodé et sa cote baisse lentement. Mais il se stabilise dans les années 1940 autour du niveau de 1 garçon sur 500, un peu plus dans le Nord-Est, s'affirmant comme le prototype du choix «rare», mais pérenne. Depuis une quinzaine d'années, sa lente crue semblait amorcée surtout en Bourgogne, puis s'est essoufflée – 1 garçon sur 700 aujourd'hui.

Ce classique rare est aussi bourgeois, bien plus fréquent chez les cadres que chez les ouvriers.

Signalons la percée récente et très vive d'**Ethan**, prénom biblique en vogue aux États-Unis, qui signifie «constance, fermeté». Ethan sera attribué à plus de 1 nouveau-né sur 70 en 2009.

# Eugène

1930-46   DÉMODÉ
1947-56   DÉSUET
DEPUIS 57   EXCENTRIQUE

*Eugenios*, en grec, signifie «de bonne naissance». Comme Émile, Eugène est un prénom de la seconde moitié du XIXᵉ siècle, un peu plus ancien toutefois. Il s'est taillé de beaux succès dans les années 1860-90 et il lui est arrivé, localement, d'être le premier prénom alors qu'il ne dépassait pas le septième rang sur l'ensemble de la France. À la baisse depuis 1890, il se démode au début des années 1920. Nous attendons depuis longtemps le retour d'Eugène, après celui de Jules, son contemporain. Mais nous n'en voyons aucun signe avant-coureur.

**Eugénie**, elle, est de retour depuis vingt ans, mais n'est encore choisie que pour moins de 1 fille sur 1000.

# Éva

| | |
|---|---|
| 1930-75 | EXCENTRIQUE |
| 1976-85 | PRÉCURSEUR |
| 1986-97 | PIONNIER |
| DEPUIS 98 | DANS LE VENT |

Nom de la première femme selon la Bible, Ève est «vie, source de vie» en hébreu, *h'ava*.

Depuis plus d'un siècle, **Ève** reste végétative mais l'essor récent d'Adam l'a peut-être ébranlée. Éva est aussi ancienne en France, mais elle a pris son essor depuis une quinzaine d'années, entraînée sans doute par la tahitienne Maéva. En 2009, à la 12e place du palmarès, elle est choisie pour près de 1 fille sur 90. Elle réussit encore mieux dans le Sud.

# Evan

| | |
|---|---|
| 1930-87 | EXCENTRIQUE |
| 1988-97 | PRÉCURSEUR |
| 1998-02 | PIONNIER |
| 2003-06 | DANS LE VENT |
| DEPUIS 07 | CONFORMISTE |

Evan pourrait se rattacher à Erwan donc à Yves, mais c'est plus probablement un Jean celtique, plus précisément gallois. Son démarrage est très rapide, notamment en Bretagne. Il est flanqué de quelques **Evann** ou **Ewan** qui font la transition avec **Ewen**, prénom traditionnel en Bretagne et qui s'y développe, connu aussi en Écosse et devenant **Owen** au pays de Galles. En 2009, Evan figure à la 10e place du palmarès et sera choisi pour près de 1 garçon sur 80 en 2009.

# Évelyne

| | |
|---|---|
| 1930-32 | PRÉCURSEUR |
| 1933-45 | PIONNIER |
| 1946-51 | DANS LE VENT |
| 1952-56 | CONFORMISTE |
| 1957-65 | À LA TRAÎNE |
| 1966-75 | DÉMODÉ |
| 1976-85 | DÉSUET |
| DEPUIS 86 | EXCENTRIQUE |

On pourrait y voir un dérivé d'Ève, mais Évelyne est probablement d'origine germanique et d'étymologie incertaine. Évelyne est à peu près contemporaine de Jocelyne, mais son succès est plus net, surtout à son sommet: 1 fille sur 55 pendant cinq ans, en y ajoutant les quelques **Éveline**.

C'est un prénom de type populaire, bien plus répandu chez les employés et les agriculteurs que parmi les cadres. Il s'est bien implanté dans un large Nord-Est (sauf en Alsace où son score est médiocre).

# Fabien

Fabius est le nom d'une famille romaine qui se rattache étymologiquement à *faba*, «fève». Fabien est un prénom quasi neuf à la fin des années 1950, alors que Fabienne est déjà lancée. Lent à s'ébranler, il retrouve d'ailleurs, à son sommet, le même score que Fabienne, avec seize ans de retard: 1 nouveau-né sur 65.

Les professions intermédiaires suivies des employés et des agriculteurs ont fait le meilleur accueil à ce prénom assez neutre socialement. À noter le petit rebond de 1998 (effet Barthez).

Fabien a inauguré la vogue des prénoms d'origine romaine, marquant le retour de la terminaison en *ien*. La forme **Fabian** est rare, mais stable depuis vingt ans, dépassée aujourd'hui par le nouveau **Fabio** (1 garçon sur 800 en 2009).

# Fabienne

Ce féminin de Fabien est presque un prénom sans passé quand il surgit à la fin des années 1940. Son parcours est celui, tout normal, d'un prénom mode culminant à un niveau moyen (moins de 1 fille sur 60 en 1965-66).

Fabienne se répartit tout à fait équitablement dans les diverses catégories socioprofessionnelles. Une seule particularité peut être relevée: sa meilleure réussite dans le Nord-Est (Lorraine, Alsace et Franche-Comté).

L'originalité de ce prénom réside dans sa terminaison en *ienne* dont il est le seul représentant à l'époque. Il a permis l'éclosion de Fabien et, par là, le triomphe des prénoms masculins en *ien*.

# Fabrice

| | |
|---|---|
| 1930-41 | EXCENTRIQUE |
| 1942-51 | PRÉCURSEUR |
| 1952-63 | PIONNIER |
| 1964-67 | DANS LE VENT |
| 1968-74 | CONFORMISTE |
| 1975-80 | À LA TRAÎNE |
| 1981-92 | DÉMODÉ |
| 1993-02 | DÉSUET |
| DEPUIS 03 | EXCENTRIQUE |

Issu du latin *faber*, «artisan», Fabrizio est un prénom d'usage ancien en Italie, d'où le Fabrice del Dongo de Stendhal. Mais Fabrice est quasi inconnu en France jusqu'aux années 1940 incluses. La carrière de Fabrice prend place entre celles de Patrice et de Fabien, bel exemple d'enchaînement de sonorités. Elle est d'ailleurs du même ordre de grandeur puisque Fabrice atteint à peine le niveau de 1 garçon sur 50 lorsqu'il culmine en 1971. Ce prénom moyen a été un peu moins fréquent chez les agriculteurs et chez les cadres.

# Fanny

| | |
|---|---|
| 1930-60 | EXCENTRIQUE |
| 1961-70 | PRÉCURSEUR |
| 1971-85 | DANS LE FLUX |
| 1986-92 | PLUTÔT CONFORMISTE |
| DEPUIS 93 | EN REFLUX |

Fanny naît en France au début du XIX<sup>e</sup> siècle, mais reste confidentielle jusqu'aux années récentes. C'est plutôt un diminutif de Françoise, importé d'Angleterre, qu'un dérivé de Stéphanie. Pourtant Fanny entame sa carrière à la remorque de Stéphanie, mais, tandis que celle-ci se fane, Fanny se fortifie. Sa progression l'amène juste au-dessous du seuil de 1 %. Ce prénom qui fleure son Pagnol n'est pas venu de Provence, lui préférant la Franche-Comté. Il a été présent dans tous les groupes sociaux.

# Félix

Félix est «heureux» en latin. Cette félicité n'a rien à voir avec la jouissance matérielle; elle est spirituelle, religieuse, et marque de l'élection. C'est pourquoi ce prénom est connu, dès les premiers siècles de l'ère chrétienne, porté par plusieurs papes du IIIe au VIe siècle. Pourtant, sa véritable carrière en France ne semble s'amorcer qu'à la fin du XVIIe siècle, à la faveur de la vogue romaine, et se déroule vraiment au XIXe siècle jusqu'au début du XXe. Carrière modeste d'ailleurs, qui ne l'emmène à aucun moment vers des sommets, mais durable puisque Félix n'entre au purgatoire que dans les années 1940. Son déclin fut sans doute accéléré par la célébrité de «Félix le Chat» dans les années 1920. Le fameux félin n'a pourtant pas eu raison de Félix, qui n'a jamais été complètement absent pendant sa période de disgrâce.

Le retour de Félix, amorcé depuis plus de vingt ans, se fait sans tapage et lentement, sauf à Paris où il est plus visible. Aussi peut-on qualifier son choix actuel comme étant «dans le flux» puisque sa croissance se poursuit. En revanche, Félicien n'a pas profité de la vogue déjà passée de la terminaison en ien et reste confidentiel. Chez les filles, Félicité ne revient pas plus que Félicienne, mais Félicie frémit.

# Fernand

Fernand est une contraction de Ferdinand, vieux prénom d'origine germanique: fried, «protection, paix» et nant, «hardiesse». Fernand est à la mode en France au tournant du XXe siècle, donné à 1 garçon sur 65 dans les années 1895-1904. Il est resté à plus de 1 % jusque vers 1925. Le retour de Fernand devient probable dans un avenir proche; celui de Ferdinand, dont la vogue au XIXe siècle était plus ancienne, approche également.

# Fiona

| | |
|---|---|
| 1930-78 | EXCENTRIQUE |
| 1979-88 | PRÉCURSEUR |
| 1989-05 | RARE |
| DEPUIS 06 | DÉSUET |

Un prénom celtique, mais pas traditionnel: son premier utilisateur serait l'écrivain William Sharp (1855-1905) qui choisit comme pseudonyme Fiona MacLeod pour narrer les légendes celtes. On peut le rattacher au gaélique *fionn* qui signifie «beau», «blanc», comme le *gwenn* breton. Fiona fit d'abord des conquêtes en Écosse dans les années 1950 avant de se répandre dans toute la Grande-Bretagne. Après des premiers pas un peu hésitants en France, Fiona a surfé sur la vague celtique.

# Flavie

| | |
|---|---|
| 1930-87 | EXCENTRIQUE |
| 1988-97 | PRÉCURSEUR |
| DEPUIS 98 | PIONNIER |

La *gens* Flavia était une grande famille de la Rome ancienne. Connue au XIXᵉ siècle, sans être d'usage courant, Flavie revient, d'abord timidement, dans les années 1980. Son essor actuel est plus vif, surtout dans le Centre-Ouest. Voilà qui va peut-être inciter **Flavien**, présent mais stable depuis 1990 (1 garçon sur 800), à s'élancer à son tour.

# Florence

| | |
|---|---|
| 1930-37 | EXCENTRIQUE |
| 1938-47 | PRÉCURSEUR |
| 1948-59 | PIONNIER |
| 1960-63 | DANS LE VENT |
| 1964-71 | CONFORMISTE |
| 1972-81 | À LA TRAÎNE |
| 1982-94 | DÉMODÉ |
| 1995-04 | DÉSUET |
| DEPUIS 05 | EXCENTRIQUE |

Florence est le plus illustre des prénoms-fleurs dérivés du latin *floreus* et de Flora, la déesse romaine des fleurs. Quelques Florence sont nées au XIXᵉ siècle, mais en tout petit nombre, sans commune mesure avec la vogue de ce prénom en Grande-Bretagne où il occupe la première place en 1900.

En France, Florence ne perce pas avant la fin des années 1940 (sauf en milieu BCBG où elle est précoce) et prénomme à peine, pendant huit ans, 1 fille sur 50. C'est qu'elle s'épanouit surtout en milieu bourgeois (3 filles sur 100 chez les cadres dans les années 1960), étant bien moins en faveur chez les employés et surtout les ouvriers. Son déclin, d'abord lent, se confirme tandis que **Fleur**, **Flore** et leurs dérivés éparpillent leurs forces.

# Florent

| | |
|---|---|
| 1930-54 | EXCENTRIQUE |
| 1955-64 | PRÉCURSEUR |
| 1965-88 | DANS LE FLUX |
| 1989-91 | CONFORMISTE |
| 1992-04 | EN REFLUX |
| DEPUIS 05 | DÉSUET |

Renvoyons pour une fois Florent à Florence pour l'étymologie, d'ailleurs limpide, puisque l'usage des prénoms de fleurs semble avoir été à l'origine féminin.

Prénom connu, mais rare, au XIXe siècle, Florent a d'abord grandi très doucement durant plus de vingt ans, surtout apprécié chez les cadres et les professions intermédiaires.

L'envol de Florian et la montée de Clément l'ont fait sursauter, mais de manière modeste (1 % en 1989) et singulièrement éphémère.

**Florentin**, déjà en usage confidentiel voilà un siècle, a émergé dans le sillage des Valentin et Corentin.

# Florian

| | |
|---|---|
| 1930-64 | EXCENTRIQUE |
| 1965-71 | PRÉCURSEUR |
| 1972-82 | PIONNIER |
| 1983-89 | DANS LE VENT |
| 1990-95 | CONFORMISTE |
| 1996-01 | À LA TRAÎNE |
| DEPUIS 02 | DÉMODÉ |

«Fleuri» en latin, Florian est traditionnel en Autriche, en raison du martyr romain, saint patron de ce pays et de la Pologne. En France, c'était un prénom quasi neuf en 1970. Sa croissance, d'abord modeste, s'accélère dès qu'il dépasse Florent, en 1981.

Un peu délaissé par les cadres, mais florissant dans les autres milieux, Florian a atteint le top 10 (1 garçon sur 55 à son sommet en 1991) sans briguer les premières places. Il a prospéré en Lorraine et en Auvergne.

# Floriane

| | |
|---|---|
| 1930-70 | EXCENTRIQUE |
| 1971-80 | PRÉCURSEUR |
| 1981-88 | DANS LE FLUX |
| 1989-94 | PLUTÔT CONFORMISTE |
| 1995-01 | EN REFLUX |
| DEPUIS 02 | DÉSUET |

**Fleur** reste en bouton, tout comme la nouvelle **Florie**. **Flora** et **Flore**, prénoms traditionnels en France, hésitent à éclore. De ce bouquet se détache Floriane, dont la poussée a été la plus vive (1 fille sur 300), surtout en Bretagne et en Lorraine. Elle a sans doute été favorisée par le succès de Florian.

Voici que **Florine**, qui prospère dans le Nord, a dépassé Floriane.

# Francine

| | |
|---|---|
| 1930-40 | DANS LE FLUX |
| 1941-51 | PLUTÔT CONFORMISTE |
| 1952-70 | EN REFLUX |
| 1971-80 | DÉSUET |
| DEPUIS 81 | EXCENTRIQUE |

Francine, un des féminins de François, est un prénom calme dont le parcours modeste n'a pas été très sensible au mouvement de la mode.

Elle progresse doucement depuis le début du XXe siècle, connaît une première petite vogue dans le Sud-Est, et, entraînée par l'ascension de Françoise, atteint le niveau de 1 fille sur 140. Elle est alors nettement plus fréquente dans le Nord – Pas-de-Calais et en Picardie.

Les deux autres dérivés de Françoise, **France** (depuis le début du XXe siècle) et **Francette** (dans les années 1935-50), ont eu une existence officielle à peu près négligeable, ne dépassant presque jamais la barre de 1 fille sur 1 000.

Notons cependant le petit sursaut patriotique de France (voir aussi Marie-France) au début des années 1940 : 1 fille sur 300.

# Francis

| | |
|---|---|
| 1930-45 | DANS LE FLUX |
| 1946-57 | CONFORMISTE |
| 1958-64 | À LA TRAÎNE |
| 1965-72 | DÉMODÉ |
| 1973-82 | DÉSUET |
| DEPUIS 83 | EXCENTRIQUE |

Francis a été la première forme anglaise de François à pénétrer en France. Il progresse tout doucement dès l'aube du xxe siècle et sa période conformiste s'étale sur une douzaine d'années, pendant lesquelles il prénomme 1 garçon sur 80.

Quoiqu'il se maintienne assez longtemps chez les agriculteurs, le recul de Francis est beaucoup plus rapide que n'avait été sa croissance.

# Franck

| | |
|---|---|
| 1930-45 | EXCENTRIQUE |
| 1946-55 | PRÉCURSEUR |
| 1956-61 | PIONNIER |
| 1962-65 | DANS LE VENT |
| 1966-71 | CONFORMISTE |
| 1972-79 | À LA TRAÎNE |
| 1980-00 | DÉMODÉ |
| DEPUIS 01 | DÉSUET |

Pour naturaliser **Frank**, forme anglo-américaine de François, les Français lui ont, dans la grande majorité des cas, ajouté un *c*.

Franck remplace Francis, mais sa carrière, plus brillante, est aussi plus éphémère. Sa percée est vite accomplie et il dépasse le niveau de 1 garçon sur 50 dans sa période conformiste.

Le score de Franck est sensiblement supérieur chez les professions intermédiaires et les artisans et commerçants, les deux groupes sociaux qui l'ont le plus volontiers adopté.

Ce prénom a tardé à entrer au purgatoire.

# François

| | |
|---|---|
| 1930-67 | CLASSIQUE |
| 1968-04 | EN REFLUX |
| DEPUIS 05 | DÉSUET |

Prénom royal et doté de saints patrons éminents (on peut le fêter au moins trois fois dans l'année), François, même s'il n'a pas atteint les sommets de Jean et de Pierre, est, au même titre qu'eux, un grand classique. Il a évidemment pour origine le nom ethnique des Francs dont l'étymologie germanique est incertaine.

Du XVI^e au XIX^e siècle, il a été un des prénoms prédominants, se classant en général entre le troisième et le septième rang. Il décroît pendant la seconde moitié du XIX^e mais prénomme encore 1 garçon sur 40 au début du XX^e. Il se stabilise vers 1925, au niveau de 1 garçon sur 80, jusqu'à la fin des années 1960, puis décline à nouveau, sans beaucoup de hâte.

Ce classique est aussi un bourgeois : conformiste de 1948 à 1960 chez les cadres qui le choisissent alors pour 1 de leurs garçons sur 25, il continue d'être en faveur dans cette catégorie sociale.

François s'accroche, s'efforçant de retarder le plus possible une disgrâce qui se dessine depuis 1991 et se confirme à partir de 1994.

# Françoise

| | |
|---|---|
| 1930-35 | DANS LE FLUX |
| 1936-45 | DANS LE VENT |
| 1946-55 | CONFORMISTE |
| 1956-69 | À LA TRAÎNE |
| 1970-80 | DÉMODÉ |
| 1981-90 | DÉSUET |
| DEPUIS 91 | EXCENTRIQUE |

Comme François, Françoise est un prénom ancien qui figure généralement au palmarès des dix premiers prénoms féminins depuis le XVII^e siècle et qui occupe le quatrième rang au début du XIX^e avant de régresser.

Sa carrière récente est bien différente de celle de François. Françoise est au creux de la vague, sans avoir disparu, dans les premières décennies du XX^e siècle, et sa nouvelle crue date des années 1930. Régulière et puissante, elle l'amène jusqu'au premier rang des prénoms en 1948 et 1949 (plus de 1 fille sur 25).

Françoise n'atteint pas des sommets vertigineux, mais sa réussite est durable (1 fille sur 28 pendant dix ans) et elle se replie sans hâte.

Tel est souvent le lot des prénoms bourgeois comme l'est Françoise, qui a été tôt accueillie et avec une bienveillance particulière parmi les cadres suivis des professions intermédiaires. Ce fut le premier prénom féminin dans le *Bottin mondain* au début des années 1930.

Son succès a été plus précoce, et aussi plus massif, dans le Bassin parisien (surtout en Haute-Normandie, où elle prénomme 6 filles sur 100 au début des années 1940), tandis qu'elle s'est propagée tardivement dans un large Sud-Est.

# Frédéric

| | |
|---|---|
| 1930-39 | EXCENTRIQUE |
| 1940-49 | PRÉCURSEUR |
| 1950-59 | PIONNIER |
| 1960-65 | DANS LE VENT |
| 1966-77 | CONFORMISTE |
| 1978-85 | À LA TRAÎNE |
| 1986-98 | DÉMODÉ |
| 1999-08 | DÉSUET |
| DEPUIS 09 | EXCENTRIQUE |

Que Frédéric ait été le nom d'empereurs germaniques, de rois de Prusse, du Danemark ou de Suède est conforme à son étymologie (germanique) : *fried*, «protecteur», *rik*, «puissant».

Stable et peu courant en France durant le XIXe siècle (1 garçon sur 170 environ), Frédéric entame sa véritable carrière dans les années 1950, avec cinq ans de retard sur Éric. Durant sa longue période conformiste, il oscille entre la quatrième et la sixième place, prénommant jusqu'à 1 garçon sur 24 en 1974.

Frédéric se diffuse à peu près également dans tous les groupes sociaux, avec une forte avance chez les cadres et un retard sensible chez les agriculteurs qui en font leur premier prénom de 1976 à 1978.

De même, Frédéric s'est bien implanté en toutes régions, mais avec une certaine prédilection pour les deux extrêmes : Provence et Languedoc (où il était assez traditionnel) d'un côté, Nord et Picardie de l'autre.

Des **Freddy** en petit nombre (1 sur 1000) ont tenu compagnie à Frédéric dès 1965.

# Frédérique

| | |
|---|---|
| 1930-40 | EXCENTRIQUE |
| 1941-50 | PRÉCURSEUR |
| 1951-65 | DANS LE FLUX |
| 1966-77 | PLUTÔT CONFORMISTE |
| 1978-86 | EN REFLUX |
| 1987-96 | DÉSUET |
| DEPUIS 97 | EXCENTRIQUE |

Innovation du siècle dernier, cette féminisation de Frédéric ne s'est pas imposée. Son parcours épouse celui de Frédéric, mais à un niveau très inférieur : guère plus de 1 fille sur 200 durant dix ans.

Mais Frédérique, prénom typiquement bourgeois, a eu bien plus de succès chez les cadres, qui l'ont choisie trois à quatre fois plus souvent que les ouvriers ou agriculteurs.

G

## Gabriel

Nom d'un archange, celui de l'Annonciation, Gabriel vient de l'hébreu *gabar* et *el*, «force» et «Dieu», signifiant «Dieu est ma force». Son usage culmine en France dans les premières années du xxe siècle, à un niveau modeste (0,8 %). Son reflux est lent puisqu'il prénomme encore 1 garçon sur 200 au début des années 1930. Gabriel ne disparaît pas complètement pendant sa courte période de purgatoire et revient depuis peu en force (plus de 1 garçon sur 100 en 2009, à la 14e place du palmarès), entraîné par l'autre archange, Raphaël. Il est déjà très apprécié en milieu bourgeois en Île-de-France et dans le Sud. On notera son triomphe actuel au Québec. Le diminutif **Gaby** est bien démodé. Mais **Gabin**, d'origine romaine, gagne de plus en plus de terrain depuis que l'acteur du même nom n'est plus là.

## Gabrielle

Comme son frère Gabriel, Gabrielle a connu une petite vogue dans les années 1900 à 1920 quand elle était choisie pour 1 fille sur 120.

Elle reprend du service, timidement encore, sauf dans les milieux chics où elle perce. Ce prénom mettra du temps à croître, mais son retour est certain.

Gabrielle est bien plus répandue au Québec, figurant actuellement en bonne place dans le palmarès féminin.

# Gaël

| | |
|---|---|
| 1930-60 | EXCENTRIQUE |
| 1961-70 | PRÉCURSEUR |
| 1971-05 | RARE |
| DEPUIS 06 | DÉSUET |

Gaël est souvent présenté comme un diminutif de **Judicaël**, mais c'est aussi, plus simplement, le nom de la paroisse où ce saint (et roi de Bretagne) se fit moine.

Né en Bretagne au début des années 1960, ce prénom celtisant ne s'est pas imposé : il a prénommé moins de 1 garçon sur 300 dans les années 1980 et va s'éclipser.

# Gaëlle

| | |
|---|---|
| 1930-55 | EXCENTRIQUE |
| 1956-65 | PRÉCURSEUR |
| 1966-79 | DANS LE FLUX |
| 1980-87 | PLUTÔT CONFORMISTE |
| 1988-02 | EN REFLUX |
| DEPUIS 03 | DÉSUET |

Gaëlle, féminin récent, a mieux réussi que Gaël chez les garçons. Mais ce prénom breton marque le pas à partir de 1980, attribué au mieux à 1 fille sur 130, et son déclin est bien entamé aujourd'hui (1 fille sur 1900).

Gaëlle a naturellement été plus précoce et bien plus répandue en Bretagne.

# Gaëtan

| | |
|---|---|
| 1930-61 | EXCENTRIQUE |
| 1962-71 | PRÉCURSEUR |
| 1972-89 | DANS LE FLUX |
| 1990-96 | PLUTÔT CONFORMISTE |
| DEPUIS 97 | EN REFLUX |

Ce prénom vient d'Italie, se rattachant à la ville de Gaeta (anciennement Caieta) dans le Latium. On ne le trouve d'ailleurs que dans les pays de langues romanes.

En France, Gaëtan est d'usage bien plus ancien que Gaël. Il émerge pourtant au même moment, mais sa croissance, quoique lente, l'amène à prénommer 1 garçon sur 200. Son succès est plus notable dans le Nord-Est et en Auvergne. On l'écrit aussi **Gaétan**.

Le féminin **Gaëtane** prépare son retour.

# Gaston

| | |
|---|---|
| 1930-46 | DÉMODÉ |
| 1947-56 | DÉSUET |
| 1957-00 | EXCENTRIQUE |
| DEPUIS 01 | PRÉCURSEUR |

Gaston est un prénom d'origine germanique de *gast*, signifiant «hôte ou voyageur». Fêté le 6 février, son saint patron (aussi appelé Vaast) est un évêque d'Arras ayant vécu au VIe siècle, dont le nom est rattaché à l'abbaye de Saint-Vaast qui abrite ses reliques. Gaston est également illustre au Moyen Âge avec les comtes de Foix et les vicomtes du Béarn. Son destin national est scellé par la vogue qu'il connaît à la charnière du XXe siècle : de 1890 à 1905, Gaston est donné à 1 garçon sur 70. Jusqu'en 1930, Gaston est encore choisi pour plus de 1 nouveau-né sur 200. Mais il se démode très vite et connaît un purgatoire à la mesure de son succès passé.

Par la suite, Gaston, déjà naturellement en disgrâce, n'est pas aidé, au point que son retour devient improbable. Les principaux responsables sont la chanson peu flatteuse de Nino Ferrer en 1966, *Le Téléfon*, mais plus encore le Lagaffe de Franquin, qui apparaît pour la première fois dans *Spirou* en 1957 et commence à faire fureur dès le début des années 1960. En dépit de ces handicaps, Gaston amorce son retour et fait aujourd'hui figure de choix précurseur. À moins d'une grosse gaffe, Gaston devrait être un prénom pionnier sous peu.

# Gauthier et Gautier

| | |
|---|---|
| 1930-70 | EXCENTRIQUE |
| 1971-80 | PRÉCURSEUR |
| DEPUIS 81 | RARE |

De lointaine origine germanique – *walden*, «commander, gouverner» –, cet équivalent français du **Walter** anglo-saxon fut bien connu au Moyen Âge.

Sa fréquence actuelle comme nom de famille (au huitième rang en ajoutant Gautier) est une trace de cet usage ancien. Comme la plupart des prénoms d'origine germanique, Gauthier disparaît complètement à l'âge classique et jusqu'aux années 1950. Il revient doucement depuis les années 1980 (1 garçon sur 450), apprécié surtout de la Picardie à la Lorraine.

Gauthier est aujourd'hui deux fois plus fréquent que Gautier et l'on trouve quelques **Gaultier**.

# Geneviève

| | |
|---|---|
| 1930-50 | CLASSIQUE |
| 1951-57 | À LA TRAÎNE |
| 1958-72 | DÉMODÉ |
| 1973-82 | DÉSUET |
| DEPUIS 83 | EXCENTRIQUE |

L'origine de ce prénom est assez obscure : peut-être un mélange d'une racine latine *geno*, «lignée, race» et du germanique *wefa*, «femme» ; à moins de voir en Geneviève une autre forme de Guenièvre, du gallois *gwenhwyfar*, «beau, blanc», nom de la femme du roi Arthur (voir Jennifer).

Geneviève est un prénom d'usage ancien, connu aux XVIIIe et XIXe siècles, sans jouer les premiers rôles. Il progresse au début du XXe siècle et se stabilise à partir de 1920, prénommant 1 fille sur 85 pendant trente ans. La flambée de Ginette ne le fait pas dévier de sa trajectoire rectiligne.

Cette remarquable constance sur l'ensemble de la France recouvre des diffusions régionales inégales et décalées dans le temps. La patronne de Paris a son succès le plus précoce, le plus massif et le plus durable en Île-de-France, se propage tôt et bien dans toutes les régions limitrophes ainsi qu'en Lorraine et Franche-Comté. En revanche, elle ne franchit le seuil de 1 % dans le Sud-Est que vers 1940 et ne s'y impose guère.

Geneviève a été particulièrement prisée dans les milieux BCBG.

# Geoffrey

| | |
|---|---|
| 1930-69 | EXCENTRIQUE |
| 1970-79 | PRÉCURSEUR |
| 1980-89 | DANS LE FLUX |
| 1990-93 | PLUTÔT CONFORMISTE |
| 1994-01 | EN REFLUX |
| DEPUIS 02 | DÉSUET |

L'étymologie est germanique : *fried*, «paix», avec un doute pour la première syllabe, soit *wald*, «gouverneur», soit *Gaut* d'où vient le nom des Goths. **Geoffray**, Geoffré, sans oublier **Joffre**, sont des variantes, surtout patronymiques, de Geoffroy. Mais la faveur dont a joui Geoffrey, auquel nous ajoutons **Joffrey** et quelques **Jeffrey** (forme américaine), vient évidemment de la source anglo-saxonne. Ce prénom a atteint le niveau de 1 garçon sur 130, s'épanouissant du Nord à la Lorraine. L'ancien **Geoffroy,** bien plus bourgeois, reste discret.

# Georges

| | |
|---|---|
| 1930-45 | À LA TRAÎNE |
| 1946-72 | DÉMODÉ |
| 1973-82 | DÉSUET |
| DEPUIS 83 | EXCENTRIQUE |

Un laboureur par son étymologie grecque : *gê*, «terre» et *ergon*, «travail».

Georges, que l'on trouve surtout dans le nord de la France lors de son adolescence (dans les trois dernières décennies du XIXe siècle), a pris sa retraite dans le Sud-Est (Rhône-Alpes, Auvergne et Provence) où il est encore attribué à 1 garçon sur 33 au début des années 1940.

Dans toute la France, Georges a atteint son sommet entre les années 1898 et 1919 (1 garçon sur 30), avec un regain de vigueur pendant la guerre, sa carrière semblant épouser celle de Georges Clemenceau.

# Georgette

| | |
|---|---|
| 1930-34 | À LA TRAÎNE |
| 1935-53 | DÉMODÉ |
| 1954-63 | DÉSUET |
| DEPUIS 64 | EXCENTRIQUE |

Georgette a suivi Georges avec un certain retard et sans avoir la même réussite. Elle prénomme 1 fille sur 70 de 1905 à 1930, avec une pointe à 1 fille sur 60 vers 1920.

Georgette se démode vite dans les années 1930, se maintenant mieux dans les régions Rhône-Alpes et Midi-Pyrénées. On peut noter sa rareté en Bretagne et Poitou. C'est un prénom inexistant aujourd'hui.

# Gérald

| | |
|---|---|
| 1930-45 | PRÉCURSEUR |
| 1946-86 | RARE |
| 1987-96 | DÉSUET |
| DEPUIS 97 | EXCENTRIQUE |

Geraldus était un prénom issu du stock germanique assez courant au Moyen Âge, de *gari*, «lance» et *wald*, «chef, gouverneur». Il s'est perpétué dans le rare **Géraud**. Gérald est donc une forme savante (et aussi anglaise) de Géraud, qui a réapparu quand Gérard était à son sommet; elle est restée peu répandue (1 garçon sur 310 au mieux entre 1972 et 1975).

# Géraldine

| | |
|---|---|
| 1930-53 | EXCENTRIQUE |
| 1954-63 | PRÉCURSEUR |
| 1964-73 | DANS LE FLUX |
| 1974-77 | PLUTÔT CONFORMISTE |
| 1978-89 | EN REFLUX |
| 1990-99 | DÉSUET |
| DEPUIS 00 | EXCENTRIQUE |

Tout nouveau en France, ce féminin de Gérald connaît quelques frémissements dans les années 1950 avant de démarrer en 1964.
Il fait mieux que Gérald, même si sa carrière reste modeste : il n'est pas attribué à plus de 1 fille sur 160 dans ses meilleures années.
Géraldine a un peu mieux réussi dans les couches sociales moyennes et aisées.

# Gérard

| | |
|---|---|
| 1930-43 | DANS LE VENT |
| 1944-51 | CONFORMISTE |
| 1952-60 | À LA TRAÎNE |
| 1961-75 | DÉMODÉ |
| 1976-85 | DÉSUET |
| DEPUIS 86 | EXCENTRIQUE |

Gérard est cousin de Gérald et de Géraud, d'abord par l'étymologie germanique avec le même premier élément *gari*, «lance, pique», mais la suite – *hard* – désigne la dureté ou la force de cette pique. Ce prénom émerge en France au début du XXe siècle, prend son essor dans les années 1930 et se hisse au troisième rang des prénoms de 1944 à 1951, attribué à 1 garçon sur 23 pendant cette période.

Gérard s'est épanoui un peu plus tôt dans le nord de la France. Son choix est hyperconformiste au début des années 1940 en Île-de-France et en Alsace. Dans cette région, il occupe la première place au terme des années 1930 avant d'être détrôné par Bernard.

Particulièrement fréquent chez les professions intermédiaires en 1942-43 et chez les employés de 1944 à 1949, Gérard a eu une image un peu fausse de prénom bourgeois. Ses histoires avec Marie-Chantal lui portèrent le coup de grâce et expliquent sa chute spectaculaire dans les années 1950.

# Germaine

1930-51  DÉMODÉ
1952-61  DÉSUET
DEPUIS 62  EXCENTRIQUE

Le mot latin *germanus* désigne quelqu'un du même sang, le frère ou la sœur. Tandis que Germain a toujours été un prénom discret en France, Germaine a fait parler d'elle, surtout dans les premières années du XXᵉ siècle. Elle prénomme alors 1 fille sur 28, ce qui la situe au quatrième rang des prénoms féminins. Elle passe sous la barre de 1 % en 1930.

Germaine est bien oubliée aujourd'hui et son retour, quoique prévisible, ne s'annonce pas, alors que **Germain** ne fait que frémir.

C'est peut-être le succès de sa forme dérivée, Gisèle, qui réveille ce prénom tombé dans l'oubli le plus total. Au terme d'une lente progression, il atteint pendant quatre ans le niveau assez modeste de 1 fille sur 120.

# Ghislaine

| | |
|---|---|
| 1930-55 | DANS LE FLUX |
| 1956-59 | PLUTÔT CONFORMISTE |
| 1960-75 | EN REFLUX |
| 1976-85 | DÉSUET |
| DEPUIS 86 | EXCENTRIQUE |

Ghislaine est l'orthographe la plus courante de ce très ancien prénom issu du stock germanique : de *gisal*, «gage». Mais on trouve aussi des **Guylaine**, des **Gislaine** et d'autres formes plus rares comme **Ghylaine**. Cette diversité révèle l'hésitation sur la prononciation de la première syllabe. En principe, le *Gh* est dur et l'on prononce «Guilaine». C'est bien ainsi qu'on l'entendait dans les milieux chics où Ghislaine fut bien connue dans les années 1930 et 1940. Elle se démocratisa ensuite en «Gisslaine» et se répandit chez les ouvriers, les employés et les agriculteurs.

Chez les garçons, **Ghislain**, plutôt chic, reste discret.

# Gilbert

| | |
|---|---|
| 1930-36 | CONFORMISTE |
| 1937-52 | À LA TRAÎNE |
| 1953-69 | DÉMODÉ |
| 1970-79 | DÉSUET |
| DEPUIS 80 | EXCENTRIQUE |

Par son *bert* final, Gilbert est brillant, mais le *gil* initial, également germanique, est de signification plus obscure : gage, descendant ? Gilbert a longtemps été en France, en tout cas au XVIe siècle, et encore au XIXe, un prénom typiquement régional, localisé dans le Bourbonnais (Allier). C'est dans l'Est, et surtout le Nord-Est, des Ardennes au Jura, qu'il s'acclimate le mieux lors de sa carrière nationale. Carrière modeste puisqu'il prénomme 1 garçon sur 58 quand il est au plus haut, en 1932-33.

# Gilberte

| | |
|---|---|
| 1930-53 | EN REFLUX |
| 1954-61 | DÉSUET |
| DEPUIS 62 | EXCENTRIQUE |

Gilberte, féminisation inventée au XXe siècle, culmine avant Gilbert, mais à un niveau bien moindre : à peine 1 fille sur 140 de 1924 à 1929, avec un peu plus de succès en Bourgogne, dans le Centre et en Lorraine.

Elle a disparu dans les années 1950, pour longtemps sans doute.

# Gilles

| | |
|---|---|
| 1930-48 | PIONNIER |
| 1949-55 | DANS LE VENT |
| 1956-63 | CONFORMISTE |
| 1964-71 | À LA TRAÎNE |
| 1972-83 | DÉMODÉ |
| 1984-93 | DÉSUET |
| DEPUIS 94 | EXCENTRIQUE |

L'étymologie de Gilles est tortueuse ; il vient du latin *Egidius*, donc du grec *aigidios* qui désigne un chevreau. La peau de chèvre sur le bouclier d'Athéna devient symbole de protection, d'où l'expression «sous l'égide de». Mais cette égide s'est sans doute mêlée au *gil* germanique de Gilbert ou Ghislaine.

En tout cas, Gilles, au XX$^e$ siècle, a pris clairement le relais de Gilbert et ne s'est pas élevé beaucoup plus haut (1 garçon sur 50 en 1960). C'est aussi dans l'Est, mais plutôt dans le Centre-Est (Bourgogne, Rhône-Alpes, Franche-Comté) qu'il s'est le mieux implanté.

Gilles s'est bien réparti dans tous les milieux sociaux, avec toutefois une légère préférence pour les agriculteurs et les professions intermédiaires.

# Ginette

| | |
|---|---|
| 1930-34 | CONFORMISTE |
| 1935-47 | À LA TRAÎNE |
| 1948-60 | DÉMODÉ |
| 1961-70 | DÉSUET |
| DEPUIS 71 | EXCENTRIQUE |

Surgissant peu avant 1920, Ginette atteint très vite son sommet (1930-32) où elle n'est pas loin de prénommer 1 fille sur 40. Son parcours ne ressemble guère à celui de Geneviève dont elle est le diminutif : il est bien plus éphémère et sa clientèle est autrement plus populaire.

Champagne-Ardenne et Poitou-Charentes sont les deux premières conquêtes de Ginette, suivies de la Picardie et du Centre. Dans cette dernière région, ainsi qu'en Haute-Normandie, elle obtient des résultats flatteurs jusqu'à la fin des années 1930. En définitive, Ginette se propage un peu partout, même si elle est moins fréquente en Provence et rare en Alsace ou en Bretagne.

# Gisèle

| | |
|---|---|
| 1930-35 | CONFORMISTE |
| 1936-49 | À LA TRAÎNE |
| 1950-69 | DÉMODÉ |
| 1970-79 | DÉSUET |
| DEPUIS 80 | EXCENTRIQUE |

Ce prénom ancien, oublié au XIXe siècle, a la même origine germanique que Ghislaine, mais c'est à Ginette qu'il tient compagnie. Gisèle culmine au même moment que Ginette, à un niveau moindre (1 fille sur 68 en 1930-32), mais sa carrière est plus étalée dans le temps et son profil social moins populaire.

Gisèle s'est développée dans le Nord-Ouest, ainsi qu'en Poitou-Charentes, et n'a atteint que sur le tard le Midi, notamment la Provence, quand son attrait était déjà émoussé.

# Grégoire

| | |
|---|---|
| 1930-67 | EXCENTRIQUE |
| DEPUIS 68 | RARE |

«Le veilleur» en grec, Grégoire est un prénom ancien, porté par seize papes et bien connu au Moyen Âge dans toute la chrétienté, notamment dans les pays de religion orthodoxe.

Grégoire est en usage depuis un siècle au moins, mais il reste très discret jusqu'aux années 1970 lorsqu'il se décide à passer doucement le seuil de 1 sur 1 000. L'effondrement de Grégory lui laisse le champ libre. En fait, il ne progresse guère: près de 1 garçon sur 500, mais bien davantage en milieu bourgeois et à Paris.

# Grégory

En France, la forme Grégory ou Grégori n'était jadis connue que comme variante provençale de Grégoire. C'est comme forme anglaise de Grégoire que Grégory sort du néant au terme des années 1960, en même temps qu'Anthony naît du vieil Antoine. Mais tandis qu'Anthony continue sur sa lancée pour devenir, dès 1986, un des premiers prénoms masculins, Grégory culmine en 1984 – 1 garçon sur 70, surtout répandu dans les milieux populaires –, puis s'effondre.

On n'a jamais vu de chute aussi soudaine, conséquence évidente de l'affaire Grégory Villemin (octobre 1984).

# Guillaume

Guillaume a été un des grands prénoms de la fin du Moyen Âge. De tous les prénoms issus du stock germanique initial – *wil*, «volonté» et *helm*, «heaume» –, il est celui qui s'est maintenu le plus longtemps. Sa décrue s'amorce dès le XVᵉ siècle, mais il est encore donné à 1 garçon sur 100 à l'aube du XIXᵉ. Et il ne s'éclipse jamais complètement.

On voit grandir Guillaume lorsque Guy s'en va, au milieu des années 1960. Il monte alors jusqu'à la sixième place où il s'installe pendant sept ans.

Ce prénom de type bourgeois, et à forte tendance classique, a joui d'une faveur particulière chez les cadres (plus de 1 garçon sur 30), suivis des professions intermédiaires et des agriculteurs, catégories qui lui restent fidèles lors de son lent reflux, qui s'accélère depuis 1998. Il reste aujourd'hui fort bien placé dans les palmarès BCBG.

Notons la réapparition récente de la forme archaïque Guilhem, surtout en Languedoc-Roussillon.

# Guy

| | |
|---|---|
| 1930-31 | DANS LE VENT |
| 1932-43 | CONFORMISTE |
| 1944-59 | À LA TRAÎNE |
| 1960-73 | DÉMODÉ |
| 1974-83 | DÉSUET |
| DEPUIS 84 | EXCENTRIQUE |

Encore un prénom de lointaine origine germanique qui dérive de *wid*, «bois», *via* un saint Guido italien.

Très rare au XIXᵉ siècle, Guy perce vers 1910 et franchit la barre de 1 % au milieu des années 1920. Sa terre d'élection a été la région Poitou-Charentes où il s'est épanoui le mieux et le plus tôt, prénommant plus de 1 garçon sur 25 dans les années 1930. Il a également été bien accueilli dans les régions Centre et Champagne-Ardenne.

Sur l'ensemble de la France, ce prénom a eu une carrière plus modeste et assez étale (1 garçon sur 40 au plus dans les années 1936-38), ne figurant à aucun moment dans le peloton de tête.

Prénom très BCBG à ses débuts, Guy a été, sur le tard, très bien accueilli en milieu agricole où il reste conformiste jusqu'en 1957.

# Gwendoline

| | |
|---|---|
| 1930-71 | EXCENTRIQUE |
| 1972-81 | PRÉCURSEUR |
| 1982-89 | DANS LE FLUX |
| 1990-93 | PLUTÔT CONFORMISTE |
| 1994-02 | EN REFLUX |
| DEPUIS 03 | DÉSUET |

Dans les prénoms de la famille celtique des *gwen*, «blanc, heureux», c'est Gwendoline, forte de son usage anglo-saxon, qui s'est détachée nettement (près de 1 fille sur 200), progressant surtout en milieu populaire, à partir du Nord et de la Picardie.

La bretonne **Gwenaëlle** (rarement **Gwennaëlle**) a eu un destin national modeste (1 fille sur 400 dans les années 1970 et 1980) et se retire aujourd'hui.

Quant à **Gwladys** ou **Gladys**, également celtique puisque galloise – mais d'étymologie incertaine (peut-être une forme de Claude) –, elle se complaît dans la zone du confidentiel depuis des décennies, sans franchir la barre de 1 sur 1000.

# Hélène

D'origine grecque, bien sûr, Hélène est lumineuse par son étymologie – *hélê* – qui la rattache au Soleil.

Depuis un siècle, Hélène était le plus classique des prénoms féminins, en ce sens qu'il était le plus stable. Pourtant, ce n'était pas un grand prénom traditionnel ayant traversé les siècles. On n'en entend guère parler avant la seconde moitié du XIXᵉ siècle, et sa vogue date des années 1895 à 1920: près de 1 fille sur 70. Hélène fléchit doucement ensuite (sauf dans le Sud-Est où elle prénomme 1 fille sur 80 jusqu'en 1945), puis se stabilise, oscillant faiblement autour du niveau de 1 fille sur 140.

En bonne classique, Hélène est un prénom bourgeois. Sa beauté a eu bien moins d'attraits aux yeux des ouvriers qu'à ceux des cadres: ces derniers l'ont choisie pour 1 de leurs filles sur 60 durant une bonne cinquantaine d'années et sont restés parmi ses plus fidèles adeptes avec les paysans. Très rare aujourd'hui en Provence et Rhône-Alpes, elle a connu un vif succès en Haute-Normandie.

La chute soudaine d'Hélène en 1994 est une surprise. C'est très probablement le sitcom *Hélène et les garçons* qui a cassé son image et produit un effet de saturation.

Quelques Héléna (depuis un siècle) ou Éléna, en forte hausse récemment (près de 1 fille sur 250 prévue en 2009), ont accompagné Hélène. Mais la forme hongroise Ilona grandit encore plus vite.

# Héloïse voir Éloïse

# Henri

| | |
|---|---|
| 1930-45 | À LA TRAÎNE |
| 1946-70 | DÉMODÉ |
| 1971-80 | DÉSUET |
| DEPUIS 81 | EXCENTRIQUE |

Cet ancien prénom d'étymologie germanique – *heim*, «maison» et *ric*, «puissant» – a été porté par bien des têtes couronnées, notamment en France. Pourtant, Henri n'a jamais figuré parmi les prénoms courants avant la fin du XIXᵉ siècle, faute, sans doute, d'un saint patron de grande envergure. Son âge d'or se situe entre 1890 et 1920 : il occupe alors la quatrième ou cinquième place (1 garçon sur 27). À son sommet, dans les premières années du XXᵉ siècle, il est donné à 1 garçon sur 22. Il l'est encore à 1 sur 40 en 1930.

Henri n'a pas disparu depuis son entrée au purgatoire voilà une trentaine d'années. Il se maintient dans les milieux BCBG et son retour pourrait se dessiner. La forme **Henry** a été très minoritaire, mais non négligeable.

# Henriette

| | |
|---|---|
| 1930-50 | DÉMODÉ |
| 1951-60 | DÉSUET |
| DEPUIS 61 | EXCENTRIQUE |

En 1930, Henriette vient de se démoder et ne prénomme plus que 1 fille sur 140. Elle avait fait un petit tour de piste vers 1830, mais sa véritable carrière s'est amorcée à la fin du XIXᵉ siècle. Elle est au zénith de son parcours un peu après Henri et à un niveau moindre : 1 fille sur 60 de 1908 à 1919.

Henriette a anticipé la grande vogue des prénoms en *ette*. Elle devrait bientôt revenir.

# Hervé

Breton d'origine à coup sûr, mais d'étymologie celtique incertaine (peut-être «fer ardent»), Hervé a mis du temps à entamer sa carrière nationale, le décollage se situant à la fin des années 1950. Il n'est guère donné à plus de 1 garçon sur 65 quand il culmine (1967), restant un peu plus fréquent dans le Nord-Ouest (de la Picardie à la Bretagne).

Hervé s'est diffusé également dans tous les groupes sociaux, mais les cadres l'ont adopté beaucoup plus tôt que les autres.

Le déclin d'Hervé a été bien plus rapide que sa croissance, comme c'est le cas pour les prénoms d'origine régionale.

# Hubert

À la fois intelligent (*hug*) et brillant ou illustre (*berht*), par son étymologie germanique, Hubert est, depuis la fin du XIXe siècle, un prénom calme et rare, d'allure classique, lorsqu'il devient un peu plus fréquent dans les années 1930 (1 garçon sur 220), entraîné par Robert et Gilbert.

Prénom chic par excellence, Hubert a été beaucoup plus fréquent chez les gens du *Bottin mondain*, qui l'apprécient encore aujourd'hui. Il a aussi connu un succès appréciable et durable chez les agriculteurs.

**Norbert**, plus rare encore, et «brillant nordique», n'a pas prénommé plus de 1 garçon sur 700 de 1920 à 1955.

# Hugo

| | |
|---|---|
| 1930-74 | EXCENTRIQUE |
| 1975-84 | PRÉCURSEUR |
| 1985-94 | PIONNIER |
| 1995-98 | DANS LE VENT |
| 1999-03 | CONFORMISTE |
| 2004-08 | À LA TRAÎNE |
| DEPUIS 09 | DÉMODÉ |

Par son *hug* germanique, **Hugues** se contente de sa seule intelligence. Illustre au Moyen Âge, c'est pourtant un prénom constant dans la rareté. Hugues franchit à peine la barre de 1 sur 1000 de 1964 à 1977. Il a, en revanche, été très prisé dans l'aristocratie et la haute bourgeoisie, notamment dans les années 1940.

Hugo, forme ancienne et germanique, a pris son envol en même temps que Victor, mais avec plus de vigueur. Il a grandi à bonne allure chez les cadres (1 % dès 1988), mais a été plus long à s'implanter dans les autres milieux. Mieux apprécié dans le Sud-Ouest au début de sa carrière, Hugo s'est répandu partout, s'acclimatant dans le Nord-Est. En 2009, Hugo sort du top 20 après s'y être maintenu pendant dix ans. Il est encore choisi par 1 couple sur 125.

Nous ajoutons à Hugo la forme **Ugo**, à l'italienne, qui est très minoritaire.

# Huguette

| | |
|---|---|
| 1928-35 | CONFORMISTE |
| 1936-45 | À LA TRAÎNE |
| 1946-61 | DÉMODÉ |
| 1962-70 | DÉSUET |
| DEPUIS 71 | EXCENTRIQUE |

Au contraire de Hugues, Huguette est un prénom mode, bien daté, qui apparaît vers 1910 et culmine dans les années 1928-35, quand il a été donné à 1 fille sur 80. Elle n'a pas emprunté à Hugues son profil aristocratique.

Huguette a été plus répandue en Île-de-France, Haute-Normandie et Champagne-Ardenne, et aussi, plus tardivement, en Lorraine et Midi-Pyrénées.

# Ilona

1930-86    EXCENTRIQUE
1987-96    PRÉCURSEUR
DEPUIS 97  PIONNIER

Forme hongroise d'Hélène, Ilona n'a émergé en France que très récemment, dans les années 1990. Sa poussée est forte et soutenue. Ilona se rapproche du top 20 féminin prévu pour 2008, avec plus de 1 fille sur 300.

Bien plus modeste, malgré sa croissance actuelle, **Élina** était connue mais rare en France au début du XXᵉ siècle. Son origine est incertaine mais elle est une forme d'Hélène en Scandinavie. **Éline** la suit de près.

# Inès

1930-78    EXCENTRIQUE
1979-88    PRÉCURSEUR
1989-97    PIONNIER
1998-02    DANS LE VENT
DEPUIS 03  CONFORMISTE

Inès a une double origine. D'un côté c'est la forme portugaise et espagnole d'Agnès, du grec *agnê* qui signifie «pure». Mais Inès (écrit parfois **Inas**) est aussi un prénom féminin arabe qui signifie «aimable, sociable». C'est d'abord Inès comme substitut d'Agnès qui a démarré à la fin des années 1980, prénom plutôt chic, apprécié avec la particule. Il est aujourd'hui en très bonne place dans le palmarès des prénoms BCBG.

Parallèlement, l'origine arabe a provoqué la percée rapide de ce prénom dans les banlieues. C'est pourquoi Inès est aujourd'hui particulièrement visible en Provence, Rhônes-Alpes et plus encore en Île-de-France. C'est un cas très rare – et même exceptionnel – de prénom qui mène une double vie, réconciliant les beaux quartiers et les cités des banlieues, au premier rang en Seine-Saint-Denis, au troisième dans les Hauts-de-Seine et à Paris. Toujours bien installée dans le top 10 national, Inès devrait prénommer 1 fille sur 80 en 2009.

# Ingrid

| | |
|---|---|
| 1930-59 | EXCENTRIQUE |
| 1960-69 | PRÉCURSEUR |
| 1970-74 | DANS LE FLUX |
| 1975-80 | PLUTÔT CONFORMISTE |
| 1981-92 | EN REFLUX |
| 1993-02 | DÉSUET |
| DEPUIS 03 | EXCENTRIQUE |

Étymologie norvégienne pour *Ing*, nom d'un dieu, ou germanique pour *fridh*, «belle, aimée»? En tout cas, Ingrid est un prénom traditionnel en Suède. Il n'a fait qu'un petit tour de piste en France, sans rapport chronologique évident avec la carrière de l'actrice Ingrid Bergman. Démarrant bien, il plafonne assez vite sans atteindre le niveau de 1 fille sur 200, décline dès 1981 et nous quitte. Ingrid s'impose mieux dans le Nord-Ouest, en Picardie et Haute-Normandie notamment.

Astrid, autre scandinave d'origine et de même signification par son étymologie, est en vue dans les milieux BCBG, mais ne grandit guère depuis vingt ans.

# Irène

| | |
|---|---|
| 1930-38 | CLASSIQUE |
| 1939-67 | EN REFLUX |
| 1968-77 | DÉSUET |
| DEPUIS 78 | EXCENTRIQUE |

Irène est pacifique par son étymologie grecque *eirênê*, «paix». On ne s'étonnera pas que ce prénom ait eu un parcours paisible. Née avec le XXe siècle, Irène prénomme avec une grande constance 1 fille sur 140, de 1915 à 1938, avant de se retirer en douceur.

Irène n'a pas tout à fait disparu aujourd'hui alors qu'une autre grecque, Iris, la messagère des dieux par le truchement de l'arc-en-ciel, entame sa poussée.

# Isabelle

Variante d'Élisabeth venue d'Espagne, Isabelle s'implante en France (d'abord sous la forme **Isabel**) dès le Moyen Âge et fait longtemps concurrence à Élisabeth avec succès, sans qu'aucune d'elles n'atteigne des sommets. Isabelle se raréfie au XIXᵉ siècle sans disparaître complètement et frôle encore la barre de 1 sur 1 000 dans les années 1930. Le démarrage de sa nouvelle carrière est assez lent, mais l'envol ultérieur impressionnant. Pendant six ans, Isabelle prénomme 1 fille sur 18. Et pourtant elle n'occupe à aucun moment la première place, ne parvenant pas à s'intercaler entre Sylvie et sa presque contemporaine Nathalie.

Isabelle arrive tout de même au premier rang parmi les agriculteurs (de 1970 à 1973) et surtout parmi les cadres (de 1966 à 1969). Son choix est hyperconformiste (plus de 1 fille sur 20) chez les cadres de 1959 à 1969, avec un sommet à 1 fille sur 15 de 1964 à 1967. Son succès est aussi vif en milieu BCBG dans les années 1950 et 1960. C'est donc un prénom mode et bourgeois tout à la fois, répandu également chez les indépendants et les professions intermédiaires (avec une pointe à 1 fille sur 13 dans cette catégorie en 1964-65), moins bien accueilli par les employés et les ouvriers. On peut aussi noter le relatif échec d'Isabelle en Languedoc et Provence.

**Isaline** commence à plaire, et **Isaure**, aussi rare, est appréciée dans les milieux BCBG.

## Jacky

Se nourrissant du succès de Jacques (bien que Jack soit en anglais un diminutif de John, le Jean anglais), Jacky a anticipé la vogue anglo-américaine d'aujourd'hui.

Il a tout juste prénommé 1 garçon sur 100 durant sa période conformiste. Il fut ignoré en milieu bourgeois.

Jack, qui est aussi une version alsacienne et lorraine de Jacques, a été un peu antérieur et bien plus rare : guère plus de 1 garçon sur 1 000 dans les années 1930 et 1940.

## Jacqueline

Cette féminisation de Jacques, d'usage ancien, est assez courante aux XVIe et XVIIe siècles, mais très rare durant le XIXe.

Jacqueline renaît vers 1910, au moment même où Jacques prend son nouvel essor. Elle suit pas à pas son compère masculin, culminant même un peu avant lui et à un niveau analogue : 1 fille sur 27 pendant dix ans, 1 sur 24 à son sommet, vers 1935, quand elle occupe le deuxième rang des prénoms féminins.

Ses zones de force et de faiblesse sont aussi presque les mêmes que celles de Jacques. Jacqueline a eu pour premières et plus belles conquêtes les régions Île-de-France, Haute-Normandie, Centre, Picardie et Poitou-Charentes, y dépassant, et assez nettement, le niveau de 1 fille sur 20. En revanche, elle a pénétré tardivement et difficilement dans l'est de la France (notamment en Alsace et Rhône-Alpes) ainsi qu'en Bretagne.

Comme Jacques, encore, elle a été, à ses débuts, très prisée en milieu bourgeois. Elle est en tête du palmarès BCBG de 1915 à 1930.

# Jacques

| | |
|---|---|
| 1930-31 | DANS LE VENT |
| 1932-46 | CONFORMISTE |
| 1947-62 | À LA TRAÎNE |
| 1963-75 | DÉMODÉ |
| 1976-85 | DÉSUET |
| DEPUIS 86 | EXCENTRIQUE |

Jacques est la forme française du biblique **Jacob** (connu mais très rare en France) dont le nom en hébreu fait référence au talon d'Ésaü que son frère jumeau Jacob tenait en naissant; il achètera ensuite à Ésaü son droit d'aînesse contre un plat de lentilles.

Grand prénom du XVIe au XVIIIe siècle, Jacques a reculé tout au long du XIXe. Le creux de la vague est atteint dans les premières années du XXe (1 garçon sur 160), et l'ascension reprend vers 1910.

Sur l'ensemble de la France, la période conformiste de Jacques s'étale dans le temps, sans sommet bien accusé : il prénomme 1 garçon sur 27 pendant quinze ans, un peu plus vers 1935-37 quand il atteint le sixième rang. Mais cette stabilité recouvre de fortes disparités dans sa diffusion sociale et régionale. Jacques, ancien sobriquet des paysans et qui, jadis, donnait son nom à leurs révoltes, connaît un énorme succès en milieu bourgeois. De même, il est à cette date, et jusqu'au milieu des années 1940, hyperconformiste dans la région parisienne (1 garçon sur 16 dans les années 1930). Picardie, Haute-Normandie, Poitou-Charentes ont été les autres régions où son succès a été précoce et massif. Jacques a été bien moins répandu en Bretagne, dans le Sud-Est, et rare en Alsace.

# Jade

| | |
|---|---|
| 1930-80 | EXCENTRIQUE |
| 1981-90 | PRÉCURSEUR |
| 1991-00 | PIONNIER |
| 2001-04 | DANS LE VENT |
| DEPUIS 05 | CONFORMISTE |

Le nom de la pierre fine vient de l'espagnol : la *piedra de la ijada*, « pierre des flancs », supposée guérir les coliques néphrétiques. Jade a fait son apparition comme prénom en Grande-Bretagne, dans les années 1970, alors même que ce mot avait eu jadis en anglais une connotation péjorative : « garce, coquine ». Rien de tel en France où ce prénom féminin a grandi à toute allure, notamment en Provence et Languedoc. Jade est présente dans le top 10 depuis 2005 (pas moins de 1 fille sur 65 prévue en 2009). Elle n'a sans doute pas encore dit son dernier mot, d'autant qu'elle a été choisie pour sa fille en 2005 par l'un des chanteurs français les plus populaires.

# Jason

| | |
|---|---|
| 1930-78 | EXCENTRIQUE |
| 1979-88 | PRÉCURSEUR |
| 1989-07 | RARE |
| DEPUIS 08 | DÉSUET |

Ce Jason, qui arrive en France *via* l'Amérique du Nord, n'est pas celui de la mythologie grecque, connu pour sa quête de la Toison d'or et ses démêlés avec Médée. C'est plutôt le nom de l'hôte qui reçut saint Paul à Thessalonique, et Jason est alors une déformation du Joshua (ou Josué) hébraïque : « Dieu délivre ».

Jason nous revient donc avec un accent américain. De là un sérieux doute sur sa prononciation et même sur son orthographe, la culture orale des séries télévisées montrant ici ses fruits. D'où des Jayson et autres Jeson.

La percée de Jason s'est faite surtout en milieu populaire et dans le Nord-Ouest. Il n'a franchi, de peu, la barre de 1 garçon sur 300 que de 1994 à 1996.

# Jean

| | |
|---|---|
| 1930-39 | HYPERCONFORMISTE |
| 1940-41 | CONFORMISTE |
| 1942-55 | À LA TRAÎNE |
| 1956-75 | DÉMODÉ |
| DEPUIS 76 | RARE |

D'origine hébraïque – *Yohânân*, «Dieu pardonne» –, Jean est le prénom masculin par excellence, mais aussi le plus redoutable pour le statisticien quand il veut le saisir seul, sans ses nombreux composés.

Sous le double patronage de saint Jean-Baptiste et de saint Jean l'Évangéliste, Jean accède au premier rang dans le courant du XIVe siècle, et sa prééminence, contestée ici et là aux XVIIIe et XIXe siècles, n'est sérieusement remise en cause qu'au crépuscule du XIXe siècle.

Il est à nouveau en tête de 1913 à 1937, renouant avec des scores majestueux (1 garçon sur 12 de 1925 à 1934, bien davantage encore dans le Sud-Ouest).

La débâcle des années 1940 coïncide avec l'engouement pour les Jean-quelque chose. Pour la première fois depuis des siècles, Jean a chuté de manière spectaculaire, en frôlant le purgatoire. Mais il n'est pas inexistant; il se porte même très bien en milieu BCBG et il amorce peut-être lentement son retour.

# Jean-Baptiste

| | |
|---|---|
| 1930-42 | RARE |
| 1943-63 | EXCENTRIQUE |
| 1964-72 | PRÉCURSEUR |
| 1973-87 | DANS LE FLUX |
| 1988-94 | PLUTÔT CONFORMISTE |
| 1995-02 | EN REFLUX |
| DEPUIS 03 | DÉSUET |

Prénom double à patron unique, Jean-Baptiste est-il un prénom simple ou un prénom composé? On peut en débattre. Quoi qu'il en soit son âge d'or se situe à la fin du XVIIIe et au début du XIXe siècle; il figure alors parmi les tout premiers puis décline, très régulièrement.

Le retour de Jean-Baptiste a été assez timide. Il a culminé au niveau modeste de 1 garçon sur 250.

Son succès a été bien plus marqué dans les milieux bourgeois et agricoles. Malgré son recul rapide, il a été pendant longtemps le Jean-quelque chose le plus donné. Il est, depuis peu, détrôné par Léo-Paul dans le palmarès des prénoms composés.

# Jean-Charles voir Charles

# Jean-Christophe voir Christophe

# Jean-Claude

| | |
|---|---|
| 1930-34 | PIONNIER |
| 1935-39 | DANS LE VENT |
| 1940-45 | CONFORMISTE |
| 1946-62 | À LA TRAÎNE |
| 1963-76 | DÉMODÉ |
| 1977-86 | DÉSUET |
| DEPUIS 87 | EXCENTRIQUE |

Au moment où Jean et Claude occupent la première et la troisième place, dans la seconde moitié des années 1930, le fruit de leur mariage connaît un essor fulgurant. Il se nourrit de leur substance et les détrône en se hissant très vite au deuxième rang, étant attribué à près de 1 garçon sur 20 (très proche de l'hyperconformisme).

La percée de Jean-Claude a été précoce et très impressionnante dans l'Ouest (de la Picardie à l'Aquitaine), alors qu'il s'impose moins dans l'Est.

Ce prénom a été, de tous les prénoms composés si en vogue dans les années 1940 et 1950, celui qui s'est élevé le plus haut. Son succès a été un peu atténué en milieu bourgeois.

# Jean-François

| | |
|---|---|
| 1930-47 | DANS LE FLUX |
| 1948-67 | CLASSIQUE |
| 1968-89 | EN REFLUX |
| 1990-99 | DÉSUET |
| DEPUIS 00 | EXCENTRIQUE |

Jean-François a emprunté à François son tempérament classique et son profil bourgeois. Il prénomme, avec constance, 1 garçon sur 120 pendant vingt ans. Et son lent reflux, amorcé comme celui de François en 1968, vient tout juste de lui faire franchir les portes du purgatoire.

# Jean-Jacques

| | |
|---|---|
| 1930-47 | DANS LE FLUX |
| 1948-56 | PLUTÔT CONFORMISTE |
| 1957-73 | EN REFLUX |
| 1974-83 | DÉSUET |
| DEPUIS 84 | EXCENTRIQUE |

Jean et Jacques étant au plus haut dans les années 1930, on pouvait s'attendre à mieux de la part de Jean-Jacques.

Ce prénom appartient, comme Jean-Louis et Jean-Paul, à la seconde vague des Jean composés qui grossit dans les années 1930, et c'est le plus discret des trois. Jean-Jacques atteint le même niveau que Jean-François et au même moment; mais sa carrière est plus courte (1 garçon sur 120 pendant neuf ans).

# Jean-Louis

| | |
|---|---|
| 1930-39 | PIONNIER |
| 1940-46 | DANS LE VENT |
| 1947-52 | CONFORMISTE |
| 1953-60 | À LA TRAÎNE |
| 1961-76 | DÉMODÉ |
| 1977-86 | DÉSUET |
| DEPUIS 87 | EXCENTRIQUE |

Il y avait déjà eu quelques Jean-Louis au début du XXᵉ siècle, quand Louis était au zénith de son parcours. Mais ce prénom a attendu les années 1930 pour entamer sa véritable carrière. Il est attribué à près de 1 garçon sur 60 durant sa période conformiste.

C'est un prénom composé plutôt chic, moins cependant que le rare Jean-Loup que nous citons ici quoique Loup, vieux prénom d'origine latine, n'ait rien à voir avec Louis.

# Jean-Luc

| | |
|---|---|
| 1930-39 | PRÉCURSEUR |
| 1940-48 | PIONNIER |
| 1949-54 | DANS LE VENT |
| 1955-61 | CONFORMISTE |
| 1962-68 | À LA TRAÎNE |
| 1969-79 | DÉMODÉ |
| 1980-89 | DÉSUET |
| DEPUIS 90 | EXCENTRIQUE |

Jean-Luc est le plus éminent des Jean-quelque chose de la troisième vague (Jean-Marc, Jean-Michel) qui, prénoms tout nouveaux, culminent à la fin des années 1950. Il atteint en effet le niveau de 1 garçon sur 50 durant sept ans, étant quatre fois plus fréquent que son contemporain Luc.

Cette réussite permet à Jean-Luc d'être aujourd'hui le troisième prénom composé masculin le plus porté en France, derrière Jean-Pierre et Jean-Claude, et juste devant Jean-Paul.

# Jean-Marc

| | |
|---|---|
| 1930-38 | PRÉCURSEUR |
| 1939-49 | PIONNIER |
| 1950-55 | DANS LE VENT |
| 1956-62 | CONFORMISTE |
| 1963-69 | À LA TRAÎNE |
| 1970-84 | DÉMODÉ |
| 1985-94 | DÉSUET |
| DEPUIS 95 | EXCENTRIQUE |

Comme ses contemporains Jean-Luc et Jean-Michel, Jean-Marc est un prénom composé tout neuf quand il émerge à la fin des années 1930.

Alors que Marc a été bien plus répandu que Luc, Jean-Marc a eu sensiblement moins de succès que son contemporain et presque jumeau Jean-Luc. Il a à peine prénommé 1 garçon sur 70 durant sa période conformiste. Son profil social a été nettement moins bourgeois que celui de Marc.

# Jean-Marie

| | |
|---|---|
| 1930-35 | CLASSIQUE |
| 1936-42 | DANS LE FLUX |
| 1943-53 | CONFORMISTE |
| 1954-84 | EN REFLUX |
| 1985-94 | DÉSUET |
| DEPUIS 95 | EXCENTRIQUE |

Hormis le cas particulier de Jean-Baptiste, Jean-Marie est sans doute le plus traditionnel des prénoms composés masculins.

Courant au XIX<sup>e</sup> siècle, il décline au début du XX<sup>e</sup>, se stabilisant dans les années 1920 au niveau de 1 garçon sur 200. Mais la marée montante des prénoms composés inverse le cours de son destin, au moins pour un temps.

Le voilà à nouveau au goût du jour dans les années 1940, attribué à plus de 1 garçon sur 80 durant sa longue période conformiste.

Et il se replie sans hâte, se faisant rare aujourd'hui sans être inexistant.

# Jean-Michel

| | |
|---|---|
| 1930-35 | PRÉCURSEUR |
| 1936-48 | PIONNIER |
| 1949-56 | DANS LE VENT |
| 1957-62 | CONFORMISTE |
| 1963-67 | À LA TRAÎNE |
| 1968-85 | DÉMODÉ |
| 1986-95 | DÉSUET |
| DEPUIS 96 | EXCENTRIQUE |

La rencontre de ces deux prénoms, Jean, le plus grand pendant des siècles, et Michel, le plus grand de l'époque, n'a pas été explosive. Jean-Michel, pourtant parti assez tôt, a patiemment attendu que Michel entame son déclin pour culminer, sans toutefois prénommer plus de 1 garçon sur 80. Mais il a pris son temps pour entrer au purgatoire, où il continue de vivoter.

# Jean-Noël voir Noël

# Jean-Paul

| | |
|---|---|
| 1930-39 | PIONNIER |
| 1940-45 | DANS LE VENT |
| 1946-52 | CONFORMISTE |
| 1953-60 | À LA TRAÎNE |
| 1961-76 | DÉMODÉ |
| 1977-86 | DÉSUET |
| DEPUIS 87 | EXCENTRIQUE |

Jean-Paul n'est pas vraiment un inconnu au tout début du XXe siècle, mais il est tout de même assez rare.

Son essor ne commence véritablement que vers 1930. Il prend, dans une certaine mesure, le relais de Paul puisqu'il culmine lorsque ce dernier se démode. Jean-Paul est alors attribué à près de 1 garçon sur 50, l'emportant sur Jean-Louis qui est son exact contemporain.

# Jean-Philippe

| | |
|---|---|
| 1930-39 | EXCENTRIQUE |
| 1940-49 | PRÉCURSEUR |
| 1950-61 | DANS LE FLUX |
| 1962-72 | PLUTÔT CONFORMISTE |
| 1973-92 | EN REFLUX |
| 1993-02 | DÉSUET |
| DEPUIS 03 | EXCENTRIQUE |

Le triomphe de Philippe n'a pas entraîné celui de Jean-Philippe. Ce petit dernier des Jean-quelque chose d'une certaine importance est arrivé sur la scène au moment où l'attrait des prénoms composés s'émoussait.

Il n'a guère dépassé le niveau de 1 garçon sur 200 dans les années 1960. En contrepartie, ce prénom a su se maintenir. Jusqu'en 1985, il est donné à 1 garçon sur 300, à la limite du classique.

# Jean-Pierre

| | |
|---|---|
| 1930-32 | PIONNIER |
| 1933-40 | DANS LE VENT |
| 1941-49 | CONFORMISTE |
| 1950-66 | À LA TRAÎNE |
| 1967-78 | DÉMODÉ |
| 1979-88 | DÉSUET |
| DEPUIS 89 | EXCENTRIQUE |

La combinaison de ces deux grands prénoms a été féconde. Jean-Pierre n'est pas une nouveauté du xxᵉ siècle, mais sa vraie carrière débute au milieu des années 1920. Sans atteindre les mêmes sommets que Jean-Claude, il prénomme tout de même près de 1 garçon sur 25 pendant une dizaine d'années. Il est, en outre, plus durable que Jean-Claude, se repliant sans hâte dans les années 1950 et se démodant moins vite. Voilà pourquoi les Jean-Pierre sont plus nombreux que les Jean-Claude.

Jean-Pierre est, de tous les prénoms composés (masculins et féminins), celui qui a été le plus donné au xxᵉ siècle et donc le plus porté aujourd'hui : ils sont 274 000 en 2008.

# Jean-Yves

| | |
|---|---|
| 1930-46 | DANS LE FLUX |
| 1947-60 | PLUTÔT CONFORMISTE |
| 1961-76 | EN REFLUX |
| 1977-86 | DÉSUET |
| DEPUIS 87 | EXCENTRIQUE |

En France, Jean-Yves, nouveauté des années 1930, est un prénom bien calme, donné à 1 garçon sur 170 durant une quinzaine d'années.

Mais son destin, comme celui d'Yves, est en réalité plus agité du fait de son inégale diffusion géographique. C'est évidemment en Bretagne qu'il a pris son essor, y prénommant 1 garçon sur 50 dans les années 1940. Un grand prénom, au prestigieux passé, qui n'a été surpassé que par Marie.

# Jeanne

| | |
|---|---|
| 1930-42 | À LA TRAÎNE |
| 1943-65 | DÉMODÉ |
| 1966-77 | DÉSUET |
| 1978-87 | PRÉCURSEUR |
| 1988-97 | DANS LE FLUX |
| 1998-02 | DANS LE VENT |
| DEPUIS 03 | PLUTÔT CONFORMISTE |

La forme féminine de Jean fut d'abord Johanna qui devint Jeanne en passant par Jehanne. Jeanne succède comme premier prénom aux équivalents féminins de Pierre (Pétronille, Peyronnelle ou Peyronne) au $xv^e$ siècle, avant d'être détrônée par Marie, sa rivale la plus constante, qui lui tient souvent la dragée haute.

Elle est en deuxième position durant le $xix^e$ siècle et le reste jusqu'en 1915, date où elle prend la tête pour dix ans, profitant du recul de Marie, alors qu'elle-même commence à fléchir. Jeanne prénommait 1 fille sur 17 de 1895 à 1915 alors qu'elle n'était que deuxième ; elle est donnée à peine à 1 sur 20 lorsqu'elle est la première.

Après cette constance séculaire sur les sommets, la chute de Jeanne apparaît d'autant plus spectaculaire : elle passe en vingt ans (1920-40) de 5 % à 1 %.

Mais Jeanne, qui n'avait pas tout à fait disparu durant son purgatoire, est revenue, d'abord en milieu bourgeois (et en Bretagne), et prend de l'ampleur, au point d'être actuellement proche du top 20, choisie en 2009 pour plus de 1 fille sur 180.

# Jeannine et Janine

| | |
|---|---|
| 1930-31 | CONFORMISTE |
| 1932-33 | HYPERCONFORMISTE |
| 1934-36 | CONFORMISTE |
| 1937-49 | À LA TRAÎNE |
| 1950-64 | DÉMODÉ |
| 1965-74 | DÉSUET |
| DEPUIS 75 | EXCENTRIQUE |

Nous avons évidemment considéré comme un seul prénom Jeannine, Janine et Jeanine. Ces trois dérivés de Jeanne marchent en effet de concert et naissent au $xx^e$ siècle, Jeannine étant l'orthographe la plus fréquente.

Jeannine, écrivons-la donc ainsi, connaît au début des années 1920 une brusque et irrésistible poussée qui se nourrit du reflux de Jeanne et accompagne la nouvelle vigueur de Jean. Et la voilà, dès 1927, au premier rang des prénoms féminins ; elle y reste jusqu'en 1935, dépassant à son sommet le niveau de 1 fille sur 20.

Jeannine n'a pu s'imposer aussi rapidement dans toute la France. Partie du Nord-Ouest, avec un succès particulièrement précoce en région parisienne, elle s'implante plus tardivement dans l'Est et le Sud.

Contrairement à sa rivale Jacqueline, Jeannine a été boudée en milieu BCBG.

Jeannette est restée rare, ne prénommant guère plus de 1 fille sur 500 dans les années 1930.

# Jennifer

| | |
|---|---|
| 1930-65 | EXCENTRIQUE |
| 1966-75 | PRÉCURSEUR |
| 1976-81 | PIONNIER |
| 1982-83 | DANS LE VENT |
| 1984-86 | CONFORMISTE |
| 1987-92 | À LA TRAÎNE |
| 1993-02 | DÉMODÉ |
| DEPUIS 03 | DÉSUET |

Jennifer est d'origine celtique, plus précisément galloise, de *Gwenhwyfar*, « beau, blanc et doux », qui a donné Guinever ou Guenièvre, nom de la femme du roi Arthur.

Comme dans la série télévisée américaine *Pour l'amour du risque* (première diffusion en France en 1981), Jennifer est la compagne de Jonathan. Elle naît avec lui, culmine au même niveau (1 fille sur 50) et elle est aussi éphémère.

Premier prénom féminin aux États-Unis de 1972 à 1985, elle est d'importation récente et sa percée a été impressionnante puisqu'elle a atteint en peu d'années le peloton de tête (1 fille sur 50). Jennifer a fait fureur chez les employés et surtout les ouvriers, alors qu'elle fut boudée par les cadres, sauf à ses tout débuts.

Notons la présence de quelques Jenny et de la plus récente Jenna.

# Jérémy et Jérémie

| | |
|---|---|
| 1930-61 | EXCENTRIQUE |
| 1962-71 | PRÉCURSEUR |
| 1972-79 | PIONNIER |
| 1980-85 | DANS LE VENT |
| 1986-91 | CONFORMISTE |
| 1992-97 | À LA TRAÎNE |
| DEPUIS 98 | DÉMODÉ |

Jérémie – de l'hébreu *Yirmyahou*, «Dieu élèvera» – est le nom d'un des grands prophètes de la Bible, célèbre pour son Livre des Lamentations d'où vient le mot jérémiades.

Inexistant jusqu'en 1965, ce prénom biblique et anglo-saxon s'écrit aujourd'hui huit fois plus souvent sous sa forme anglaise Jérémy, ce qui permet aussi d'éviter une terminaison en *ie* propre aux prénoms féminins.

Ses progrès ont été rapides, sauf chez les cadres qui l'avaient pourtant adopté les premiers (restant fidèles à l'orthographe traditionnelle).

Ce prénom a été attribué à près de 1 garçon sur 30 en 1987. On le croit alors candidat à la première place, mais le voilà qui renonce et fléchit, bien qu'il soit encore fréquent en milieu populaire. Il a été plus durable que ses compagnons Jonathan, Jennifer et Jessica.

# Jérôme

| | |
|---|---|
| 1930-45 | EXCENTRIQUE |
| 1946-55 | PRÉCURSEUR |
| 1956-69 | PIONNIER |
| 1970-72 | DANS LE VENT |
| 1973-78 | CONFORMISTE |
| 1979-88 | À LA TRAÎNE |
| 1989-00 | DÉMODÉ |
| DEPUIS 01 | DÉSUET |

Il y a du nom dans l'étymologie grecque de ce nom : en associant *hieros* et *onoma*, Jérôme est un «nom sacré». Connu, mais rare, au XIX$^e$ siècle, Jérôme a précédé Jérémie et lui a peut-être ouvert la voie. Il végète assez longtemps sous la barre de 1 %, décolle brusquement et atteint un niveau élevé : plus de 1 garçon sur 30 à son sommet en 1975.

Jérôme se diffuse à peu près également dans tous les groupes sociaux, encore qu'on puisse noter son accueil tardif, mais particulièrement favorable, chez les agriculteurs, qui le choisissent pour 1 de leurs garçons sur 25 de 1977 à 1981.

La variante **Gérôme** n'a guère été répandue.

# Jessica

| | |
|---|---|
| 1930-63 | EXCENTRIQUE |
| 1964-73 | PRÉCURSEUR |
| 1974-81 | PIONNIER |
| 1982-83 | DANS LE VENT |
| 1984-86 | CONFORMISTE |
| 1987-92 | À LA TRAÎNE |
| 1993-04 | DÉMODÉ |
| DEPUIS 05 | DÉSUET |

**Jessé** est dans la Bible le nom du père du roi David, de l'hébeu *Yichaï*, «Dieu existe». C'est peut-être Shakespeare qui a créé la forme féminine Jessica dans *Le Marchand de Venise*.

Concurrente aux États-Unis, dans les années 1980, de Jennifer pour la première place, Jessica marche aussi avec sa rivale en France.

Elle démarre un peu avant Jennifer, mais cette dernière la distance en 1984. Jessica n'est, en effet, pas donnée à plus de 1 fille sur 70, étant, comme Jennifer, surtout répandue chez les ouvriers et les employés.

Depuis peu, les **Jessie** sont plus rares que les **Jessy**, qui sont, presque tous, des garçons.

# Jimmy

| | |
|---|---|
| 1930-63 | EXCENTRIQUE |
| 1964-73 | PRÉCURSEUR |
| 1974-88 | DANS LE FLUX |
| 1989-92 | PLUTÔT CONFORMISTE |
| 1993-04 | EN REFLUX |
| DEPUIS 05 | DÉSUET |

Version anglo-américaine plus plausible de Jacques, Jimmy a pris le relais de Jacky.

Ce prénom est surtout donné chez les ouvriers. Sa progression ne l'a amené qu'au niveau de 1 garçon sur 200, mais il a fait mieux en Basse-Normandie et dans le Nord.

**James**, plus traditionnel, est bien plus discret (en France).

# Jocelyne

| | |
|---|---|
| 1930-31 | PRÉCURSEUR |
| 1932-40 | PIONNIER |
| 1941-45 | DANS LE VENT |
| 1946-56 | CONFORMISTE |
| 1957-61 | À LA TRAÎNE |
| 1962-73 | DÉMODÉ |
| 1974-83 | DÉSUET |
| DEPUIS 84 | EXCENTRIQUE |

Prénom du XXᵉ siècle, Jocelyne (à laquelle nous ajoutons les rares Joceline ou Josseline) a pour patron saint Josse, prince breton du VIIᵉ siècle s'étant fait ermite, qui a donné son nom à un village du Pas-de-Calais, lieu présumé de sa mort, et qui est également honoré en Belgique. Et c'est bien en Nord-Pas-de-Calais et en Picardie que démarre Jocelyne ; elle s'implante également dans l'Est, mais sera plus rare dans le Midi.

Cette pérégrination explique la longueur de sa période conformiste, pendant laquelle Jocelyne prénomme 1 fille sur 75.

Prénom de type populaire, elle a été mieux accueillie parmi les ouvriers, les employés et les agriculteurs.

Notons la percée récente mais éphémère en France de Joy, prénom anglo-américain sans rapport certain avec Joyce, forme anglaise de Josse, donc de Jocelyne.

Chez les garçons, Josselin et Jocelyn font jeu égal dans la discrétion (à peine 1 sur 2 000 à eux deux).

# Joël

| | |
|---|---|
| 1930-35 | PRÉCURSEUR |
| 1936-44 | PIONNIER |
| 1945-49 | DANS LE VENT |
| 1950-55 | CONFORMISTE |
| 1956-63 | À LA TRAÎNE |
| 1964-80 | DÉMODÉ |
| 1981-90 | DÉSUET |
| DEPUIS 91 | EXCENTRIQUE |

Joël a un petit air breton alors que c'est un prénom biblique. Yoël est le nom d'un prophète qui signifie «Dieu est Dieu». C'est d'ailleurs moins en Bretagne qu'à son pourtour (Normandie, Maine, Anjou, Poitou) qu'il s'est le mieux développé.

Quasi inconnu avant les années 1930, Joël prénomme au mieux 1 garçon sur 60 en 1952 et 1953 sur l'ensemble de la France.

Les agriculteurs ont fait à Joël un succès tout particulier, le choisissant deux fois plus souvent que la moyenne et cinq fois plus souvent que les cadres, qui ont marqué le plus de réticence à son égard.

# Joëlle

| | |
|---|---|
| 1930-37 | PRÉCURSEUR |
| 1938-47 | PIONNIER |
| 1948-51 | DANS LE VENT |
| 1952-55 | CONFORMISTE |
| 1956-61 | À LA TRAÎNE |
| 1962-77 | DÉMODÉ |
| 1978-87 | DÉSUET |
| DEPUIS 88 | EXCENTRIQUE |

Joëlle a eu la même carrière que Joël et au même moment, prénommant à peine 1 fille sur 70 dans ses quatre meilleures années.

Elle a été assez appréciée en milieu agricole, mais à un moindre degré que Joël.

Quoique prénom biblique et non pas celtique, Joëlle s'est développée assez tôt en Bretagne. Cependant, à la différence de Joël, ce n'est pas dans les terres de l'Ouest qu'elle s'est le mieux implantée mais dans le sud de la France, et plus particulièrement dans le Sud-Est.

# Johan voir Yoann

# Johanna

| | |
|---|---|
| 1930-64 | EXCENTRIQUE |
| 1965-74 | PRÉCURSEUR |
| 1975-88 | DANS LE FLUX |
| 1989-94 | PLUTÔT CONFORMISTE |
| 1995-01 | EN REFLUX |
| DEPUIS 02 | DÉSUET |

Forme très ancienne de Jeanne, qui avait quitté la France depuis des siècles, Johanna, écrite parfois Joanna ou encore Johana, nous revient comme un produit d'importation, un peu après Johan.

À son sommet (1992-93), elle a dépassé le niveau de 1 fille sur 200, sauf chez les cadres.

Les Johanne ou Joanne sont très rares. Quant à Joanie ou Joannie, elle est quasi inexistante, alors que ce prénom est en vogue au Québec.

# Jonathan

| | |
|---|---|
| 1930-65 | EXCENTRIQUE |
| 1966-75 | PRÉCURSEUR |
| 1976-81 | PIONNIER |
| 1982-84 | DANS LE VENT |
| 1985-88 | CONFORMISTE |
| 1989-93 | À LA TRAÎNE |
| 1994-06 | DÉMODÉ |
| DEPUIS 07 | DÉSUET |

Le *Yeonatân* hébraïque signifie «Dieu a donné». Dans la Bible, c'est le nom du fils de Saül qui bat les Philistins et est connu pour son amitié avec David. La percée de Jonathan, apprécié de longue date dans les pays anglo-saxons, surtout aux États-Unis, a été soudaine et spectaculaire. Totalement inusité en France dans le passé, il n'a mis que huit ans, dans le sillage de Jérémy, pour atteindre son sommet (1 garçon sur 50) et la dixième place.

On le prononce généralement plus ou moins à l'anglaise et nous avons même trouvé un Djonathann enregistré à l'état civil, pour qu'il n'y ait pas de doute sur ce point.

Les cadres ont vite boudé ce prénom surtout répandu chez les ouvriers et les employés. Sa vogue a été éphémère.

Jonathan a un peu stimulé **John** et **Johnny** et fait frémir **Jonas** (près de 1 garçon sur 1 000 en 2009).

# Jordan

| | |
|---|---|
| 1930-74 | EXCENTRIQUE |
| 1975-84 | PRÉCURSEUR |
| 1985-90 | PIONNIER |
| 1991-92 | DANS LE VENT |
| 1993-94 | CONFORMISTE |
| 1995-96 | À LA TRAÎNE |
| DEPUIS 97 | DÉMODÉ |

Forme anglaise de Jourdain, Jordan est le successeur de Jonathan. Les croisés ramenèrent de Terre sainte les noms de la famille Jourdain avec un peu d'eau du fleuve. Mais Jordan n'a été baptisé en France que tout récemment, grâce à son allure américaine.

Ni bourgeois ni gentilhomme, Jordan a connu en 1992 et 1993 une poussée formidable, surtout en milieu populaire, et particulièrement en Champagne-Ardenne et Lorraine. Ce succès, qui l'a amené dans le top 10, a été particulièrement éphémère. On écrit quelquefois **Jordane** pour la prononciation. Aux États-Unis, Jordan est un prénom mixte.

Ce succès et celui d'un petit chanteur ont fait éclore brusquement **Jordy**, forme catalane de Georges, mais pour une seule saison : 1 garçon sur 300 en 1993, puis le retour en coulisses.

# Joris

1930-76    EXCENTRIQUE
1977-86    PRÉCURSEUR
DEPUIS 87  RARE

Cette forme néerlandaise de Georges apparaît en France dans les années 1980. Joris atteint en 1994 le niveau de 1 garçon sur 500 et se tasse depuis. Il est mieux implanté loin des Flandres, dans le Sud-Est, notamment en Rhône-Alpes.

Joris a attiré **Loris** en France.

# Joseph

1930-41    À LA TRAÎNE
1942-73    DÉMODÉ
1974-87    DÉSUET
1988-97    PRÉCURSEUR
DEPUIS 98  PIONNIER

En hébreu, *yosseph* signifie «Dieu ajoutera» (sous-entendu un fils). Comme Marie et comme Anne, autres proches du Christ, Joseph se développe aux XVIe et XVIIe siècles. Son apogée se situe au XIXe quand il prénomme 1 garçon sur 20. Dans les toutes dernières années du XIXe, alors que sa fréquence a un peu décru, il atteint le deuxième rang des prénoms. Depuis lors, il n'a cessé de reculer, se stabilisant à un très bas niveau dans les années 1960 avant de tomber au purgatoire.

En Alsace et en Bretagne, Joseph était encore dans le peloton de tête au début des années 1940.

Son retour est amorcé aujourd'hui.

Le diminutif **José** n'a jamais été bien courant : 1 garçon sur 400 dans les années 1950 et 1960.

Autre prénom biblique, **Josué**, nom du successeur de Moïse, reste discret, alors que **Joshua**, sa forme anglaise, plus proche de l'hébreu, «Dieu délivre», gagne du terrain en France après avoir brillé aux États-Unis.

# Joséphine

| | |
|---|---|
| 1930-39 | DÉMODÉ |
| 1940-49 | DÉSUET |
| 1950-82 | EXCENTRIQUE |
| 1983-92 | PRÉCURSEUR |
| DEPUIS 93 | DANS LE FLUX |

Ce féminin de Joseph n'est guère connu avant le xix^e siècle qui le voit grandir et s'épanouir entre 1850 et 1880. Joséphine est alors au cinquième rang des prénoms féminins, choisi pour 1 fille sur 40 environ. En 1930, elle est attribuée à moins de 1 fille sur 300, puis elle s'éclipse vers 1940, remplacée par Josette.

Comme tous les prénoms qui suivirent, dès le xix^e siècle, le cycle de la mode, son purgatoire est sévère et son nouvel essor lent à se dessiner, mais inéluctable. De plus en plus, on ose Joséphine, surtout dans le Nord.

# Josette

| | |
|---|---|
| 1930-35 | DANS LE VENT |
| 1936-44 | CONFORMISTE |
| 1945-53 | À LA TRAÎNE |
| 1954-63 | DÉMODÉ |
| 1964-73 | DÉSUET |
| DEPUIS 74 | EXCENTRIQUE |

Cette féminisation moderne de Joseph succède à Joséphine. Durant ses neuf années de période conformiste, Josette a prénommé 1 fille sur 50, un peu plus à son sommet en 1939-40.

Mais il s'agit d'une moyenne nationale. Or la diffusion de Josette a été originale. Elle vient du Sud, et même du Sud-Est, la Provence étant à la pointe de la mode, une fois n'est pas coutume. Au sud de la Loire, elle fait partie des tout premiers prénoms au milieu des années 1930, attribuée à plus de 1 fille sur 30. Josette atteint même la première place, de 1935 à 1939, en Languedoc-Roussillon et Midi-Pyrénées (1 fille sur 25). Et c'est dans le Nord-Ouest que ce prénom mode sera le plus rare.

# Josiane

| | |
|---|---|
| 1930-37 | PIONNIER |
| 1938-44 | DANS LE VENT |
| 1945-51 | CONFORMISTE |
| 1952-58 | À LA TRAÎNE |
| 1959-71 | DÉMODÉ |
| 1972-81 | DÉSUET |
| DEPUIS 82 | EXCENTRIQUE |

Josiane est une nouvelle féminisation de Joseph qui prend le relais de Josette, mais est tout à l'opposé dans sa diffusion régionale. Elle vient du Nord, comme Jocelyne, culminant dès la fin des années 1930 dans le Nord-Pas-de-Calais et en Picardie (1 fille sur 50). Elle a aussi du succès, mais plus tard, dans le Nord-Est (Alsace et Lorraine) ainsi que dans le Sud-Ouest (Aquitaine et Midi-Pyrénées).

Sur l'ensemble de la France, ce prénom de type populaire (assez rare chez les cadres et presque inconnu en milieu BCBG) réussit un peu moins bien que ne l'avait fait Josette : à peine 1 fille sur 60 pendant sept ans.

# Jules

| | |
|---|---|
| 1930-38 | DÉMODÉ |
| 1939-48 | DÉSUET |
| 1949-80 | EXCENTRIQUE |
| 1981-90 | PRÉCURSEUR |
| 1991-02 | PIONNIER |
| 2003-05 | DANS LE VENT |
| DEPUIS 06 | PLUTÔT CONFORMISTE |

Julius Caesar rattachait le nom de sa famille, la *gens* Julia, à Iule, fils d'Énée, ce qui inscrivait la déesse Vénus dans ses ascendants. Illustré aussi par quelques papes, Jules ne fait guère parler de lui en France avant le XIX<sup>e</sup> siècle. Le goût pour l'antique l'amène dans le top 10 de 1840 à 1890. Son sommet se situe autour des années 1865-70 (attribué à près de 3 garçons sur 100), avant le «gouvernement des Jules», Ferry, Grévy, Méline et Simon.

Dans les années 1930, Jules est en bout de course et se charge de connotations diverses, du petit ami au maquereau en passant par le pot de chambre. Rançon du succès passé pour un des premiers grands prénoms de type mode. Dans un cas de ce genre, la période du cycle est de cent quarante ans. Jules devrait culminer de nouveau vers 2005-10. De fait, Jules a réellement émergé il y a quelques années au point d'arriver aux portes du top 20. S'il se tasse un peu, son score demeure honorable : Jules devrait prénommer 1 garçon sur 140 en 2009.

Ce sont les Parisiens qui ont été les premiers sensibles à son charme rétro. Sa deuxième carrière est bien entamée, notamment en Franche-Comté et Bourgogne.

# Julia

1930-69 EXCENTRIQUE
1970-79 PRÉCURSEUR
1980-91 DANS LE FLUX
DEPUIS 92 PLUTÔT CONFORMISTE

Julia est la forme originelle, puisque latine, de Julie ; mais c'est aussi sa forme internationale car on la trouve dans les pays anglo-saxons, en Espagne, au Portugal, en Scandinavie, dans les pays de langue allemande, où elle est au plus haut, et presque en Italie où elle devient Giulia.

Mais Julia n'est pas une nouveauté en France : elle avait accompagné, quoique très en retrait, Julie au XIXᵉ siècle. Le succès de Julie l'a réveillée. Plafonnant à un niveau modeste (1 fille sur 350), elle est surtout visible en Provence.

# Julie

1930-58 EXCENTRIQUE
1959-68 PRÉCURSEUR
1969-77 PIONNIER
1978-84 DANS LE VENT
1985-90 CONFORMISTE
1991-01 À LA TRAÎNE
DEPUIS 02 DÉMODÉ

Ce féminin ancien de Jules a été assez en vogue au milieu du XIXᵉ siècle, donné à 1 fille sur 70. Julie disparaît dès l'aube du XXᵉ siècle, supplantée par Juliette.

Lors de sa nouvelle carrière, elle progresse sans hâte, mais avec une telle constance qu'elle passe en tête des prénoms féminins en 1987, entre le règne d'Aurélie et celui d'Élodie, donnée alors à plus de 1 fille sur 40. Son déclin actuel n'a rien d'une déroute.

Lancée chez les cadres qui l'ont choisie pour 1 de leurs filles sur 40 dès 1980, elle s'est imposée finalement dans tous les milieux, tout en gardant un profil plutôt bourgeois.

# Julien

| | |
|---|---|
| 1930-42 | EN REFLUX |
| 1943-52 | DÉSUET |
| 1953-59 | EXCENTRIQUE |
| 1960-69 | PRÉCURSEUR |
| 1970-75 | PIONNIER |
| 1976-80 | DANS LE VENT |
| 1981-87 | CONFORMISTE |
| 1988-01 | À LA TRAÎNE |
| DEPUIS 02 | DÉMODÉ |

Comme Jules, dont il dérive, Julien a été en usage au XIXe siècle ; mais son parcours a été bien plus calme : il fut attribué à 1 garçon sur 140 environ tout au long du XXe siècle.

Après une période de purgatoire d'un quart de siècle, il entame sa véritable carrière dans les années 1970, au cours desquelles il s'envole jusqu'au premier rang des prénoms masculins où il s'installe de 1983 à 1988. Il est conformiste dès 1981, attribué à près de 1 garçon sur 25.

Julien s'est imposé dans tous les groupes sociaux. Il a été en tête chez les cadres dès 1978, prénommant, dans cette catégorie, jusqu'à 1 nouveau-né sur 15 en 1980-81 ; en revanche, il n'a pas su séduire les milieux les plus chics. Après cette course en tête, Julien décline lentement, se maintenant longtemps dans le top 10.

Ce triomphe a suscité l'émergence de la forme anglaise **Julian** qui a franchi le seuil de 1 sur 1 000.

# Juliette

| | |
|---|---|
| 1930-45 | DÉMODÉ |
| 1946-55 | DÉSUET |
| 1956-66 | EXCENTRIQUE |
| 1967-76 | PRÉCURSEUR |
| 1977-96 | DANS LE FLUX |
| 1997-00 | PLUTÔT CONFORMISTE |
| DEPUIS 01 | EN REFLUX |

Quoique aussi ancienne que Julie, Juliette paraît lui succéder dans le cycle de la mode. Les années 1890-1915 ont été celles de la prospérité de Juliette, alors donnée à plus de 1 fille sur 80, accompagnée de la plus rare **Julienne**. Juliette se démode dans les années 1930.

Son retour ne s'est pas fait sans peine. C'est que la Juliette de la Belle Époque anticipait la vogue des prénoms en *ette* des années 1920 et 1930. Le caractère désuet de cette terminaison a contrarié ses premiers pas.

Dès que Julie et Justine ont décliné, Juliette a grandi à bonne allure, séduisant d'abord les cadres et les Parisiens. Elle marque le pas aujourd'hui (1 fille sur 120 au mieux en 1999 et moins de 1 sur 160 en 2009).

# Justine

| | |
|---|---|
| 1930-69 | EXCENTRIQUE |
| 1970-79 | PRÉCURSEUR |
| 1980-88 | PIONNIER |
| 1989-91 | DANS LE VENT |
| 1992-94 | CONFORMISTE |
| 1995-99 | À LA TRAÎNE |
| DEPUIS 00 | DÉMODÉ |

Partie après sa sœur Juliette, la vertueuse et infortunée Justine, connue au XIXe siècle, était bien décidée à la dépasser. La chose fut facile et Justine a très vite atteint le huitième rang en 1992 et 1993, étant même en tête en Picardie et dans le Nord-Pas-de-Calais. Mais, faute de s'être imposée dans le sud de la France, elle décline aujourd'hui, assez vite.

Justine a séduit tous les groupes sociaux lors de son ascension, y compris les agriculteurs, prompts à l'adopter massivement. Mais les milieux bourgeois ont fait assez vite preuve d'une certaine réticence, et elle fut même devancée par Juliette chez les cadres, qui préfèrent le vice à la vertu.

Justine a fait émerger en France l'anglo-américain Justin, qui est masculin.

# Karine et Carine

Karine est un dérivé de Catherine, venu du Danemark, mais il y a aussi une sainte Carine, assez obscure. Nous traitons comme un seul ces deux prénoms contemporains, les Karine étant un peu plus précoces et presque trois fois plus nombreuses que les Carine.

Ce prénom nouveau fait une percée rapide et se hisse jusqu'au quatrième rang à son sommet : 1 fille sur 25 en 1973. Mais cette réussite est éphémère.

Les professions intermédiaires et les employés lui ont fait le meilleur accueil tandis qu'il a été moins en faveur chez les cadres, surtout sous la forme Karine, encore moins chic.

Karen ou Karène n'a pas fait mieux que 1 fille sur 500 à la fin des années 1970.

# Katia

Katia a connu à peu près le même sort que Cathy, se nourrissant, comme elle, du déclin de Catherine. Elle a culminé au même moment, à un niveau à peine plus élevé (1 fille sur 180) mais un peu moins longtemps. Elle a hésité à entrer au purgatoire, faute d'avoir grand-chose à purger. À noter l'émergence discrète de la bretonne Katell.

# Kelly

| | |
|---|---|
| 1930-69 | EXCENTRIQUE |
| 1970-79 | PRÉCURSEUR |
| DEPUIS 80 | RARE |

Ce prénom d'origine irlandaise, signifiant peut-être «guerrier», a d'abord été masculin. Mais il s'est presque totalement féminisé lors de sa carrière récente aux États-Unis et en Grande-Bretagne. Son destin français paraît très lié aux feuilletons télévisés américains : *Santa Barbara* l'a fait naître brusquement ; il s'est vite stabilisé à un niveau assez modeste (1 fille sur 330) avant un sursaut éphémère en 1995 dû à *Beverly Hills*. Ce prénom plaît surtout dans le Nord et en milieu populaire où des parents trouvent plus de grâce que de gêne à Kelly.

**Kimberley** (rarement **Kimberly**), nom de lieu à l'origine, puis patronyme (Lord Kimberley), fut aussi masculin en Angleterre au début du XXᵉ siècle. Aujourd'hui féminin, apparu en 1993 en France, il ne s'est pas imposé, déclinant depuis 1998. Le diminutif **Kim**, encore mixte, est aussi en recul.

# Kevin

| | |
|---|---|
| 1930-68 | EXCENTRIQUE |
| 1969-78 | PRÉCURSEUR |
| 1979-84 | PIONNIER |
| 1985-88 | DANS LE VENT |
| 1989-94 | CONFORMISTE |
| 1995-99 | À LA TRAÎNE |
| DEPUIS 00 | DÉMODÉ |

Conformément à son étymologie irlandaise – *caomhin*, «beau à la naissance» ou bien «naissance bienvenue» –, Kevin fut longtemps un prénom exclusivement en usage en Irlande.

Encore inconnu en France dans les années 1970, il lui faut peu de temps pour se propulser à la première place (près de 1 garçon sur 25), détrônant Julien en 1989. Kevin n'est pourtant pas, et n'a jamais été, aussi en vedette dans les pays anglo-saxons où il a fait carrière à partir des années 1940. Le saint (irlandais, bien sûr) qui le patronne a favorisé sa pénétration en France, en le faisant figurer dans les calendriers usuels. En revanche, l'acteur Kevin Costner n'est pour rien dans son lancement. À ses débuts, on l'écrivait Kévin et certains le prononçaient même à la française. C'est la prononciation à l'anglaise qui s'est imposée pour ce prénom nettement populaire, très peu connu en milieu bourgeois. Sa chute s'annonce très rapide.

Le triomphe de Kevin a été encore plus marqué dans le nord-ouest de la France. Mais c'est au Québec que **Keven** a fait concurrence à Kevin.

# Killian

| | |
|---|---|
| 1930-81 | EXCENTRIQUE |
| 1982-91 | PRÉCURSEUR |
| 1992-96 | PIONNIER |
| 1997-00 | DANS LE VENT |
| 2001-05 | CONFORMISTE |
| DEPUIS 06 | À LA TRAÎNE |

Killian est un petit cousin de Kevin : même patronage par un saint irlandais, même origine celtique, ici de *ceallach*, «lutte». Mais ce prénom est quasi inconnu dans les pays anglophones, même en Irlande. On y trouve en revanche **Kieran**, qui devrait bientôt traverser la Manche.

Aidé peut-être par la bière et à coup sûr par la vague du celtique et de la sonorité en *ane*, Killian a trouvé en France sa terre d'élection : sa percée s'est faite d'abord en Bretagne où il est au premier rang depuis 1999. La forme Killian l'emporte sur **Kilian** mais on trouve aussi **Kyllian** ou **Kylian**, sans compter les nouveaux **Kelian**, **Kellian** ou **Kelyan**. Killian, toujours présent dans le top 20, devrait prénommer plus de 1 garçon sur 110 en 2009.

# Lætitia

Un prénom joyeux : Lætitia est «la liesse» en latin. C'était un prénom inusité lorsque Serge Gainsbourg l'épela en chanson (1964). Si quelques Lætitia sont nées entre 1962 et 1967, c'est en 1968 que ce prénom fait sa percée, et son ascension est alors rapide. Lætitia atteint le sixième rang des prénoms en 1979, se stabilisant à un niveau un peu supérieur à 1 fille sur 50.

Le profil social de Lætitia est très singulier. Elle fait ses premiers pas en milieu bourgeois, mais ne brille guère chez les cadres quand elle prend de l'ampleur, ayant bien plus de succès chez les ouvriers. Pourtant elle fait bonne figure dans les palmarès BCBG, alors même qu'elle se démode. Rarissime exemple d'un prénom populaire et chic à la fois.

# Laura

Forme internationale de Laure, appréciée dans les pays anglo-saxons mais toute récente en France, Laura s'y est très vite imposée. Une forte poussée, en 1988, la conduit au deuxième rang où elle se maintient jusqu'en 1990, attribuée à 1 fille sur 45. Sans grandir davantage, Laura profite du déclin d'Élodie, puis de Marine, pour passer en tête en 1993 et 1994.

On trouve Laura un peu partout, mais surtout en milieu populaire. Elle a été moins envahissante chez les cadres et rare en milieu BCBG où triompha Laure. Ses zones de plus grande force ont été le Nord-Est, Midi-Pyrénées et la Corse.

# Laure

| | |
|---|---|
| 1930-54 | EXCENTRIQUE |
| 1955-64 | PRÉCURSEUR |
| 1965-83 | DANS LE FLUX |
| 1984-88 | PLUTÔT CONFORMISTE |
| 1989-02 | EN REFLUX |
| DEPUIS 03 | DÉMODÉ |

Laure, le plus ancien des féminins de Laurent en France, existe discrètement depuis le début du XXᵉ siècle. Elle entame son parcours à pas comptés dans les années 1960, entraînée sans doute par Laurent et Laurence. Longtemps confinée en milieu bourgeois, elle s'est un peu répandue dans les autres groupes sociaux, mais pas suffisamment pour dépasser le niveau de 1 fille sur 150.

Laure a été l'un des tout premiers prénoms dans les palmarès BCBG des années 1970 et 1980. Elle n'y a guère souffert de la concurrence de Laura et de ses autres rejetons (hormis Lorraine).

# Laurence

| | |
|---|---|
| 1930-36 | EXCENTRIQUE |
| 1937-46 | PRÉCURSEUR |
| 1947-59 | PIONNIER |
| 1960-65 | DANS LE VENT |
| 1966-71 | CONFORMISTE |
| 1972-77 | À LA TRAÎNE |
| 1978-88 | DÉMODÉ |
| 1989-98 | DÉSUET |
| DEPUIS 99 | EXCENTRIQUE |

Laurence est la contemporaine de son frère Laurent, mais aussi de Florence. Connue mais rare au XIXᵉ siècle et dans la première moitié du XXᵉ, elle est, comme Laurent, longue à prendre son élan, mais finit par prénommer près de 1 fille sur 35 durant sa période conformiste, ce qui la place au huitième rang, nettement au-dessus de Florence.

Les cadres, puis les professions intermédiaires, dès le début des années 1960, sont les catégories socioprofessionnelles qui lui font le meilleur accueil, alors que les ouvriers ont moins souvent choisi ce prénom de type bourgeois.

Laurence disparaît, laissant la place aux nouveaux dérivés de Laure.

# Laurène

| | |
|---|---|
| 1930-70 | EXCENTRIQUE |
| 1971-80 | PRÉCURSEUR |
| 1981-90 | DANS LE FLUX |
| 1991-97 | PLUTÔT CONFORMISTE |
| 1998-03 | EN REFLUX |
| DEPUIS 04 | DÉSUET |

Laurène est la forme dominante, adaptée de l'anglais, de ce prénom que l'on écrit aussi **Lauren**, **Lorène** ou **Lorraine**. Cette dernière forme, traditionnelle en France, est aussi en usage dans les pays anglophones.

En additionnant tout cela, et sans compter les très rares **Laurette**, on obtient un prénom qui a atteint le niveau de 1 fille sur 300.

La forme Lorraine est plus connue dans les milieux BCBG.

Sous ses différentes formes, ce prénom a été spécialement prisé en Lorraine.

# Laurent

| | |
|---|---|
| 1930-36 | RARE |
| 1937-46 | PRÉCURSEUR |
| 1947-59 | PIONNIER |
| 1960-66 | DANS LE VENT |
| 1967-71 | CONFORMISTE |
| 1972-83 | À LA TRAÎNE |
| 1984-98 | DÉMODÉ |
| 1999-08 | DÉSUET |
| DEPUIS 09 | EXCENTRIQUE |

Laurent vient de *laurus*, le laurier, symbole de la couronne du vainqueur et, chez les premiers chrétiens, signe que l'on est couronné par Dieu. C'est donc un prénom ancien, mais d'usage discret en France, qui n'est pas complètement absent lorsqu'il entame sa carrière à la fin des années 1940. Carrière brillante puisqu'il est le troisième prénom masculin pendant sa période conformiste et qu'il frôle le niveau de 1 garçon sur 20 en 1969.

Le succès de Laurent est encore plus marqué dans certaines régions : le Sud-Ouest principalement, mais aussi la Picardie et la Franche-Comté.

Il franchit la barre des 5 % (hyperconformiste) dans les professions intermédiaires de 1967 à 1970, chez les commerçants en 1968-69, chez les employés en 1970-71. Alors qu'il avait été assez peu représenté en milieu BCBG, Laurent se maintient assez bien chez les cadres durant son déclin. Laurent est tout de même passé de mode aujourd'hui tandis que poussent en France à vive allure l'italien **Lorenzo**, déjà très connu en Provence, et le néerlandais **Loris** qui s'implante en Rhône-Alpes.

# Laurie et Lorie

| | |
|---|---|
| 1930-68 | EXCENTRIQUE |
| 1969-77 | PRÉCURSEUR |
| 1978-88 | DANS LE FLUX |
| 1989-02 | PLUTÔT CONFORMISTE |
| 2003-04 | DÉMODÉ |
| DEPUIS 05 | DÉSUET |

Dans la floraison récente des dérivés de Laure, Laurie (qu'on écrit aussi Lorie, Laury ou Lory) avait bien tiré son épingle du jeu (1 fille sur 200 en 1994 au mieux de sa forme), quoique boudée par les cadres. Son score a été bien plus haut en Midi-Pyrénées. Mais son reflux est très rapide, une jeune chanteuse trop connue ayant sans doute contribué à l'accélérer. En 2009, Laurie est déjà au purgatoire, prénommant moins de 1 fille sur 10 000.

Lauriane, écrite parfois Laurianne ou Loriane, née vers 1981, est restée modeste (1 fille sur 400). Les Laurane ou Lauranne sont plus rares encore.

# Laurine

| | |
|---|---|
| 1930-77 | EXCENTRIQUE |
| 1978-87 | PRÉCURSEUR |
| 1988-98 | DANS LE FLUX |
| 1999-01 | PLUTÔT CONFORMISTE |
| DEPUIS 02 | EN REFLUX |

On peut voir dans Laurine une francisation réussie de Laureen. D'ailleurs, cette dernière ne s'impose pas, contrairement à Maureen, qui l'emporte largement sur Maurine.

En tout cas, Laurine est un prénom nouveau en France, né dans le sillage de Laurie et de Laurène et qui a grandi vite (1 fille sur 130). Les formes Lorine, Lauryn et Lauryne sont très minoritaires. Laurine entraîne quelques Laureline et la sirène Lorelei.

# Léa

| | |
|---|---|
| 1930-70 | EXCENTRIQUE |
| 1971-80 | PRÉCURSEUR |
| 1981-91 | PIONNIER |
| 1992-96 | DANS LE VENT |
| 1997-02 | CONFORMISTE |
| DEPUIS 03 | À LA TRAÎNE |

Léa pourrait revendiquer une origine romaine (la lionne en latin). Mais l'ascendance hébraïque est plus vraisemblable, puisque c'est le nom d'un personnage biblique; le mot hébreu a deux sens: «fatiguée» et «vache sauvage».

Chère à Colette comme à Régine Desforges, Léa a connu une petite vogue autour de 1900. Elle est revenue en pleine forme, portée par sa double ascendance romaine et biblique, vache lionne peu reconnue au début chez nos agriculteurs, mais très bien accueillie dans le Sud-Ouest.

Léa a d'abord été adoptée chez les cadres, tout en étant ignorée du *Bottin mondain*. Cela ne l'a pas empêchée de s'imposer dans l'ensemble de la population : en 1997, Léa a succédé à Manon au premier rang des prénoms féminins et règne sans rivale jusqu'en 2004 (1 fille sur 35 en 2001). Ce triomphe a fait naître des nouveautés, comme Léana, Léane en plein essor, Éléa, connue jusqu'alors par un roman de science-fiction de Barjavel, et Cléa, chère à Lawrence Durrell, qui mêle Chloé à Léa.

# Léna

| | |
|---|---|
| 1930-83 | EXCENTRIQUE |
| 1984-93 | PRÉCURSEUR |
| 1994-98 | PIONNIER |
| 1999-06 | DANS LE VENT |
| DEPUIS 07 | CONFORMISTE |

C'est encore un effet du triomphe de Léa que l'apparition et la forte poussée récente de ce prénom tout neuf en France et qui évoque une grande école. Léna a été adoptée massivement par les Bretons. On peut y voir un dérivé d'Hélène. En 2008, Léna fait son entrée dans le top 10 et devrait prénommer près de 1 fille sur 80 en 2009. Du coup, Lénaïg frémit.

# Léo

| | |
|---|---|
| 1930-78 | EXCENTRIQUE |
| 1979-88 | PRÉCURSEUR |
| 1989-97 | PIONNIER |
| 1998-00 | DANS LE VENT |
| DEPUIS 01 | CONFORMISTE |

Dans la famille des prénoms venant de *leo*, le lion en latin, on pouvait attendre le retour de Léon qui avait connu sa plus grande faveur dans les années 1890, prénommant alors plus de 1 garçon sur 50, mais démodé dès 1920 et disparaissant dans les années 1940. On pouvait encore espérer la résurrection de **Léonard**, vieux prénom du Limousin, absent ou presque depuis le début du xxᵉ siècle et qui ne frémit que discrètement. Mais c'est le plus simple Léo qui a pris son essor, entraîné par Hugo et Théo.

Léo se marie de plus en plus avec Paul (**Léo-Paul**), ce qui réveille **Léopold**, d'étymologie germanique – *leut-balt*, «peuple audacieux» –, un peu en vogue voilà un siècle. Mentionnons aussi l'éveil de **Léandre** et l'émergence de **Lenny**, diminutif américain de **Léonard**.

# Léonie

| | |
|---|---|
| 1930-36 | DÉSUET |
| 1937-87 | EXCENTRIQUE |
| 1988-97 | PRÉCURSEUR |
| DEPUIS 98 | PIONNIER |

À la fin du xixᵉ siècle et jusqu'à la Première Guerre, Léonie fut la compagne favorite de Léon. Elle avait de nombreuses rivales, la principale étant **Léontine**, son exacte contemporaine. On vit naître aussi des **Léone** (ou **Léonne**), des **Léonce**, **Léonide** ou **Léona**.

Au purgatoire depuis les années 1930, Léonie devait logiquement en sortir aujourd'hui. Le triomphe de Léa et de Léo, le retour en cours de Léon lui ont préparé la voie, mais la vigueur de sa poussée étonne. Léontine ne va pas tarder à l'imiter.

# Leslie

| | |
|---|---|
| 1930-77 | EXCENTRIQUE |
| 1978-95 | RARE |
| 1996-05 | EXCENTRIQUE |
| DEPUIS 06 | DÉSUET |

Ce prénom, qui fut masculin en Grande-Bretagne, s'est féminisé en France tout comme aux États-Unis. Issu d'un nom de lieu écossais, puis nom d'un clan, il n'a rien à voir avec Élisabeth. Après un départ prometteur, Leslie a vite marqué le pas (1 fille sur 500) et nous quitte (moins de 1 fille sur 2 600 en 2009).

# Lilian

| | |
|---|---|
| 1930-86 | EXCENTRIQUE |
| 1987-96 | PRÉCURSEUR |
| 1997-08 | DANS LE FLUX |
| DEPUIS 09 | DANS LE VENT |

Le foot a relancé Lilian par Thuram. Mais le rugby l'avait déjà illustré par Camberabero dans les années 1960. Ce prénom d'origine incertaine (masculin de Liliane?) est connu depuis un demi-siècle dans le Sud-Ouest. Il profite aussi de l'engouement pour les prénoms masculins en *ian*.

# Liliane

| | |
|---|---|
| 1930-37 | DANS LE VENT |
| 1938-45 | CONFORMISTE |
| 1946-55 | À LA TRAÎNE |
| 1956-65 | DÉMODÉ |
| 1966-75 | DÉSUET |
| DEPUIS 76 | EXCENTRIQUE |

Un des nombreux dérivés d'Élisabeth, qui fait son apparition dans les années 1920 avec la vague montante de la terminaison en *iane*. Liliane rattrape Éliane partie avant elle et la surpasse : 1 fille sur 80 pour l'ensemble de sa période conformiste, 1 sur 65 en 1942. Elle est plus répandue dans le nord de la France, particulièrement en Haute-Normandie et en Île-de-France où son succès est précoce : 1 fille sur 40 de 1935 à 1940.

# Lilou

| | |
|---|---|
| 1930-89 | EXCENTRIQUE |
| 1990-99 | PRÉCURSEUR |
| 2000-05 | PIONNIER |
| DEPUIS 06 | CONFORMISTE |

Lilou est le plus neuf des membres de la famille de Lou nés dans son sillage. Le *li* allonge Lou et la féminise nettement. Lilou est la forme prédominante, mais on trouve aussi **Lylou** et les étranges **Leelou** et **Leeloo** (Lee est un prénom anglais mixte). À noter son adoption rapide en Poitou-Charentes.

# Lina

| | |
|---|---|
| 1930-86 | EXCENTRIQUE |
| 1987-96 | PRÉCURSEUR |
| 1997-05 | PIONNIER |
| DEPUIS 06 | DANS LE VENT |

Présente en France de manière confidentielle depuis plus d'un siècle, Lina vient de faire une entrée triomphale dans le top 20 en 2008 et confirme son essor en 2009 (1 fille sur 70). Elle s'inscrit à la fois dans le sillage de Léna et dans la vague italienne qui fait aussi grandir le masculin **Lino**. Du coup, **Line** croît quelque peu.

# Linda

| | |
|---|---|
| 1930-71 | EXCENTRIQUE |
| 1972-97 | RARE |
| DEPUIS 98 | EXCENTRIQUE |

Diminutif de plusieurs prénoms anglais (Belinda, Melinda, etc.), porté par des actrices américaines, et très à la mode dans les pays anglophones durant les années 1950, Linda est née en France dans les milieux populaires. Mais elle ne s'est pas imposée.

La plus récente **Lindsay**, prénom jadis masculin en Grande-Bretagne, ne perce pas.

# Lionel

| | |
|---|---|
| 1930-39 | PRÉCURSEUR |
| 1940-67 | DANS LE FLUX |
| 1968-74 | PLUTÔT CONFORMISTE |
| 1975-92 | EN REFLUX |
| 1993-02 | DÉSUET |
| DEPUIS 03 | EXCENTRIQUE |

Il y a du lion dans Lionel, mais *leonellus* est un lionceau. Avant le XXe siècle, ce dérivé de Léon est inconnu en France et très rare dans les pays anglophones. Il grandit un peu aux États-Unis dans les premières décennies du XXe siècle, sans faire beaucoup de bruit malgré le vibraphone de Lionel Hampton.

En France, Lionel, frémissant dès le début du XXe siècle, ne s'ébranle que vers 1940, au moment où disparaît Léon. Au terme d'une lente progression, il culmine en 1970-71 à un niveau modeste (moins de 1 garçon sur

100), bien au-dessous de son contemporain Laurent. En contrepartie, son érosion est lente.

Lionel est à peine choisi aujourd'hui pour 1 garçon sur 10 000. Son éclipse totale est en vue. L'île de Ré pourrait être son dernier bastion.

# Lisa

| | |
|---|---|
| 1930-75 | EXCENTRIQUE |
| 1976-85 | PRÉCURSEUR |
| 1986-95 | PIONNIER |
| 1996-00 | DANS LE VENT |
| DEPUIS 01 | PLUTÔT CONFORMISTE |

Bien connu dans les pays anglophones, ce diminutif d'Élisabeth frémit un certain temps en France avant de naître. Sa poussée s'accentue en 1992, notamment dans les couches moyennes, et elle est plus marquée en Alsace, en Lorraine et dans le Sud-Est. Lisa sera choisie en 2009 pour près de 1 fille sur 100.

**Lise**, bien plus ancienne, a rarement franchi le seuil de 1 sur 1 000. C'est chose faite depuis quelques années, et le décollage est rapide. Des **Lison** l'accompagnent.

# Loïc

| | |
|---|---|
| 1930-41 | EXCENTRIQUE |
| 1942-51 | PRÉCURSEUR |
| 1952-82 | DANS LE FLUX |
| 1983-91 | CONFORMISTE |
| DEPUIS 92 | EN REFLUX |

Loïc a été une très ancienne forme méridionale de Louis. Sa consonance bretonnante a abusé les Bretons qui l'ont réinventé et adopté massivement dans les années 1950 (1 garçon sur 50 de 1955 à 1964). Loïc se propage ensuite dans les Pays de la Loire et le Poitou. C'est bien plus tard qu'il culmine dans l'ensemble de la France à un niveau modeste : moins de 1 garçon sur 100. La lenteur de ses progrès comme de son reflux vient du fait que Loïc voyage. C'est maintenant en Midi-Pyrénées, et plus encore en Alsace et Lorraine qu'il prospère, alors qu'il est oublié en Bretagne et dans les Pays de la Loire. Sa terre d'élection actuelle est la Suisse romande.

La forme **Loïck** n'est pas négligeable. **Loïs** est aussi une forme ancienne de Louis qui émerge à nouveau, mais qui tend à devenir mixte en raison de la petite amie de Superman. Quant à **Loan**, on le rattache au breton qui monte **Elouan** plutôt qu'à Louis, tandis que l'américain **Logan**, bien implanté en France (plus de 1 garçon sur 350 en 2009), est d'origine obscure.

# Lola

| | |
|---|---|
| 1930-81 | EXCENTRIQUE |
| 1982-91 | PRÉCURSEUR |
| 1992-03 | PIONNIER |
| 2004-05 | DANS LE VENT |
| DEPUIS 06 | PLUTÔT CONFORMISTE |

Ce dérivé de la **Dolorès** espagnole, accessoirement de la Lorenza italienne, était hors d'usage en France avant sa forte poussée récente qui ne doit rien au film de Jacques Demy. L'origine espagnole se voit dans la diffusion spatiale : Lola grandit en Aquitaine, Midi-Pyrénées et Roussillon, moins connue, pour l'instant, dans le Nord-Ouest. Lola a fait, il y a peu, son entrée dans le top 20, mais son succès n'ébranle guère **Lolita**.

# Lou

| | |
|---|---|
| 1930-85 | EXCENTRIQUE |
| 1986-95 | PRÉCURSEUR |
| 1996-05 | PIONNIER |
| DEPUIS 06 | DANS LE VENT |

Comme diminutif de Louise, Lou est en usage, de longue date, dans les pays de langue allemande. Son adoption comme prénom à part entière est récente en France, aidée par une jeune actrice. Mixte à ses débuts, Lou s'affirme de plus en plus comme un prénom féminin, alors que d'autres variantes de Louis ou Louise restent équivoques : c'est le cas de **Loïs** et de **Louison**. Lou compense sa brièveté par son esprit de famille et fait naître Lilou, Lou-Anne ou Marylou, décrites ailleurs. Forte poussée aussi des toutes neuves **Louna** (entrée dans le top 10 en 2008) et **Luna**.

# Louane et Lou-Anne

| | |
|---|---|
| 1930-88 | EXCENTRIQUE |
| 1989-98 | PRÉCURSEUR |
| 1999-04 | PIONNIER |
| 2005-06 | DANS LE VENT |
| DEPUIS 07 | CONFORMISTE |

Lou-Anne, inconnue naguère, est devenu le premier prénom composé. C'est la forme la plus répandue de ce prénom, après **Louane**, mais devant **Lou-Ann**, **Louanne** et quelques autres moins fréquentes dont **Louann**. Tout cela additionné donne un prénom qui pourrait briguer la succession de Léa.

Les cousines **Loana** et **Louana** devraient être éphémères. Mais **Loane** et **Loanne** font recette, et **Loan** est surtout masculin.

# Louis

| | |
|---|---|
| 1930-40 | À LA TRAÎNE |
| 1941-63 | DÉMODÉ |
| 1964-71 | DÉSUET |
| 1972-81 | PRÉCURSEUR |
| 1982-95 | PIONNIER |
| 1996-02 | DANS LE VENT |
| DEPUIS 03 | CONFORMISTE |

La forme actuelle de Louis, prénom royal s'il en est en France, est le résultat d'une série de transformations. L'étymologie est germanique : *hlod*, « illustre » et *wig*, « combattant ». D'où le Ludwig allemand. Hlodwig fut latinisé en Clodivicus qui a donné Clovis et Ludovic. Louis est le successeur de Clovis.

En dépit de ses illustres porteurs, Louis a mis du temps à s'imposer puisqu'il est encore rare au XVe siècle. Se développant au XVIe, il devient un des tout premiers prénoms dans le Bassin parisien pendant les XVIIe et XVIIIe siècles. Au cours du XIXe, sa fréquence est élevée et stable (entre 6 et 7 %), mais son rang s'améliore, si bien qu'il devient le premier prénom masculin vers 1880 et jusqu'en 1907. La lenteur de son déclin donne à Louis une allure un peu classique : il prénomme encore 1 garçon sur 40 vers 1930 et c'est à peine s'il entre au purgatoire pendant quelques années.

Louis repart, d'abord à Paris et chez les cadres, nettement en tête dans les milieux BCBG, apprécié aussi dans le Nord et le Centre-Ouest, installé dans le top 20 national.

Son ancêtre **Clovis** n'émerge que très discrètement des fonts baptismaux. Plus visible est la présence du nouveau **Louis-Marie** et de l'ancien **Louison**, prénom mixte.

## Louise

| | |
|---|---|
| 1930-59 | DÉMODÉ |
| 1960-73 | DÉSUET |
| 1974-86 | PRÉCURSEUR |
| 1987-97 | DANS LE FLUX |
| DEPUIS 98 | PLUTÔT CONFORMISTE |

Fréquente dans le Bassin parisien dès le XVIe siècle, Louise est à son zénith dans la seconde moitié du XIXe, donnée à plus de 1 fille sur 30 et oscillant entre le deuxième et le quatrième rang. Son reflux s'amorce dès le début du XXe siècle, mais elle prénomme encore 1 fille sur 140 en 1930. Louise n'a pas été complètement oubliée durant sa période de purgatoire qui préludait à son nouveau départ, amorcé en milieu bourgeois, à Paris et dans les Pays de la Loire. Elle stagne aujourd'hui au niveau modeste de 1 fille sur 180.

**Louisette** a été rare dans les années 1930 (1 fille sur 500).

## Luc

| | |
|---|---|
| 1930-45 | PRÉCURSEUR |
| 1946-55 | DANS LE FLUX |
| 1956-67 | PLUTÔT CONFORMISTE |
| 1968-79 | EN REFLUX |
| DEPUIS 80 | RARE |

D'étymologie très claire (*lux*, «lumière»), Luc est un prénom d'usage ancien, mais confidentiel au XIXe siècle. Il a tiré parti du reflux de Lucien, mais il a aussi été à la remorque de Marc, autre évangéliste et autre prénom bref. Sa carrière a cependant été modeste et peu mouvementée, puisqu'il n'a même pas atteint le niveau de 1 garçon sur 200. En contrepartie, sa longévité est impressionnante; il ne paraît pas décidé à s'éteindre.

Luc a été plus répandu dans les couches aisées et moyennes qu'en milieu populaire. Il a aussi bien mieux réussi en se mariant à Jean.

# Lucas

| | |
|---|---|
| 1930-76 | EXCENTRIQUE |
| 1977-86 | PRÉCURSEUR |
| 1987-93 | PIONNIER |
| 1994-98 | DANS LE VENT |
| 1999-04 | CONFORMISTE |
| DEPUIS 05 | À LA TRAÎNE |

Forme ancienne de Luc en usage au Moyen Âge, Lucas est ensuite complètement oublié comme prénom (mais pas comme nom de famille).

Lors de son apparition, puis de son essor, son foyer se situe dans le Nord-Est et plus précisément en Alsace. La proximité du Lukas allemand, très en vogue aujourd'hui dans les pays germanophones, y est pour beaucoup. Mais Lucas a conquis tout l'Hexagone malgré une certaine réticence du Nord-Ouest. Grâce à l'appoint de ses variantes orthographiques, il a atteint le premier rang en 2001, à quasi-égalité avec Thomas.

La forme Lucas (qu'on retrouve en Espagne et au Portugal) est très majoritaire en France. Mais l'italien Luca a pris une certaine ampleur, surtout en Provence, bien sûr, mais aussi en Alsace où le Lukas allemand ne fait pas spécialement recette.

# Lucette

| | |
|---|---|
| 1930-35 | PLUTÔT CONFORMISTE |
| 1936-58 | EN REFLUX |
| 1959-68 | DÉSUET |
| DEPUIS 69 | EXCENTRIQUE |

Lucette entame dans les années 1910-15 une carrière typique d'un prénom mode tout en n'atteignant qu'un niveau modeste : à peine 1 fille sur 100 à son sommet en 1932. C'est dans le Sud-Ouest que Lucette a eu le plus de succès.

# Lucie

| | |
|---|---|
| 1930-45 | DÉMODÉ |
| 1946-55 | DÉSUET |
| 1956-65 | EXCENTRIQUE |
| 1966-75 | PRÉCURSEUR |
| 1976-83 | PIONNIER |
| 1984-97 | DANS LE VENT |
| 1998-04 | CONFORMISTE |
| DEPUIS 05 | À LA TRAÎNE |

Féminin de Luc plus traditionnel que Lucette ou Lucienne, ce prénom a été en vogue dans les dernières années du XIXe siècle. Il a été attribué alors à 1 fille sur 75. Après un temps de purgatoire assez court, Lucie revient, d'abord chez les cadres, puis dans tous les groupes sociaux, avec un accueil particulièrement favorable en milieu agricole. L'Ouest est sa première zone de prédilection. Lucie atteint un premier sommet en 1988 (1 fille sur 100); après un fléchissement, elle grandit de nouveau en 1997, entraînée peut-être par Lucas et prénomme alors 1 fille sur 90 en tenant compte des **Lucy**, ce qui l'amène dans le top 10. Aujourd'hui, Lucie décline et ne devrait plus être choisie que pour moins de 1 fille sur 140 en 2009.

# Lucien

| | |
|---|---|
| 1930-37 | À LA TRAÎNE |
| 1938-65 | DÉMODÉ |
| 1966-75 | DÉSUET |
| 1976-07 | EXCENTRIQUE |
| DEPUIS 08 | PRÉCURSEUR |

Ce dérivé de Luc a eu un parcours assez paisible au début du XXe siècle, prénommant 1 garçon sur 50 pendant une vingtaine d'années (1905-25). En 1930, Lucien est encore attribué à 1 nouveau-né sur 65. Aujourd'hui, il frémit à nouveau et pourrait renaître de ses cendres.

# Lucienne

| | |
|---|---|
| 1930-34 | À LA TRAÎNE |
| 1935-59 | DÉMODÉ |
| 1960-69 | DÉSUET |
| DEPUIS 70 | EXCENTRIQUE |

Lucienne s'élance quand Lucie culmine, au terme du XIXe siècle. Son apogée date des années 1910-24 pendant lesquelles elle prénomme 1 fille sur 50.

Son sommeil actuel, très profond, n'est nullement troublé par le bruit que font ses voisines Lucie et Lucile.

# Lucile

| | |
|---|---|
| 1930-70 | EXCENTRIQUE |
| 1971-80 | PRÉCURSEUR |
| 1981-87 | DANS LE FLUX |
| 1988-94 | PLUTÔT CONFORMISTE |
| DEPUIS 95 | EN REFLUX |

Encore un féminin de Luc, d'usage assez ancien mais qui reste confidentiel jusqu'aux années 1970.

Lucile, ou **Lucille**, naît dans le sillage de Lucie et culmine à un niveau moindre (1 fille sur 200). Lucile est trois fois plus fréquente que Lucille.

# Ludivine

| | |
|---|---|
| 1930-62 | EXCENTRIQUE |
| 1963-72 | PRÉCURSEUR |
| 1973-82 | DANS LE FLUX |
| 1983-89 | PLUTÔT CONFORMISTE |
| 1990-06 | DÉMODÉ |
| DEPUIS 07 | DÉSUET |

Ludivine pourrait passer pour une cousine de Louise, par analogie avec Ludovic. En fait, son étymologie est aussi germanique, mais différente : *liut*, « peuple » et *win*, « ami ».

Ludivine est le prénom de l'héroïne des *Gens de Mogador*, livre, et surtout feuilleton télévisé à succès, diffusé pour la première fois en 1972. Aussitôt naît ce prénom, hors d'usage auparavant.

Il est rarissime de pouvoir ainsi repérer l'événement qui a lancé un prénom, même si Ludovic lui a peut-être préparé le terrain. Ludivine apparaît en même temps en toutes régions et dans toutes les catégories sociales, mais se développe mieux en milieu populaire. Sa brusque poussée se tarit vite et Ludivine a plafonné quelque temps, mais son déclin est aujourd'hui consommé.

# Ludovic

| | |
|---|---|
| 1930-51 | EXCENTRIQUE |
| 1952-61 | PRÉCURSEUR |
| 1962-69 | PIONNIER |
| 1970-75 | DANS LE VENT |
| 1976-79 | CONFORMISTE |
| 1980-87 | À LA TRAÎNE |
| 1988-03 | DÉMODÉ |
| DEPUIS 04 | DÉSUET |

Cette forme ancienne de Louis, plus proche du Ludwig ou du Lodewijk flamand, a eu un succès plus rapide et plus marqué que Loïc. Ludovic est donné à 1 garçon sur 55 de 1976 à 1979, davantage en Normandie, Picardie et dans le Nord, ses régions de prédilection.

Plus encore que Cédric qu'il précède de peu, Ludovic a été un prénom de type populaire, bien mieux accueilli chez les ouvriers que chez les cadres.

Tandis que Ludovic se démodait, le germanique **Ludwig** gagnait un peu de terrain en France.

# Lydie

| | |
|---|---|
| 1930-57 | RARE |
| 1958-74 | CLASSIQUE |
| 1975-89 | RARE |
| 1990-99 | DÉSUET |
| DEPUIS 00 | EXCENTRIQUE |

Lydie est le nom grec d'une ancienne contrée d'Asie Mineure et fut aussi celui d'une sainte convertie par saint Paul.

Inconnu, ou presque, au XIXᵉ siècle, ce prénom est resté rare et a fait preuve d'une grande stabilité. Lydie est un peu plus fréquente de 1958 à 1974, atteignant tout juste le niveau minimum pour être classique (1 fille sur 300). Mais, chose singulière, ce prénom si constant n'a rien de bourgeois. Il a été choisi trois fois plus souvent par les ouvriers que par les cadres.

**Lydia**, présente depuis 1958, a été donnée au plus à 1 fille sur 400 de 1969 à 1972.

# Madeleine

Marie Madeleine ou Marie la Magdaléenne est la première à voir Jésus après sa résurrection. Elle est originaire de la ville de Magdala, en Palestine.

Ce prénom ancien, qui était très en faveur au XVIIIe siècle, au moins dans la moitié nord de la France, se retrouve encore dans les dix premiers au début du XIXe, avant de se tasser puis de repartir de plus belle vers 1890.

Madeleine atteint son sommet pendant la Première Guerre mondiale (la Madelon des poilus), figurant à la troisième place et choisie pour 1 fille sur 27. Elle prénomme encore 1 fille sur 50 en 1930. Sa réussite a été bien plus nette dans le Nord que dans le Sud.

La carrière de Madeleine est en principe trop récente pour qu'elle sorte de la disgrâce où elle est tombée.

Mais Sophie et Camille sont déjà revenues, Marguerite s'y prépare, alors pourquoi pas Madeleine, la plus discrète des petites filles modèles ? De fait, on la voit déjà renaître en milieu BCBG et ailleurs.

Quelques Madeline, forme anglaise, apparaissent.

Mais c'est surtout l'américaine Madison (nom de lieu) qui prend la route depuis peu.

# Maël

| | |
|---|---|
| 1930-84 | EXCENTRIQUE |
| 1985-94 | PRÉCURSEUR |
| 1995-06 | PIONNIER |
| DEPUIS 07 | DANS LE VENT |

Un vrai breton, d'origine celtique, signifiant «prince, chef». C'est naturellement en Bretagne qu'il a émergé, vers 1980, et qu'il prospère le mieux aujourd'hui (1 garçon sur 100). Son essor national se dessine depuis 1995 et s'affirme (1 garçon sur 130 en 2009).

# Maëlle

| | |
|---|---|
| 1930-78 | EXCENTRIQUE |
| 1979-88 | PRÉCURSEUR |
| DEPUIS 89 | PIONNIER |

Ce féminin de Maël ne serait pas accepté par les vrais bretonnants, qui préfèrent la forme Maëla. C'est pourtant bien en Bretagne que Maëlle est née, en même temps que son compagnon masculin. Elle aussi se lance dans une carrière nationale, avec presque autant de réussite encore que Maël (1 fille sur 200 en 2009).

# Maëlys

| | |
|---|---|
| 1930-84 | EXCENTRIQUE |
| 1985-94 | PRÉCURSEUR |
| 1995-03 | PIONNIER |
| 2004-06 | DANS LE VENT |
| DEPUIS 07 | CONFORMISTE |

Maëlys, qu'on écrit aussi parfois Maëliss, Maëlis ou Maëlyss, est née d'une fusion entre la bretonne Maëlle et le prénom Maylis, forme traditionnelle, ou Maïlys, «Marie au lys», originaire des Landes et bien vue dans les milieux chics.

La répartition géographique de Maëlys est moins contrastée que celle de ses mères : elle est tout de même appréciée en Bretagne, en Rhône-Alpes (à cause de sa finale en *is*) et encore peu connue dans le Nord-Est.

Une autre bretonnante issue de Marie, Maïwenn, commence à grandir et l'on voit émerger Maë.

# Maéva

| | |
|---|---|
| 1930-75 | EXCENTRIQUE |
| 1976-85 | PRÉCURSEUR |
| 1986-97 | PIONNIER |
| 1998-99 | DANS LE FLUX |
| DEPUIS 00 | PLUTÔT CONFORMISTE |

Maéva signifie «bienvenue» en tahitien. Bienvenue donc à ce prénom exotique, d'émergence récente, et qui a grandi vite depuis 1991, surtout dans les classes moyennes et populaires, les cadres étant réticents. Sa progression s'est ralentie aujourd'hui (1 fille sur 200). Prénom plutôt méridional pour l'instant, sa zone de force est en Aquitaine.

# Magali

| | |
|---|---|
| 1930-50 | EXCENTRIQUE |
| 1951-60 | PRÉCURSEUR |
| 1961-69 | PIONNIER |
| 1970-75 | DANS LE VENT |
| 1976-81 | CONFORMISTE |
| 1982-85 | À LA TRAÎNE |
| 1986-97 | DÉMODÉ |
| 1998-07 | DÉSUET |
| DEPUIS 08 | EXCENTRIQUE |

Ce prénom a été lancé (mais non créé, comme Mireille) par Mistral. Magali est une forme hébraïque de Marguerite, à moins qu'elle ne dérive de Magal, ancien surnom du travailleur rural dans le Sud-Est. En tout cas, ce prénom qui sent le soleil vient de Provence.

Son récent destin national a été éphémère mais honorable puisqu'il a été donné à 1 fille sur 70 pendant six ans, restant plus fréquent dans le Midi méditerranéen.

Magali s'est propagée également dans toutes les catégories sociales, à l'exception des cadres, qui l'ont moins volontiers choisie. Sa chute est très rapide.

Depuis quelque temps, on l'écrit aussi Magalie, variante qui a pris de l'ampleur.

# Mallaury

| | |
|---|---|
| 1930-82 | EXCENTRIQUE |
| 1983-92 | PRÉCURSEUR |
| 1993-05 | RARE |
| DEPUIS 06 | DÉSUET |

Une jeune actrice d'un feuilleton télévisé a imposé Mallaury comme forme dominante de ce prénom (presque totalement féminin) lors de sa percée soudaine et éphémère en 1993. On l'écrit aussi Mallaurie,

**Mallory**, **Malaury**, **Malorie**, **Malory** et **Malaurie,** forme la plus française. Il est vrai que ce prénom a deux origines possibles : soit française, «de malheur», qui renvoie au latin *malum augurium* ou bien à un dérivé de Laurent, soit irlandaise, d'un nom celtique signifiant «prince sage». Mallory est très rare (et masculin) dans les pays anglophones. En France naissent quelques garçons nommés Mallory ou Malory. Et le breton **Malo** est de moins en moins discret (déjà plus de 1 garçon sur 200 en Bretagne).

# Manon

| | |
|---|---|
| 1930-73 | EXCENTRIQUE |
| 1974-83 | PRÉCURSEUR |
| 1984-90 | PIONNIER |
| 1991-93 | DANS LE VENT |
| 1994-02 | CONFORMISTE |
| DEPUIS 03 | À LA TRAÎNE |

Généralement tenue pour un diminutif de Marianne ou Marie-Anne, Manon a fait une percée fulgurante dans toutes les catégories sociales, notamment les couches moyennes. Elle a atteint en 1995 et 1996 la première place des prénoms féminins, choisie pour 1 fille sur 43. Seuls les milieux les plus chics l'ont boudée.

Le succès de cette méridionale d'origine, partie de Provence et Languedoc, a pris sa source dans la réussite antérieure de Marion et la gloire de Pagnol. Sa *Manon des sources* (1952) n'eut pas d'impact immédiat, mais le nouveau film de Claude Berri, diffusé en 1986, a accompagné l'essor formidable du prénom. Manon a migré vers le Nord-Ouest, atteignant le premier rang en Picardie et en Normandie dans les années 1998-99.

# Marc

| | |
|---|---|
| 1930-51 | DANS LE FLUX |
| 1952-67 | CONFORMISTE |
| 1968-04 | EN REFLUX |
| DEPUIS 05 | DÉSUET |

Le Marcus romain dérive du nom de Mars, le dieu de la guerre. Malgré le patronage de l'évangéliste, Marc est un prénom plutôt discret dans les siècles passés. Au XXe siècle, il se comporte comme un prénom d'allure classique avec une montée très progressive. Nous ne le traitons pas comme un classique dans sa longue période conformiste parce qu'elle s'organise autour d'un sommet en 1958-59 (1 garçon sur 60).

L'essor de Marc a été un peu plus précoce dans la région Rhône-Alpes et c'est en Provence qu'il s'est le mieux épanoui. C'est un prénom de type bourgeois qui a eu un succès notable dans les milieux BCBG. Son reflux est particulièrement long et lent : il était récemment encore assez visible chez les cadres et en Alsace.

Il revit aujourd'hui avec l'avancée de l'ambitieux **Marc-Antoine**.

# Marcel

| | |
|---|---|
| 1930-46 | À LA TRAÎNE |
| 1947-67 | DÉMODÉ |
| 1968-77 | DÉSUET |
| 1978-08 | EXCENTRIQUE |
| DEPUIS 09 | PRÉCURSEUR |

Presque inconnu jusqu'alors, ce prénom dérivé de Marc perce à la fin du XIXᵉ siècle et s'installe dans le peloton de tête des prénoms masculins de 1900 à 1924. Pendant cet âge d'or, il est donné à 1 nouveau-né sur 22 et se situe au troisième ou quatrième rang.

Ses fiefs ont été la Basse-Normandie et les Pays de la Loire : c'est là qu'il a occupé longtemps la première place et qu'il s'est maintenu le plus durablement.

Marcel a été moins répandu de l'Aquitaine à la Provence.

Pendant longtemps symbole du prénom hors d'usage, Marcel commence tout juste à frémir. **Marceau**, jadis compagnon discret, est en train de renaître. Et le **Marco** italien en profite.

# Marcelle

| | |
|---|---|
| 1930-36 | À LA TRAÎNE |
| 1937-55 | DÉMODÉ |
| 1956-65 | DÉSUET |
| DEPUIS 66 | EXCENTRIQUE |

Marcelle naît à la fin du XIXᵉ siècle, dans le sillage de Marcel. Sans atteindre les mêmes sommets que lui, elle est tout de même donnée à plus de 1 fille sur 45 pendant vingt ans (1905-24), son sommet se situant entre 1915 et 1919 (1 fille sur 38). En 1930, son déclin est déjà bien entamé (1 fille sur 65). Un prénom que l'on ne reverra pas de sitôt, mais qui a engendré Céline, en attendant peut-être Marceline ou Marcelline.

# Margaux et Margot

| | |
|---|---|
| 1930-74 | EXCENTRIQUE |
| 1975-84 | PRÉCURSEUR |
| 1985-90 | PIONNIER |
| 1991-96 | DANS LE VENT |
| 1997-99 | CONFORMISTE |
| 2000-02 | À LA TRAÎNE |
| DEPUIS 03 | EN REFLUX |

Margot, diminutif ancien de Marguerite connu dès le Moyen Âge, cède le pas à la nouvelle Margaux (presque deux fois plus fréquente), orthographe choisie pour la petite-fille d'Hemingway en hommage au grand cru du Médoc. Nous additionnons bien sûr les deux formes. À noter que Margot regagne peu à peu du terrain sur Margaux.

Après un essor rapide, ce prénom a vite atteint son plafond : au mieux 1 fille sur 73 en 1999. Il aurait pu faire davantage s'il s'était mieux imposé en milieu populaire. La reine Margot n'y a pas suffi.

# Marguerite

| | |
|---|---|
| 1930-31 | À LA TRAÎNE |
| 1932-59 | DÉMODÉ |
| 1960-69 | DÉSUET |
| 1970-95 | EXCENTRIQUE |
| DEPUIS 96 | PRÉCURSEUR |

On attribue communément à Marguerite une origine perse : *margiritis*, «perle», mot adopté par les Grecs puis par les Romains, *margarita*. La martyre sainte Marguerite, si populaire depuis le Moyen Âge, a été rayée du calendrier romain en 1969. Mais il y a d'autres saintes pour patronner ce prénom au prestigieux passé. Depuis le XV{e} siècle, on le trouve régulièrement et un peu partout aux toutes premières places.

Marguerite s'épanouit dans les années 1890-1905, figurant au troisième rang (1 fille sur 25). Elle ne prénomme plus que 1 fille sur 100 en 1930 et son déclin est alors irrésistible, même s'il met du temps à arriver à son terme. On ne s'étonnerait pas du retour de Marguerite, toute ragaillardie par trente ans de purgatoire. Elle figure en assez bonne place en milieu BCBG.

# Marianne

**Marie-Anne** mais aussi Marianne furent courantes aux XVII$^e$ et XVIII$^e$ siècles, entraînées par Anne. Marianne s'est raréfiée depuis qu'elle a donné son nom à la représentation symbolique de la République, sans jamais disparaître tout à fait. Elle émerge tout doucement dans les années 1940 quand triomphent ses nouvelles sœurs en *iane*; restant discrète, elle dure. Sa cote est bien plus haute au Québec.

Quant à **Ariane**, elle frémit depuis vingt ans; mais c'est au Québec qu'elle décolle, propulsée au premier rang de 1998 à 2000.

# Marie

L'étymologie du plus grand des prénoms féminins à travers les siècles est évidemment hébraïque: *myriam*, «celle qui élève».

Il est difficile de dater avec précision les débuts de la prééminence de Marie, variables d'une région à l'autre. On peut tout de même dire que, depuis le XVII$^e$ siècle qui voit une forte poussée de dévotion mariale, Marie est le prénom féminin prédominant, celui que l'on trouve le plus souvent en tête, même sans tenir compte des Marie en composition, et cela jusqu'au début du XX$^e$ siècle: Marie tout court est encore donnée alors à 1 fille sur 10, mais son déclin s'amorce. Et voilà que Jeanne, sa rivale séculaire, la supplante à la première place vers 1915.

La chute de Marie se poursuit de manière spectaculaire: elle passe sous la barre de 1 % en 1940 et frôle le purgatoire dans les années 1960 (à peine 1 fille sur 500).

Son nouvel essor est rapide chez les cadres, où elle est un des prénoms les plus choisis depuis 1980, mais aussi parmi les professions intermédiaires et les agriculteurs. Marie reste aujourd'hui dans le peloton de tête des palmarès BCBG.

Mais le niveau qu'elle atteint au milieu des années 1990 (1 fille sur 55) suggère qu'elle a fini par s'attirer les bonnes grâces des ouvriers, chez qui elle fut longtemps beaucoup moins appréciée. Après avoir perdu en 1999 sa place de prénom féminin le plus porté en France, elle se tasse dans le top 20.

Parmi les dérivés de Marie, trop rares depuis 1930 pour avoir droit à une notice, il faut citer d'abord **Maria**, prénom en vogue dans les dernières années du XIXᵉ siècle (1 fille sur 50 de 1895 à 1900), qui se démode très vite (1 sur 500 en 1930) mais ne disparaît pas complètement.

**Marielle** n'est guère donnée à plus de 1 fille sur 1 000 dans les années 1960-80, tout comme **Mariette** dans les années 1900-1930. La forme anglaise **Mary** reste confidentielle.

# Marie-Christine

| | |
|---|---|
| 1930-41 | PRÉCURSEUR |
| 1942-49 | PIONNIER |
| 1950-54 | DANS LE VENT |
| 1955-61 | CONFORMISTE |
| 1962-67 | À LA TRAÎNE |
| 1968-77 | DÉMODÉ |
| 1978-87 | DÉSUET |
| DEPUIS 88 | EXCENTRIQUE |

Le succès de Christine a entraîné celui, un peu plus tardif, de Marie-Christine, la dernière Marie-quelque chose à avoir atteint un niveau relativement élevé.

Elle prénomme 1 fille sur 70 à la fin des années 1950, sa carrière semblant reproduire celle de Marie-Claude avec dix ans de décalage. Mais Marie-Christine a un profil plus bourgeois que cette dernière.

C'est le prénom le plus long qui ait eu un certain succès depuis plus d'un demi-siècle. On peut, bien sûr, faire mieux, par exemple avec **Marie-Dominique**, connue, mais rare, dans les années 1950 et 1960, ou **Marie-Caroline**, qui fut en faveur, à la même époque, dans les milieux BCBG.

# Marie-Claire

| | |
|---|---|
| 1930-39 | DANS LE FLUX |
| 1940-50 | PLUTÔT CONFORMISTE |
| 1951-78 | EN REFLUX |
| 1979-93 | DÉSUET |
| DEPUIS 94 | EXCENTRIQUE |

Marie-Claire a emprunté à Claire son calme, sa discrétion, son allure classique et son profil bourgeois.

Née dans les années 1930, elle n'a pas été choisie pour plus de 1 fille sur 200 dans les années 1940.

Elle ne s'est retirée que très doucement et n'est complètement absente que depuis quelques années.

# Marie-Claude

| | |
|---|---|
| 1930-39 | PIONNIER |
| 1940-44 | DANS LE VENT |
| 1945-51 | CONFORMISTE |
| 1952-57 | À LA TRAÎNE |
| 1958-70 | DÉMODÉ |
| 1971-80 | DÉSUET |
| DEPUIS 81 | EXCENTRIQUE |

Apparue comme Marie-Claire au début des années 1930, Marie-Claude est loin d'avoir connu la fortune de Jean-Claude. Mais, comparée aux autres composés de Marie, sa réussite est honorable.

À son sommet, Marie-Claude prénomme 1 fille sur 70 pendant six ans; elle se démode assez vite.

Marie-Claude a fait mieux que sa contemporaine Marie-France (si l'on isole cette dernière de Marie-Françoise), mais elle a été nettement moins chic.

# Marie-France et Marie-Françoise

| | |
|---|---|
| 1930-39 | PIONNIER |
| 1940-44 | DANS LE VENT |
| 1945-50 | CONFORMISTE |
| 1951-59 | À LA TRAÎNE |
| 1960-72 | DÉMODÉ |
| 1973-82 | DÉSUET |
| DEPUIS 83 | EXCENTRIQUE |

Assimiler Marie-France et Marie-Françoise est une opération discutable. Marie-Françoise est un prénom ancien qui progresse très doucement dans les années 1930, tandis que Marie-France surgit en 1940 et s'envole sous la période de l'Occupation.

Cependant, toutes deux culminent au même moment, prénommant à elles deux 1 fille sur 60 (Marie-France est alors deux fois plus fréquente que Marie-Françoise).

Ajoutons que les deux prénoms ont été souvent utilisés par leurs porteuses de manière interchangeable.

On notera le très vif succès que rencontre Marie-France dans les milieux BCBG au début des années 1940 : elle est alors en tête du palmarès du *Bottin mondain*. Elle y apparaît un peu avant la guerre, ce qui suggère que le patriotisme n'est pas la seule cause de son envol, même s'il a pu l'amplifier.

# Marie-Hélène

1930-35 PRÉCURSEUR
1936-54 DANS LE FLUX
1955-63 PLUTÔT CONFORMISTE
1964-74 EN REFLUX
1975-84 DÉSUET
DEPUIS 85 EXCENTRIQUE

Un prénom d'allure classique, du moins par la lenteur de son essor, qui a été attribué à 1 fille sur 170 pendant neuf ans.

Il a emprunté à Hélène un profil plutôt bourgeois, mais non sa longévité. Ayant presque disparu aujourd'hui, il se perpétue dans deux dérivés que nous examinons ici.

**Mylène**, forme contractée de Marie-Hélène, a émergé timidement dans les années 1960, atteignant, dans les années 1980, le niveau de 1 fille sur 300. La forme **Milène** est plus rare.

**Marlène**, qui peut venir aussi de **Marie-Madeleine** (Maria-Magdalena en allemand), a longtemps oscillé autour du seuil de 1 sur 1 000. Elle se décide à venir au jour vers 1978, restant en retrait sur Mylène (moins de 1 fille sur 400), et tend à disparaître aujourd'hui.

# Marie-José

| | |
|---|---|
| 1930-45 | DANS LE FLUX |
| 1946-55 | CONFORMISTE |
| 1956-74 | EN REFLUX |
| 1975-84 | DÉSUET |
| DEPUIS 85 | EXCENTRIQUE |

**Marie-Joseph** ou **Marie-Josèphe** étaient connues dans les siècles précédents, et même fréquentes à certaines périodes.

On en trouve, en petit nombre, dans les années 1930 et 1940. Mais c'est la toute nouvelle Marie-José ou **Marie-Josée** qui perce alors, dans la marée montante des prénoms composés, et qui va s'imposer, sans toutefois prénommer plus de 1 fille sur 100 pendant une dizaine d'années.

# Marie-Laure

| | |
|---|---|
| 1930-36 | EXCENTRIQUE |
| 1937-46 | PRÉCURSEUR |
| 1947-59 | DANS LE FLUX |
| 1960-74 | CLASSIQUE |
| 1975-87 | EN REFLUX |
| 1988-97 | DÉSUET |
| DEPUIS 98 | EXCENTRIQUE |

Le petit dernier des composés de Marie à avoir eu une certaine importance. Son apparition, puis son succès modeste mais durable sont surprenants puisque, à l'époque, Laure était dans les limbes.

Marie-Laure est choisie pour plus de 1 fille sur 300 pendant quinze ans, juste ce qu'il faut pour être considérée comme classique, puis se maintient longtemps au niveau de 1 fille sur 400. Elle a été beaucoup moins discrète en milieu bourgeois et BCBG.

Alors que Marie-Laure était, depuis plus de vingt ans, le composé de Marie le plus fréquent (ou plutôt le moins rare), elle a été dépassée en 1991 par la nouvelle et chic **Marie-Charlotte**, puis par **Marie-Amélie** mais surtout par **Marie-Lou**.

# Marie-Louise

| | |
|---|---|
| 1930-35 | À LA TRAÎNE |
| 1936-59 | DÉMODÉ |
| 1960-69 | DÉSUET |
| DEPUIS 70 | EXCENTRIQUE |

Est-ce en souvenir de l'impératrice ou en raison du succès de Louise ? Marie-Louise est très répandue au XIXe siècle, et c'est de loin le plus fréquent des composés de Marie. De 1890 à 1915, elle dépasse Louise et se situe au troisième ou quatrième rang (plus de 1 fille sur 30).

Au début des années 1930, Marie-Louise ne prénomme plus que 1 fille sur 80 et son recul rapide contraste avec l'ascension de ses consœurs issues de Marie. Depuis une quinzaine d'années, on trouve surtout des **Marie-Lou**, **Marylou** ou **Marilou** (1 fille sur 500 en 2008).

# Marie-Noëlle

| | |
|---|---|
| 1930-40 | EXCENTRIQUE |
| 1941-73 | RARE |
| DEPUIS 74 | EXCENTRIQUE |

Marie-Noëlle a fait mieux que Jean-Noël et que Noëlle. Sa carrière a pourtant été modeste, puisqu'elle n'a pas dépassé le niveau de 1 fille sur 350 dans les années 1950. Elle a été moins discrète en milieu bourgeois.

# Marie-Odile voir Odile

# Marie-Paule

| | |
|---|---|
| 1930-34 | PRÉCURSEUR |
| 1935-46 | DANS LE FLUX |
| 1947-53 | PLUTÔT CONFORMISTE |
| 1954-71 | EN REFLUX |
| 1972-81 | DÉSUET |
| DEPUIS 82 | EXCENTRIQUE |

C'est au moment où Paule tombe en disgrâce que surgit la nouvelle Marie-Paule, tirant profit de la vague des prénoms composés qui enfle considérablement dans le courant des années 1930. Mais Marie-Paule ne produit qu'une vaguelette : elle ne dépasse pas le niveau de 1 fille sur 200 à son sommet, en 1950, faisant donc, trente ans après, plutôt moins bien que Paule.

# Marie-Pierre

| | |
|---|---|
| 1930-35 | EXCENTRIQUE |
| 1936-45 | PRÉCURSEUR |
| 1946-59 | DANS LE FLUX |
| 1960-68 | CONFORMISTE |
| 1969-78 | EN REFLUX |
| 1979-88 | DÉSUET |
| DEPUIS 89 | EXCENTRIQUE |

L'assemblage de ces deux grands prénoms fournit un cas rarissime, voire unique, d'utilisation récente d'un prénom masculin pour un prénom composé féminin.

Marie-Pierre succède à Marie-Paule et sa carrière est identique : elle obtient exactement le même score à son sommet (1 fille sur 200).

Si Marie-Pierre était une innovation, la figure inverse, **Pierre-Marie**, donne un prénom masculin traditionnel, toujours confidentiel, mais moins rare aujourd'hui que Marie-Pierre.

# Marie-Thérèse

| | |
|---|---|
| 1930-39 | CONFORMISTE |
| 1940-52 | À LA TRAÎNE |
| 1953-69 | DÉMODÉ |
| 1970-79 | DÉSUET |
| DEPUIS 80 | EXCENTRIQUE |

Comme Thérèse, Marie-Thérèse est loin d'être un prénom nouveau. Mais elle progresse depuis le début du XXe siècle et culmine dans les années 1930 à un niveau supérieur à celui de Thérèse : plus de 1 fille sur 45 pendant ses dix ans de conformisme.

Elle décline dans les années 1940, tout en restant le composé de Marie le plus répandu. C'est le prénom composé féminin le plus porté aujourd'hui.

Il faut signaler la fortune exceptionnelle de Marie-Thérèse en Bretagne où elle est hyperconformiste (plus de 5 %) et premier prénom de 1934 à 1940. Le diminutif **Maïté** n'a été déclaré que rarement à l'état civil.

# Marina

| | |
|---|---|
| 1930-47 | EXCENTRIQUE |
| 1948-84 | RARE |
| 1985-89 | DANS LE FLUX |
| 1990-93 | PLUTÔT CONFORMISTE |
| 1994-02 | EN REFLUX |
| 2003-06 | DÉMODÉ |
| DEPUIS 07 | DÉSUET |

Cette forme internationale de Marine marinait de longue date en France, dépassant de très peu le seuil de 1 fille sur 1 000. C'est évidemment la marée montante de Marine qui a entraîné son réveil, l'amenant au niveau de 1 fille sur 200. Elle a été plus appréciée en milieu populaire et au mieux de sa forme en Aquitaine. **Marinette** a toujours été rarissime et le reste.

# Marine

| | |
|---|---|
| 1930-63 | EXCENTRIQUE |
| 1964-73 | PRÉCURSEUR |
| 1974-85 | PIONNIER |
| 1986-90 | DANS LE VENT |
| 1991-93 | CONFORMISTE |
| 1994-01 | À LA TRAÎNE |
| DEPUIS 02 | DÉMODÉ |

Marine vient-elle de Marie ou de la mer, étant alors le féminin de Marin, du latin *marinus*? Son usage est si rare dans le passé que Marine est quasi une nouveauté quand elle apparaît dans les années 1970. Sa progression, d'abord timide, s'amplifie si bien qu'elle dépasse Marion, partie avant elle, et finit par s'installer, en 1991 et 1992, au premier rang des prénoms féminins, détrônant Élodie (plus de 1 fille sur 45).

La vague des Marine a déferlé en toutes régions, mais avec plus de force sur l'Ouest, et sur tous les groupes sociaux, les cadres étant un peu en retrait. On l'écrit quelquefois **Maryne**.

Le masculin **Marin**, apparu dans son sillage, est encore discret, mais progresse.

# Marion

| | |
|---|---|
| 1930-60 | EXCENTRIQUE |
| 1961-70 | PRÉCURSEUR |
| 1971-83 | PIONNIER |
| 1984-88 | DANS LE VENT |
| 1989-92 | CONFORMISTE |
| 1993-98 | À LA TRAÎNE |
| 1999-04 | DÉMODÉ |
| DEPUIS 05 | EN REFLUX |

Dérivé très ancien de Marie, Marion vient du Sud-Est : c'est en Languedoc, Provence et Rhône-Alpes qu'elle a fait ses premières conquêtes, avant de prospérer dans le Centre-Ouest et le Sud-Ouest, et de terminer sa carrière dans le Nord-Ouest.

Émergeant un peu avant Marine, Marion a eu, elle aussi, des premiers pas assez discrets. Mais sa croissance s'accélère à partir de 1980, date où elle atteint le niveau de 1 % chez les cadres. Elle est en tête dans cette catégorie de 1985 à 1989. On peut croire alors qu'elle va faire de même sur l'ensemble de la population ; mais elle tarde trop à s'imposer chez les ouvriers : ils ne l'adoptent que quand elle se tasse ailleurs. Marion a été choisie pour 1 fille sur 55 à son sommet.

# Marius

| | |
|---|---|
| 1930-40 | EN REFLUX |
| 1941-49 | DÉMODÉ |
| 1950-88 | EXCENTRIQUE |
| 1989-98 | PRÉCURSEUR |
| DEPUIS 99 | PIONNIER |

Après Fanny et Manon, voici le retour de Marius qui s'annonce. Pagnol ne l'a pas inventé. C'est bien en Provence, et surtout dans les Bouches-du-Rhône, que ce nom romain s'implante dans la seconde moitié du XIXᵉ siècle. Marius culmine dans les années 1890-1910, à un niveau modeste sur l'ensemble de la France (1 garçon sur 100 au mieux), mais il est dans les tout premiers à Marseille et dans ses environs. Lorsque paraît le livre de Pagnol *Marius*, en 1929, c'est donc un prénom très plausible pour un jeune homme.

Vient le déclin, puis l'éclipse à partir des années 1940 et 1950. C'est le moment où Marius et Olive, deux fadas, sont l'objet d'histoires drôles pour enfants.

Pourquoi Marius revient-il aujourd'hui en Basse-Normandie ? Est-ce en raison du caractère innovateur de cette région ou bien par une filière viking puisque Marius fut récemment un des premiers prénoms en Norvège ?

L'italien **Mario** est en train de profiter de cette avancée.

# Marjorie

| | |
|---|---|
| 1930-71 | EXCENTRIQUE |
| 1972-77 | DANS LE FLUX |
| 1978-91 | PLUTÔT CONFORMISTE |
| 1992-98 | EN REFLUX |
| 1999-08 | DÉSUET |
| DEPUIS 09 | EXCENTRIQUE |

Ce dérivé de Marguerite, à la mode américaine, après un bon départ dans les années 1970, a vite plafonné : un peu plus de 1 fille sur 300 au niveau national et bien davantage en Midi-Pyrénées.

Quelques **Marjolaine** aromatiques l'ont accompagnée dans son parcours.

# Marlène voir Marie-Hélène

# Marthe

| | |
|---|---|
| 1930-50 | DÉMODÉ |
| 1951-60 | DÉSUET |
| DEPUIS 61 | EXCENTRIQUE |

Sainte Marthe est traditionnellement représentée en maîtresse de maison, ce qui correspond à l'étymologie araméenne de son nom, *marta*. L'âge d'or de Marthe se situe dans les années 1890-1915 : elle prénomme alors près de 1 fille sur 60. En 1930, elle n'est plus donnée qu'à 1 fille sur 200, mais elle se démode moins vite que **Berthe**, au même niveau qu'elle à la fin du XIXe siècle.

Le retour de Marthe n'est pas en vue, mais possible.

# Martin

| | |
|---|---|
| 1930-75 | EXCENTRIQUE |
| 1976-85 | PRÉCURSEUR |
| 1986-96 | PIONNIER |
| DEPUIS 97 | DANS LE FLUX |

Martin vient du latin *martinus* qui se rattache au dieu Mars. Il est omniprésent en France : c'est le plus répandu des noms de famille et des noms de lieu sous l'influence de saint Martin, le plus célèbre évangélisateur de la Gaule. En revanche, il n'a jamais été en vedette comme prénom.

Sans être inexistant, Martin végète depuis le début du xxe siècle et son premier essor est assez lent. Mais il a tout pour plaire aujourd'hui, et, après avoir si longtemps rongé son frein, il commence à s'élancer, d'abord chez les cadres et dans les professions intermédiaires, avec une préférence pour les Pays de la Loire et le Nord.

**Martial**, autre descendant de Mars, reste, au contraire, d'une placidité remarquable depuis un siècle.

# Martine

| | |
|---|---|
| 1930-36 | PRÉCURSEUR |
| 1937-45 | PIONNIER |
| 1946-50 | DANS LE VENT |
| 1951-56 | HYPERCONFORMISTE |
| 1957-58 | CONFORMISTE |
| 1959-66 | À LA TRAÎNE |
| 1967-77 | DÉMODÉ |
| 1978-87 | DÉSUET |
| DEPUIS 88 | EXCENTRIQUE |

Ce féminin de Martin ne semble pas avoir été en usage avant le xxe siècle. Il a été le grand prénom féminin des années 1950. Apparu à la fin des années 1930, son essor est impressionnant dans l'après-guerre. Martine se hisse très vite à la première place, qu'elle occupe de 1950 à 1958, prénommant plus de 1 fille sur 20 pendant six ans et jusqu'à 1 sur 18 en 1954.

Cette prééminence se retrouve à un moment ou à un autre dans toutes les catégories sociales, sauf chez les cadres, où son succès est plus modeste. Ce sont les professions indépendantes (commerçants, artisans) qui font le meilleur accueil à Martine, l'adoptant vite et la choisissant pour 1 fille sur 15 de 1950 à 1957.

# Marvin

| | |
|---|---|
| 1930-80 | EXCENTRIQUE |
| 1981-90 | PRÉCURSEUR |
| 1991-02 | RARE |
| DEPUIS 03 | EXCENTRIQUE |

Il suffit de changer une lettre pour passer de l'ancien Martin au tout neuf Marvin, prononcé à l'anglaise, donc d'allure bien différente. De lointaine origine galloise (Merfin, nom d'un roi), ce prénom a fait une carrière assez modeste aux États-Unis dans la première moitié du xxe siècle. C'est sans doute Kevin qui a déclenché un intérêt éphémère de certains parents français pour Marvin (écrit parfois **Marvyn**).

# Maryline

| | |
|---|---|
| 1930-35 | EXCENTRIQUE |
| 1936-45 | PRÉCURSEUR |
| 1946-55 | DANS LE FLUX |
| 1956-61 | PLUTÔT CONFORMISTE |
| 1962-93 | EN REFLUX |
| 1994-03 | DÉSUET |
| DEPUIS 04 | EXCENTRIQUE |

Curieuse carrière que celle de ce prénom aux orthographes variées : Maryline domine aux côtés de **Marilyne** mais on supprime quelquefois leur e final. (Il faut compter aussi avec les quelques **Marie-Line**.)
Ce prénom est au plus haut en 1958-59, au niveau modeste de 1 fille sur 150. C'est aussi le moment où Marilyn Monroe atteint la gloire. Mais pourquoi fléchit-il un peu avant la mort de la célèbre actrice (1962) ? Est-ce en hommage à sa mémoire qu'il tarde tant à décliner ?
Ce prénom a été apprécié chez les employés et les ouvriers.
**Marylène** a été à peu près contemporaine, mais encore moins répandue.

# Maryse

| | |
|---|---|
| 1930-44 | PIONNIER |
| 1945-49 | DANS LE VENT |
| 1950-57 | CONFORMISTE |
| 1958-60 | À LA TRAÎNE |
| 1961-75 | DÉMODÉ |
| 1976-85 | DÉSUET |
| DEPUIS 86 | EXCENTRIQUE |

Liée à Marie, à coup sûr, et peut-être contraction de Marie-Louise, Maryse, inconnue jusqu'alors, naît à la fin des années 1920, quand Marie-Louise décline, piétine assez longtemps et ne prénomme guère plus de 1 fille sur 100 pendant ses huit ans de période conformiste.
Cette moyenne nationale cache le succès bien plus net de Maryse dans

ses terres de prédilection du Sud-Ouest (Aquitaine, Midi-Pyrénées, Limousin) et sa diffusion inégale sur l'ensemble du territoire : elle est rare en Île-de-France et presque inexistante en Alsace.

Très bien accueillie chez les agriculteurs, Maryse est moins prisée chez les cadres.

# Maryvonne

| | |
|---|---|
| 1930-33 | PRÉCURSEUR |
| 1934-45 | DANS LE FLUX |
| 1946-53 | PLUTÔT CONFORMISTE |
| 1954-63 | EN REFLUX |
| 1964-73 | DÉSUET |
| DEPUIS 74 | EXCENTRIQUE |

Cette combinaison de Marie et Yvonne a été un prénom de l'Ouest. Elle s'est implantée en Picardie, Normandie, Pays de la Loire et surtout, comme tout ce qui vient d'Yves, en Bretagne, où elle a été donnée jusqu'à 1 fille sur 50. Dans l'ensemble de l'Hexagone, sa carrière, entamée quand Yvonne se démode, est bien plus modeste : elle n'est pas choisie pour plus de 1 fille sur 200 de 1946 à 1953.

# Mathias et Matthias

| | |
|---|---|
| 1930-66 | EXCENTRIQUE |
| 1967-76 | PRÉCURSEUR |
| 1977-96 | RARE |
| DEPUIS 97 | DANS LE FLUX |

Nom de l'apôtre qui remplaça Judas, Mathias (ou Matthias) a été un prénom royal en Hongrie. Cette autre forme de Mathieu eut du succès surtout dans les pays germaniques.

En usage confidentiel en France au début du XXe siècle, ce prénom réapparut dans le sillage de Mathieu. Il ne dépassa guère le seuil de 1 garçon sur 300, faisant mieux dans le Sud. L'arrivée de Mathis et de Mathéo l'a stimulé.

# Mathieu et Matthieu

| | |
|---|---|
| 1930-57 | EXCENTRIQUE |
| 1958-67 | PRÉCURSEUR |
| 1968-77 | PIONNIER |
| 1978-83 | DANS LE VENT |
| 1984-90 | CONFORMISTE |
| 1991-02 | À LA TRAÎNE |
| DEPUIS 03 | DÉMODÉ |

L'hébreu *mattathïah* signifie «don de Dieu». On écrivait plus communément Matthieu pour désigner l'apôtre évangéliste, mais l'orthographe Mathieu est deux fois plus fréquente depuis que ce très ancien prénom a réapparu. Les deux *t* se sont maintenus en milieu bourgeois.

Très répandu chez les cadres dès 1976, Matthieu garde leur faveur lorsqu'il culmine au niveau de 1 garçon sur 40. Il eût pu briguer la première place s'il s'était mieux imposé en milieu populaire et s'il n'avait été parasité par son frère jumeau Thomas.

# Mathilde

| | |
|---|---|
| 1930-40 | DÉSUET |
| 1941-64 | EXCENTRIQUE |
| 1965-74 | PRÉCURSEUR |
| 1975-88 | PIONNIER |
| 1989-94 | DANS LE VENT |
| 1995-00 | CONFORMISTE |
| 2001-03 | À LA TRAÎNE |
| DEPUIS 04 | EN REFLUX |

Mathilde n'est pas la sœur de Mathieu ; son étymologie est germanique : *maht*, «puissance» et *hild*, «combat».

Mathilde est revenue ! Et sa nouvelle carrière la conduit bien plus haut qu'à l'aube du siècle dernier, quand elle prénommait 1 fille sur 160.

Dans le peloton de tête des prénoms BCBG depuis 1980, Mathilde se complaît longtemps en milieu bourgeois ; d'où la lenteur de ses débuts. Elle s'approche des places d'honneur (1 fille sur 70 en 1996) en se répandant dans les couches moyennes. Il lui aurait fallu mieux investir le monde ouvrier pour atteindre les tout premiers rangs.

La forme **Mathilda** est toute récente en France.

# Mathis

| | |
|---|---|
| 1930-85 | EXCENTRIQUE |
| 1986-94 | PRÉCURSEUR |
| 1995-99 | PIONNIER |
| 2000-02 | DANS LE VENT |
| DEPUIS 03 | CONFORMISTE |

Mathis est la forme prédominante de ce prénom masculin tout neuf que l'on doit sans doute rattacher à Mathieu et Mathias. Mais on trouve aussi des **Matthis**, **Mathys**, **Matis**, **Matisse**, **Mattis**, et autres graphies plus fantaisistes toujours présentes aujourd'hui. Sa poussée, très vive, l'a rapidement amené dans le peloton de tête et devrait prénommer plus de 1 garçon sur 40 en 2009. Les Bretons l'ont adopté précocement.

# Mathéo et Matteo

1930-86 EXCENTRIQUE
1987-96 PRÉCURSEUR
1997-00 PIONNIER
2001-02 DANS LE VENT
DEPUIS 03 CONFORMISTE

La vague anglo-américaine a amené quelques **Matthew,** mais le **Mateo** espagnol et plus encore le Matteo italien profitent beaucoup mieux du déclin de Mathieu. Contribuent à cette percée la mode italienne, la vogue de la terminaison en *o* et aussi le triomphe de Théo. En témoigne l'apparition de Mathéo qui est désormais l'orthographe prédominante, même si Matteo est encore très présent. Le *h* de ce Mathéo rappelle Mathieu et fait écho à Théo. La croissance de ce prénom aux trois formes a été si fulgurante qu'il a tout récemment atteint par deux fois la 1$^{re}$ place du palmarès et devrait prénommer 1 garçon sur 40 en 2009.

# Maud

1930-62 EXCENTRIQUE
1963-72 PRÉCURSEUR
1973-83 DANS LE FLUX
1984-89 PLUTÔT CONFORMISTE
1990-03 EN REFLUX
DEPUIS 04 DÉSUET

Comme la très rare **Mahaut**, Maud est un dérivé ancien de Mathilde. Il y a eu quelques Maud dans les années 1940 et 1950, mais on doit attendre les années 1970 pour la voir sortir de sa nuit.

Comme sa sœur jumelle Aude, Maud se développe d'abord en milieu bourgeois. Elle s'est démocratisée quand elle a plafonné à un niveau modeste (1 fille sur 250).

On l'écrit désormais **Maude** une fois sur quatre. Cette orthographe a été massivement adoptée par les Québécois, experts en francisation.

# Maureen

| | |
|---|---|
| 1930-84 | EXCENTRIQUE |
| 1985-94 | PRÉCURSEUR |
| 1995-04 | RARE |
| DEPUIS 05 | DÉSUET |

La vogue celtisante, combinée au flux anglo-saxon, amène en France cette forme irlandaise de Marie, dont la percée est soudaine mais éphémère après un petit pic en 1997 (1 fille sur 400). Contrairement à ce qui se passe pour Laurine, la forme **Maurine**, que nous ajoutons, est minoritaire.
On a aussi vu naître quelques **Maurane**.

# Maurice

| | |
|---|---|
| 1930-47 | À LA TRAÎNE |
| 1948-64 | DÉMODÉ |
| 1965-74 | DÉSUET |
| DEPUIS 75 | EXCENTRIQUE |

Maurice, à travers le Mauritius latin, dérive du grec *mauros*, qui signifie «sombre, foncé», d'où le nom donné aux Maures.
La grande période de Maurice, en ascension depuis 1880, date des années 1910-25 pendant lesquelles il prénomme 1 garçon sur 33. Il est encore donné à 1 garçon sur 40 jusqu'en 1935.
Sa répartition géographique n'était pas uniforme. C'est dans les régions Centre et Bourgogne – et à un moindre degré en Haute-Normandie, Île-de-France et dans les Pays de la Loire – qu'il s'est le mieux implanté, alors que sa diffusion a été tardive dans le Midi et médiocre en Alsace.
La carrière de Maurice est trop récente pour qu'on le voie resurgir sous peu. Mais il reviendra.

# Mauricette

| | |
|---|---|
| 1930-39 | PLUTÔT CONFORMISTE |
| 1940-56 | EN REFLUX |
| 1957-66 | DÉSUET |
| DEPUIS 67 | EXCENTRIQUE |

La mode de la terminaison en *ette* a fait naître cette féminisation de Maurice au moment du triomphe de ce dernier.
Mauricette n'a connu qu'une petite vogue dans les années 1930 (1 fille sur 160) qui a touché surtout la moitié nord de la France (Picardie et Nord-Pas-de-Calais en particulier).

# Maxence

| | |
|---|---|
| 1930-74 | EXCENTRIQUE |
| 1975-84 | PRÉCURSEUR |
| 1985-95 | PIONNIER |
| DEPUIS 96 | DANS LE FLUX |

Ce prénom pourrait être féminin par sa sonorité et en raison d'une sainte Maxence légendaire. Mais c'est aussi un nom d'empereur romain (Maxentius) et il est presque exclusivement masculin depuis sa récente émergence dans le sillage de Maxime. Connu d'abord en milieu BCBG, Maxence s'est complètement démocratisé. Il a d'abord conquis l'extrême nord de la France.

# Maxime

| | |
|---|---|
| 1930-42 | DÉSUET |
| 1943-61 | EXCENTRIQUE |
| 1962-71 | PRÉCURSEUR |
| 1972-84 | PIONNIER |
| 1985-90 | DANS LE VENT |
| 1991-97 | CONFORMISTE |
| 1998-05 | À LA TRAÎNE |
| DEPUIS 06 | DÉMODÉ |

Maxime est «le plus grand» par son étymologie latine. Rare et déclinant doucement depuis le début du XXᵉ siècle, Maxime s'éclipse au début des années 1930 sans disparaître complètement. Il revient, quarante ans plus tard, timidement d'abord, puis avec force, donné à 1 garçon sur 40 à son sommet en 1992-93. Prénom de l'Ouest, Maxime a été à son maximum en Basse-Normandie et dans les Pays de la Loire, se déplaçant ensuite vers le Centre et la Bourgogne.

Il a redonné vie à Maximilien et surtout à Maxence, sans oublier le petit Max, plutôt à la hausse.

Maxime a été le premier prénom chez les Québécois francophones de 1989 à 1991.

# Mégane

| | |
|---|---|
| 1930-79 | EXCENTRIQUE |
| 1980-89 | PRÉCURSEUR |
| 1990-92 | PIONNIER |
| EN 1993 | DANS LE VENT |
| 1994-95 | CONFORMISTE |
| 1996-01 | DÉMODÉ |
| DEPUIS 02 | DÉSUET |

Megan, écrit aussi Meghan, est un diminutif gallois de Margaret, la Marguerite anglaise. Il connaît un succès notable dans les pays anglophones depuis une dizaine d'années, alors que le diminutif ancien Meggie ou Meggy est démodé. L'hésitation sur son orthographe et surtout les difficultés avec l'état civil ont gêné ses premiers pas en

France. Mais Mégane, forme française qui s'est imposée, malgré quelques **Megan** ou **Meghane**, a fait une percée fulgurante, comme on n'en avait pas vu depuis longtemps.

Le lancement de la voiture du même nom a stoppé net ce bel élan au niveau de 1 fille sur 110, provoquant même un incroyable effondrement. Au Québec, où la marque Renault est quasi inconnue, Mégane triomphe.

# Mélanie

| | |
|---|---|
| 1930-61 | EXCENTRIQUE |
| 1962-71 | PRÉCURSEUR |
| 1972-78 | PIONNIER |
| 1979-85 | DANS LE VENT |
| 1986-94 | CONFORMISTE |
| 1995-98 | À LA TRAÎNE |
| 1999-04 | DÉMODÉ |
| DEPUIS 05 | DÉSUET |

Si l'étymologie avait quelque pouvoir, les Mélanie devraient être plutôt brunes (du grec *melas*, «noir»).

En usage, sans être bien fréquente, au XIXe siècle, Mélanie était retombée dans la plus noire des nuits quand elle réapparut dans les années 1970. Au terme d'une ascension régulière, elle a atteint le peloton de tête des prénoms féminins, attribuée à près de 1 fille sur 50. Elle fait mine alors de décliner (de 1988 à 1992), puis rebondit, avant de fléchir à nouveau.

Mélanie s'est répartie assez également dans les divers milieux, malgré un moindre enthousiasme chez les cadres. Son succès a été plus précoce dans l'Ouest.

# Mélissa

| | |
|---|---|
| 1930-70 | EXCENTRIQUE |
| 1971-80 | PRÉCURSEUR |
| 1981-89 | DANS LE FLUX |
| 1990-98 | PLUTÔT CONFORMISTE |
| DEPUIS 99 | EN REFLUX |

Ce prénom, naguère en vogue aux États-Unis, a progressé vite depuis son apparition en France. La chanson à succès de Julien Clerc (1984), reflet de cette faveur croissante, a pu aussi l'amplifier.

C'est surtout en milieu ouvrier que l'industrieuse Mélissa – «abeille» en grec – a logé sa ruche (plus de 1 fille sur 120). Elle réussit moins nettement dans les couches moyennes, et moins encore chez les cadres.

Mélissa, qui a entraîné **Mélinda** et surtout **Mélina**, en plein essor, de même étymologie mielleuse, pourrait redonner vie à l'ancienne **Mélisande** et faire naître la légendaire **Mélusine**. A déjà percé la toute neuve **Méline**, qui prénomme déjà plus de 1 fille sur 200 en 2009.

# Mélodie

| | |
|---|---|
| 1930-74 | EXCENTRIQUE |
| 1975-84 | PRÉCURSEUR |
| 1985-89 | DANS LE FLUX |
| 1990-92 | PLUTÔT CONFORMISTE |
| 1993-04 | EN REFLUX |
| DEPUIS 05 | DÉMODÉ |

C'est le triomphe d'Élodie combiné à la percée de Mélissa, plus que la chanson de Gainsbourg, qui a fait naître en France ce prénom connu aux États-Unis. D'où vient qu'on l'écrit aussi **Mélody**. Additionnées, ces deux formes ont été données à près de 1 fille sur 200, les cadres étant les moins sensibles à leur musique.

**Harmonie**, parfois avec un *y*, est bien plus rare (moins de 1 fille sur 10 000) et ne s'enrichit guère.

# Melvin

| | |
|---|---|
| 1930-85 | EXCENTRIQUE |
| 1986-95 | PRÉCURSEUR |
| DEPUIS 96 | PIONNIER |

Melvin peut être rattaché à Melville (ou Melvil) – nom de lieu d'origine française, mais devenu prénom en Grande-Bretagne –, ou à Melvina, variante de **Malvina**, prénom féminin anglais forgé au XVIIIe siècle. L'arrivée de Melvin (ou **Melvyn**) en France est récente, mais prometteuse.

# Michaël et Mickaël

| | |
|---|---|
| 1930-55 | EXCENTRIQUE |
| 1956-65 | PRÉCURSEUR |
| 1966-71 | PIONNIER |
| 1972-77 | DANS LE VENT |
| 1978-87 | CONFORMISTE |
| 1988-93 | À LA TRAÎNE |
| 1994-05 | DÉMODÉ |
| DEPUIS 06 | DÉSUET |

Michaël – de l'hébreu *mika'el*, «semblable à Dieu» –, est une forme archaïque de Michel, mais c'est surtout Michel en anglais. L'orthographe Mickaël (deux fois et demie plus fréquente) s'est imposée en France, probablement pour éviter un doute sur sa prononciation. On trouve aussi des Mikaël et même des Mike. Relayant Michel à bout de souffle, Michaël et ses variantes ont démarré et grandi vite, et se sont maintenus pendant dix ans à un niveau élevé : 1 garçon sur 35.

Populaire dès l'origine, ce prénom a obtenu ses meilleurs scores chez les ouvriers, ses plus médiocres chez les cadres.

# Michel

| | |
|---|---|
| 1930-32 | DANS LE VENT |
| 1933-35 | CONFORMISTE |
| 1936-54 | HYPERCONFORMISTE |
| 1955-56 | CONFORMISTE |
| 1957-68 | À LA TRAÎNE |
| 1969-93 | DÉMODÉ |
| 1994-03 | DÉSUET |
| DEPUIS 04 | EXCENTRIQUE |

Michel s'est imposé de longue date en France aux dépens de l'archaïque Michaël, plus proche de l'hébreu. Sa fréquence comme patronyme témoigne d'un usage ancien. De fait, la dévotion à l'archange, chef des légions célestes, s'observe dès la seconde moitié du XIVe siècle. La Saint-Michel, le 29 septembre, était une date clé dans la société rurale : on y renouvelait les baux de fermage et de métayage.

Au début du XIXe siècle, Michel est attribué à 1 garçon sur 100. Mais rien ne laissait présager sa formidable carrière au XXe. Son ascension est irrésistible dans les années 1920-30 et le propulse vers des sommets jamais atteints depuis : plus de 7 % pendant dix ans de 1940 à 1949, ce qui signifie qu'un homme sur 14 né en France, dans les années 1940, s'appelle Michel. Il est, bien sûr, le premier prénom, et cela pendant dix-huit ans, de 1938 à 1955.

On le trouve à profusion dans tous les groupes sociaux, avec des décalages dans le temps : près de 1 garçon sur 11 chez les cadres en 1942-43, chez les employés en 1944-45, chez les agriculteurs en 1948-49. Il reste le premier prénom en milieu agricole jusqu'au début des années 1960. On n'en finirait pas d'énumérer les succès de Michel, inégalés depuis lors. Et ces scores seraient plus élevés encore si sa diffusion avait été simultanée dans les diverses régions.

Michel se développe précocement et massivement en Haute-Normandie, Picardie, Champagne et Poitou-Charentes : dans ces régions, il est à son apogée à la fin des années 1930 au niveau impressionnant de 1 garçon sur 11. Sa diffusion est plus tardive au sud d'une ligne Bordeaux-Genève, ainsi qu'en Bretagne et plus encore en Alsace, où Michel végète encore au début des années 1940.

# Michèle et Michelle

| | |
|---|---|
| 1930-35 | PIONNIER |
| 1936-41 | DANS LE VENT |
| 1942-49 | CONFORMISTE |
| 1950-62 | À LA TRAÎNE |
| 1963-75 | DÉMODÉ |
| 1976-85 | DÉSUET |
| DEPUIS 86 | EXCENTRIQUE |

Contrairement à ce qui s'est passé pour Danielle, l'orthographe Michèle l'a emporté nettement sur Michelle.

Cette féminisation moderne de Michel, émergeant dans les années 1920, n'a pas connu une réussite aussi formidable que le prénom masculin. Elle a tout de même été choisie pour près de 1 fille sur 25 pendant huit ans, et davantage à son sommet, en 1945-46. Mais elle n'a pu dépasser sa contemporaine Danielle et s'imposer au premier rang.

Sa diffusion géographique a été plus uniforme et simultanée que celle de Michel. Tout au plus peut-on relever le retard, assez banal, de l'Alsace et de la Bretagne, ainsi qu'une prime en Île-de-France et dans la région Rhône-Alpes.

De même, la diffusion sociale de Michèle a été normale, malgré un succès amoindri en milieu BCBG.

# Micheline

| | |
|---|---|
| 1930-35 | CONFORMISTE |
| 1936-45 | À LA TRAÎNE |
| 1946-56 | DÉMODÉ |
| 1957-64 | DÉSUET |
| DEPUIS 65 | EXCENTRIQUE |

C'est au début de notre période, dans les années 1930-35, que Micheline est au faîte de sa carrière, prénommant 1 fille sur 60. Score honorable, mais modeste si on le compare à ceux qu'obtiennent au même moment Jacqueline et Jeannine.

C'est que Micheline n'a pas su s'épanouir également dans toute la France. Sa zone de force s'étend du Poitou au Nord (Picardie et Île-de-France notamment). La venue de Michèle a accéléré sa chute, provoquée aussi, peut-être, par l'apparition sur les rails des michelines, nommées ainsi en raison des pneus Michelin qui les équipaient.

# Mireille

| | |
|---|---|
| 1930-41 | DANS LE FLUX |
| 1942-51 | CONFORMISTE |
| 1952-61 | À LA TRAÎNE |
| 1962-74 | DÉMODÉ |
| 1975-84 | DÉSUET |
| DEPUIS 85 | EXCENTRIQUE |

Le seul prénom dont on connaisse la date exacte de naissance. Son inventeur, Mistral, fut le parrain de la première Mireille baptisée en 1861, la faisant passer pour une forme provençale de Marie ou Myriam.

Comme c'est le cas pour les prénoms régionaux, quand ils se diffusent hors de leur terre d'origine, sa progression est lente et sa période conformiste étale : plus de 1 fille sur 100 pendant dix ans, avec une petite pointe à 1 sur 70 en 1948.

Pourquoi Mireille a-t-elle voulu quitter sa Provence natale pour entrer dans le cycle de la mode qui la vouait à disparaître ?

Suivons-la dans son périple. Elle se promène un peu en Languedoc, mais son véritable objectif est la capitale. Elle essaime dans les terres qu'elle traverse – vallée du Rhône, région du Centre – et n'ira guère au-delà de Paris, étant rare dans le Nord-Ouest. Et Mireille n'a pas rompu avec sa région d'origine, où elle reste trois fois plus fréquente qu'ailleurs dans les années 1940.

# Monique

| | |
|---|---|
| 1930-34 | DANS LE VENT |
| 1935-37 | CONFORMISTE |
| 1938-42 | HYPERCONFORMISTE |
| 1943-45 | CONFORMISTE |
| 1946-60 | À LA TRAÎNE |
| 1961-71 | DÉMODÉ |
| 1972-81 | DÉSUET |
| DEPUIS 82 | EXCENTRIQUE |

L'ambition de Monique, prénom nouveau au XXe siècle, découle de son étymologie grecque : être unique. Non pas unique au monde, loin s'en faut, mais seule en tête. Et c'est bien ce qu'elle réalise, occupant la première place des prénoms féminins de 1936 à 1943. Pendant six années, son choix est hyperconformiste (plus de 1 fille sur 20), l'apogée se situant vers 1939.

Monique a culminé en milieu bourgeois dès les années 1930-35, et plus tôt encore dans les milieux les plus chics, tandis qu'elle se maintient au premier rang chez les agriculteurs jusqu'en 1953.

Elle s'est diffusée partout, mais a connu une réussite plus précoce et presque insolente en région parisienne, y prénommant jusqu'à 1 fille sur 12 dans les années 1936-40. Ses autres terres de prédilection sont situées dans la moitié nord : Franche-Comté, Bourgogne, Champagne-Ardenne, Lorraine, Centre et Haute-Normandie.

La petite **Mona** grandit.

# Morgan

| | |
|---|---|
| 1930-65 | EXCENTRIQUE |
| 1966-75 | PRÉCURSEUR |
| 1976-86 | DANS LE FLUX |
| 1987-93 | PLUTÔT CONFORMISTE |
| 1994-05 | EN REFLUX |
| DEPUIS 06 | DÉSUET |

L'origine est certainement celtique. Mais Morgan vient-il du gallois ancien *mawr*, «grand» et *can*, «brillant», ou du breton *mor*, «mer» et *gan*, «fait de naître»? Le prononce-t-on Morgan ou Morgane? Est-il porté par son allure américaine (la banque), par une pensée pour Michèle ou plutôt par sa lointaine origine celtique, comme le prouveraient ses débuts précoces en Bretagne?

Trop d'équivoques peut-être autour de ce prénom qui a stagné au niveau de 1 garçon sur 270, loin derrière Morgane chez les filles, avec qui il ne cohabite pas : chassé de Bretagne, il s'est réfugié dans le Nord et en Haute-Normandie.

Aux États-Unis, Morgan est mixte, mais de plus en plus féminin.

# Morgane

| | |
|---|---|
| 1930-62 | EXCENTRIQUE |
| 1963-72 | PRÉCURSEUR |
| 1973-87 | PIONNIER |
| 1988-91 | DANS LE VENT |
| 1992-98 | CONFORMISTE |
| 1999-02 | À LA TRAÎNE |
| DEPUIS 03 | DÉMODÉ |

Ce sont les Bretons qui ressuscitent, vers 1970, donc avant le masculin Morgan, ce vieux prénom celtique (la fée, sœur du roi Arthur) qu'ils donnent, dès 1980, à 1 de leurs filles sur 60. Morgane est alors bien discrète hors de sa terre d'origine. Les bretonnants purs et durs écrivent Morgan pour une fille. Ce prénom a gagné du terrain un peu partout, surtout en Alsace et Lorraine, et dans tous les groupes sociaux, notamment les ouvriers. Agriculteurs et cadres ont été un peu en retrait. Morgane prénomme, avec constance, 1 fille sur 100, portée à la fois par sa touche archaïque et son allure anglo-américaine.

Elle a été rare là où Morgan au masculin est bien implanté (Picardie et Nord).

# Muriel

| | |
|---|---|
| 1930-36 | EXCENTRIQUE |
| 1937-46 | PRÉCURSEUR |
| 1947-58 | PIONNIER |
| 1959-62 | DANS LE VENT |
| 1963-67 | CONFORMISTE |
| 1968-73 | À LA TRAÎNE |
| 1974-85 | DÉMODÉ |
| 1986-95 | DÉSUET |
| DEPUIS 96 | EXCENTRIQUE |

Disparu depuis des siècles, ce prénom d'origine gaélique – *muirgheal*, «mer brillante» – et dépourvu de sainte patronne apparaît dans les années 1940. Ses premiers pas sont timides, et Muriel (écrit parfois Murielle) ne prénomme guère plus de 1 fille sur 75 lorsqu'elle culmine.

Ce prénom de niveau moyen a été un peu plus fréquent dans les couches sociales moyennes, un peu moins parmi les cadres et les agriculteurs.

Tout en se distribuant sur l'ensemble du territoire, Muriel a préféré le soleil (Languedoc et Provence). Malgré ses lointaines origines, elle s'est moins bien acclimatée en Bretagne et en Normandie.

Sa forme phonétique anglaise, **Méryl**, a tenté de percer en France.

# Mylène voir Marie-Hélène

# Myriam

1930-42 PRÉCURSEUR
1943-65 DANS LE FLUX
1966-71 PLUTÔT CONFORMISTE
DEPUIS 72 EN REFLUX

Cette forme hébraïque de Marie émerge en France, très discrètement, pendant l'occupation allemande, et reste discrète sur l'ensemble de sa carrière : elle n'est choisie que pour 1 fille sur 120 pendant ses meilleures années.

Ce prénom s'est assez également réparti dans les catégories socioprofessionnelles (avec une petite prime pour les commerçants), sauf chez les cadres, où il a moins fait recette. On peut noter son succès plus marqué en Alsace et en Lorraine, mais aussi dans le Sud-Ouest.

La lenteur de son reflux s'explique par le fait que Myriam ou **Mériem**, étant aussi une forme arabe de Marie, est souvent choisie par les parents d'origine maghrébine.

# Nadège

Nadège vient du russe *nadejda*, qui signifie «espérance». Ce prénom slave, qui fait son apparition en France dans les années 1950, végète pendant une quinzaine d'années avant de prendre son essor. Essor modeste, puisque Nadège ne prénomme pas plus de 1 fille sur 150 lors de ses meilleures années (1978-79).

Ce prénom de type populaire a été choisi trois fois plus souvent par les ouvriers que par les cadres.

# Nadia

Nadia, diminutif de Nadège, en amplifie les caractéristiques. Elle est encore plus stable, oscillant faiblement autour du niveau de 1 fille sur 180 durant dix-sept ans. Cette permanence n'est pas celle d'un prénom bourgeois, bien au contraire. Nadia a une clientèle plus populaire que celle de Nadège, étant surtout appréciée en milieu ouvrier.

Comme Sonia, autre prénom slave, Nadia est fréquemment choisie par des parents d'origine maghrébine. Il est vrai que c'est aussi un prénom arabe, qui signifie «généreuse».

# Nadine

| | |
|---|---|
| 1930-35 | PRÉCURSEUR |
| 1936-48 | PIONNIER |
| 1949-58 | DANS LE VENT |
| 1959-63 | CONFORMISTE |
| 1964-68 | À LA TRAÎNE |
| 1969-81 | DÉMODÉ |
| 1982-91 | DÉSUET |
| DEPUIS 92 | EXCENTRIQUE |

On peut rattacher Nadine à Nadège, mais avec autant de vraisemblance à Bernadette, qu'elle paraît relayer. Son essor est d'ailleurs un peu antérieur à celui de Nadège ou de Nadia et sa carrière moins stable.

Au terme d'une lente progression, Nadine culmine en prénommant plus de 1 fille sur 60. Mais son recul est assez rapide.

Nadine a été un prénom de type plutôt populaire, assez peu répandu chez les cadres, mais bien accueilli – comme Bernadette au terme de sa carrière – par les agriculteurs, qui ont tardé à adopter Nadège et ont franchement boudé Nadia.

# Natacha

| | |
|---|---|
| 1930-66 | EXCENTRIQUE |
| 1967-96 | RARE |
| DEPUIS 97 | EXCENTRIQUE |

Née dans le sillage de Nathalie dont elle est une des formes russes, Natacha n'est pas arrivée à s'imposer. Après un bon départ, elle piétine depuis 1972, oscillant autour d'un niveau un peu inférieur à 1 fille sur 300, et s'apprête à disparaître.

# Nathalie

| | |
|---|---|
| 1930-44 | EXCENTRIQUE |
| 1945-54 | PRÉCURSEUR |
| 1955-61 | PIONNIER |
| 1962-63 | DANS LE VENT |
| 1964-71 | HYPERCONFORMISTE |
| 1972-73 | CONFORMISTE |
| 1974-83 | À LA TRAÎNE |
| 1984-93 | DÉMODÉ |
| 1994-03 | DÉSUET |
| DEPUIS 04 | EXCENTRIQUE |

Nathalie est une autre forme de Noëlle, plus proche de l'étymologie latine *natalis*, qui renvoie à la naissance du Christ. Nathalie est en usage en France dès le XIXᵉ siècle, mais de manière confidentielle. L'explosion se produit au début des années 1960. Jamais on n'avait vu un prénom monter aussi vite et aussi haut à la fois. Trois années lui suffisent pour passer de 1 % à 6 %. La percée de Nathalie Wood dans *West Side Story* (1961) et la chanson au succès immense de Gilbert Bécaud (1964) expliquent-elles cet incroyable engouement? Rien n'est moins sûr, d'autant qu'en 1964 Nathalie est déjà dans la zone de l'hyperconformisme.

Toujours est-il que Nathalie, au premier rang de 1965 à 1972, atteint un niveau record, sans précédent pour les prénoms féminins depuis Marie au tout début du XXᵉ siècle: plus de 1 fille sur 13 de 1966 à 1968.

Elle est naturellement, à un moment ou à un autre, en tête dans tous les milieux, y compris chez les cadres en 1964-65 (entre Catherine et Isabelle) et chez les agriculteurs en 1968-69 (entre Sylvie et Isabelle). Sa prééminence est plus nette et plus durable dans les autres catégories sociales, notamment chez les professions intermédiaires, où elle est choisie pour 1 fille sur 12 en 1965-66, le niveau record étant atteint parmi les employés avec 1 fille sur 11 de 1966 à 1969. Reverra-t-on à l'avenir pareil triomphe?

Nathalie est aujourd'hui le premier prénom féminin le plus porté en France devant Monique.

# Nathan

| | |
|---|---|
| 1930-79 | EXCENTRIQUE |
| 1980-89 | PRÉCURSEUR |
| 1990-96 | PIONNIER |
| 1997-02 | DANS LE VENT |
| DEPUIS 03 | CONFORMISTE |

L'hébreu *nathane* signifie «il a donné». Ce nom d'un prophète de la Bible est en usage de longue date comme prénom dans les pays anglophones. En France, son émergence est récente. Sa poussée a été très forte sur tout le territoire. Nathan s'est d'abord bien implanté dans le Centre-Ouest, puis a gagné l'Est rapidement. Il s'impose aujourd'hui à la 4ᵉ place du palmarès masculin et devrait prénommer près de 1 garçon sur 50 en 2009.

Il ne faut pas le prendre pour un diminutif de Nathanaël, alias Barthélemy, nom d'un des douze apôtres, qui est de moins en moins discret.

# Nelly

| | |
|---|---|
| 1930-41 | DANS LE FLUX |
| 1942-58 | CLASSIQUE |
| 1959-91 | EN REFLUX |
| 1992-01 | DÉSUET |
| DEPUIS 02 | EXCENTRIQUE |

Nelly a emprunté à Hélène, dont elle est le diminutif anglais, sa régularité et sa persévérance.

Elle atteint tout juste, de 1942 à 1958, le score autorisant à la traiter comme classique (1 fille sur 300) et se maintient longtemps à un niveau un peu inférieur.

# Nicolas

| | |
|---|---|
| 1930-47 | EXCENTRIQUE |
| 1948-57 | PRÉCURSEUR |
| 1958-69 | PIONNIER |
| 1970-75 | DANS LE VENT |
| 1976-79 | CONFORMISTE |
| 1980-81 | HYPERCONFORMISTE |
| 1982-96 | CONFORMISTE |
| 1997-02 | À LA TRAÎNE |
| DEPUIS 03 | DÉMODÉ |

Victorieux par son étymologie grecque – *nikê*, « victoire » et *laios*, « peuple » –, Nicolas récolte des trophées dans la compétition des prénoms. Nicolas a été un des saints les plus populaires à la fin du Moyen Âge, et l'on trouve souvent ce prénom parmi les tout premiers aux XVIIe et XVIIIe siècles, dans la moitié nord de la France. Il recule pendant le XIXe et devient très rare, sans être complètement inexistant, jusqu'en 1957. Le petit Nicolas des années 1960 grandit tellement dans la décennie suivante qu'il occupe la première place des prénoms masculins en 1980-81 (donné à 1 garçon sur 19), s'imposant dans tous les milieux.

De 1974 à 1978, Nicolas a été en tête chez les cadres, qui lui sont restés fidèles lors de son tassement (on n'ose écrire déclin). Se stabilisant au niveau de 1 garçon sur 40, Nicolas figure toujours aux places d'honneur et finit par revenir au premier rang en 1995, quinze ans après son apogée, talonné, il est vrai, par Alexandre. La durée de son succès a été peu commune.

Au loin, on voit poindre **Colin**, moins rare cependant que **Colas**. Et les formes scandinaves **Nils** et **Niels** ne sont pas négligeables.

**Nelson**, présent discrètement depuis plus de vingt ans, est le fils de l'irlandais **Neil** et non pas de Nicolas.

# Nicole

| | |
|---|---|
| 1930-32 | PIONNIER |
| 1933-40 | DANS LE VENT |
| 1941-48 | CONFORMISTE |
| 1949-60 | À LA TRAÎNE |
| 1961-71 | DÉMODÉ |
| 1972-81 | DÉSUET |
| DEPUIS 82 | EXCENTRIQUE |

Ce féminin de Nicolas n'est guère en usage avant le XXe siècle. Partie après Monique, dans les années 1920, Nicole court derrière sa rivale sans jamais la rattraper, malgré son essor spectaculaire des années 1930.

Elle n'est, au mieux, que deuxième prénom en 1940-41, reléguée ensuite au troisième rang par le triomphe de Danielle. Nicole est pourtant choisie pour 1 fille sur 25 durant sa période conformiste.

Son succès est précoce et éclatant en Île-de-France (elle y est hyperconformiste de 1935 à 1945) ainsi qu'en Champagne et Picardie. Dans cette dernière région, comme en Basse-Normandie, Nicole parvient à prendre la tête au début des années 1940, ayant ainsi l'occasion rare de faire la nique à Monique.

C'est aussi le cas en Midi-Pyrénées, où Nicole s'épanouit tardivement.

# Nina

| | |
|---|---|
| 1930-78 | EXCENTRIQUE |
| 1979-88 | PRÉCURSEUR |
| 1989-98 | PIONNIER |
| DEPUIS 99 | DANS LE FLUX |

Ni Nina ni **Ninon** ne sont des prénoms d'usage traditionnel en France, malgré l'écrivain Ninon de Lenclos (1620-1705), Anne de son vrai prénom. Nina a surtout été en usage dans les pays de langues slaves comme diminutif de prénoms féminins variés (Anne ou Jeanne). Mais le rapport avec Christine ou Christiane est plus étroit, en raison de la sainte Nina du IVe siècle, fêtée le 14 janvier, mais aussi le 15 décembre sous le nom de Ninon, et rebaptisée Christiane dans le martyrologe romain.

Ninon grandit dans le sillage de Nina, et une toute petite **Nine** se dessine. Le masculin **Nino** en profite.

# Noah

| | |
|---|---|
| 1930-90 | EXCENTRIQUE |
| 1991-00 | PRÉCURSEUR |
| 2001-02 | PIONNIER |
| 2003-04 | DANS LE VENT |
| DEPUIS 05 | CONFORMISTE |

Le tennisman n'avait rien déclenché, aurait-il plus d'impact en chanteur ? Le lancement d'un parfum nommé **Noa** a pu jouer : du coup, la forme Noa, minoritaire mais grandissante, est mixte alors que Noah est très majoritairement masculin. Cette percée suit celle de Noé, dont Noah est la forme anglaise. Mais la poussée de Noah a été plus vive : à la 5ᵉ place du palmarès, il prénomme près de 1 garçon sur 50 en 2009.

# Noé

| | |
|---|---|
| 1930-88 | EXCENTRIQUE |
| 1989-98 | PRÉCURSEUR |
| DEPUIS 99 | PIONNIER |

Noé vient de l'hébreu *noah*, de signification incertaine, peut-être «repos». C'est le nom d'un personnage de la Bible, célèbre pour avoir sauvé les espèces animales du déluge, inventeur aussi du vin. Longtemps négligé, malgré quelques naissances entre 1900 et 1920, Noé a décidé de sortir de son arche, aidé en cela par la vogue des prénoms courts à voyelles, comme Zoé.

# Noël

| | |
|---|---|
| 1930-70 | RARE |
| DEPUIS 71 | EXCENTRIQUE |

En usage dès le Moyen Âge, en raison sans doute du tabou durable qui frappe Jésus comme prénom (du moins en France), Noël n'a pas connu la fortune de Pascal. C'est un prénom constant dans la rareté (1 garçon sur 400 de la fin du XIXᵉ siècle jusqu'en 1955).

Son composé **Jean-Noël** n'a pas eu plus de succès (1 sur 500 de 1948 à 1974).

# Noëlle

1930-70  RARE
DEPUIS 71  EXCENTRIQUE

Féminisation moderne de Noël, Noëlle a été encore moins répandue que son homologue masculin ou que Marie-Noëlle : au mieux 1 fille sur 400 de 1946 à 1953. De rares **Noëlie**, **Noëllie** ou **Noëline** font leur apparition.

# Noémie

1930-68  EXCENTRIQUE
1969-78  PRÉCURSEUR
1979-94  DANS LE FLUX
DEPUIS 95  PLUTÔT CONFORMISTE

Noémie est un prénom biblique, de l'hébreu *naomie*, «agréable, gracieuse». Sous la forme Naomi il fut adopté au XVIIe siècle par les puritains en Grande-Bretagne puis dans le Nouveau Monde. En France, l'absence de sainte patronne en fit un prénom d'usage assez rare au XIXe siècle. Après un envol prometteur, Noémie marque le pas de 1985 à 1993 (1 fille sur 200) et semble avoir atteint un nouveau palier : 1 fille sur 160, mais davantage dans le Centre-Ouest. La forme anglaise **Naomi** s'implante en France et se naturalise en **Naomie**.

# Nolwenn

1930-82  EXCENTRIQUE
1983-91  PRÉCURSEUR
1992-03  PIONNIER
2004-06  DÉMODÉ
DEPUIS 07  DÉSUET

Nom d'une sainte bretonne légendaire, breton aussi par son étymologie celtique *noal*, nom de lieu, et *gwenn*, «blanc, heureux», Nolwenn (la forme Nolwen est très minoritaire) est en usage dans sa région d'origine depuis une trentaine d'années. Il s'y était renforcé au cours des années 1990 (alors attribué à plus de 1 fille sur 100 en Bretagne) en même temps qu'il entamait une carrière nationale. Depuis, la Star Academy lui a fait du tort, et Nolwenn disparaît avant d'avoir eu le temps de se lancer.

## Océane

On voyait frémir, depuis quelque temps, ce prénom tout neuf, fruit du triomphe de Marine et du retour de la terminaison en *ane*.

Comme nous l'avions prévu, Océane a submergé les digues. Sa marée montante a été impressionnante, surtout en milieu populaire, et loin de l'Atlantique, dans le Nord-Est. Présente brièvement dans le top 20, Océane (rarement Océanne) n'a pas visé les tout premiers rangs. Son reflux est consommé.

## Odette

Inconnue ou presque jusqu'alors, cette nouvelle forme d'Odile surgit dans les dernières années du XIXᵉ siècle et culmine dans les années 1923-29, où elle est choisie pour 1 fille sur 40. Son déclin, entamé en 1930, est singulièrement rapide, encore qu'Odette se maintienne bien jusqu'en 1940 dans certaines régions : Midi-Pyrénées, Auvergne, Limousin et Basse-Normandie.

# Odile

| | |
|---|---|
| 1930-39 | DANS LE FLUX |
| 1940-58 | CLASSIQUE |
| 1959-73 | EN REFLUX |
| 1974-83 | DÉSUET |
| DEPUIS 84 | EXCENTRIQUE |

On retrouve la racine germanique *od* signifiant «richesse, patrimoine» aussi bien dans Odin, divinité germanique, que dans le nom de sainte Odile, patronne légendaire de l'Alsace.

Odile est un prénom bien plus ancien qu'Odette, même si elle paraît lui succéder au XXᵉ siècle. Elle n'a pas eu la même réussite qu'Odette : son parcours est autrement tranquille, mais il est aussi très original.

Odile est longue à se décider à quitter l'Alsace – où elle est fréquente jusque dans les années 1930 – pour se lancer dans une carrière nationale.

Sur l'ensemble du territoire, Odile ne prénomme que 1 fille sur 150 pendant près de vingt ans. Elle s'épanouit alors non plus en Alsace, où elle se raréfie, mais dans les terres catholiques de l'Ouest, dans les Pays de la Loire et surtout en Bretagne (1 fille sur 80).

Ce prénom d'allure classique a été très apprécié en milieu bourgeois, et il a joui d'une faveur toute particulière chez les agriculteurs, qui l'ont choisi cinq fois plus souvent que les ouvriers.

Le composé **Marie-Odile** n'a pas été négligeable, en milieu bourgeois, dans les années 1940 et 1950.

# Olivia

| | |
|---|---|
| 1930-67 | EXCENTRIQUE |
| DEPUIS 68 | RARE |

C'est la vogue d'Olivier qui a fait surgir son féminin italien et international. Auparavant, le féminin français était Olive. Après un départ assez prometteur, Olivia végète, n'étant pas attribuée à 1 fille sur 500. Mais sa constance est notable. Et son succès chez les bourgeois britanniques peut donner des idées.

# Olivier

| | |
|---|---|
| 1930-38 | EXCENTRIQUE |
| 1939-48 | PRÉCURSEUR |
| 1949-60 | PIONNIER |
| 1961-68 | DANS LE VENT |
| 1969-74 | CONFORMISTE |
| 1975-86 | À LA TRAÎNE |
| 1987-02 | DÉMODÉ |
| DEPUIS 03 | DÉSUET |

Olivier pourrait simplement venir du nom de l'arbre. Mais une source scandinave *olafr*, «ancêtre», ou germanique est envisageable.

Ce prénom ancien, comme en témoigne *La Chanson de Roland*, était resté très discret jusque dans les années 1950. Quand il culmine en 1971, Olivier est attribué à plus de 1 nouveau-né sur 30, atteignant le cinquième rang.

Peu répandu chez les ouvriers et tardif chez les agriculteurs, c'est un prénom de type bourgeois. Les cadres l'ont adopté dès le début des années 1950 (il est alors en vedette dans le palmarès BCBG) et en ont fait leur premier prénom de 1967 à 1970 (plus de 1 garçon sur 20). Mieux encore, ils lui sont restés nettement plus fidèles que les autres lors de son déclin.

En revanche, la diffusion régionale d'Olivier a été assez uniforme.

# Ophélie

| | |
|---|---|
| 1930-68 | EXCENTRIQUE |
| 1969-78 | PRÉCURSEUR |
| 1979-93 | PIONNIER |
| EN 1994 | DANS LE VENT |
| 1995-96 | CONFORMISTE |
| 1997-06 | DÉMODÉ |
| DEPUIS 07 | DÉSUET |

Par son étymologie grecque, Ophélie est «secourable». Ce prénom shakespearien, inconnu auparavant en France et très rare même dans les pays anglophones, a été porté par une crue soudaine.

Partie en même temps que Noémie, Ophélie est restée longtemps en retrait sur sa compagne. Mais elle l'a dépassée en 1994, prospérant surtout en milieu populaire et en Champagne-Ardenne, Picardie et dans le Nord. Après une brusque poussée (plus de 1 fille sur 100 en 1995 et 1996), la chute est encore plus brutale. La grande visibilité d'Ophélie Winter est certainement la cause d'un tel effondrement.

Quelques Ophélia lui tiennent compagnie.

# Oriane et Auriane

1930-79 EXCENTRIQUE
1980-89 PRÉCURSEUR
DEPUIS 89 RARE

Il paraît légitime de rattacher Auriane et Oriane à l'ancien prénom **Aure**, qui doit lui-même avoir quelque rapport avec Aurore ou Aurélie. Oriane est aujourd'hui plus fréquente (et moins chic) qu'Auriane. Il faut aussi compter avec **Orianne**.

L'ordre alphabétique nous incline à citer ici **Orlane**, d'émergence récente. Orlane est une autre forme de Rolande, *via* le Orlando italien. Une autre origine possible serait Orla, prénom irlandais.

# Pascal

Comme Noël ou Tiphaine, Pascal est un de ces noms évoquant une grande fête chrétienne qui apparaissent au XIIe siècle. Mais son usage comme prénom était assez confidentiel jusqu'aux années 1950. Durant sa période conformiste, Pascal a été le deuxième prénom masculin, derrière Philippe, et a été donné à près de 1 garçon sur 20 lors de sa meilleure année (1962).

Le parcours de ce prénom typiquement mode ne présente pas de particularité notable, sinon que les cadres n'eurent que peu d'avance dans son choix et l'adoptèrent un peu moins volontiers. Pascal a dépassé 6 % (1 garçon sur 16) chez les professions intermédiaires en 1961 et chez les employés en 1962.

Il faut noter que son implantation a été plus tardive et médiocre dans le Midi, de l'Aquitaine à la Provence.

# Pascale

Prénom moderne, inusité dans le passé, Pascale culmine en même temps que Pascal sans atteindre les mêmes sommets : elle est choisie pour 1 fille sur 45 durant sa brève période conformiste.

Comme son compagnon, Pascale se développe simultanément dans tous les milieux, mais, à la différence de Pascal, c'est un prénom plutôt de type bourgeois : elle obtient ses meilleurs scores chez les cadres

(1 fille sur 30 en 1960-62), et ses plus médiocres parmi les ouvriers et les agriculteurs. Elle n'a pourtant pas fait d'étincelles dans le *Bottin mondain*. Son succès est supérieur à la moyenne dans des régions très variées : Franche-Comté, Rhône-Alpes, Nord-Pas-de-Calais et Corse.

Ce prénom éphémère se perpétue aujourd'hui dans quelques **Pascaline**.

# Patrice

| | |
|---|---|
| 1930-42 | PRÉCURSEUR |
| 1943-50 | PIONNIER |
| 1951-57 | DANS LE VENT |
| 1958-65 | CONFORMISTE |
| 1966-73 | À LA TRAÎNE |
| 1974-85 | DÉMODÉ |
| 1986-95 | DÉSUET |
| DEPUIS 96 | EXCENTRIQUE |

Forme ancienne de Patrick en France, d'ailleurs plus proche du patricien romain à l'origine du nom, mais presque inexistant au XIX$^e$ siècle, Patrice fut tiré de son sommeil par le bruit que faisait le nouveau venu. Sa carrière fut moins agitée et moins brillante, puisqu'il ne dépasse guère le niveau de 1 garçon sur 70 durant sa période conformiste, sans sommet bien marqué.

Le calme relatif de Patrice résulte d'écarts importants dans sa diffusion sociale et régionale : nette avance des cadres et du Nord-Ouest, retard des agriculteurs et du Midi.

# Patricia

| | |
|---|---|
| 1930-36 | EXCENTRIQUE |
| 1937-46 | PRÉCURSEUR |
| 1947-53 | PIONNIER |
| 1954-58 | DANS LE VENT |
| 1959-64 | CONFORMISTE |
| 1965-71 | À LA TRAÎNE |
| 1972-85 | DÉMODÉ |
| 1986-95 | DÉSUET |
| DEPUIS 96 | EXCENTRIQUE |

Très à la mode dans les pays anglophones, des années 1930 aux années 1960, en France elle était aussi nouvelle que Patrick et a grandi dans son sillage. Patricia l'emporte sur sa contemporaine Pascale, puisqu'elle prénomme 1 fille sur 35 à son sommet, atteignant le sixième rang.

Son profil social la distingue de Pascale : elle a été médiocrement accueillie chez les cadres (ainsi que chez les agriculteurs), réussissant mieux parmi les ouvriers, les employés et les professions intermédiaires.

# Patrick

| | |
|---|---|
| 1930-38 | PRÉCURSEUR |
| 1939-45 | PIONNIER |
| 1946-52 | DANS LE VENT |
| 1953-55 | CONFORMISTE |
| 1956-58 | HYPERCONFORMISTE |
| 1959-61 | CONFORMISTE |
| 1962-73 | À LA TRAÎNE |
| 1974-91 | DÉMODÉ |
| 1992-01 | DÉSUET |
| DEPUIS 02 | EXCENTRIQUE |

Saint Patrick est le patron des Irlandais, et ce prénom est inconnu en France jusqu'aux années 1930, sinon sous la forme très rare de Patrice, qui vient de *patricius*, aristocrate dans la Rome ancienne. Cela n'empêchera pas Patrick de s'envoler jusqu'aux sommets. Il détrône Michel et devient le premier prénom masculin en 1956-58, donné alors à plus de 1 garçon sur 20. Le court-métrage de Jean-Luc Godard *Tous les garçons s'appellent Patrick* date justement de 1957.

Patrick s'est imposé dans tous les groupes sociaux, moins fréquent, lors de son apogée, chez les cadres, qui l'avaient adopté plus tôt, et chez les agriculteurs, qui le garderont plus tard. Il s'est bien répandu sur l'ensemble du territoire, s'épanouissant le mieux non en Bretagne, où il avait été pourtant précoce, mais en Normandie et en Picardie.

# Paul

| | |
|---|---|
| 1930-45 | À LA TRAÎNE |
| 1946-60 | DÉMODÉ |
| 1961-81 | RARE |
| 1982-92 | PIONNIER |
| 1993-98 | DANS LE VENT |
| 1999-02 | CONFORMISTE |
| DEPUIS 03 | À LA TRAÎNE |

Paulus est «petit» en latin. De fait, malgré le patronage éminent de l'apôtre, Paul n'a pas été un grand prénom ni même un prénom courant, à l'âge classique. Malgré le succès de *Paul et Virginie* (1787), il faut attendre la seconde moitié du XIXe siècle pour le voir grandir, en compagnie des petites filles modèles. De 1890 à 1925, il s'installe, avec une stabilité remarquable, au niveau de 2,8 %: 1 garçon sur 35 pendant trente-cinq ans. Sa décrue est lente et il se maintient plus tardivement dans le Sud-Est et en Alsace. Cette allure classique lui fait éviter de peu le vrai purgatoire. C'est en milieu bourgeois qu'il a pris son nouveau départ et il est d'ailleurs à nouveau en vedette dans le peloton de tête des prénoms BCBG. Il dépasse alors de peu le seuil de 1 garçon sur 100. Très présent en Normandie, il grandira encore s'il conquiert le territoire ouvrier et le Sud-Est. Les Virginie qu'il y rencontrera seront plus délurées que lui, en tout cas plus âgées.

**Pablo**, forme espagnole, se répand depuis les Pyrénées, tentant les parents français (près de 1 garçon sur 800 en 2009), bien plus que **Paulin**.

# Paulette

| | |
|---|---|
| 1930-42 | À LA TRAÎNE |
| 1943-57 | DÉMODÉ |
| 1958-67 | DÉSUET |
| DEPUIS 68 | EXCENTRIQUE |

C'est dans les années 1920 que Paulette, née avec le siècle et succédant à Pauline, est à son apogée : elle prénomme alors plus de 1 fille sur 40.

Sa réussite est plus grande encore dans le Bassin parisien, ainsi qu'en Poitou-Charentes où elle fait un malheur, tandis qu'elle est chétive et tardive en Bretagne et en Alsace.

Paulette recule vite, sauf dans le Sud-Ouest, où elle se maintient jusqu'au début des années 1940.

La fortune de Paulette a engendré une petite poussée de **Paule**, rarissime au XIXe siècle, choisie pour 1 fille sur 200 de 1915 à 1924, et qui disparaît au terme des années 1940.

Le terrain était déblayé pour le retour en force de Pauline.

# Pauline

| | |
|---|---|
| 1930-67 | EXCENTRIQUE |
| 1968-77 | PRÉCURSEUR |
| 1978-85 | PIONNIER |
| 1986-89 | DANS LE VENT |
| 1990-97 | CONFORMISTE |
| 1998-02 | À LA TRAÎNE |
| DEPUIS 03 | DÉMODÉ |

Féminin le plus traditionnel de Paul, Pauline est un prénom courant au XIXe siècle, sans être bien fréquent : au mieux 1 fille sur 100 dans les années 1850. Encore choisie pour 1 fille sur 200 à l'aube du XXe siècle, elle se retire dans les années 1920. Après son retour, Pauline gagne rapidement du terrain. En 1985, elle prénommait déjà 1 fille sur 50 chez les cadres. Elle s'est ensuite implantée dans tous les milieux, atteignant les places d'honneur (1 fille sur 55). Sa réussite a été plus nette dans le Nord et l'Ouest et médiocre en Provence. Et sa constance lui a conféré une allure presque classique qui a séduit les familles BCBG.

# Peggy

| | |
|---|---|
| 1930-61 | EXCENTRIQUE |
| 1962-71 | PRÉCURSEUR |
| 1972-77 | PLUTÔT CONFORMISTE |
| 1978-81 | EN REFLUX |
| DEPUIS 82 | EXCENTRIQUE |

Ce diminutif de Margaret (Marguerite en anglais) a sa propre sainte patronne. Il a connu en France une petite vogue subite et éphémère (1 fille sur 200 pendant six ans), surtout chez les employés et les ouvriers et dans le Nord-Ouest. C'est sans doute «Peggy la cochonne» du *Muppet's Show* qui l'a fait disparaître.

# Perrine

| | |
|---|---|
| 1930-70 | EXCENTRIQUE |
| 1971-80 | PRÉCURSEUR |
| DEPUIS 81 | RARE |

Cette féminisation de Pierre, moins ancienne et de moindre importance que les Pétronille, Peyronne ou Peyronnelle du Moyen Âge, est assez rare au XIXe siècle.

Perrine retrouve une nouvelle jeunesse, mais tarde à s'affirmer : 1 fille sur 500 au mieux en 1997, mais deux fois plus dans le Nord-Pas-de-Calais. Perrine a connu la faveur des milieux BCBG.

# Philippe

D'origine grecque, «qui aime le cheval», Philippe était le nom du roi de Macédoine, père d'Alexandre le Grand. Quoique nom royal en France et d'usage assez constant, Philippe n'avait jamais joué les premiers rôles dans le passé. Il n'était guère attribué à plus de 1 garçon sur 200 pendant le XIXe siècle.

Son véritable décollage date de l'après-guerre, si bien qu'on peut difficilement l'imputer à Philippe Pétain, malgré une petite poussée au début du régime de Vichy.

Il se développe sensiblement plus tôt en Haute-Normandie, Île-de-France, Poitou-Charentes et Aquitaine.

C'est dans ces deux dernières régions qu'il s'épanouit le mieux, ainsi que dans le Centre.

Philippe triomphe au début des années 1960, prénommant 1 garçon sur 16 lorsqu'il est au plus haut (1961-63).

Sa fortune est durable puisqu'il est le premier prénom (détrônant Patrick) de 1959 à 1963, et de nouveau en 1966, et qu'il reste hyperconformiste pendant dix ans.

Philippe a conquis tous les groupes sociaux, tout en étant moins fréquent chez les ouvriers et les agriculteurs.

Ce prénom si à la mode a été particulièrement prisé en milieu bourgeois, où, dès 1952 et jusqu'en 1965, il dépasse assez nettement le niveau de 6 %. Ses meilleurs scores ont été de plus de 8 % (près de 1 garçon sur 12) chez les cadres en 1958-59 et dans les professions intermédiaires en 1961-63.

Comme Michel, Philippe associe le goût des sommets à celui de la durée. Il n'est toujours pas hors d'usage aujourd'hui (1 garçon sur 3 000).

Féminin de Philippe rarissime jusqu'alors, **Philippine** a fait une remarquable percée en milieu BCBG.

# Pierre

Pierre est solide comme un roc (du grec *petros*). De fait, c'est un grand classique, une valeur sûre, qui a su presque échapper aux outrages du temps.

Pierre est plus ancien que Jean, son rival, puisque, lors de l'ascension des prénoms chrétiens, il fut le plus répandu jusqu'au XIVe siècle. On le trouve ensuite généralement au deuxième rang, même s'il lui arrive de faire jeu égal, ici et là, avec Jean ou de le dépasser.

De 1860 jusqu'au milieu des années 1930, Pierre fait preuve d'une grande constance, oscillant autour de 5 % (1 garçon sur 20). Malgré ce niveau élevé, il n'occupe pas la première place, sauf de manière éphémère au début du XXe siècle.

Sa décrue l'amène à l'étiage de 0,8 %, en 1974-75, ce qui représente tout de même 1 garçon sur 125 (en y incluant, il est vrai, les quelques composés de Pierre).

Sa nouvelle poussée en a d'abord fait un des premiers prénoms chez les cadres. Il faut dire que ce prénom, seul ou composé, est au XXe siècle fort bien accueilli en milieu bourgeois. Faute de s'être aussi bien implanté chez les ouvriers et d'avoir conquis le Sud-Est, il a plafonné au niveau de 1 garçon sur 70.

Pierre se compose généralement avec un prénom débutant par une voyelle ou par un H muet: **Pierre-Alain**, **Pierre-André**, **Pierre-Emmanuel**, **Pierre-Olivier**, **Pierre-Henri**, **Pierre-Alexandre**, **Pierre-Antoine** ou **Pierre-Yves**. Ces trois derniers, qui étaient les plus répandus, ont été détrônés par **Pierre-Louis**. On trouve aussi des **Pierre-Marie** en milieu bourgeois. Aucune de ces formes composées n'a été assez fréquente pour être décrite à part. Il en va de même du bretonnant **Pierrick**, qui a stagné à 1 garçon sur 800 et se raréfie encore.

# Pierrette

| | |
|---|---|
| 1930-40 | PLUTÔT CONFORMISTE |
| 1941-63 | EN REFLUX |
| 1964-72 | DÉSUET |
| DEPUIS 73 | EXCENTRIQUE |

C'est Pierrette et non l'ancienne Perrette qui s'est imposée comme féminin de Pierre dans la première moitié du xxe siècle. Pierrette tranche sur ses contemporaines en *ette* par la tranquillité de son parcours. Elle monte depuis le début du xxe siècle jusqu'aux années 1930, où elle se contente de prénommer 1 fille sur 125.

Cette placidité recouvre, comme c'est souvent le cas, une distribution régionale contrastée. Pierrette est un prénom quasi régional dont les fiefs sont le Poitou-Charentes et l'Aquitaine : elle y est choisie pour 1 fille sur 40 pendant sa période conformiste.

# Priscilla et Prescillia

| | |
|---|---|
| 1930-68 | EXCENTRIQUE |
| 1969-78 | PRÉCURSEUR |
| 1979-88 | DANS LE FLUX |
| 1989-93 | PLUTÔT CONFORMISTE |
| 1994-01 | EN REFLUX |
| DEPUIS 02 | DÉSUET |

Malgré son étymologie latine – *priscus*, «ancien» –, Priscilla n'a guère d'ancienneté en France. Mais ce prénom est connu de longue date dans les pays anglo-saxons.

Priscilla, depuis qu'elle fait son chemin en France, devient souvent **Priscillia** : les deux formes sont de fréquence à peu près équivalente, mais on trouve aussi dix autres orthographes.

À leur côté chemine Prescillia qui l'emporte nettement sur **Prescilla**, **Prescilia** ou onze autres variantes.

Si l'on fait un paquet de toutes ces préciosités, on obtient un prénom qui a été donné à son sommet à plus de 1 fille sur 200, surtout en milieu populaire.

Nous n'avons pas compté les quelques **Prisca**, ni la plus chic **Priscille** qui frémit à peine.

# Quentin

Malgré la ville de Saint-Quentin, ce prénom d'origine romaine (*quintus*, «le cinquième» en latin) était inusité en France depuis des siècles. Il était connu, en revanche, dans les pays anglophones, notamment par le roman historique de Walter Scott *Quentin Durward* (1823).

Cette double ascendance a facilité son essor. Longtemps notre favori pour la première place lors de son ascension, Quentin a déçu nos attentes. Il n'a pas dépassé le troisième rang au mieux de sa forme, c'est-à-dire en 1998. Sur l'ensemble de sa période conformiste, il s'est contenté du cinquième rang que lui assigne son étymologie. Il s'est tout de même imposé vite et massivement dans un large Nord-Ouest, atteignant le premier rang en Normandie et Poitou-Charentes (en 1998). Il n'a pas convaincu complètement le monde ouvrier et n'a pas su vaincre les réticences des régions du Sud-Est, notamment la Provence.

# Rachel

Un prénom biblique, de l'hébreu *rah'el*, «brebis», qui n'a connu qu'une vogue éphémère, atteignant à peine le niveau de 1 fille sur 200 dans ses meilleures années. Son reflux est plus calme que sa poussée, à tel point que Rachel fait mine de revenir à la fin des années 1990.

Rachel a obtenu un vrai succès dans le Nord-Est (Lorraine, Alsace, Franche-Comté), y prénommant plus de 1 fille sur 80 entre 1970 et 1974. Daphné Du Maurier nous pardonnera peut-être de faire cousiner Rachel avec **Rébecca**, autre prénom biblique, celui de la mère de Jacob, dont la deuxième épouse est justement Rachel. Rébecca éprouve, depuis la fin des années 1970, quelque peine à démarrer vraiment, oscillant autour du seuil de 1 sur 1 000.

# Raphaël

Raphaël, nom d'un des archanges, signifie en hébreu «Dieu a guéri». Il est loin d'avoir connu en France le même succès que son congénère Michel ou même que Gabriel. Depuis longtemps, Raphaël est un prénom très rare, sans être inexistant, lorsqu'il progresse dans les années 1960. Mais il stagne pendant vingt ans, à un niveau assez modeste (1 garçon sur 240). Cette stabilité amène à le traiter comme un classique jusqu'en 2002. C'est alors que Raphaël décolle à nouveau et atteint le top 10 dès 2007. Il devrait prénommer 1 garçon sur 55 en 2009.

Jusqu'à présent, Raphaël, accompagné de rares **Rafaël**, a été surtout apprécié chez les cadres, sa meilleure clientèle. On peut aussi noter sa plus grande fréquence en Île-de-France.

Le féminin **Raphaëlle** hésite, depuis des décennies, à venir au jour (moins de 1 fille sur 1 000).

# Rayan voir Ryan

# Raymond

| | |
|---|---|
| 1930-43 | À LA TRAÎNE |
| 1944-65 | DÉMODÉ |
| 1966-75 | DÉSUET |
| DEPUIS 76 | EXCENTRIQUE |

Vieux nom médiéval d'étymologie germanique – *ragin*, «conseil» et *mund*, «protection» –, Raymond revient au goût du jour à la fin du XIXᵉ siècle. De 1913 à 1929, alors que Raymond Poincaré est presque constamment au sommet de l'État, Raymond est le prénom de 1 nouveau-né sur 40.

Son succès est à peu près uniforme en toutes régions avec une préférence pour une grande moitié nord et une pénétration moindre en Bretagne et en Provence.

Le déclin de Raymond s'amorce au début des années 1930 et il est complètement délaissé aujourd'hui.

# Raymonde

| | |
|---|---|
| 1930-37 | À LA TRAÎNE |
| 1938-60 | DÉMODÉ |
| 1961-69 | DÉSUET |
| DEPUIS 70 | EXCENTRIQUE |

Raymonde a fait son apparition dans les dernières années du XIXᵉ siècle, entraînée par Raymond, et son âge d'or se situe dans les années 1915-25 quand elle est choisie pour 1 fille sur 55. Sa réussite est un peu plus marquée dans le Bassin parisien.

Prénommant encore 1 fille sur 70 en 1930, Raymonde se démode vite.

# Régine

Régine vient de Regina, forme savante de **Reine**, prénom connu dans les années 1900-30. Elle se comporte comme le féminin ou la compagne de Régis. Sa carrière est juste plus sensible à la mode.

Régine grandit doucement dans les années 1920, n'est attribuée qu'à 1 fille sur 400 pendant vingt ans, avant qu'une petite vogue l'amène au niveau moins modeste de 1 fille sur 160. Elle a suffi à ce que ce prénom se démode : il est complètement abandonné aujourd'hui.

Comme Régis encore, Régine a été particulièrement appréciée chez les agriculteurs (six fois plus que chez les cadres).

# Régis

Issu du patronyme d'un saint (Jean-François Régis) et «royal» en latin, ce prénom très stable a été donné pendant vingt-quatre ans à 1 garçon sur 270, avec une petite pointe à 1 sur 200 en 1968-69. Ayant été plus particulièrement en faveur chez les agriculteurs, Régis a presque disparu aujourd'hui.

# Rémi et Rémy

En conjuguant leurs forces, à peu près équivalentes, Rémi et Rémy formaient, depuis le début du XX<sup>e</sup> siècle, un attelage équilibré qui traçait le sillon régulier d'un prénom classique, distribué à 1 garçon sur 270 (davantage chez les cadres et bien plus encore chez les agriculteurs). Pourquoi donc cet attelage s'est-il emballé dans les années 1980, se

stabilisant longtemps autour du niveau de 1 % et se répartissant à peu près également dans tous les groupes sociaux ?

Parce qu'avec Rémy j'ai rime à Jérémy.

L'orthographe Rémi l'emporte aujourd'hui, deux fois plus fréquente. La forme ancienne, celle de saint Remi ou Remy, était dépourvue d'accent. Ce saint Remi était appelé tantôt Remegius, qui renverrait au «rameur» latin (*remigiu*s), tantôt Remedius, «qui guérit».

# Renaud

| | |
|---|---|
| 1930-69 | EXCENTRIQUE |
| 1970-93 | RARE |
| DEPUIS 94 | EXCENTRIQUE |

Renaud fait partie de ces prénoms du répertoire médiéval qui sont revenus après une longue absence. Comme la plupart des prénoms de ce genre, l'étymologie est germanique : *ragin*, «conseil» et *waldan*, «gouverner». Mais il n'a guère été donné au mieux qu'à 1 garçon sur 300, et nous quitte.

# René

| | |
|---|---|
| 1930-31 | CONFORMISTE |
| 1932-51 | À LA TRAÎNE |
| 1952-69 | DÉMODÉ |
| 1970-79 | DÉSUET |
| DEPUIS 80 | EXCENTRIQUE |

Le bon roi René, duc d'Anjou et de Lorraine, comte de Provence, termina ses jours à Aix-en-Provence. Comment ne pas l'évoquer à propos du destin du prénom René, longtemps typique de l'Anjou et qui prend son essor dans les terres de l'Ouest à la fin du XIXe siècle ? Conformément à son étymologie latine (*renatus*), René renaît alors. Voyons la suite du parcours : René migre vers le Nord-Est où il s'épanouit, devenant le premier prénom en Alsace de 1925 à 1937. C'est finalement dans le Sud-Est qu'il se réfugie en s'y maintenant le mieux dans sa phase crépusculaire. Sur l'ensemble de la France, René fut au zénith de son parcours dans les années 1920 : il est alors le quatrième prénom, attribué à près de 1 garçon sur 20.

# Renée

| | |
|---|---|
| 1930-42 | À LA TRAÎNE |
| 1943-61 | DÉMODÉ |
| 1962-71 | DÉSUET |
| DEPUIS 72 | EXCENTRIQUE |

C'est au terme du XIX$^e$ siècle que Renée rompt avec ses attaches ange-vines pour entamer – à la remorque de René, mais un cran en dessous – une carrière nationale. Son apogée date des années 1915-25 : Renée prénomme alors plus de 1 fille sur 45, l'emportant sur Andrée, sa quasi-contemporaine.

Comme René, elle s'implante bien dans le Nord-Est (sauf toutefois en Alsace), tout en gardant des attaches en Anjou et en Poitou ; comme lui encore, elle ne se diffuse que tardivement dans le Sud-Est.

# Richard

| | |
|---|---|
| 1930-44 | DANS LE FLUX |
| 1945-77 | CLASSIQUE |
| 1978-92 | EN REFLUX |
| 1993-02 | DÉSUET |
| DEPUIS 03 | EXCENTRIQUE |

Il y a de la puissance 2 dans l'étymologie germanique de ce prénom : *ric*, « puissant » et *hard*, « fort ». Introduit par les Normands en Angleterre où il prospéra, ce prénom n'a pas brillé lorsqu'il revint en France au XX$^e$ siècle. Richard a été un prénom stable, de type classique, attribué à 1 garçon sur 220 en moyenne pendant plus de trente ans (avec deux petites poin-tes en 1948-52 et 1968-72) et pourtant peu apprécié en milieu bourgeois. Les commerçants et artisans ont fait le meilleur accueil à Richard, dont les deux provinces préférées ont été le Languedoc et la Provence.

# Robert

| | |
|---|---|
| 1930-32 | CONFORMISTE |
| 1933-51 | À LA TRAÎNE |
| 1952-73 | DÉMODÉ |
| 1974-83 | DÉSUET |
| DEPUIS 84 | EXCENTRIQUE |

Encore un prénom médiéval d'origine germanique – *hrod*, « gloire » et *berht*, « brillant » – qui revient à la fin du XIX$^e$ siècle. Robert, comme ses compagnons en *R* Roger et René, est à son apogée aussi au milieu des années 1920 : 1 garçon sur 25 et la sixième place.

Robert obtient ses plus beaux succès dans la région parisienne et le Nord-Est. En Alsace, il est hyperconformiste (1 garçon sur 18) au début des années 1940. Au même moment, il est encore fréquent dans le Sud-Est (près de 1 garçon sur 30), où son essor avait été tardif. Robert est bien oublié aujourd'hui.

# Robin

| | |
|---|---|
| 1930-76 | EXCENTRIQUE |
| 1977-86 | PRÉCURSEUR |
| 1987-91 | DANS LE FLUX |
| 1992-99 | PLUTÔT CONFORMISTE |
| DEPUIS 00 | EN REFLUX |

Robin est un diminutif de Robert qui a pris très tôt son autonomie. Le purgatoire de Robert, le triomphe de Romain, un brin d'archaïsme, une touche anglo-saxonne, une finale en *in* : tout a concouru à la percée de Robin, particulièrement notable dans les couches moyennes et dans l'est de l'Hexagone. Il n'atteint au mieux que le niveau de 1 garçon sur 200 (en 1995).

Notons que ce prénom est devenu totalement féminin aux États-Unis et qu'il se féminise en Grande-Bretagne.

# Rodolphe

| | |
|---|---|
| 1930-67 | EXCENTRIQUE |
| 1968-93 | RARE |
| 1994-05 | EXCENTRIQUE |
| DEPUIS 06 | DÉSUET |

Un faux départ que celui de Rodolphe en 1968. Il a végété pendant une vingtaine d'années et il est en voie de disparaître, dépassé par son diminutif allemand et anglais **Rudy** en milieu populaire. L'étymologie est germanique : *hrod*, « gloire » et *wolf*, « loup ». On retrouve ce loup dans **Raoul**, qui connut une petite vogue dans les années 1890-1920. Mentionnons la présence très discrète de **Rodrigue**.

# Roger

| | |
|---|---|
| 1930-31 | CONFORMISTE |
| 1932-50 | À LA TRAÎNE |
| 1951-68 | DÉMODÉ |
| 1969-78 | DÉSUET |
| DEPUIS 79 | EXCENTRIQUE |

Comme Robert, Roger est un nom médiéval revenu à la fin du XIXᵉ siècle, et l'étymologie germanique est en partie commune : *hrod*, « gloire » et *gari*, « lance ». Sa carrière moderne accompagne celle de Robert et de René. Tous trois sont contemporains, encore que René ait pris son essor le premier. Roger reste derrière René, mais dépasse Robert d'une encolure quand il est à son sommet : près de 1 garçon sur 20 en 1926-27. La réussite de Roger est encore plus évidente dans les régions d'Île-de-France, de Bourgogne et de Basse-Normandie. Son déclin est un peu plus rapide que celui de Robert. Et l'on ne voit pas ce qui pourrait le sortir, à courte ou moyenne échéance, de la disgrâce où il est tombé. Son image de prénom populaire n'est pas infondée.

# Roland

| | |
|---|---|
| 1930-48 | CLASSIQUE |
| 1949-72 | EN REFLUX |
| 1973-82 | DÉSUET |
| DEPUIS 83 | EXCENTRIQUE |

Disparu au XIXᵉ siècle, ce vieux prénom d'origine germanique – *hrod*, « gloire » et *land*, « pays » – renaît entre 1900 et 1910, dans le sillage des Robert et Roger. Son succès est moindre : il se stabilise de 1925 à 1948 au niveau de 1 garçon sur 100.
Roland est plus abondant dans le Nord-Est : Lorraine, Franche-Comté et surtout Alsace, où il connaît une vraie réussite dans les années 1940 (1 garçon sur 30).

# Rolande

| | |
|---|---|
| 1930-35 | PLUTÔT CONFORMISTE |
| 1936-50 | EN REFLUX |
| 1951-60 | DÉSUET |
| DEPUIS 61 | EXCENTRIQUE |

À peu près contemporaine de Roland et de Yolande, Rolande est comme eux un prénom calme, à peine plus sensible à la mode. À son sommet, dans les années 1923-35, Rolande n'est attribuée qu'à 1 fille sur 250. Elle s'éclipse bien avant ses deux compagnons, remplacée aujourd'hui par **Orlane**.

# Romain

| | |
|---|---|
| 1930-60 | EXCENTRIQUE |
| 1961-70 | PRÉCURSEUR |
| 1971-79 | PIONNIER |
| 1980-86 | DANS LE VENT |
| 1987-89 | CONFORMISTE |
| 1990-04 | À LA TRAÎNE |
| DEPUIS 05 | DÉMODÉ |

Prénom inconnu au XIX<sup>e</sup> siècle et confidentiel dans les années 1950 et 1960, Romain émerge en 1971.

Emblème de la vague des prénoms d'inspiration romaine, il a atteint pendant trois ans un niveau élevé (1 garçon sur 40), se répartissant assez équitablement dans tous les groupes sociaux, malgré son échec dans les milieux les plus BCBG. On le voyait guigner la première place lorsqu'il renonce et entame un lent déclin.

Ce triomphe a un peu réveillé **Romuald** (germanique et non romain d'origine), fait naître quelques **Roman**, **Roméo** et **Romaric**, et peut-être stimulé le breton **Ronan**, qui n'atteint toujours pas le seuil de 1 sur 1 000.

# Romane

| | |
|---|---|
| 1930-82 | EXCENTRIQUE |
| 1983-92 | PRÉCURSEUR |
| 1993-02 | PIONNIER |
| 2003-06 | DANS LE VENT |
| DEPUIS 07 | PLUTÔT CONFORMISTE |

L'actrice Romane Bohringer a certainement fait découvrir à beaucoup son prénom. Il se substitue à l'ancienne **Romaine**, qui eut quelques adeptes au début du XX<sup>e</sup> siècle, comme féminin de Romain. Mais la vogue de Romain et de la terminaison en *ane* ont aussi favorisé son éclosion et son envol (près de 1 fille sur 140 en 2009).

Elle a entravé l'essor de Roxane (plus rarement Roxanne), nom de la femme d'Alexandre le Grand et de célèbres héroïnes littéraires, qui s'essouffle depuis 1993, alors qu'elle est très en vogue au Québec. C'est un des rares prénoms d'origine persane : *raokhshna*, «aurore lumineuse».

# Rose

| | |
|---|---|
| 1930-53 | EN REFLUX |
| 1954-62 | DÉSUET |
| 1963-90 | EXCENTRIQUE |
| 1991-01 | PRÉCURSEUR |
| DEPUIS 02 | PIONNIER |

Prénom ancien, en vogue au XIX<sup>e</sup> siècle, Rose commence à se flétrir dès le début du XX<sup>e</sup>. Elle est encore choisie pour 1 fille sur 250 en 1930 et ne disparaît pas complètement lors de son purgatoire. La voici qui paraît décidée à refleurir. À ses côtés, la latine et internationale Rosa a toujours été discrète. Rosalie, en revanche, fit jeu quasi égal avec Rose au XIX<sup>e</sup> siècle, mais déclina plus vite. Elle semble bourgeonner (1 fille sur 280 en 2009).

# Roseline et Roselyne

| | |
|---|---|
| 1930-31 | PRÉCURSEUR |
| 1932-49 | DANS LE FLUX |
| 1950-57 | PLUTÔT CONFORMISTE |
| 1958-69 | EN REFLUX |
| 1970-79 | DÉSUET |
| DEPUIS 80 | EXCENTRIQUE |

Tout petit succès que celui de Roseline (ou Roselyne) qui apparaît au début des années 1930 : moins de 1 fille sur 200 lors de ses meilleures années. Elle a mieux réussi en milieu bourgeois, dans les années 1940. Rosine, Rosette et Rosemonde n'ont jamais vraiment connu d'éclosion ; Rose-Marie fut très timide dans les années 1945-65.

# Ryan et Rayan

| | |
|---|---|
| 1930-84 | EXCENTRIQUE |
| 1985-94 | PRÉCURSEUR |
| 1995-01 | PIONNIER |
| 2002-06 | DANS LE VENT |
| DEPUIS 07 | CONFORMISTE |

C'est leur prononciation identique qui nous amène à regrouper ici deux prénoms complètement différents par leur origine. Ryan vient d'un nom irlandais; il a été récemment au premier rang en Écosse et dans le top 10 en Angleterre. **Rayane** est un prénom arabe masculin qui signifie «beau» ou «désaltéré». **Rayan**, plus fréquent que Rayane, est la forme phonétique de Ryan et fait la jonction entre les deux. Ces trois composantes progressent en même temps et à bonne allure jusqu'à rentrer dans le top 20 en 2005. Leur total est au premier rang des prénoms masculins en Seine-Saint-Denis.

## Sabine

| | |
|---|---|
| 1930-43 | EXCENTRIQUE |
| 1944-53 | PRÉCURSEUR |
| 1954-66 | DANS LE FLUX |
| 1967-72 | PLUTÔT CONFORMISTE |
| 1973-89 | EN REFLUX |
| 1990-99 | DÉSUET |
| DEPUIS 00 | EXCENTRIQUE |

L'enlèvement des Sabines fut l'épisode légendaire de la fondation de Rome. Malgré cette origine romaine, c'est d'Allemagne que vient ce prénom quand il arrive en France où il culmine à un niveau assez modeste : moins de 1 fille sur 100.

Sabine s'est diffusée à partir du Nord-Est (du Nord-Pas-de-Calais à l'Alsace), où sa réussite a été plus précoce et plus marquée. En revanche, Sabine a eu du mal à atteindre l'Ouest, de la Normandie aux Charentes.

Un prénom très contrasté dans sa diffusion régionale, mais très homogène quant à sa diffusion sociale. Il faut cependant noter son succès bien plus précoce et massif dans les milieux BCBG.

## Sabrina

| | |
|---|---|
| 1930-57 | EXCENTRIQUE |
| 1958-67 | PRÉCURSEUR |
| 1968-75 | PIONNIER |
| 1976-77 | DANS LE VENT |
| 1978-81 | CONFORMISTE |
| 1982-88 | À LA TRAÎNE |
| 1989-05 | DÉMODÉ |
| DEPUIS 06 | DÉSUET |

Une légende celtique met en scène la reine Gwendoline qui jette Sabre, fille de son époux infidèle, dans une rivière appelée depuis Sabrina. Ce nom d'une rivière anglaise est proche par ailleurs de la Sabria arabe, qui signifie « patiente ».

Sabrina arrive en France dans les années 1960, *via* l'Amérique. Après une percée rapide, ce prénom est donné pendant quatre ans à plus de 1 fille sur 55.

Ce sont les ouvriers qui l'adoptent le plus volontiers, alors que les cadres l'ignorent et qu'il est rare parmi les professions intermédiaires et les agriculteurs.

Sabrina a été récemment un des tout premiers prénoms pour les filles d'origine algérienne, mais il a aussi été choisi par les parents de nationalité portugaise.

Quelques **Sabrine** sont nées récemment.

# Sacha

| 1930-82 | EXCENTRIQUE |
| 1983-92 | PRÉCURSEUR |
| 1993-04 | PIONNIER |
| DEPUIS 05 | DANS LE VENT |

Alors qu'Alexandre entame son déclin, son diminutif russe traditionnel semble en profiter pour devenir un prénom à part entière en France, tout comme Alex. Il s'implante d'abord en Île-de-France. Sacha est en principe masculin, et c'est lui que nous considérons ici. Mais 14 % des Sacha qui naissent aujourd'hui sont des filles. Le pourcentage monte à 51 % pour la forme minoritaire **Sasha**.

# Salomé

| 1930-82 | EXCENTRIQUE |
| 1983-92 | PRÉCURSEUR |
| DEPUIS 93 | PIONNIER |

Salomé est un prénom biblique, de l'hébreu *shalôm*, «paix»; mais la Salomé la plus illustre, par sa danse des sept voiles, n'a rien d'une sainte, ce qui explique peut-être (avec le *salo* initial) sa longue absence des registres de baptême.

Le nouvel attrait de la terminaison en *é* pour les filles la fait émerger doucement à la fin des années 1980. Elle est plus visible du Poitou à la Normandie.

# Samantha

1930-78    EXCENTRIQUE
1979-85    PRÉCURSEUR
1986-91    DANS LE FLUX
1992-93    PLUTÔT CONFORMISTE
1994-04    EN REFLUX
DEPUIS 05  DÉSUET

L'origine de Samantha est incertaine. Il s'agit probablement d'une forme féminine de Samuel qui aurait été forgée dès le XVIIIe siècle aux États-Unis. Cependant, Samantha n'est devenu un prénom courant dans les pays anglophones que depuis les années 1960.

En France, Samantha prend un bon départ ; mais, après un petit pic en 1992 au niveau de 1 fille sur 280, elle recule assez vite. Vogue aussi modeste qu'éphémère.

# Samuel

1930-56    EXCENTRIQUE
1957-66    PRÉCURSEUR
1967-75    DANS LE FLUX
1976-81    PLUTÔT CONFORMISTE
1982-93    EN REFLUX
DEPUIS 94  DANS LE FLUX

Nom d'un prophète biblique qui signifie « son nom est Dieu », Samuel a eu une carrière bien plus modeste que David, qu'il suit, et que Benjamin, qu'il précède. Il n'a pas prénommé plus de 1 garçon sur 160 durant six ans. Mais son érosion est lente, et même arrêtée : il gagne à nouveau du terrain, très vivace en Poitou-Charentes et Aquitaine.

On trouve aussi des **Samy** et des **Sami**, bien plus nombreux que les **Sammy**, orthographe normale du diminutif anglo-américain de Samuel. Et le petit **Sam** grandit.

Notons que Samuel est dans le peloton de tête masculin au Québec.

# Sandra

| | |
|---|---|
| 1930-53 | EXCENTRIQUE |
| 1954-63 | PRÉCURSEUR |
| 1964-69 | PIONNIER |
| 1970-71 | DANS LE VENT |
| 1972-76 | CONFORMISTE |
| 1977-84 | À LA TRAÎNE |
| 1985-01 | DÉMODÉ |
| DEPUIS 02 | DÉSUET |

Ce diminutif d'Alexandra, d'usage courant en Italie ou dans les pays anglo-saxons, mais quasi inconnu en France avant les années 1960, a eu moins de succès que la forme Sandrine. Sandra prénomme tout de même 1 fille sur 70 pendant cinq ans. Comme bien d'autres prénoms en *a*, elle a été adoptée par les parents d'origine maghrébine et portugaise. De là vient que Sandra baisse moins vite que Sandrine.

Sandy, plus rarement Sandie, a fait une percée sans lendemain dans les milieux populaires (1 fille sur 400 de 1990 à 1993).

# Sandrine

| | |
|---|---|
| 1930-49 | EXCENTRIQUE |
| 1950-59 | PRÉCURSEUR |
| 1960-65 | PIONNIER |
| 1966-69 | DANS LE VENT |
| 1970-75 | CONFORMISTE |
| 1976-84 | À LA TRAÎNE |
| 1985-95 | DÉMODÉ |
| 1996-05 | DÉSUET |
| DEPUIS 06 | EXCENTRIQUE |

La carrière de ce prénom tout neuf précède celles d'Alexandra et d'Alexandre, dont il dérive. L'envol de Sandrine est particulièrement rapide et l'amène près du niveau de 1 fille sur 20 en 1973, année où elle parvient à se glisser momentanément au premier rang des prénoms féminins, entre le règne de Nathalie et celui de Stéphanie. Elle est choisie pour plus de 1 fille sur 25 dans l'ensemble de sa période conformiste.

Les cadres ont été les plus réticents face à ce nouveau prénom dont le profil social a été plutôt populaire, moins accusé toutefois que celui de Sandra.

Si on les additionne, Sandra et Sandrine forment un prénom hyperconformiste pendant six ans et qui occupe la première place en 1972-73 et 1976-78.

# Sarah

| | |
|---|---|
| 1930-59 | EXCENTRIQUE |
| 1960-69 | PRÉCURSEUR |
| 1970-84 | PIONNIER |
| 1985-94 | DANS LE VENT |
| 1995-01 | CONFORMISTE |
| DEPUIS 02 | À LA TRAÎNE |

Ce prénom biblique, « princesse » en hébreu, est connu, de longue date, dans les pays anglo-saxons, et y est particulièrement à la mode depuis une quinzaine d'années. C'est d'ailleurs aujourd'hui le plus cosmopolite des prénoms, à la mode un peu partout. Mais il ne faut pas oublier la Sara qu'honorent traditionnellement les Gitans aux Saintes-Maries-de-la-Mer.

Sarah, qui ne s'écrit plus guère Sara (dix fois moins fréquente), a mis du temps à s'élancer en France et a été dépassée par sa rivale Laura, partie après elle. Son ascension a été singulièrement lente, et elle paraît avoir amorcé son recul. Elle a été donnée à 1 fille sur 60 durant près de quinze ans, figurant dans le groupe de tête.

Ce prénom s'est réparti assez équitablement dans tous les groupes sociaux, avec une petite prime dans les couches moyennes (notamment les commerçants et artisans) ; mais il n'a pas fait recette dans le *Bottin mondain*. L'Île-de-France, le Sud, mais aussi l'Alsace et la Lorraine sont ses régions préférées.

Ignorant toute frontière, Sarah est appréciée par les parents d'origine maghrébine.

# Sébastien

| | |
|---|---|
| 1930-55 | EXCENTRIQUE |
| 1956-65 | PRÉCURSEUR |
| 1966-68 | PIONNIER |
| 1969-74 | DANS LE VENT |
| EN 1975 | CONFORMISTE |
| 1976-78 | HYPERCONFORMISTE |
| EN 1979 | CONFORMISTE |
| 1980-90 | À LA TRAÎNE |
| 1991-05 | DÉMODÉ |
| DEPUIS 06 | DÉSUET |

Sebastianus, dérivé du grec *sebastos*, « honoré », fut un titre donné aux empereurs romains, équivalent d'« Auguste ».

En l'automne 1965, le feuilleton télévisé *Belle et Sébastien* fait pleurer dans les chaumières, et voilà Sébastien lancé. On a rarement vu percée aussi rapide que celle de ce prénom qui n'était pas inconnu, mais d'usage confidentiel depuis des lustres. Quatre ans après sa naissance, il dépasse déjà 1 %. Sur sa lancée, il atteint le premier rang (de 1976 à

1979), donné à 1 garçon sur 18 à son sommet, en 1977. Sa diffusion a été quasi simultanée et uniforme sur tout le territoire, ce qui explique que sa moyenne nationale ait été si élevée.

À cela s'ajoute que son essor a également été simultané dans tous les groupes sociaux. Dans sa période hyperconformiste, il a obtenu ses meilleurs scores chez les ouvriers et les artisans et commerçants (6 % de 1976 à 1978). Les agriculteurs l'ont assez bien accueilli, tandis qu'il soulevait moins d'enthousiasme chez les cadres.

# Ségolène

1930-90    EXCENTRIQUE
1991-92    RARE
DEPUIS 93  EXCENTRIQUE

Une certaine obscurité entoure ce prénom jusque dans son étymologie : le *sieg* germanique signifie «victoire», la suite est plus incertaine. Mêmes doutes sur sa sainte patronne, Ségolène ou Sigolène, dont l'existence paraît être légendaire, malgré ses reliques vénérées à Albi. On perd la trace de ce vieux prénom pour le retrouver au début des années 1970 dans le *Bottin mondain* : c'est là que Ségolène sera le plus en vue, sans être en vedette. Cette petite poussée précède la grande révélation de la très médiatique Ségolène Royal, qui fait découvrir ce prénom à la grande masse des Français. D'où une nouvelle croissance qui demeure très modeste : sur l'ensemble de la population, ce prénom est choisi au mieux, en 1992, pour 1 fille sur 1 000. Ségolène semble donc vouée à rester cantonnée dans la zone du choix «excentrique».

Comme Hillary aux États-Unis, le prénom est cannibalisé par une personnalité : Ségolène n'est plus choisie depuis dix ans et a totalement déserté les palmarès BCBG. Ségolène constitue néanmoins une preuve supplémentaire de l'importance croissante du prénom dans la vie sociale et publique : pour la première fois dans l'histoire de la République, le patronyme d'une personnalité politique est quasi relégué aux oubliettes à la faveur de son nom de baptême.

# Serge

| | |
|---|---|
| 1930-49 | DANS LE FLUX |
| 1950-59 | CONFORMISTE |
| 1960-65 | À LA TRAÎNE |
| 1966-79 | DÉMODÉ |
| 1980-89 | DÉSUET |
| DEPUIS 90 | EXCENTRIQUE |

Serge est souvent considéré comme un prénom slave, parce qu'il s'est surtout répandu dans la chrétienté orthodoxe. Mais Sergius était le nom d'une famille romaine et fut porté par des papes. Serge n'apparaît en France qu'au début du XXe siècle. Dans l'ensemble de l'Hexagone, il est à son meilleur niveau pendant les années 1950. Mais cette moyenne nationale cache de grandes différences dans sa diffusion régionale.

Dans un large Nord-Ouest, de la Champagne au Poitou (Bretagne exceptée), Serge est bien installé et parfois culmine au terme des années 1930 : un garçon sur 50 en Champagne-Ardenne, Picardie, Haute-Normandie ; c'est bien plus tard qu'il se propage dans le Sud-Est (1 garçon sur 50 en Provence de 1950 à 1965).

De là vient la lenteur de sa progression générale (depuis son émergence en 1915) et le score assez moyen qu'il obtient à son sommet : 1 garçon sur 55 en 1955. Dès que le tour de France est bouclé, la chute en disgrâce est forcément rapide.

# Séverine

| | |
|---|---|
| 1930-58 | EXCENTRIQUE |
| 1959-67 | PRÉCURSEUR |
| 1968-70 | PIONNIER |
| 1971-73 | DANS LE VENT |
| 1974-77 | CONFORMISTE |
| 1978-82 | À LA TRAÎNE |
| 1983-92 | DÉMODÉ |
| 1993-02 | DÉSUET |
| DEPUIS 03 | EXCENTRIQUE |

Cette féminisation du rarissime Séverin est d'origine romaine, comme en témoigne la dynastie des Sévère.

Séverine a été un prénom sans passé et plus qu'éphémère : fugace.

En quelques années, le voilà qui arrive et puis qui s'en va, atteignant cependant au passage le score très honorable de 1 fille sur 45 à son sommet.

Ce rapide tour de piste est apprécié par beaucoup – les ouvriers notamment, mais aussi les employés, les agriculteurs, les commerçants. Seuls les cadres le jugent sévèrement et, du coup, boudent Séverine.

Les Provençaux semblent ne s'être aperçus de son existence que lorsqu'elle était sur le point de partir.

# Simon

| | |
|---|---|
| 1930-67 | EXCENTRIQUE |
| 1968-77 | PRÉCURSEUR |
| 1978-88 | DANS LE FLUX |
| 1989-96 | PLUTÔT CONFORMISTE |
| DEPUIS 97 | EN REFLUX |

Ce prénom d'usage ancien dans toute la chrétienté (premier nom de l'apôtre Pierre et nom d'un autre apôtre) est d'origine hébraïque : *shimeone*, «Dieu a entendu».

Sans être inconnu, Simon était bien rare au XIX$^e$ siècle et jusque dans les années 1930, alors même que Simone était au pinacle. Son éclipse est quasi totale à partir de 1945.

Après un bon départ (1 % chez les cadres dès 1985), Simon plafonne avec une grande constance au niveau de 1 garçon sur 150. Il fait beaucoup mieux dans les Pays de la Loire et le Poitou, mais ne s'est pas imposé dans l'Est, notamment en Provence. Son reflux est lent (1 garçon sur 240 en 2009).

# Simone

| | |
|---|---|
| 1930-44 | À LA TRAÎNE |
| 1945-59 | DÉMODÉ |
| 1960-69 | DÉSUET |
| DEPUIS 70 | EXCENTRIQUE |

Simone, à laquelle nous ajoutons la plus rare Simonne, naît peu avant ce siècle et triomphe dans les années 1919-25 lorsqu'elle est donnée à près de 1 fille sur 20. Son apogée coïncide avec le déclin des grands prénoms traditionnels, Marie et Jeanne, qui laissent la place aux jeunes. Simone en profite pour atteindre le premier rang en 1925-26, avant que Jeannine lui succède plus durablement.

Simone s'est bien diffusée en toutes régions, sauf en Alsace, mais on peut noter sa réussite plus précoce et plus nette en Haute-Normandie et Île-de-France.

# Solange

| | |
|---|---|
| 1925-34 | PLUTÔT CONFORMISTE |
| 1935-63 | EN REFLUX |
| 1964-73 | DÉSUET |
| DEPUIS 74 | EXCENTRIQUE |

Solange n'est ni ensoleillée ni solitaire : par son étymologie, elle est solennelle (*solemnia*). Typique des années 1920 et 1930, Solange ne prénomme guère plus de 1 fille sur 130 quand elle culmine, vers 1930. Elle ne dépasse ce score qu'en Île-de-France, dans les Pays de la Loire, le Poitou et surtout la région du Centre, où elle est deux fois plus répandue qu'ailleurs. Il est vrai que sainte Solange est la patronne de Bourges et du Berry. Ce prénom ne s'aventure guère loin de cet épicentre, comme en Provence ou en Bretagne.

# Solène

| | |
|---|---|
| 1930-67 | EXCENTRIQUE |
| 1968-77 | PRÉCURSEUR |
| 1978-94 | DANS LE FLUX |
| 1995-01 | PLUTÔT CONFORMISTE |
| DEPUIS 02 | EN REFLUX |

Solène (rarement **Solenne** ou **Solenn**), prénom nouveau, est en fait la forme ancienne de Solange, plus proche de l'étymologie latine. Mais il y a aussi une sainte Solenne (ou Soline ou **Zélie**) qui aurait été martyrisée à Chartres.

Pourtant ce prénom nous vient de Bretagne, où il apparaît à la fin des années 1960, attribué dès 1980 à 1 fille sur 60. Il a migré vers l'Est, prospérant en Franche-Comté. Il a plafonné au niveau de 1 fille sur 200.

Solène est plus en vue en milieu BCBG. On y trouvait aussi **Ségolène**, avant qu'elle ne devienne royale et ne chute.

**Soline** frémit, encore rare, beaucoup moins toutefois que la norvégienne **Solveig**.

# Sonia

| | |
|---|---|
| 1930-44 | EXCENTRIQUE |
| 1945-54 | PRÉCURSEUR |
| 1955-72 | DANS LE FLUX |
| 1973-78 | PLUTÔT CONFORMISTE |
| 1979-02 | EN REFLUX |
| DEPUIS 03 | DÉSUET |

Sonia est presque une inconnue en France avant les années 1940 et n'émerge qu'au milieu des années 1950. C'est un prénom de type populaire, peu répandu en milieu bourgeois, et dont la carrière est modeste puisqu'il n'atteint pas à son sommet le seuil de 1 %.

Sonia ne décline que très lentement. C'est que cette forme slave de Sophie a été adoptée par les parents d'origine portugaise et maghrébine.

# Sophie

| | |
|---|---|
| 1930-41 | EXCENTRIQUE |
| 1942-51 | PRÉCURSEUR |
| 1952-61 | PIONNIER |
| 1962-68 | DANS LE VENT |
| 1969-76 | CONFORMISTE |
| 1977-91 | À LA TRAÎNE |
| 1992-05 | DÉMODÉ |
| DEPUIS 06 | DÉSUET |

Un prénom sage, d'abord par son étymologie grecque (*sophia*), qui se méfie des sommets proches du précipice.

Assez courant dans la première moitié du XIX<sup>e</sup> siècle, donné même à plus de 1 fille sur 100 vers 1820, ses malheurs commencent avec la comtesse de Ségur. Pour y mettre un terme, Sophie préfère s'éclipser au début du XX<sup>e</sup>. Quand elle revient, dans les années 1950, ses progrès, sans être fracassants, sont réguliers. Sophie se contente d'être choisie pour 1 fille sur 40 durant sa période conformiste, sans sommet bien marqué, ce qui la situe tout de même vers le septième rang des prénoms.

Sa réussite est plus éclatante en milieu bourgeois. Le choix de Sophie s'impose chez les cadres pour 1 fille sur 30 pendant douze ans (1966-77), avec une pointe en 1968-69 qui la place en deuxième position (1 fille sur 22).

Son déclin est d'abord si lent qu'elle prend une allure classique, gardant la faveur des milieux bourgeois. Mais elle finit par chuter.

Notons l'apparition de Sophia ou Sofia (bien moins chic) ces dernières années et précisons que Sofiane est un prénom arabe masculin.

# Stacy

1930-81 EXCENTRIQUE
1982-91 PRÉCURSEUR
1992-03 RARE
DEPUIS 04 EXCENTRIQUE

Aux États-Unis, Stacey, prénom masculin, était considéré comme un diminutif d'Eustache. Sa féminisation progressive l'a rattaché à **Anastasie**, devenue **Anastasia** depuis une dizaine d'années. En France, c'est Stacy qui a débarqué, ne s'imposant vraiment que dans le Nord-Pas-de-Calais. Les formes **Stecy** et **Stessy,** peu orthodoxes mais adoptées pour la prononciation, ne sont pas négligeables.

# Stéphane

1930-40 EXCENTRIQUE
1941-50 PRÉCURSEUR
1951-61 PIONNIER
1962-68 DANS LE VENT
EN 1969 CONFORMISTE
1970-73 HYPERCONFORMISTE
1974-75 CONFORMISTE
1976-84 À LA TRAÎNE
1985-00 DÉMODÉ
DEPUIS 02 DÉSUET

Stephanus était courant au Moyen Âge, mais, depuis, c'était Étienne que l'on honorait en France – alors que les langues germaniques avaient conservé Stephan (allemand), Stephen ou Steven (anglais), plus proches de l'origine grecque : *stephanos*, «couronne». Stéphane a donc tout l'attrait de la nouveauté quand il surgit dans les années 1950.

Sa croissance, sans être des plus rapides, est très forte puisqu'elle l'amène à occuper le premier rang des prénoms de 1971 à 1975. Il prénomme près de 1 garçon sur 18 en 1971-72, au faîte de sa gloire.

Stéphane s'est imposé dans tous les groupes sociaux, sauf chez les agriculteurs et en milieu BCBG, où son succès a été atténué, et dans toutes les régions, avec une prime aux Bretons. Quelques **Stephan** ou **Stéfan** l'ont accompagné.

# Stéphanie

| | |
|---|---|
| 1930-53 | EXCENTRIQUE |
| 1954-63 | PRÉCURSEUR |
| 1964-69 | PIONNIER |
| 1970-73 | DANS LE VENT |
| 1974-75 | HYPERCONFORMISTE |
| 1976-77 | CONFORMISTE |
| 1978-88 | À LA TRAÎNE |
| 1989-99 | DÉMODÉ |
| DEPUIS 00 | DÉSUET |

Stéphanie est beaucoup plus turbulente que Sophie.

Comme Stéphane, son homologue masculin qui la précède, c'est un prénom presque neuf quand il surgit, les Stephana du Moyen Âge et les **Étiennette** de l'âge classique étant bien oubliées.

Stéphanie arrive comme un ouragan et se retrouve très vite en tête du hit-parade (de 1974 à 1977). Mais son apogée est particulièrement bref : deux années (1974-75), pendant lesquelles elle prénomme 1 fille sur 17. Son meilleur score est alors obtenu chez les employés (1 fille sur 13). L'ouragan s'essouffle vite. Et la princesse (née en 1965) eut beau chanter tout l'été, cela n'empêcha pas son prénom de tomber.

Son succès est plus récent au Québec, où Stéphanie a régné de 1986 à 1990.

# Steven

| | |
|---|---|
| 1930-63 | EXCENTRIQUE |
| 1964-73 | PRÉCURSEUR |
| 1974-91 | DANS LE FLUX |
| 1992-95 | PLUTÔT CONFORMISTE |
| 1996-04 | À LA TRAÎNE |
| DEPUIS 05 | DÉMODÉ |

Le triomphe de Stéphane a fait naître en France des formes anglaises, ou que l'on croit telles, de ce prénom. Steven, avec ou sans accent, a été la plus importante (1 garçon sur 150), se développant essentiellement en milieu populaire.

À ses côtés a grandi **Steve** ou **Stève** (pour la prononciation) et sont apparues les formes bizarres que sont **Steeve**, **Steeven** (inconnues en anglais), ainsi que quelques **Stephen** (forme anglaise traditionnelle) ou **Stevens**. On s'y perd un peu.

Steven a prospéré en Bretagne et Haute-Normandie, Steve a préféré l'Alsace.

# Suzanne

| | |
|---|---|
| 1930-42 | À LA TRAÎNE |
| 1943-61 | DÉMODÉ |
| 1962-71 | DÉSUET |
| DEPUIS 72 | EXCENTRIQUE |

Ce prénom d'usage ancien dérive de *Chochana*, qui est un lys ou une rose en hébreu.

Adolescente à la fin du XIXe siècle, Suzanne est dans tout l'éclat de sa chaste beauté dans les années 1910-25. Elle séduit alors près de 1 couple de parents sur 35, davantage encore vers 1920 quand elle atteint le cinquième rang des prénoms féminins.

Suzanne était en usage depuis le Moyen Âge, mais jamais n'avait connu un tel succès.

Elle s'étiole dans les années 1930 et prend son temps pour entrer au purgatoire, où elle ne s'évanouit pas complètement (même aujourd'hui), flanquée d'une poignée de **Suzy**, **Suzie**, **Susie** ou **Suzon**. En revanche, les **Suzette** des années 1930 sont bien oubliées.

# Sylvain

| | |
|---|---|
| 1930-38 | EXCENTRIQUE |
| 1939-48 | PRÉCURSEUR |
| 1949-77 | DANS LE FLUX |
| 1978-87 | CONFORMISTE |
| 1988-02 | EN REFLUX |
| DEPUIS 03 | DÉSUET |

Comme pour les autres prénoms de la même famille sylvestre, le *y* s'est imposé alors que l'origine est le latin *silva*, «forêt».

C'est sous la forme **Silvain** que ce très ancien prénom prospéra jadis dans le Berry. Sylvain n'est pas inconnu au XIXe siècle ni complètement absent dans les années 1930 et 1940.

Au contraire de Sylvie, Sylvain est un prénom calme qui, au terme d'une lente progression, a plafonné dix ans au niveau de 1 garçon sur 80.

Il s'est équitablement distribué dans tous les milieux sociaux, et s'est diffusé sur l'ensemble du territoire avec une préférence pour la Bourgogne, la Franche-Comté et la Normandie, enfin pour le Limousin et Midi-Pyrénées lors de son reflux, curieusement assez rapide.

# Sylviane

| | |
|---|---|
| 1930-46 | DANS LE FLUX |
| 1947-57 | PLUTÔT CONFORMISTE |
| 1958-71 | EN REFLUX |
| 1972-81 | DÉSUET |
| DEPUIS 82 | EXCENTRIQUE |

Sylviane (plus rarement **Sylvianne**) est soit une contraction de Sylvie-Anne, soit un prénom autonome dérivé de Silvana. Sa carrière modeste (au mieux 1 fille sur 200) a préludé à l'épanouissement de Sylvie. **Sylvette** a été encore plus discrète dans les années 1940 et **Sylvaine** a toujours été confidentielle.

**Sylvia**, généralement très rare, l'a été un peu moins dans les années 1960 et 1970.

# Sylvie

| | |
|---|---|
| 1930-41 | PRÉCURSEUR |
| 1942-49 | PIONNIER |
| 1950-58 | DANS LE VENT |
| 1959-60 | CONFORMISTE |
| 1961-67 | HYPERCONFORMISTE |
| EN 1968 | CONFORMISTE |
| 1969-77 | À LA TRAÎNE |
| 1978-88 | DÉMODÉ |
| 1989-98 | DÉSUET |
| DEPUIS 99 | EXCENTRIQUE |

Parmi les féminins de Sylvain, voici celui qui a fait le plus de bruit. Sylvie a été le grand prénom du temps des copains et du yé-yé.

Alors qu'il végétait depuis la fin du XIXe siècle, une ascension irrésistible dans les années 1950 l'amène à la première place, qu'il occupe de 1961 à 1964. Sylvie est hyperconformiste (plus de 1 fille sur 20) pendant sept ans, prénommant jusqu'à 1 fille sur 15 en 1964.

Sylvie triomphe dans tous les groupes sociaux, un peu moins toutefois chez les cadres où elle ne peut détrôner Catherine et où son avance est moins nette que d'habitude. Relevons le score impressionnant de 1 fille sur 13, de 1963 à 1965, chez les artisans et commerçants, groupe qui a fait le meilleur accueil à Sylvie. Et ce même niveau est atteint en 1965-67 parmi les agriculteurs, qui placent ce prénom mode, une fois n'est pas coutume, au premier rang de 1960 à 1967.

Mais alors que Sylvie est toujours au zénith, voici Nathalie qui la bouscule et va monter encore plus haut.

# Tanguy

Tanguy est un vrai breton, nom d'un saint fondateur d'un monastère, et d'étymologie celtique : *tan,* «feu» et *ki,* «chien». Ce très ancien prénom a frémi longtemps avant de naître en se répandant hors de sa province d'origine. Sa progression était lente et il décline aujourd'hui.

La forme bretonne authentique est Tangi, très rare, et on trouve dans le *Bottin mondain* quelques Tanneguy.

# Théo

Théodore et Théophile ont été relativement connus au XIXe siècle, plus fréquents en tout cas que les Théodule, Théophane ou Théotime, autres expressions du respect ou de l'amour de Dieu. Mais c'est Dieu tout seul qui s'avance aujourd'hui, avec la forme abrégée Théo.

Un envol impressionnant, d'abord chez les cadres et dans les professions intermédiaires, et plus marqué, à ses débuts, en Rhône-Alpes et Franche-Comté, puis dans le Nord. Voilà alors Théo dans le peloton de tête et sérieux candidat à la première place. Il ne l'atteindra pourtant pas, doublé par son petit frère, Matteo, à moitié latin puisqu'il s'écrit plus de une fois sur deux Mathéo.

Théophile, «qui aime Dieu», entame son retour, déjà bien présent à Paris et en milieu bourgeois.

L'origine grecque *theos* est évidemment ignorée ou bafouée par les incultes ou les impies qui osent, de plus en plus nombreux, enlever son *h* à Théo, sans parler de l'incroyable **Théau** ou de l'improbable **Tao**. **Théa**, féminin tout neuf, commence à apparaître.

# Thérèse

| | |
|---|---|
| 1926-36 | CONFORMISTE |
| 1937-44 | À LA TRAÎNE |
| 1945-68 | DÉMODÉ |
| 1969-78 | DÉSUET |
| DEPUIS 79 | EXCENTRIQUE |

L'origine de ce prénom est assez incertaine : peut-être l'île grecque Therasia, près de la Crète. En tout cas, ce nom est d'abord lié à l'Espagne, porté par des reines dès le XIe siècle et popularisé par sainte Thérèse d'Avila au XVIe.

Thérèse prend son essor en France au XVIIe siècle et devient un prénom courant, même si on le trouve rarement dans le peloton de tête. Après une petite vogue au début du XIXe siècle, Thérèse est d'une grande constance de 1830 à 1915, donnée à 1 fille sur 140 environ. La renommée croissante de sainte Thérèse de l'Enfant-Jésus, morte en 1897, béatifiée en 1923, canonisée en 1925 – Lisieux devenant un haut lieu de pèlerinage –, entraîne un regain de faveur pour ce prénom. Il culmine de 1926 à 1935, choisi pour 1 fille sur 60 (dépassé cependant par Marie-Thérèse).

Thérèse triomphe surtout dans la terre natale de la nouvelle sainte et dans les régions voisines du Nord-Ouest. En Basse-Normandie, elle est au premier rang au milieu des années 1930, attribuée à près de 1 fille sur 20. Le recul de ce prénom, si longtemps présent, a été singulièrement rapide, sauf dans ses zones de force.

Les années 1990 ont vu une petite poussée en France de **Tracy**, à la mode voilà vingt ans dans les pays anglophones, qui est peut-être un dérivé anglais de Thérèse. C'est le tour aujourd'hui de **Tess** et **Tessa**. Notons aussi l'émergence de **Thaïs** (près de 1 fille sur 500 en 2009).

# Thibault et Thibaut

| | |
|---|---|
| 1930-63 | EXCENTRIQUE |
| 1964-73 | PRÉCURSEUR |
| 1974-86 | PIONNIER |
| 1987-90 | DANS LE VENT |
| 1991-97 | CONFORMISTE |
| 1998-00 | À LA TRAÎNE |
| DEPUIS 01 | EN REFLUX |

Voilà un prénom bien connu au Moyen Âge, donc d'origine germanique : *theud*, «peuple» et *bald*, «audacieux», qui était hors d'usage ou presque, depuis des siècles.

Lors de son retour, Thibault grandit d'abord en milieu bourgeois : il atteint le niveau de 1 % chez les cadres dès 1981 et est en vedette dans le palmarès BCBG depuis les années 1980. Se diffusant ensuite dans les couches moyennes, il tarde à s'imposer chez les ouvriers. Du coup, il plafonne, donné avec constance à 1 garçon sur 90. Thibault ne connaîtra pas, trente ans après, la fortune de Thierry.

Thibault est plus fréquent que Thibaut, sauf dans le Nord-Est, où Thibaut l'emporte. La forme **Thibaud**, conservatrice du *bald* germanique, est la moins répandue.

# Thierry

| | |
|---|---|
| 1930-35 | EXCENTRIQUE |
| 1936-45 | PRÉCURSEUR |
| 1946-53 | PIONNIER |
| 1954-62 | DANS LE VENT |
| 1963-66 | HYPERCONFORMISTE |
| 1967-73 | À LA TRAÎNE |
| 1974-90 | DÉMODÉ |
| 1991-00 | DÉSUET |
| DEPUIS 01 | EXCENTRIQUE |

L'étymologie germanique commence comme celle de Thibaut – *theud*, «peuple» – et se poursuit en *ric*, «puissant». Ce vieux nom, porté par le fils de Clovis et d'autres rois francs, ne survit pas à l'âge classique. Thierry est donc quasi tout neuf quand il émerge dans l'après-guerre.

Sa diffusion sociale suit le schéma habituel, les cadres l'adoptant en premier (1 % dès 1947). Vers 1958-60, sa progression s'accélère si bien qu'il devient le premier prénom masculin en 1964-65, interrompant le règne de Philippe.

Pendant ces deux années, il dépasse le niveau de 6 % (1 garçon sur 16) et prénomme 1 garçon sur 13 parmi les employés. Cette catégorie sociale est celle, avec les professions intermédiaires, qui lui a fait le meilleur accueil, mais Thierry s'est imposé dans tous les milieux, à un moment ou à un autre, et dans toutes les régions à peu près en même temps.

La diffusion du feuilleton télévisé *Thierry la Fronde*, de novembre 1963 à janvier 1966, a coïncidé avec l'apogée de Thierry et ne l'a donc pas provoqué. D'ailleurs, la contrepartie a été un recul rapide.

# Thomas

| | |
|---|---|
| 1930-57 | EXCENTRIQUE |
| 1958-67 | PRÉCURSEUR |
| 1968-77 | PIONNIER |
| 1978-89 | DANS LE VENT |
| 1990-01 | CONFORMISTE |
| 2002-07 | À LA TRAÎNE |
| DEPUIS 08 | DÉMODÉ |

Pourquoi a-t-il fallu séparer Thomas de Mathieu ? Fâcheuse dichotomie qui a empêché l'épanouissement d'un immense prénom.

Thomas, qui signifie «jumeau» en araméen, est comme le frère siamois de Mathieu : *ma* commun et sonorité en écho, même patronage d'apôtres, même ancienneté et même présence discrète au XIXe siècle, même ascension en milieu bourgeois, simultanéité de leur démarrage.

Parti un peu moins vite, Thomas a rattrapé puis dépassé Mathieu.

Le triomphe de Kevin lui a longtemps barré l'accès à la première place. Faute d'avoir fait le plein chez les ouvriers, il s'est contenté du deuxième rang de 1990 à 1993 (plus de 1 garçon sur 40), tout en l'emportant chez les cadres et dans les professions intermédiaires. Concurrencé ensuite par Nicolas et Alexandre, il paraît renoncer en 1994, puis se redresse un peu, assez pour atteindre enfin le premier rang, qu'il occupe de 1996 à 2000. Il s'est imposé en toutes régions avec une prédilection pour l'Aquitaine.

# Timothée

| | |
|---|---|
| 1930-76 | EXCENTRIQUE |
| 1977-86 | PRÉCURSEUR |
| 1987-06 | PIONNIER |
| DEPUIS 07 | DANS LE FLUX |

Ce nom grec, «qui craint Dieu», était porté par un compagnon de saint Paul, et Timothy est bien connu dans les pays anglophones depuis deux siècles. En France, c'est presque une nouveauté.

Depuis qu'il grandit, nombre de parents lui enlèvent son *e* final. À côté de ce **Timothé**, on trouve aussi quelques **Timothy**, et le diminutif **Tim** est appelé à croître.

Cet essor a fait redécouvrir son équivalent inversé, **Théotime** (souvent orthographié Téotime).

# Tiphaine

1930-70   EXCENTRIQUE
1971-80   PRÉCURSEUR
DEPUIS 81  RARE

Comme Noël, Pascal, **Toussaint** ou même Osanne (dimanche des Rameaux), Tiphaine est un prénom qui évoque une fête religieuse : l'Épiphanie. L'étymologie est grecque : *theophania*, «manifestation de Dieu». Oubliée depuis des siècles, Tiphaine – plus rarement **Typhaine**, voire **Tifaine** ou **Tifenn** (vingt-six orthographes au total !), qui fut jadis attribuée à des garçons – a été réveillée par la venue de sa version anglaise, peut-être aussi par la montée de Thibaut. Mais elle reste alors discrète (1 fille sur 500) et commence aujourd'hui à décliner.

Tiphaine est plus en vue en milieu BCBG, ainsi qu'en Bretagne et dans les Pays de la Loire.

# Tiphanie et Tiffany

1930-70    EXCENTRIQUE
1971-79    PRÉCURSEUR
1980-91    DANS LE FLUX
1992-97    PLUTÔT CONFORMISTE
1998-06    EN REFLUX
2007-08    DÉSUET
DEPUIS 09  EXCENTRIQUE

De même origine que Tiphaine, Tiphanie s'écrit désormais surtout Tiffany, sans parler de seize orthographes plus rares, comme **Tiffanie**, **Tifany** ou **Typhanie**. La crue de ce prénom venait de plusieurs sources : la source médiévale (Tiphaine), la source anglo-saxonne, la vogue de Fanny et la gloire déclinante de Stéphanie. Il a grandi plus vite que Tiphaine (plus de 1 fille sur 200), mais il est beaucoup moins chic.

# Titouan

| | |
|---|---|
| 1930-87 | EXCENTRIQUE |
| 1988-97 | PRÉCURSEUR |
| 1998-03 | PIONNIER |
| DEPUIS 04 | DANS LE FLUX |

C'est évidemment le navigateur Titouan Lamazou qui a fait connaître ce prénom tout nouveau. On a vu dans Titouan un diminutif provençal d'Antoine ou de Baptiste. Il serait plus légitime de le rattacher à Titus ou Tite, nom romain rendu célèbre par l'empereur romain amoureux de Bérénice. À noter que Titus est hors d'usage comme prénom, malgré l'existence d'un saint patron fêté le 26 janvier.

Les Bretons, qui aiment bien les nouveautés ayant un air celtisant, ont adopté ce prénom, peut-être par analogie avec Tristan. Il se répand aussi en Normandie, dans les Pays de la Loire, et dans le Poitou, encore peu connu près de la Méditerranée.

# Tom

| | |
|---|---|
| 1930-79 | EXCENTRIQUE |
| 1980-89 | PRÉCURSEUR |
| 1990-99 | PIONNIER |
| 2000-03 | DANS LE VENT |
| DEPUIS 04 | CONFORMISTE |

Ce diminutif anglais de Thomas est en usage, depuis des siècles, dans les pays anglophones. Que l'on songe, par exemple, à Tom Pouce ou à Tom Jones, de Fielding. Mais c'est vraiment un diminutif qui n'apparaît guère sur les registres des naissances, où l'on trouvera plutôt des **Tommy**. C'est en France que Tom est en train de devenir un prénom à part entière, c'est-à-dire officiel. Sa progression est spectaculaire, surtout en Poitou-Charentes et en Basse-Normandie. Il installe aussi sa case dans le Midi et entre dans le top 20 national (1 garçon sur 90 en 2009).

# Tony

1930-65    EXCENTRIQUE
1966-79    DANS LE FLUX
DEPUIS 80    RARE

Apparu en France avant Anthony, Tony, son diminutif, est loin de connaî-tre le même sort.

Depuis 1980, ce prénom à clientèle populaire et qui a les faveurs des parents de nationalité portugaise (bien plus qu'**Antonio**) ne dépasse pas le niveau de 1 garçon sur 300. Il régresse depuis peu.

# Tristan

1930-73    EXCENTRIQUE
1974-83    PRÉCURSEUR
DEPUIS 84    DANS LE FLUX

L'origine de ce prénom est assez brumeuse : probablement celtique, une étymologie possible étant *drust*, «tumulte». Drystan, nom d'un héros gallois légendaire, est devenu Tristan dans les récits médiévaux, par analogie, peut-être, avec la tristesse de son histoire. En Angleterre, la forme traditionnelle est Tristram, mais l'opéra de Wagner a contribué à internationaliser la forme Tristan. D'usage exceptionnel dans le passé, ce prénom a frémi longtemps avant de naître. Après des premiers pas prometteurs, notamment en Bretagne, il se stabilise longtemps à un niveau modeste et progresse doucement depuis 1996.

Il n'a pas trouvé son **Yseult**, **Iseut** ou **Isolde**, dont la voile n'apparaît toujours pas à l'horizon. Naissent quelques très rares **Ysé** ou **Ysée**.

# Valentin

| | |
|---|---|
| 1930-72 | EXCENTRIQUE |
| 1973-82 | PRÉCURSEUR |
| 1983-90 | PIONNIER |
| 1991-94 | DANS LE VENT |
| 1995-99 | CONFORMISTE |
| 2000-01 | À LA TRAÎNE |
| DEPUIS 02 | DÉMODÉ |

Valentin vient du latin *valens*, «bien portant, vigoureux». Il est en usage chez les premiers chrétiens et c'est même le nom d'un pape en 827. Il reste rare comme prénom malgré une toute petite vogue à la fin du XIX<sup>e</sup> siècle.

Après des premiers pas assez modestes, tout d'abord chez les cadres, Valentin connaît, en 1991 et 1992, un essor fulgurant, particulièrement marqué en Basse-Normandie et dans les Pays de la Loire, où il double même Quentin qui lui a ouvert la voie.

Il prospère aujourd'hui dans le Nord-Ouest. Faute d'avoir vraiment conquis le Sud, il n'a pas dépassé le niveau de 1 garçon sur 65. Son déclin est amorcé.

# Valentine

| | |
|---|---|
| 1930-78 | EXCENTRIQUE |
| 1979-88 | PRÉCURSEUR |
| 1989-96 | DANS LE FLUX |
| 1997-00 | PLUTÔT CONFORMISTE |
| DEPUIS 01 | EN REFLUX |

Connue, sans être très fréquente, au XIX<sup>e</sup> siècle, Valentine avait quasi disparu depuis 1930. Elle frémissait dans les années 1980, freinée peut-être par la peinture. L'engouement pour Valentin a facilité son essor, qui a culminé à 1 fille sur 200 (en 1997).

Lancée d'abord en milieu BCBG, elle s'est propagée à partir du nord de la France, sans s'imposer dans le Midi.

# Valérie

| | |
|---|---|
| 1930-48 | EXCENTRIQUE |
| 1949-58 | PRÉCURSEUR |
| 1959-61 | PIONNIER |
| 1962-65 | DANS LE VENT |
| 1966-69 | HYPERCONFORMISTE |
| 1970-71 | CONFORMISTE |
| 1972-78 | À LA TRAÎNE |
| 1979-89 | DÉMODÉ |
| 1990-99 | DÉSUET |
| DEPUIS 00 | EXCENTRIQUE |

Depuis la fin du XIXᵉ siècle, Valérie était aussi confidentielle que ses compagnons masculins **Valère** ou **Valéry** (de même étymologie latine que Valentin). Sa formidable percée, au début des années 1960, est comparable à celle de Nathalie, sa presque contemporaine. Valérie se retrouve hyperconformiste sept ans après son émergence et atteint le deuxième rang en 1968-69, choisie pour près de 1 fille sur 18.

Ce prénom typiquement mode a été en faveur dans tous les milieux, mais il a soulevé moins d'enthousiasme chez les cadres et les agriculteurs que parmi les commerçants, les employés et plus encore les professions intermédiaires où il dépasse Nathalie en 1968-69 (1 fille sur 13).

L'engouement pour Valérie a été éphémère : son recul est presque aussi spectaculaire que sa croissance et la voilà déjà au purgatoire, guère plus fréquente que **Valériane**.

# Vanessa

| | |
|---|---|
| 1930-60 | EXCENTRIQUE |
| 1961-70 | PRÉCURSEUR |
| 1971-77 | PIONNIER |
| 1978-81 | DANS LE VENT |
| 1982-88 | CONFORMISTE |
| EN 1989 | À LA TRAÎNE |
| 1990-99 | DÉMODÉ |
| DEPUIS 00 | DÉSUET |

Ce prénom courant dans les pays anglo-saxons, forgé semble-t-il par Jonathan Swift, était totalement inconnu en France lorsqu'il surgit au début des années 1970.

Après avoir culminé au niveau honorable de 1 fille sur 75, Vanessa se fait remarquer par sa chute, étonnante par sa rapidité, du paradis aux portes du purgatoire.

Ce sont les ouvriers, puis les employés, qui ont le mieux adopté Vanessa, peu prisée en milieu bourgeois.

**Vanina** ne s'est guère implantée en France. **Vanille**, encore discrète, pourrait faire mieux.

# Véronique

Véronique pourrait venir de la ville de Vérone ; mais c'est plus probablement une autre forme de Bérénice, du grec *pherein*, « apporter » et *nikè*, « victoire ».

Très rare au XIXe siècle et au début du XXe, Véronique émerge dans les années d'après-guerre. Elle se hisse à un niveau élevé (près de 1 fille sur 25 de 1962 à 1965), sans dépasser toutefois le quatrième rang, tant la concurrence est rude en ces années 1960.

Véronique s'est diffusée dans tous les groupes sociaux, avec des décalages dans le temps assez sensibles, mais a eu une préférence pour les couches sociales moyennes et aisées (professions intermédiaires surtout, ainsi que commerçants et cadres). Elle a perpétué la tradition des prénoms en *nique*, illustré par Monique et Dominique, et, comme ses devancières, a été particulièrement appréciée par les Bourguignons.

Depuis la disparition de sa jumelle, **Bérénice** – frémissante depuis près de trente ans en l'absence de tout Titus – s'élance hors des milieux BCBG qui l'ont couvée.

# Victor

Au début de l'ère chrétienne, Victor est un nom symbolique qui évoque la victoire du Christ.

Comme d'autres prénoms romains, Victor a eu un certain succès au XIXe siècle, prénommant jusqu'à 1 garçon sur 65 dans les années 1860. L'immense popularité de Victor Hugo n'a pas empêché que s'entame, de son vivant, le lent reflux de son prénom.

Victor est revenu cent ans après la mort du grand poète, en même temps que naissait Hugo. Il a dépassé 1 % chez les cadres dès 1989, mais a tardé à s'imposer dans les milieux populaires. Il semble plafonner aujourd'hui au niveau de 1 garçon sur 180, largement distancé par Hugo.

Notons l'émergence, assez discrète, de **Victorien** et de **Virgile**.

# Victoria

| | |
|---|---|
| 1930-79 | EXCENTRIQUE |
| 1980-89 | PRÉCURSEUR |
| 1990-93 | DANS LE FLUX |
| 1994-00 | PLUTÔT CONFORMISTE |
| DEPUIS 01 | EN REFLUX |

L'essor de Victor a provoqué la percée de cette forme anglaise et internationale de Victoire, d'abord à Paris et en Provence. Mais cette croissance est brève et Victoria a plafonné au niveau de 1 fille sur 300.

Un profil social plutôt bourgeois, au moins à ses débuts, mais, dans les milieux chics, elle est nettement dépassée par **Victoire** – dans le peloton de tête du palmarès BCBG mais trop discrète ailleurs pour avoir droit à une notice autonome. Victoire a été un prénom assez fréquent au XIXᵉ siècle, tout comme **Victorine** dont le retour est possible.

Le diminutif anglais **Vicky** est rarement déclaré à l'état civil.

# Vincent

| | |
|---|---|
| 1930-47 | PRÉCURSEUR |
| 1948-59 | RARE |
| 1960-74 | DANS LE FLUX |
| 1975-91 | CLASSIQUE |
| 1992-97 | EN REFLUX |
| 1998-07 | DÉMODÉ |
| DEPUIS 08 | DÉSUET |

Vincent est un vainqueur par son étymologie latine : *vincere*. Toujours plus ou moins présent depuis le XIXᵉ siècle, Vincent n'échappe pas au mouvement de la mode, puisqu'il passe de moins de 1 garçon sur 1 000 à plus de 1 sur 60 pendant notre période.

Mais c'est tout de même un prénom à forte tendance classique. En témoignent la lenteur de sa progression, son étonnante stabilité (aux alentours de 1,7 %) lorsqu'il culmine et aussi son succès en milieu bourgeois, dès 1960.

Vincent est au plus haut chez les cadres en 1976-77 (1 garçon sur 30) et garde longtemps leur faveur, même s'il a fini par pénétrer dans tous les milieux. Étonnante longévité.

# Virginie

| | |
|---|---|
| 1930-50 | EXCENTRIQUE |
| 1951-60 | PRÉCURSEUR |
| 1961-69 | PIONNIER |
| 1970-74 | DANS LE VENT |
| 1975-81 | CONFORMISTE |
| 1982-87 | À LA TRAÎNE |
| 1988-98 | DÉMODÉ |
| 1999-03 | DÉSUET |
| DEPUIS 04 | EXCENTRIQUE |

**Virginia**, prénom anglais, provient du surnom d'Élisabeth Ire, la «reine vierge». C'est pour l'honorer qu'une province de la Nouvelle-Angleterre fut ainsi baptisée. Lancée en France, peut-être, par Bernardin de Saint-Pierre, Virginie connaît une certaine vogue dans la première partie du xixe siècle. Ce prénom était tombé dans l'oubli lorsqu'il surgit dans les années 1960. Pendant sept ans, Virginie prénomme 1 fille sur 37 et figure dans le peloton de tête, au quatrième rang.

Les cadres qui l'ont tôt adoptée s'en détournent tout aussi vite et ce sont plutôt les professions intermédiaires qui contribuent à son progrès. Mais Virginie finit par s'imposer surtout chez les ouvriers, où elle occupe la deuxième place en 1980-81.

# Viviane

| | |
|---|---|
| 1930-35 | PRÉCURSEUR |
| 1936-45 | DANS LE FLUX |
| 1946-61 | CLASSIQUE |
| 1962-71 | EN REFLUX |
| 1972-81 | DÉSUET |
| DEPUIS 82 | EXCENTRIQUE |

Viviane est pleine de vie par son étymologie latine. Malgré la fée du même nom, Viviane est une nouveauté des années 1930, dans la série des prénoms en *iane*. Sa carrière a été modeste et tranquille: à peine 1 fille sur 200 pendant seize ans. Cette stabilité oblige à traiter Viviane comme un prénom classique dans cette période, alors qu'elle reflète plutôt son relatif échec. Viviane a, en réalité, été un prénom éphémère, apprécié surtout en milieu populaire.

Son compagnon masculin, **Vivien**, a pris un faux départ, de 1984 à 1989, et a perdu, depuis, beaucoup de sa vivacité.

# Wendy

| | |
|---|---|
| 1930-90 | EXCENTRIQUE |
| 1991-00 | RARE |
| DEPUIS 01 | EXCENTRIQUE |

Lancé par l'auteur de *Peter Pan* (1904), le mot Wendy est devenu un prénom en Grande-Bretagne à partir des années 1920, aidé, peut-être, par sa ressemblance avec le prénom slave **Wanda**.

Son émergence en France, où il était inconnu, doit beaucoup à la diffusion de séries télévisées américaines. Mais la poussée de 1994 (1 fille sur 300) a été sans lendemain.

# Wilfried

| | |
|---|---|
| 1930-67 | EXCENTRIQUE |
| 1968-94 | RARE |
| DEPUIS 95 | EXCENTRIQUE |

L'étymologie est germanique, *wil*, «volonté» et *fried*, «paix»; mais le saint qui illustra ce nom au VIIe siècle est anglais. Il a surtout patronné des petits Allemands.

En France, Wilfried (ou plus rarement **Wilfrid**) est demeuré assez confidentiel, ne prénommant au mieux que 1 garçon sur 400 de 1972 à 1991.

# William

| | |
|---|---|
| 1930-39 | EXCENTRIQUE |
| DEPUIS 40 | RARE |

William, le Guillaume anglais, a été le premier prénom en Grande-Bretagne pendant des siècles et jusque vers 1925. Il a quelques adeptes en France, où il oscille, depuis 1940, entre 1 garçon sur 900 et 1 sur 300 avec une pointe à 1 sur 250 en 1998-99.

William a échappé au marquage social des prénoms anglo-saxons et a été apprécié en Île-de-France. Quelques **Willy** l'ont toujours accompagné. Il est aujourd'hui en tête du palmarès au Québec.

# Xavier

Comme il y avait déjà beaucoup de saints François, on ajouta Xavier – nom du lieu où il était né en 1906, en Navarre espagnole – au nom du célèbre missionnaire jésuite. Le mot est d'origine basque *etchaberri*, qui signifie «maison neuve».

Xavier est en usage, assez discret, dès le XIX^e siècle, mais sa véritable carrière est récente. Le mouvement de mode qui l'a saisi n'a été que de faible ampleur puisqu'il n'a pas franchi le seuil de 1 % à son sommet en 1973. Et son reflux est lent, lui donnant une allure classique.

Le choix de Xavier est conformiste chez les cadres de 1970 à 1975 (1 garçon sur 57). C'est que Xavier est un prénom bourgeois, bien vu dans les écoles de jésuites.

On peut faire mieux, à cet égard, avec François-Xavier ou le rarissime Gonzague, en attendant Ignace.

Chez les filles, Xavière a toujours été extrêmement rare.

# Yanis et Yannis

| | |
|---|---|
| 1930-80 | EXCENTRIQUE |
| 1981-90 | PRÉCURSEUR |
| 1991-00 | PIONNIER |
| 2001-03 | DANS LE VENT |
| DEPUIS 04 | CONFORMISTE |

Yannis est la forme grecque de Jean. Mais c'est l'orthographe Yanis qui l'emporte de plus en plus en France depuis que ce prénom a surgi et s'envole, favorisé par sa terminaison en *is* et l'effacement de Yannick. La faveur dont il jouit en Rhône-Alpes, Provence et dans la banlieue parisienne vient peut-être des prénoms arabes **Anis** et **Yassine**. Un prénom d'intégration, mêlant le breton, le grec et l'arabe, qui est désormais bien installé dans le peloton de tête du palmarès masculin (1 garçon sur 70 en 2009). **Yasmine**, autre prénom d'intégration, est en plein essor.

# Yann

| | |
|---|---|
| 1930-47 | EXCENTRIQUE |
| 1948-57 | PRÉCURSEUR |
| 1958-75 | DANS LE FLUX |
| 1976-79 | PLUTÔT CONFORMISTE |
| 1980-87 | EN REFLUX |
| 1988-02 | CLASSIQUE |
| DEPUIS 03 | RARE |

Cette forme bretonne de Jean a démarré après son dérivé Yannick et a atteint exactement le même niveau : à peine 1 garçon sur 100 en 1978. Le succès de Yann a été naturellement bien plus précoce et plus massif en Bretagne (1 garçon sur 55 dans les années 1970). Pendant une quinzaine d'années, ce prénom s'est stabilisé au niveau de 1 garçon sur 300, se démodant moins que Yannick. Il est plus visible en Alsace et en Bretagne. La forme **Yan** est rare.

# Yannick

| | |
|---|---|
| 1930-35 | EXCENTRIQUE |
| 1936-45 | PRÉCURSEUR |
| 1946-70 | DANS LE FLUX |
| 1971-76 | PLUTÔT CONFORMISTE |
| 1977-95 | EN REFLUX |
| 1996-05 | DÉSUET |
| DEPUIS 06 | EXCENTRIQUE |

Autre forme bretonne de Jean (que les bretonnants écriraient Yannig), Yannick prend évidemment son essor en Bretagne, mais aussi dans les Pays de la Loire. Dans ces deux régions, il franchit la barre de 1 % dès le début des années 1950. Son meilleur score est obtenu plus tard en Bretagne (1 garçon sur 50 de 1965 à 1969), mais les régions voisines, Basse-Normandie et Pays de la Loire, se distinguent également. Sur l'ensemble du territoire, Yannick culmine cinq ans avant Yann, prénommant un peu moins de 1 garçon sur 100 en 1973. La popularité de Yannick Noah n'a pas enrayé son lent reflux.

Yannick a aussi été un prénom féminin, peu courant, dans les années 1940 et 1950, au moment de la vogue d'Annick.

# Yoann et Johan

| | |
|---|---|
| 1930-59 | EXCENTRIQUE |
| 1960-69 | PRÉCURSEUR |
| 1970-76 | PIONNIER |
| 1977-81 | DANS LE VENT |
| 1982-89 | CONFORMISTE |
| 1990-97 | À LA TRAÎNE |
| DEPUIS 98 | DÉMODÉ |

C'est d'abord Johan, flanqué de Johann et du rare Joan, qui a vu le jour. Ces variantes archaïsantes et germaniques de Jean sont, en fait, d'usage récent en France, prénommant plus de 1 garçon sur 200 depuis 1981. Le J initial a été très vite détrôné par le Y : Yoann et Yohan sont les orthographes les plus répandues devant Yoan et Yohann, autres formes de cet hybride mêlant Yann et Johan.

Ce prénom tout neuf a progressé vite, malgré une réticence certaine des milieux bourgeois, atteignant le niveau de 1 garçon sur 80. Il paraît légitime de l'assimiler à Johan, qui se prononce généralement de la même manière. On obtient alors un prénom choisi pour 1 garçon sur 60 de 1982 à 1989, en net déclin aujourd'hui. Il s'est implanté plus vite dans le Nord-Ouest et a été plus fréquent en milieu populaire. Les Bretons lui restent assez fidèles.

# Yolande

| | |
|---|---|
| 1925-56 | CLASSIQUE |
| 1957-68 | EN REFLUX |
| 1969-78 | DÉSUET |
| DEPUIS 79 | EXCENTRIQUE |

L'origine de Yolande est incertaine, peut-être germanique, peut-être grecque, de *ion*, «violet» et *anthos*, «fleur», ce qui en fait une violette. Ce très ancien prénom, hors d'usage depuis bien longtemps, réapparaît au xxᵉ siècle, de manière discrète.

Contemporaine de Rolande, mais plus stable, Yolande oscille faiblement, pendant plus de trente ans, autour du niveau de 1 fille sur 300 (1925-56).

Après cette longue persévérance, elle disparaît assez vite, dès les années 1950, chez les cadres.

Sa cousine **Violette** n'a pas franchi la barre de 1 fille sur 1000 des années 1920 aux années 1960. **Violaine** a été plus rare encore depuis sa réinvention par Claudel. Aujourd'hui, Violaine est très discrète et Violette un peu moins. **Yolaine** est confidentielle depuis un demi-siècle.

# Yves

| | |
|---|---|
| 1930-34 | DANS LE VENT |
| 1935-55 | CLASSIQUE |
| 1956-67 | À LA TRAÎNE |
| 1968-81 | DÉMODÉ |
| 1982-91 | DÉSUET |
| DEPUIS 92 | EXCENTRIQUE |

Le mot *if*, pour désigner l'arbre, est à la fois gaulois et germanique. Yves est un nom d'usage ancien puisqu'il est celui d'un des compagnons de Roland, tué à Roncevaux. C'est le culte de saint Yves de Kermartin qui en a fait un prénom breton. Jusqu'à l'aube du xxᵉ siècle, Yves est confiné en Bretagne, qui reste d'ailleurs son fief lorsqu'il connaît un destin national. Pendant une vingtaine d'années, ce prénom se comporte comme un classique, oscillant faiblement autour de 1,4 % (1 garçon sur 70). Mais cette constance est trompeuse.

Yves commence à décliner dès 1935 en Bretagne où il avait prénommé jusqu'à 1 garçon sur 20, et dès les années 1940 dans les autres régions qu'il avait d'abord conquises : l'Ouest, de la Picardie à l'Aquitaine, mais aussi le Languedoc et Midi-Pyrénées. C'est sa diffusion ultérieure vers l'Est qui explique sa stabilité moyenne jusqu'au milieu des années 1950.

Yves fut très en faveur dans les milieux BCBG.

# Yvette

| | |
|---|---|
| 1928-36 | CONFORMISTE |
| 1937-47 | À LA TRAÎNE |
| 1948-64 | DÉMODÉ |
| 1965-74 | DÉSUET |
| DEPUIS 75 | EXCENTRIQUE |

Née avec le XXᵉ siècle, Yvette succède à Yvonne et atteint son apogée dans les années 1928-36 : elle prénomme alors 1 fille sur 38 et se classe au cinquième rang. Elle est moins appréciée en milieu bourgeois.

Le reflux est rapide, sauf dans certaines régions où Yvette est plus solidement implantée : Bretagne, Pays de la Loire, Basse-Normandie d'un côté, Midi-Pyrénées et Limousin de l'autre.

Mais Yvette, malgré ces préférences, n'a pas été un prénom régional. Elle s'est diffusée un peu partout, même si l'on peut noter son relatif échec en Île-de-France.

# Yvon

| | |
|---|---|
| 1930-36 | DANS LE FLUX |
| 1937-51 | PLUTÔT CONFORMISTE |
| 1952-65 | EN REFLUX |
| 1966-75 | DÉSUET |
| DEPUIS 76 | EXCENTRIQUE |

Le retour de ce dérivé d'Yves, d'usage ancien, accompagna la vogue d'Yves et de ses féminins. Mais sa fortune fut moindre et plus tardive que celle d'Yvonne.

Il n'a pas dépassé le niveau de 1 garçon sur 280 dans l'ensemble de la France, tandis que les Bretons le choisissaient pour près de 1 nouveau-né sur 70 dans les années 1940 et 1950. Hybride d'Yvon et d'Ivan, **Yvan** a rarement dépassé la barre de 1 sur 1 000. **Ivan**, forme slave de Jean, a été plus rare encore.

# Yvonne

1930-36    À LA TRAÎNE
1937-54    DÉMODÉ
1955-64    DÉSUET
DEPUIS 65  EXCENTRIQUE

L'âge d'or d'Yvonne, en hausse à la fin du XIX<sup>e</sup> siècle, s'étale sur la période 1905-25. Attribuée à plus de 1 fille sur 35, elle figure avec constance à la quatrième ou cinquième place.

Au début des années 1930, son recul est déjà bien amorcé (1 fille sur 60), même si elle reste fréquente en Bretagne, où rien de ce qui touche à Yves n'est indifférent, jusqu'en 1940.

Yvonne a sans doute ouvert la voie du succès à Simone.

## Zoé

| | |
|---|---|
| 1930-82 | EXCENTRIQUE |
| 1983-92 | PRÉCURSEUR |
| 1993-04 | PIONNIER |
| DEPUIS 05 | DANS LE VENT |

Zoé, c'est «la vie» en grec. Ce prénom n'est pas en usage avant la seconde moitié du XIXe siècle, en France comme en Grande-Bretagne. Encore s'agit-il d'un usage assez discret. Les toutes dernières tantes Zoé naissent vers 1920, avant une éclipse complète. C'est donc une nouvelle vie qui s'annonce, s'inscrivant dans la vogue actuelle des prénoms féminins en é. De fait, Zoé a enfin fait son entrée dans le top 20 féminin : en 2009, elle devrait être attribuée à près de 1 fille sur 90.
La Basse-Normandie lui a fait le meilleur accueil à ses débuts.

# Les prénoms d'hier

## La naissance du prénom au Moyen Âge

Ce que nous appelons aujourd'hui le prénom est l'héritier du nom individuel, le seul en vigueur pendant le haut Moyen Âge. La société médiévale ignore longtemps la double dénomination : nom de baptême-nom de famille. Chacun est désigné par un seul nom qui semble aussi identifier la lignée, du moins dans la noblesse pour laquelle nous disposons d'informations. En France, c'est au XIᵉ siècle qu'apparaît, d'abord dans l'aristocratie, l'usage d'ajouter au nom individuel un surnom. Ce surnom peut être un nom de lieu évoquant l'origine de la famille, un nom de métier, un sobriquet, ou même un autre nom de baptême qui se transmet (Bernard ou Martin). Devenant progressivement héréditaire du XIIIᵉ au XVIᵉ siècle, ce surnom se fixe en nom de famille.

Les noms individuels, ancêtres des prénoms, sont, aux IXᵉ et Xᵉ siècles, dans leur grande majorité, d'origine germanique. Les Francs ont conservé leurs noms qui se sont diffusés dans l'ensemble de la société gallo-romaine, encore que le Midi méditerranéen soit resté plus longtemps fidèle aux noms latins.

Ces noms germaniques sont latinisés : Bernardus, Geraldus, Rotbertus, Gosfredus, Guillelmus, Ugo, Ademarus, Aimericus semblent avoir été parmi les plus répandus. On trouve aussi (nous les donnons sous la forme moderne) des Alain, Alphonse, Anselme, Arnaud, Aubert, Baudouin, Bérenger, Bertrand, Charles, Conrad, Eudes, Foulques, Gauthier, Herbert, Hildebert, Raoul, Raymond, Richard, Rodolphe, Roger, Roland, Thierry, etc. S'y adjoignent de rares noms d'origine latine (Honoré, Loup) ou celtique (Arthur).

Ce répertoire ou stock de prénoms, massivement germanique, va être profondément renouvelé par la formidable ascension des prénoms chrétiens. Rares jusqu'au Xᵉ siècle, ils deviennent majoritaires au XIIIᵉ. Ils proviennent d'abord de l'Ancien Testament : Daniel, David, Élias, Simeon. À partir du XIIᵉ siècle, la préférence est nette pour les saints du Nouveau Testament, en particulier Andreas, Bartholomeus, Johannes, Petrus pour les hommes, Élisabeth, Johanna, Maria, Petronilla pour les femmes. Mais il faut compter aussi avec les noms de martyrs ou de saints : Martinus, Nicolaus, Stephanus, Agnes, Beatrix, Stephana, par exemple ; et il y a aussi des noms chrétiens symboliques, comme Benedictus, Donadeus, Christianus, Jordanus, Noël, Pascal, Ozanna.

À la fin du Moyen Âge, la préférence de l'Église pour les prénoms chrétiens s'affirme de plus en plus, alors qu'elle s'était longtemps accommodée des noms germaniques sans référence au christianisme.

Au XVIe siècle, l'attribution de prénoms chrétiens lors du baptême devient quasi impérative, en même temps qu'apparaissent les premières formes de l'état civil confié à l'Église. Sous François Ier, l'ordonnance de Villers-Cotterêts (1539) charge le clergé de tenir, dans toutes les paroisses, les registres de baptême ; l'inscription du nom de baptême et du nom de famille devient la règle. Le concile de Trente (1545-1563) enjoint aux curés, dans toute la chrétienté, de veiller à ce que les enfants reçoivent, au moment du baptême, le nom d'un saint qui leur servira de modèle. La notion du saint patron, modèle à imiter et aussi intercesseur auprès de Dieu, s'impose au XVIIe siècle.

Mais qu'en est-il de l'état civil des non-catholiques ? Pour les protestants, l'édit de Nantes (1598-1685) en confie la tenue aux ministres du culte réformé. En 1787, un édit de Louis XVI charge les officiers de justice de rédiger les actes d'état civil des non-catholiques. La Révolution française laïcise l'état civil qui doit être tenu par un officier élu par la commune ; le Consulat transfère cette fonction aux maires. Il faut attendre 1808 pour qu'un décret généralise l'état civil aux juifs, qui en étaient privés sous l'Ancien Régime.

## Le modèle classique

Les tribulations de l'état civil nous ont entraînés un peu loin. Revenons en arrière pour décrire le modèle classique de prénomination qui se met en place au XVIe siècle, s'épanouit au XVIIe siècle et persistera jusqu'au début du XXe.

La généralisation de la double dénomination – nom de baptême, nom de famille – et la christianisation des prénoms constituent la toile de fond de l'établissement de ce modèle. Sa première caractéristique est que le prénom est transmis et déterminé par le parrainage. Au moment du baptême, qui suit de très près la naissance, chaque nouveau-né est doté d'un parrain et d'une marraine dont le rôle peut être important, à cette époque de forte mortalité, en cas de décès des parents. L'enfant reçoit le prénom du parrain quand il s'agit d'un garçon, de la marraine quand il s'agit d'une fille.

Les parrains et marraines sont choisis au sein de la parenté proche : d'abord les grands-parents, s'ils sont en vie, pour l'aîné, puis les oncles et tantes (éventuellement par alliance), les cousins, les frères et sœurs. Le recours à des parrains étrangers au cercle de la parenté, permettant d'élargir son réseau de relations de protection ou d'influence, se fait de plus en plus rare. Le choix des parrains et marraines traduit le souci de maintenir l'équilibre entre les lignées paternelle et maternelle : si le parrain appartient à la famille du père, la marraine appartient à la famille de la mère, et vice versa. Naturellement, ce schéma varie sensiblement d'une région à l'autre. Mais la transmission des prénoms au sein de la parenté est très générale et a pour conséquence que le stock des prénoms est réduit et stable. Cela est renforcé par une autre caractéristique du modèle classique, *le prénom unique* : chacun n'est doté que d'un seul prénom. Tout concourt à ce qu'il y ait peu de prénoms en usage. En outre, il y a une forte concentration sur quelques prénoms dominants. Il n'est pas rare que, dans un village ou un bourg, quatre ou cinq prénoms se partagent les deux tiers des garçons. Et cette concentration est encore plus marquée pour les prénoms féminins.

Le prénom sert moins à identifier un individu qu'à le rattacher à une identité collective : il le lie à sa lignée familiale (prénom transmis), à la communauté religieuse (les saints patrons), éventuellement à la collectivité locale (prénoms locaux ou régionaux).

Quels sont les grands prénoms de l'âge classique ? Lors de la montée des prénoms chrétiens, Pierre a été le premier à s'imposer. Jean (ou Jehan) le rattrape au XIVe siècle puis le dépasse. Mais Pierre reste dans les deux ou trois premiers prénoms, et cela jusqu'au début du XXe siècle. Ses dérivés féminins, très divers selon les régions, Pétronille, Peyronne, Peyronnelle, Perrenotte, Pierrotte, Perrine, Perrette n'auront pas une fortune aussi durable. Ils seront dépassés par Jeanne, également au XIVe siècle. Jeanne va être à son tour devancée par Marie, à des dates très variables selon les régions. En général, l'essor de Marie date du XVIe siècle et ce prénom grandit encore au XVIIe à la faveur d'une poussée de dévotion mariale, s'imposant alors comme le premier pour les filles jusqu'à l'aube du XXe siècle. Jeanne demeure sa plus sérieuse et constante rivale.

À côté de Pierre, Jean, Jeanne et Marie, d'autres prénoms figurent dans les tout premiers. Pour les prénoms masculins, il y a Antoine, du XVIe au XVIIIe et surtout dans le Midi, François, Étienne, qui succède au Stephanus médiéval. Guillaume est encore très répandu au XVIe siècle et, malgré son déclin, est celui qui se maintient le mieux de tous les prénoms issus du stock germanique. Jacques est également un grand prénom, tout comme Nicolas, surtout dans le Nord pour ce dernier. Joseph progresse aux XVIe et XVIIe siècles, comme les noms de l'entourage du Christ (Anne, Marie). Jean-Baptiste s'épanouit au XVIIIe. Louis et Charles sont aux places d'honneur dans le Bassin parisien dès le XVIIe siècle. On peut citer encore, parmi ceux que l'on trouve souvent en bonne place, André, Michel et Martin, mais il est rare de les voir figurer dans le peloton de tête.

Quant aux prénoms féminins, les plus répandus, hormis Marie et Jeanne, sont Marguerite, Catherine et Anne, cette dernière depuis la fin du XVIe siècle. Leurs principales concurrentes sont Françoise, Antoinette (surtout dans le Midi), Élisabeth ou Isabelle, Louise et même Geneviève (toutes deux dans le Bassin parisien), Madeleine au XVIIIe siècle. Les féminins de Pierre sont toujours présents, mais déclinent.

Tels sont les prénoms qui se retrouvent le plus souvent en tête, ici et là, du XVIe au XVIIIe siècle. Mais la stabilité du stock ne signifie pas l'immobilité. Certains prénoms reculent tandis que d'autres (tel Joseph) émergent et se développent. Et, à côté des grands prénoms, apparaissent des prénoms minoritaires plus éphémères. De plus, le modèle classique s'accommode de différences régionales et locales souvent importantes, même si l'on trouve les vedettes un peu partout. Les prénoms locaux sont légion et il y a aussi des prénoms régionaux qui figurent aux tout premiers rangs dans leurs fiefs respectifs, par exemple René et Renée en Anjou, Claude et Claudine en Franche-Comté, Martial puis Léonard en Limousin, Gilbert dans le Bourbonnais, Silvain dans le Berry.

## Du prénom transmis au prénom choisi

Ce modèle classique de prénomination n'est guère ébranlé par la tentative de rupture que constituent les prénoms révolutionnaires. Mais, comme l'ont montré Louis Pérouas et ses collaborateurs dans leur étude sur les prénoms en Limousin, il va être miné de l'intérieur par une innovation apparemment anodine : les prénoms multiples.

Dès le XVIIe siècle, alors que le système classique s'affirme avec le plus de netteté, apparaît dans la bourgeoisie urbaine l'usage de donner deux prénoms au lieu d'un seul. Cette pratique du prénom double, puis multiple, se répand progressivement dans l'ensemble de la société au XVIIIe et se généralise au XIXe. Elle est née probablement d'une réaction contre l'homonymie croissante et du souci de mieux individualiser son enfant, au moment où la spécificité de l'enfance est de mieux en mieux reconnue, où l'intérêt pour l'enfant se développe parallèlement à la restriction des naissances.

L'usage de deux ou plusieurs prénoms a pour effet d'élargir et de renouveler le répertoire des prénoms. À ceux qui sont transmis par le parrainage s'ajoutent de nouveaux prénoms qui vont gonfler le stock à la génération suivante. Les parents peuvent tout à la fois se conformer à la tradition et se réserver un choix plus personnel. L'attribution des prénoms des parrains et marraines se maintient au XIXe siècle, mais ils peuvent être au premier, deuxième ou troisième rang. En cette longue période transitoire règne d'ailleurs une certaine souplesse sur la place du prénom usuel, qui n'est pas toujours le premier dans l'ordre de l'état civil. C'est pourquoi l'on trouve un nombre non négligeable d'hommes ayant Marie comme premier prénom.

C'est souvent par le biais des prénoms multiples que les prénoms issus de la Révolution française, ou remis au goût du jour par celle-ci, parviendront à avoir une certaine existence. Les plus nouveaux sont fréquemment placés au second rang. Ceux qui figurent au premier rang et s'imposent le mieux sont des prénoms ambigus qui peuvent relever à la fois du répertoire traditionnel et du registre républicain. La Révolution amplifie, plus qu'elle ne crée, l'usage des prénoms empruntés à l'Antiquité gréco-romaine. On voit surgir Brutus (un des plus prisés) à côté d'Achille, Corneille, Épictète, Ulysse, Titus. Mais des prénoms tels qu'Alexandre, César, Camille, Émilie, Flavie, Hippolyte, Julie commençaient à apparaître avant la Révolution et étaient généralement dotés de saints patrons plus ou moins obscurs. Même ambiguïté pour les prénoms à connotation végétale : Églantine, Fleur, Flore, Jasmin, Laurier, Romarin. Les plus fréquents, Rose, Hyacinthe, Narcisse, sont aussi les plus traditionnels et ont leurs saints patrons. Angélique, Rose et Véronique étaient apparues à la fin de l'Ancien Régime (sans parler de Marguerite). Les références aux grandes figures de la période révolutionnaire comme Marat sont éphémères. Marceau peut être rattaché à Marc ou Marcel ; Jean-Jacques (pour Rousseau) et Maximilien (pour Robespierre) sont équivoques, comme l'est Victoire. Les références aux vertus morales remettent au goût du jour certains noms de saints : Placide, Félicité, Martial.

Le XIXe siècle a inauguré un mécanisme de renouvellement qui préfigure, à certains égards, le modèle actuel. Il n'empêche que la plupart des grands prénoms des XVIIe et XVIIIe siècles sont encore bien présents au XIXe. Marie et Jeanne sont toujours en tête pour les filles, comme Jean et Pierre chez les garçons, sauf à la fin du XXe siècle. François, Joseph et Louis, Anne, Marguerite et Louise figurent presque constamment dans les cinq premiers. Charles, sans jouer les premiers rôles, se maintient à un niveau honorable.

Mais d'autres prénoms régressent dès le début du XXe siècle : Étienne, Élisabeth, ou peu après : Antoine, Jean-Baptiste, Catherine, Françoise, Jacques. Ils cèdent la place à des prénoms moins classiques qui s'épanouissent dans les années 1850-80 : Auguste, Eugène, Jules ; Augustine, Joséphine, Julie.

À la fin du XXe siècle, on voit arriver en bonne place des prénoms peu usités jusqu'alors : Berthe, Germaine, Maria, Marthe, Suzanne, Yvonne pour les filles ; Émile, Georges, Marcel, Paul pour les garçons.

On observe aussi tout au long du xxe siècle un mouvement vers une moindre concentration des choix sur les prénoms dominants. Les dix prénoms les plus fréquents ne représentent plus à la fin du xxe siècle que 40 % des naissances.

Cette tendance à une plus grande dispersion des prénoms se poursuit au xxe siècle et semble être une caractéristique du modèle actuel. Les dix premiers prénoms, pour chaque sexe, se partagent aujourd'hui à peine 25 % des nouveau-nés. Une exception notable cependant : celle des années 1960 où le succès simultané de quelques prénoms féminins inverse, pour un temps, chez les filles, cette tendance séculaire. C'est aussi la seule période depuis le début du xxe siècle où la concentration sur les prénoms les plus fréquents est plus forte pour les filles que pour les garçons. Car, désormais, au rebours du modèle classique, les prénoms féminins sont plus dispersés et plus nombreux que les prénoms masculins.

D'ailleurs, les prénoms féminins sont le premier terrain où s'installe véritablement le modèle actuel dans l'entre-deux-guerres. Chez les garçons, un prénom aussi traditionnel que Jean connaît un regain de vigueur et triomphe jusque dans les années 1930. Au contraire, Marie vers 1910, puis Jeanne dans les années 1920, prénoms transmis par les marraines, connaissent un recul spectaculaire et laissent le champ libre à de nouvelles venues, comme Simone, Jeannine puis Monique.

Dans ce nouveau modèle, le choix du prénom s'est affranchi des contraintes religieuses et familiales ; il ne passe plus par le parrainage. Les particularismes régionaux s'estompent. Le stock des prénoms en usage grossit et se renouvelle de plus en plus vite. La durée de vie des prénoms à succès est de plus en plus courte : André a été donné à plus de 3 garçons sur 100 pendant quarante-cinq ans (1900-44), Philippe pendant dix-neuf ans (1953-71), Stéphane pendant dix ans (1967-76). Et les prénoms féminins sont, en moyenne, encore plus éphémères.

La rotation rapide des préférences et donc la ronde des prénoms sont désormais réglées par la mode. Les parents en ont une conscience confuse, mais ignorent les mécanismes de cette nouvelle contrainte. Ce sont ces mécanismes que nous allons maintenant leur faire découvrir.

# La vie sociale
# des prénoms

# Vie, mort et résurrection des prénoms

## Les carrières typiques : mode et tendance classique

Un prénom saisi par la mode naît, grandit, culmine, décline, s'étiole et meurt. Rien que de bien normal, comme est également d'allure normale la courbe qui représente la diffusion de ce prénom dans le temps.

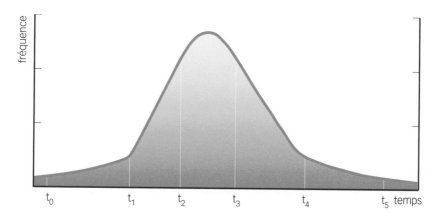

Le prénom n'est d'abord choisi que par quelques «pionniers», puis, en $t_1$, la progression s'accélère. Le prénom est alors «dans le vent», porté par une vague montante jusqu'à sa période «conformiste» située entre $t_2$ et $t_3$. Vient le reflux, de $t_3$ à $t_4$, pendant lequel il est encore choisi, mais de moins en moins, choix que nous appelons «à la traîne». De $t_4$ à $t_5$, le prénom végète (choix dits «démodés»), avant de disparaître. On notera que la courbe est un peu asymétrique : la période de déclin est, en général, plus longue que la période d'ascension.

Tel est le parcours typique du prénom que nous appelons le *prénom mode*. Il culmine à des niveaux variés, de moins de 2 % à plus de 6 %. Ce pourcentage exprime la place qu'occupe un prénom, à un moment donné, par rapport à l'ensemble des naissances de l'un des deux sexes. Par exemple, Sébastien, en 1976, est au niveau de 5 % : cela signifie que 1 garçon sur 20, né en France, en 1976, reçoit le prénom de Sébastien. Delphine, de 1974 à 1979, est au niveau de 2 % : cela veut dire que ce prénom est attribué à 1 fille sur 50 nées en France pendant ces six années.

Jusqu'au début du XXIe siècle, les prénoms qui figuraient en tête du palmarès atteignaient des niveaux toujours supérieurs à 3 % ; la plupart dépassaient 5 % ; certains montaient jusqu'à 8 % dans leurs meilleures années. Nous appelons « hyperconformiste » le choix d'un prénom effectué au moment où celui-ci dépasse le niveau de 5 % (c'est-à-dire 1 garçon ou 1 fille sur 20).

Pour un prénom mode ayant un certain succès, le point $t_1$, à partir duquel sa progression s'accélère, correspond au moment où il atteint, ou bien est sur le point d'atteindre, le niveau de 1 %. Il en va de même, mais dans l'autre sens, pour le point $t_4$. Quant aux points $t_0$ et $t_5$, dates de naissance et de décès des prénoms, nous les avons fixés de manière conventionnelle au niveau de 1 sur 1 000 (0,1 %). Ce seuil n'a pas été choisi de façon complètement arbitraire, pour la commodité du chiffre rond : il cerne de manière correcte, dans la majorité des cas, l'émergence et l'éclipse des prénoms à la mode.

Depuis un demi-siècle, les prénoms les plus répandus suivent tous, avec des variations dans leur fréquence et dans leur durée, le parcours que nous venons de schématiser. Mais d'autres ne se conforment pas à ce modèle ou s'y conforment assez peu.

À l'opposé du prénom mode, il y a le *prénom classique* dont la trajectoire est représentée par une parallèle à l'axe du temps. Les exemples de cette stabilité parfaite sur une longue période sont rares ; François et Hélène sont ceux qui s'en rapprochent le plus, sans parler des prénoms dont la constance résulte de leur quasi-inexistence. Mais beaucoup ont une carrière intermédiaire entre le parcours mode et le parcours classique. La courbe de leur diffusion est aplatie. Ce sont des prénoms à tendance classique mais qui n'échappent pas complètement au mouvement de la mode. Rares sont ceux qui dépassent le niveau de 1 %.

D'autres encore stagnent à un bas niveau au terme d'un reflux progressif et repartent sans précipitation.

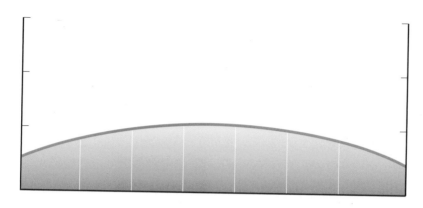

## La durée de vie des prénoms

Le système actuel se caractérise par un renouvellement rapide du répertoire et donc un raccourcissement de la durée de vie des prénoms à la mode.

Les prénoms qui ont dépassé le niveau de 2 % depuis le milieu des années 1950 ont eu, *en moyenne,* une existence d'une quarantaine d'années, se décomposant ainsi : neuf ans pour la période d'émergence ($t_0$ à $t_1$), cinq ans pour l'ascension ($t_1$ à $t_2$), six à sept ans pour la phase conformiste ($t_2$ à $t_3$), huit ans pour le déclin ($t_3$ à $t_4$), dix ans pour l'agonie ($t_4$ à $t_5$). La durée d'existence vraiment visible, celle où le prénom est au-dessus du seuil de 1 % (de $t_2$ à $t_4$), est donc inférieure à vingt ans. Les prénoms féminins ont, en moyenne, une vie un peu plus brève que les prénoms masculins.

Soulignons bien qu'il s'agit d'une durée de vie moyenne. Cette moyenne recouvre des écarts importants. Nicolas, par exemple, «naît» huit ans avant Sébastien et ne parvient pourtant à son sommet que quatre ans après lui. Que l'on compare aussi les carrières de Sophie et de Séverine qui culminent au même niveau et à peu près au même moment : Sophie émerge en 1952 et est encore présente aujourd'hui, quoique en déclin ; Séverine, née en 1968, se démode dès 1983.

Ces variations s'expliquent la plupart du temps. Les prénoms traditionnels sont plus durables quand ils sont saisis par la mode que les prénoms nouveaux ou quasi nouveaux. Les prénoms d'origine régionale, ou dont la diffusion géographique est inégale, mettent plus de temps à s'imposer. Les prénoms les plus éphémères sont souvent ceux qui se sont développés simultanément, ou presque, dans tous les milieux et dans toutes les régions. Certains prénoms dont le succès rencontre celui d'un personnage, comme Vanessa (Paradis), Ophélie (Winter), Brigitte (Bardot) ou Thierry (la Fronde), sont victimes d'une usure rapide : ils reculent plus vite qu'ils n'étaient montés.

## Le cycle de la mode

Après leur mort, les prénoms entrent au purgatoire. La peine à expier est à la mesure du succès passé, du moins s'il s'agit d'un prénom mode.

Démodé, le prénom devient hors d'usage, souvent ridicule. Il faut du temps pour que le charme rétro de cette désuétude commence à séduire quelques aventuriers ou précurseurs.

Nous ne disposons pas pour le moment de données assez solides sur les siècles passés pour étudier avec précision le cycle de la mode. Cependant les travaux de Jacques Dupâquier nous fournissent des informations sur les prénoms les plus usuels au XIXe siècle en France, qui suffisent à illustrer cette tendance cyclique. Elle est assez visible pour les prénoms du XIXe qui se rapprochent déjà des prénoms mode. On observe pour ces prénoms des cycles dont la période, mesurée par l'intervalle de temps qui sépare les deux sommets de la courbe, est égale ou un peu inférieure à un siècle et demi.

C'est ainsi que Julie, qui culmine dans les années 1830 et se démode à la fin du XXe siècle, culmine à nouveau vers 1980. Sophie connaît une petite prospérité autour de 1820 et est au mieux de sa forme dans les années 1970. Pauline est au plus haut vers 1850, comme elle l'est depuis 1990. Joséphine et Eugénie (1860-80) annoncent leur retour imminent, tout comme Victor (1860). Jules et Eugène, qui connaissent leur heure de gloire autour de 1860, pourraient bientôt frapper à la porte de la modernité. Cependant, on observe des contre-exemples : Rosalie, qui a été en vogue entre 1820 et 1850, n'est toujours pas revenue.

Un autre cas de figure illustre cette tendance cyclique. Les grands prénoms de l'âge classique qui sont devenus au XXe siècle des prénoms mode sont ceux dont le déclin s'observe tout au long du XIXe siècle, le creux de la vague étant atteint au début du XXe. Jacques, Françoise et Catherine, dont le reflux s'amorce dès les premières décennies du XIXe, en sont des exemples typiques. Anne et Antoine, dont la régression est plus tardive et moins marquée, auront aussi une moindre réussite et une carrière plus classique au XXe siècle. Isabelle, qui s'était faite rare au XIXe, connaît le triomphe d'un prénom mode dans les années 1960, tandis que sa sœur Élisabeth, plus constante au XIXe malgré son reflux, a un parcours modeste vers 1950. À terme le purgatoire peut mener au succès, à condition d'en sortir.

Que penser de prénoms très anciens qui retrouvent une nouvelle jeunesse ? Le répertoire médiéval enrichit régulièrement le stock des prénoms à la mode au XXe siècle. Ne citons que les cas de Robert et Roger qui surgissent au début du XXe siècle, suivis de Alain et de Gérard, puis de Thierry, et plus récemment de Thibaut.

Existe-t-il des cycles à très longue période ou bien une série de cycles successifs ? Il est impossible actuellement d'apporter le moindre élément de réponse à cette interrogation.

Le rétrécissement de la durée de vie des prénoms mode devrait, mécaniquement, entraîner un resserrement de leur cycle, mais jusqu'à une certaine limite. Pour qu'un prénom puisse revenir au goût du jour, il faut bien que le gros bataillon de ceux qui le portent soient décédés. Marcel, par exemple, qui a été attribué à près de 1 garçon sur 20 de 1900 à 1924 et à 1 garçon sur 100 jusqu'en 1945, n'est pas près de remplir cette condition. Il y a sans doute un seuil incompressible qui ne doit guère être inférieur à un siècle. Le raccourcissement du cycle bute sur la période de purgatoire qui est peu susceptible de se réduire.

Ces considérations s'appliquent aux prénoms mode et, parmi eux, à ceux qui ont atteint une fréquence relativement élevée. Des prénoms comme Émilie et Alexandre, connus au XIXe siècle, notamment dans sa seconde moitié, n'ont pas attendu si longtemps pour revenir. Mais leur parcours avait été modeste et paisible : la première n'a pas atteint le niveau de 1 %, le second l'a à peine dépassé. D'autres, ayant connu une toute petite vogue au début du XXe siècle, comme Camille, sont déjà de retour. Un cas plus curieux est celui de Paul. Il se développe sans doute avant Marcel, mais se maintient à un niveau honorable jusqu'en 1925. Et pourtant le voici déjà de retour et en pleine forme. Sa carrière a été particulière : il s'est stabilisé au même niveau à partir de 1870, pour plus d'un demi-siècle, sans qu'un sommet marque le milieu de cette longue période. C'est peut-être ce qui lui a permis d'éviter un quasi-purgatoire. Mais que dire alors de Pierre et de Louis que Marcel n'a jamais réussi à supplanter ? Dans ces deux cas, il s'agit de réussites séculaires. Le fait d'avoir si longtemps péché les situe presque au-delà du bien et du mal. Ils ont reculé, sans doute, et de manière spectaculaire. Mais une persévérance aussi diabolique paraît les avoir dispensés d'un véritable purgatoire. On pourrait en dire autant de Jeanne, Louise et Marguerite qui reviennent plus vite que Berthe, Jeannine, Simone ou Paulette.

On le voit, les relations entre nos préférences du moment et les prénoms au passé chargé ne sont pas simples. On peut dire qu'un prénom a toutes les chances d'être jugé inesthétique ou indésirable s'il réunit ces trois conditions :

1. sa carrière a été brillante, c'est-à-dire qu'il a atteint un niveau élevé ;
2. sa carrière a été celle d'un prénom mode, autrement dit a été concentrée dans le temps et organisée autour d'un sommet ;
3. sa carrière n'est ni trop ancienne ni trop récente, son sommet se situant entre quatre-vingt-dix et quarante ans avant le moment où nous sommes situés.

L'allure de la courbe de diffusion passée, combinée à la distance qui nous en sépare, est, en matière de prénoms comme en beaucoup d'autres, la clé principale de nos goûts et de nos dégoûts du moment.

# Les familles de prénoms

Dès lors que le choix d'un prénom est livré aux préférences personnelles des parents – rattachées elles-mêmes au goût collectif en perpétuel mouvement – un des éléments essentiels qui le guident est la sonorité du prénom, sa valeur esthétique du moment. On le chuchote, on le crie pour en éprouver l'euphonie et la résistance ; on veille à son harmonie avec le nom de famille.

Un des signes extérieurs par lesquels la mode se manifeste avec le plus de clarté est l'affinité sonore qui rassemble des prénoms en vogue à un moment donné. Les prénoms de famille qui se transmettaient de génération en génération ont fait place aux familles de prénoms qui portent la marque de leur temps.

## Le son des prénoms

L'intonation, dans la langue française, porte sur la dernière syllabe. C'est pourquoi la terminaison des prénoms est ce qui définit le plus visiblement ces apparentements. Et les prénoms féminins, qui dérivent souvent de prénoms masculins augmentés d'un suffixe, s'y prêtent tout particulièrement.

L'exemple le plus frappant et le mieux connu est la floraison des terminaisons en *ette* dans les années 1920 et 1930. Sans doute cette terminaison n'est-elle pas une nouveauté : Antoinette, Guillemette, Juliette, Henriette sont bien plus anciennes. Mais la vague qui commence à grossir à l'aube du XXᵉ siècle et déferle entre 1920 et 1940 est impressionnante. Elle amène, dans l'ordre de leur apparition, Georgette, Paulette, Odette, Yvette, Ginette, Huguette, Lucette, Pierrette, Arlette, Colette, Josette, pour ne mentionner que les plus fréquentes des consœurs en *ette*. Toutes, à l'exception de Bernadette, connaissent un reflux, souvent rapide, avant 1945.

À la vague des *ette* succède celle, de bien moindre ampleur, des *iane*, qui culmine dans les années 1940 : Christiane, Éliane, Liliane, Josiane, Viviane.

La terminaison en *ine*, qui arrive en force dans les années 1920 et 1930 avec Jeanine, Jacqueline, Micheline, est bien plus durable. Son succès pâlit dans les années 1940, malgré Claudine, et la variante en *lyne* (Jocelyne, Évelyne), mais se renouvelle vite avec Martine, suivie de Catherine, Christine et Corinne dans les années 1950 et 1960, et se perpétue avec Sandrine, Karine, Séverine, Delphine, Caroline, Céline. Après un creux relatif au milieu des années 1980, voici l'arrivée de Pauline, Marine et Justine.

La terminaison en *ie* a été, sur les quinze dernières années, la plus prisée pour les prénoms féminins. Marie en avait jadis presque le monopole. Rosalie, Julie, Eugénie, Lucie étaient connues au XIXᵉ siècle sans jouer les premiers rôles. Dans les premières décennies du XXᵉ, cette terminaison est quasi inexistante, mis à part Marie dont le recul est d'ailleurs spectaculaire. Annie entrouvre la porte dans les années 1940 et Sylvie, Nathalie, Sophie, Stéphanie s'y engouffrent vingt à trente ans plus tard. Depuis 1980 ont figuré dans le peloton de tête Aurélie, Émilie, Élodie, Julie, Mélanie, Stéphanie, Virginie. C'est sans doute ce triomphe qui a réveillé Marie.

Est également présente la terminaison en *ia* – Patricia, Sonia, Nadia, Lætitia – ou en *a* – Alexandra, Sandra, Sabrina, Jessica, Vanessa, Laura, Sarah, Mélissa, Maéva. Elle est assez récente (hormis Maria et Anna connues au début du XXᵉ siècle) et généralement d'origine étrangère, témoignant de l'internationalisation de la mode.

Plus minoritaire est la terminaison en *elle, èle* ou *el,* qui procède souvent de la féminisation de prénoms masculins. Elle a eu son heure de gloire dans les années 1940 quand Danielle et Michèle étaient au pinacle ; Marcelle et Gisèle leur avaient ouvert la voie. Elle s'est perpétuée avec Joëlle, Muriel, Isabelle, Emmanuelle, Estelle, Christelle, Gaëlle, mais a nettement perdu du terrain aujourd'hui, malgré la venue timide de Cyrielle et le retour possible de Gabrielle.

On peut encore regrouper les prénoms terminés en *aine, ène* ou *eine* : Madeleine, Germaine, Ghislaine, Irène, Hélène, Marlène, et les récentes Solène ou Charlène ; les prénoms en *ique* (Angélique) ou plus précisément en *nique* : Monique, Dominique, Véronique. Mais ces deux cas donnent plus l'impression d'une lignée que de modes simultanées. La terminaison en *ienne,* qui a eu quelque succès au début du XXᵉ siècle (Lucienne, Adrienne, Émilienne, Julienne), n'a été illustrée récemment que par Fabienne, mais son retour n'est pas à exclure.

Il est impossible de ramener tous les prénoms féminins à quelques terminaisons. Nombre d'entre eux, notamment ceux, anciens ou récents, qui ne dérivent pas d'un prénom masculin, offrent une palette très variée. Citons, par exemple, Agathe, Agnès, Alice, Anne, Aude, Audrey, Aurore, Brigitte, Cécile, Chantal, Claire, Élisabeth, Geneviève, Marguerite, Marion, Nadège, Solange, Thérèse.

Les prénoms masculins ont été longtemps moins sensibles à la vogue de certaines terminaisons. On observe, sans doute, des carrières simultanées – Gaston et Léon, Michel et Daniel, Bernard et Gérard – mais aussi des successions : la lignée des *bert* – Albert, Robert, Gilbert –, celle des *ic* ou *ick* inaugurée par Patrick suivi de Éric, Frédéric, Yannick, Ludovic, Cédric, Loïc, Aymeric.

Cependant, le phénomène de mode s'accentue depuis peu quant aux terminaisons des prénoms masculins ; nous songeons notamment à la vogue des prénoms en *ien* – Sébastien, Julien, Fabien, Damien, Aurélien, Adrien – et à celle des prénoms en *in* et *an,* présentée plus en détail dans le chapitre « Les prénoms de demain ».

Les terminaisons ne constituent pas le seul élément sonore qui puisse apparenter les prénoms. Un radical commun peut donner naissance à des successions ou à des relais. Un bel exemple est celui de Christian et Christophe : le second prend très exactement la relève du premier. Même chose pour Christiane et Christine, cette dernière étant ensuite supplantée par Christelle. Avant de revenir, Lucie avait engendré Lucienne puis Lucette. Michel survit dans Michaël ou Mickaël, Jean dans les Johan, Yann, ou Yoann. Ces relèves peuvent faire fi de l'étymologie : Franck succède à Francis, Odile à Odette, mais tout aussi bien Guillaume à Guy, Jérémie à Jérôme, David à Daniel, Caroline à Catherine.

Cependant, il n'est pas rare que des prénoms ayant en commun le radical, la première syllabe, ou même seulement la première lettre aient des carrières strictement contemporaines. C'est le cas de Pascale et Patricia, Annie et Annick, Gisèle et Ginette, Baptiste et Bastien, et même de Didier et Dominique, de Pascal et Philippe, et de Laurent et Lionel. Claude (au féminin), Claudette et Claudine émergent au même moment. Céline apparaît quand Cécile se réveille. Un bel exemple est celui de la bande des *R* : René, Robert et Roger (on pourrait presque y ajouter Roland) marchent la main dans la main et culminent tous les trois à un niveau analogue vers 1930. Les quatre J – Jennifer, Jessica, Jonathan, Jérémy – sont une illustration plus récente, et qui transcende la barrière des sexes, de la même affinité, fondée aussi, il est vrai, sur leur commune origine anglo-saxonne.

Il arrive encore qu'un nouveau venu tire de son sommeil, voire de son néant, un prénom très voisin. C'est ce qu'ont fait Patrick pour Patrice, Jérémy pour Rémy, Gisèle pour Ghislaine, Stéphanie pour Fanny, Adeline pour Aline, Sébastien pour Bastien, Fabrice pour Brice, Éric pour Frédéric.

On ne s'étonnera pas que des prénoms se ressemblant comme deux gouttes d'eau, tels que Florence et Laurence, Rolande et Yolande, Aude et Maud, aient des carrières simultanées et identiques. Marc et Luc ne sont pas seulement deux prénoms d'évangélistes : ils ont aussi en partage leur son bref et sec.

Le cas le plus troublant est celui des *frères siamois* : la terminaison de l'un sert de radical à l'autre et les syllabes restantes se répondent comme en écho. Les carrières sont alors très légèrement décalées dans le temps. Le couple Thomas-Mathieu en est un bon exemple. Monique et Nicole sont un autre cas ; mais on pourrait voir également dans Nicole le fruit de la rencontre entre Monique et Colette.

Tous ces exemples montrent assez que le système de la mode s'attache au *son* beaucoup plus qu'au *sens* éventuel des prénoms. Il se moque bien de l'étymologie quand il fait naître Gaétan en même temps que Gaël. Étienne et Stéphane sont un seul et même prénom au regard de l'histoire et de l'Église. Pourtant, le triomphe momentané de Stéphane n'a pas fait dévier d'un pouce le parcours rectiligne et modeste d'Étienne.

## Les prénoms composés

En évoquant ici les prénoms composés (Jean-Philippe ou Marie-Paule), nous ne nous intéressons pas à la manière dont ils sont construits, mais à la famille qu'ils constituent et donc à la vogue qu'ils ont connue dans les années 1940 et 1950. L'usage des prénoms composés est ancien, encore qu'il soit souvent difficile de savoir pour les siècles passés si Jean suivi de Pierre forme un composé ou une suite de deux prénoms. Ce qui est sûr, c'est que leur usage est en net recul au début du xxᵉ siècle. Les Marie-Jeanne, Marie-Madeleine, Marie-Antoinette se raréfient. Seule Marie-Louise se maintient dans le peloton de tête jusque vers 1920. La relève s'amorce d'abord avec Marie-Thérèse qui se redresse à la faveur de l'essor de Thérèse et s'impose dans les années 1930. C'est alors que de nouvelles venues vont se faire leur place au soleil : Marie-Claude, Marie-Claire, Marie-France qui donne un coup de fouet à Marie-Françoise, et plus tard Marie-Christine. Mais elles sont devancées par l'ancienne Anne-Marie qui succède à Marie-Thérèse comme premier prénom composé pour les filles nées dans les années 1940.

Au même moment, les prénoms composés jouissent d'une faveur plus grande encore chez les garçons. L'effondrement des Jean dans les années 1940 a pour contrepartie le succès des Jean-quelque chose. Ils arrivent en trois vagues successives mais assez proches l'une de l'autre. Viennent d'abord Jean-Claude, dont la réussite est spectaculaire, et Jean-Pierre, à la fortune plus durable, qui entraînent le plus calme Jean-Marie. La deuxième vague, qui culmine autour de 1950, est formée de Jean-Paul, Jean-Louis et Jean-Jacques. La troisième amène des prénoms nouveaux : Jean-Luc, Jean-Marc, Jean-Michel, qui atteignent leur sommet à la fin des années 1950. Pierre assure aussi sa relative survie en se mariant avec d'autres prénoms. Les composés de Paul et de Charles sont rares. Les prénoms composés s'éclipsent à partir des années 1960, mais leur usage ne disparaît pas complètement. Les plus connus aujourd'hui viennent d'Anne, comme Anne-Laure, Anne-Sophie ou Anne-Charlotte. Ils annoncent peut-être l'arrivée prochaine d'une nouvelle vague de prénoms composés, la multiplicité des combinaisons possibles permettant un renouvellement du répertoire (voir p. 42).

## Masculin, féminin

Le répertoire des prénoms féminins est désormais bien plus étendu que celui des prénoms masculins, pour deux raisons. D'abord il est plus facile de féminiser un nom masculin que de masculiniser un nom féminin. Agnès, Béatrice, Hélène, Monique, Thérèse et bien d'autres n'ont pas de compagnons, alors que rares sont les prénoms masculins capables de résister complètement à l'imagination linguistique. Quentin, sans doute, à cause de cantine ; Didier, peut-être, encore que Didia soit concevable ou Didière puisque Xavière existe ; Roger, sans féminin connu, pourrait se muer en Rogerine ou Rogette. La seconde raison est qu'un prénom masculin peut donner naissance ou correspondre à plusieurs prénoms féminins. Pierre a engendré Pétronille, Peyronne, Perrine, Perrette, Pierrette et d'autres encore ; Paul donne Paule, Paulette, Pauline, Paula ; Laurent est seul face à la multitude des Laure, Laurence, Laura, Laurie, Laurette, Laurène, Lauriane, etc. Ce phénomène n'est pas nouveau. S'il est vrai que jadis le stock des prénoms féminins était plus concentré sur quelques vedettes que celui des prénoms masculins, cela ne veut pas dire que le répertoire féminin était moins vaste et moins varié.

Le sexe des prénoms n'est pas toujours fixé une fois pour toutes. Avant le XVIIe siècle, Anne ou Philippe pouvaient convenir à des garçons ou à des filles. Les prénoms doubles ou multiples ont aussi permis d'attribuer des prénoms féminins à des garçons, et vice versa (c'est le cas au XXe siècle, avec Jean-Marie et Marie-Pierre). Camille, Claude et Dominique sont aujourd'hui des prénoms androgynes. Et beaucoup d'autres sont des quasi androgynes, en ce sens que leur prononciation ne permet pas de distinguer les sexes : Pascal(e), André(e), René(e), Frédéric (que) et tous les prénoms masculins en *el,* de Michel(èle) à Joël(le). Ce type de féminisation équivoque est, pour l'essentiel, une particularité du xx^e siècle, spécialement en honneur des années 1920 aux années 1960, et semble en recul aujourd'hui.

La comparaison des carrières des prénoms masculins et féminins qui se correspondent fournit une nouvelle illustration de l'importance de la sonorité des prénoms dans le modèle actuel réglé par la mode. Plus les prénoms se ressemblent, plus leur carrière tend à être simultanée.

Les homonymes parfaits sont presque toujours strictement contemporains : Dominique, Pascal(e), Joël(le), par exemple. C'est aussi le cas de couples presque homophones : Gilbert et Gilberte, Christian et Christiane, Régis et Régine. Une exception notable toutefois : François et Françoise n'ont pas le même type de parcours, malgré leur affinité sonore. Inversement, les cas les plus frappants de divorce concernent des couples très dissemblables dans leur sonorité : Yvonne, Simone et Nicole s'épanouissent quand Yves, Simon et Nicolas sont en pleine léthargie. Dans les situations intermédiaires, le décalage est moins marqué. Le premier qui bouge, que ce soit l'homme ou la femme, réveille l'autre. Aurélie et Fabienne ont préparé le café à Aurélien et Fabien, mais c'est Stéphane qui l'a servi sur un plateau à Stéphanie.

# Les chemins de l'innovation

Les futurs parents à la recherche d'un prénom ne sont pas tous sur la même ligne de départ dans la course à la mode. Certains sont mieux au fait que d'autres de l'évolution en cours du goût collectif, ont une conscience moins confuse de la fréquence des prénoms en usage. Certains se soucient plus que d'autres d'être à la pointe de la nouveauté, de marquer leur originalité, voire leur identité sociale. L'intervalle entre le commun et l'excentrique qui circonscrit le champ des prénoms possibles n'est pas défini de manière identique pour tous.

## Âge des parents et rang de naissance de l'enfant

L'âge d'un consommateur est souvent la première chose à laquelle on pense à propos de la diffusion d'un produit nouveau. De fait, les jeunes parents sont un peu plus sensibles que les parents âgés à l'attrait des prénoms naissants ou qui montent, mais la différence est mince. L'âge a moins d'effet sur l'avance ou le retard par rapport à la mode que sur le degré de conformisme. Les parents les plus jeunes sont davantage enclins à choisir un prénom mode qui est au zénith de son parcours. En ce sens, ils sont plus réceptifs à la mode du moment.

Le rang de naissance de l'enfant a également son effet propre, indépendamment de l'âge des parents. À âge de la mère égal, les aînés reçoivent plus souvent que les autres un prénom en progression. Fait-on un effort de recherche plus important pour son premier enfant ? On peut aussi supposer que les parents définissent, à cette occasion, une liste de leurs prénoms préférés qu'ils ne modifient guère par la suite. Les enfants qui suivent auront donc moins de chances d'être dotés d'un prénom en avance sur la mode. Si les parents ont choisi un prénom féminin auquel ils tiennent mordicus et s'ils doivent attendre leur quatrième enfant pour avoir une fille, celle-ci risquera fort d'avoir un prénom à la traîne. Les parents soucieux d'éviter un prénom devenu trop commun pourront encore donner leur préférence à un prénom à tendance classique. Peut-être aussi leur première expérience les aura-t-elle détournés des prénoms dans le vent.

Cette dernière pratique semble assez répandue chez les cadres. Ils inclinent à donner à leurs aînés un prénom en ascension, tandis que leurs choix sont, en moyenne, plus «classiques» pour leur deuxième ou troisième enfant. Cependant, cette différence s'observe moins parmi les professions libérales. Et le phénomène paraît même s'inverser dans les professions indépendantes: chefs d'entreprise, artisans, commerçants, agriculteurs; les prénoms des aînés semblent moins conformes à la mode que ceux des enfants suivants, comme si le prénom de l'aîné faisait partie, en quelque sorte, de la raison sociale de l'entreprise familiale.

## Villes et campagnes

On ne s'étonnera pas de voir l'innovation gagner d'abord les grandes villes et terminer sa course dans les communes rurales. Cependant, ces écarts tendent aujourd'hui à s'amenuiser.

On ne s'étonnera pas davantage que Paris soit souvent à la pointe de la mode. L'avance de la capitale ne vient pas seulement de sa situation géographique et de la composition sociale de sa population (20 % de cadres dans la population active).

Jusqu'aux années 1940, le phénomène bien connu en d'autres domaines (pour les élections notamment) d'amplification des tendances et des modes à Paris et dans la région parisienne s'observait en matière de prénoms. Les grands succès du moment y obtenaient des scores encore plus flatteurs qu'en province. Pour la capitale, c'est désormais le contraire qui se produit: les prénoms en vedette y réussissent plutôt moins bien qu'ailleurs. Les Parisiens sont encore en avance sur la mode, mais surtout pour certains prénoms de type bourgeois. Malgré l'embourgeoisement continuel de la capitale, les «cadres» sont tout de même bien loin d'y être majoritaires. Pourtant les choix des Parisiens ressemblent à s'y méprendre à ceux des cadres.

## Quand un vicomte rencontre un bouvier

Le parcours social d'un prénom saisi par la mode suit, en général, le schéma classique de la diffusion des innovations. Il se propage grosso modo du haut en bas de l'échelle sociale.

Ce phénomène est ancien. Victor Hugo l'avait déjà pressenti (dans *Les Misérables*):

«Il n'est pas rare aujourd'hui que le garçon bouvier se nomme Arthur, Alfred ou Alphonse, et que le vicomte – s'il y a encore des vicomtes – se nomme Thomas, Pierre ou Jacques. Ce déplacement qui met le nom "élégant" sur le plébéien et le nom "campagnard" sur l'aristocrate n'est autre chose qu'un remous d'égalité. L'irrésistible pénétration du souffle nouveau est là comme en tout.»

L'observation est juste mais le diagnostic flou. Le «remous d'égalité» consisterait en ce que le bouvier et le vicomte aient les mêmes chances d'être nommés Pierre et Arthur au même moment. Le «déplacement» a lieu dans le temps et non dans l'espace social. Beaucoup de prénoms qui reviennent aujourd'hui au goût du jour sont ceux que l'on considérait, au début du XX$^e$ siècle, comme convenant aux domestiques parce qu'ils étaient parvenus au terme de leur trajectoire sociale. Il faut aller dans les campagnes les plus reculées, y lire sur le monument aux morts les prénoms des paysans (nés à la fin du XIX$^e$ siècle) qui ont péri dans la Grande Guerre. On y trouve un florilège de prénoms qui montent ou qui vont percer.

Mais, une fois encore, tous les parents, sans parler de leur entourage, ne sont pas sur la même longueur d'onde. Certains trouvent franchement ridicule un prénom dont d'autres commencent à goûter le charme désuet. C'est pourquoi ce type de prénom à vie cyclique a quelque peine à émerger. Il s'impose bien moins vite, quand il retrouve une nouvelle jeunesse, qu'un prénom inconnu jusqu'alors ou hors d'usage depuis très longtemps.

## Des domestiques aux animaux domestiques

En ce domaine, comme en d'autres, l'expérimentation sur des animaux peut être utile et même nécessaire. Les chiens et les chats servent de plus en plus de banc d'essai aux prénoms des petits d'homme. Cela est vrai pour des prénoms d'hier, à tendance cyclique, qui passent ainsi des domestiques de naguère aux animaux domestiques (Joséphine, Adèle), mais aussi pour des prénoms plus inédits en France et qui méritent quelque expérimentation, comme Pénélope et Ulysse.

Il n'y a pas lieu d'alerter la SPA, bien au contraire. Nos animaux familiers sont autrement choyés que ne l'étaient les bonnes. Tandis que la domesticité ramassait les miettes du grand festin de la mode, les chats et les chiens d'aujourd'hui, qui dédaignent nos restes, nous regardent du haut de la pyramide sociale de l'innovation.

## Le trajet social des prénoms

Revenons aux moutons que nous sommes, escortés et guidés par nos chiens, pour suivre le trajet social des prénoms nouveaux ou qui reviennent au goût du jour depuis un demi-siècle. En tête du troupeau se trouvent les couches sociales privilégiées, que la nomenclature de l'INSEE regroupe sous l'appellation *cadres et professions intellectuelles supérieures*. Viennent en deuxième rang les *professions intermédiaires*, suivies dans l'ordre par les *artisans et commerçants*, les *employés*, les *ouvriers*. Les *agriculteurs* ferment la marche.

Le groupe *cadres et professions intellectuelles supérieures,* que nous appellerons *cadres* pour faire bref, rassemble des professions diverses, à leur compte ou salariées, dont le niveau de revenu, variable, est en moyenne deux fois plus élevé que celui de l'ensemble des actifs, et dont l'accès est en principe subordonné à des études supérieures : professions libérales, cadres de la fonction publique, professeurs et professions scientifiques, cadres et ingénieurs d'entreprise, professions de l'information, des arts et des spectacles.

Deux catégories se distinguent au sein de ce groupe par une précocité particulière dans l'adoption de l'innovation : les professions libérales (avocats, médecins, experts-comptables, etc.) d'une part, les professions de l'information, des arts et des spectacles (journalistes, comédiens, artistes) d'autre part. Mais ces deux catégories ne privilégient pas le même type de prénoms. Les professions libérales, noyau le plus bourgeois du groupe *cadres*, sont les premières à s'emparer des prénoms traditionnels quand ils reviennent à la mode, comme Catherine ou Isabelle ; les professions de l'information et du spectacle ont au contraire une nette avance pour des produits nouveaux ou quasi nouveaux du genre Nathalie ou Céline.

Les *professions intermédiaires* se situent en deuxième position dans l'adoption de la mode. Deux catégories contribuent à tirer vers l'avant ce conglomérat assez hétéroclite : les instituteurs et assimilés (professeurs d'enseignement général des collèges, maîtres auxiliaires) et les professions de la santé et du travail social (infirmières, orthophonistes, kinésithérapeutes, animateurs socioculturels, assistantes sociales). Toutes deux distancent assez nettement les autres professions intermédiaires, appellation qui recouvre notamment les techniciens, contremaîtres, agents du cadre B de l'État, secrétaires de direction, gradés de banque, représentants, gérants de magasin (ainsi que le clergé, qui ne nous intéresse évidemment pas ici).

Le groupe formé par les *artisans, commerçants et chefs d'entreprise* est également quelque peu en avance par rapport à l'ensemble de la population. Les *chefs d'entreprise*, définis par le fait qu'ils emploient plus de neuf personnes, se détachent du gros bataillon de ce groupe et sont plus proches des cadres et des professions libérales. Mais il faut observer que les *commerçants* (par exemple, détaillants en vêtements ou en alimentation, mais aussi patrons d'hôtels ou de restaurants, agents immobiliers, etc.) sont plus prompts à choisir des prénoms qui montent que les *artisans*, catégorie qui regroupe ceux des indépendants (hormis les agriculteurs) pour qui le travail manuel occupe une place prépondérante : plombiers, couturiers, garagistes, réparateurs, mais aussi boulangers, coiffeurs et chauffeurs de taxi à leur compte.

Au sein du groupe *employés*, dont la position par rapport à la mode est globalement moyenne, certains ont une petite longueur d'avance : il s'agit des employés de commerce (vendeurs), et même, dans une moindre mesure, de ceux qui se retrouvent dans la catégorie *personnels des services directs aux particuliers ;* cette étiquette rassemble, à côté des employés de maison, les serveurs dans les cafés et restaurants ou encore les garçons coiffeurs. Les autres professions réunies dans le groupe *employés* sont, notamment, les secrétaires, employés de bureau, agents de service de la fonction publique, employés de banque, préposés des PTT, aides-soignantes, policiers et militaires de rang subalterne.

Au sein de la masse des *ouvriers*, on aperçoit aussi des différences, mais de faible ampleur, dans leur rapport à la mode selon leur niveau de qualification ou selon la taille de l'entreprise dans laquelle ils travaillent.

Les *agriculteurs* exploitants sont les plus à la traîne dans l'adoption des prénoms à la mode et aussi les plus conservateurs, en ce sens qu'ils restent plus longtemps fidèles aux prénoms en déclin dans l'ensemble de la population.

Il est d'ailleurs logique que les plus prompts à se saisir d'un prénom montant soient aussi ceux qui s'en détachent le plus vite. Ils sont sensibles avant les autres à l'usure du prénom, liée à la fréquence de son usage.

Les catégories les plus décalées par rapport à l'ensemble de la population – les cadres par leur avance, les agriculteurs par leur retard – sont, par un effet mécanique, les moins conformistes. À cela s'ajoute que ces deux groupes sont aussi ceux qui choisissent le moins souvent des prénoms mode. Au total, ce sont les professions intermédiaires et les employés qui sont les plus conformistes : c'est parmi eux que les prénoms mode atteignent leurs scores les plus élevés.

## Distinction ou contagion ?

Le trajet social des prénoms ne contredit pas les explications classiques de la diffusion verticale de la mode : les classes privilégiées qui sont les premières à adopter un style ou un produit nouveau l'abandonnent au profit d'un autre dès qu'elles ont été suivies par les classes moyennes, le produit se diffusant alors en cascade jusqu'en bas de l'échelle sociale.

Mais un autre facteur paraît jouer un rôle moteur dans la diffusion de la mode : le degré de sociabilité, c'est-à-dire la fréquence des rapports interpersonnels ou des relations sociales. Sur ce plan, les professionnels de l'information et du spectacle, dont c'est la raison d'être, sont évidemment à l'extrême opposé des agriculteurs. À position sociale comparable, les occasions de contacts avec autrui font la différence : les commerçants sont en avance sur les artisans, les employés de commerce sur les employés de bureau, les travailleurs sociaux sur les techniciens. Ces contacts sont le vecteur de l'information et de la mode. Le privilège des instituteurs tient à ce qu'ils voient grandir dans leurs classes les prénoms qui sont dans l'air.

La recherche, sans cesse renouvelée, de signes de distinction qui glissent d'une couche sociale à une autre joue sans doute un rôle dans la ronde permanente des prénoms à la mode. Mais il est difficile d'en mesurer l'incidence, d'autant que la position dans l'échelle sociale n'est pas indépendante du degré de sociabilité. À côté de ce flux vertical, il faut faire sa part au flux horizontal qui relève d'une explication plus simple. Un prénom – ou n'importe quel bien de mode – se propage aussi comme une maladie contagieuse. Nos chances d'être touchés par l'épidémie sont fonction des occasions que nous avons de l'approcher et donc de la fréquence de nos contacts avec les autres.

Ce cheminement social des prénoms à la mode tend d'ailleurs à se modifier et à se diversifier depuis peu. Les décalages dans le temps s'amenuisent. Les agriculteurs comblent leur retard, signe, parmi d'autres, de leur insertion dans la société urbaine. L'on voit de nouveaux prénoms se diffuser d'emblée, et de manière privilégiée, dans les milieux populaires. Les différences sociales dans le choix du prénom s'expriment bien moins qu'auparavant par des avances ou des retards dans leur adoption. Cela ne signifie pas qu'elles aient disparu, mais elles tendent, on va le voir, à revêtir d'autres formes.

# Prénoms bourgeois, prénoms populaires

Prénoms bourgeois, prénoms populaires : ces expressions ne doivent pas abuser. Le choix d'un prénom étant un acte libre et gratuit, il n'y a évidemment pas de prénoms qui soient réservés à telle ou telle classe sociale. Nous l'avons vu : un prénom, dans son parcours habituel, est adopté par toutes les catégories socioprofessionnelles, avec d'éventuels décalages dans le temps. L'image sociale que nous nous faisons d'un prénom vient d'abord du moment où nous sommes situés par rapport à sa carrière. «Où qu'est la bonne Pauline ? » faisait d'autant plus ricaner les potaches, au temps où l'on enseignait le grec, que Pauline était un prénom de domestique plausible, alors qu'il est aujourd'hui porté par des jeunes filles plutôt chics.

## Définitions

À côté de ces décalages dans l'adoption de la mode, on observe des écarts, parfois considérables, selon le milieu social, dans les préférences pour certains prénoms considérés sur l'ensemble de leur carrière. De ce point de vue, il est légitime d'opposer des prénoms de type bourgeois à des prénoms de type populaire, à condition de préciser ce que l'on met derrière ces termes équivoques et que nous employons faute de mieux.

Un prénom de type bourgeois est celui qui, sur une longue période, est le plus souvent choisi par les *cadres et professions libérales*, suivis dans l'ordre décroissant par les professions intermédiaires, les commerçants et artisans, les employés, enfin les ouvriers. Un prénom de type populaire est celui pour lequel cette hiérarchie des préférences est inversée : ce sont les ouvriers qui l'adoptent le plus tandis qu'il est au plus bas chez les cadres.

C'est à dessein que nous ne citons pas les agriculteurs, dont la place est fluctuante. Ils se rangent souvent aux deux extrêmes, soit du côté des cadres, soit du côté des ouvriers.

Une précision s'impose : un prénom de type bourgeois peut être porté par davantage d'enfants d'ouvriers que d'enfants de cadres. Sophie, par exemple, a été choisie trois fois plus souvent par les cadres que par les ouvriers. Mais, comme les ouvriers sont quatre fois plus nombreux (et un peu plus prolifiques) que les cadres, il y a davantage de Sophie filles d'ouvriers que de Sophie filles de cadres. Il n'empêche que Sophie demeure, selon notre définition, un prénom bourgeois.

## Goûts bourgeois

Depuis un demi-siècle, les prénoms particulièrement prisés en milieu bourgeois sont souvent des prénoms stables, classiques ou à tendance classique, assez peu répandus dans l'ensemble de la population : Agnès, Anne, Bénédicte, Cécile, Claire, Emmanuelle, Hélène pour les filles, Antoine, Benoît, Bertrand, Étienne, François, Marc, Pierre, Vincent, Xavier pour les garçons en sont de bons exemples.

La plupart de ces prénoms sont au moins trois fois plus fréquents chez les cadres que chez les ouvriers. Le rapport est de 1 à 6 ou davantage pour certains d'entre eux : Anne, Bénédicte, Claire, Bertrand, Étienne. Ces écarts sont importants. Ils augmentent encore pour des prénoms plus rares, ou bien lorsqu'on isole, au sein de la catégorie assez hétérogène des *cadres et professions intellectuelles supérieures*, un noyau plus typiquement bourgeois. Pierre, par exemple, est choisi, depuis 1950, trois fois plus souvent par l'ensemble de la catégorie cadres que par celle des ouvriers. Mais le rapport devient supérieur à 6 entre professions libérales et ouvriers.

Les préférences des cadres vont donc souvent à des prénoms peu fréquents dans l'ensemble de la population, qu'il s'agisse de prénoms mode en ascension, pour lesquels ils sont en avance, ou de prénoms à tendance classique. Est-ce une manière de marquer leurs distances à l'égard des autres groupes sociaux ? Ou bien faut-il y voir la conséquence d'une meilleure perception du mouvement de la mode qui les détournerait des prénoms trop courants ou en voie de saturation ? Aucune de ces deux interprétations n'est pleinement satisfaisante.

D'abord, certains prénoms très stables, relativement rares, à allure classique, ne sont pas de type bourgeois. Lydie, Nadège, Nadia obtiennent leurs meilleurs scores chez les ouvriers. Richard est surtout apprécié chez les artisans et commerçants. Et les agriculteurs ont également une nette prédilection pour ce genre de prénoms (Régis, Denis, Régine), rejoignant souvent, il est vrai, les préférences des cadres en les amplifiant comme pour Odile ou Rémi(y).

D'un autre côté, il n'est pas rare de voir des prénoms emportés par la mode jusqu'au sommet demeurer, sur l'ensemble de leur carrière, des prénoms de type bourgeois.
En voici des exemples caractéristiques, cités dans leur ordre chronologique depuis un demi-siècle : Philippe, Olivier, Arnaud, Guillaume pour les garçons ; Françoise, Dominique, Catherine, Isabelle, Laurence, Florence, Sophie, Caroline pour les filles. Ces prénoms sont nés et ont grandi en milieu bourgeois ; mais ils ont gardé la faveur de ce milieu alors même qu'ils s'étaient répandus dans l'ensemble de la population en atteignant des niveaux élevés, le premier rang pour certains d'entre eux. Les cadres restent souvent leurs plus fidèles adeptes même lors de leur déclin.
Ces prénoms ont pour caractéristique de n'être pas de véritables innovations ; ce sont des prénoms traditionnels, qui ont un passé, certains d'entre eux n'ayant jamais vraiment disparu. Leur durée de vie est généralement plus longue que celle des autres prénoms mode. En somme, ils restent empreints d'une touche de classicisme. Pour la même raison, les cadres ont préféré Julie ou Émilie à Élodie ou Aurélie.
Dans certains cas, il est difficile de faire un partage net, au sein des prénoms bourgeois, entre prénoms mode et prénoms de type classique. Vincent et Benoît, par exemple, se trouvent à la frontière des deux catégories.

## Goûts rustiques

Les agriculteurs, on l'a déjà noté, ont rejoint les cadres dans leur choix de certains prénoms tranquilles, tels Agnès, Béatrice, Élisabeth, Hélène, Odile, Hubert, Rémi ou Yves. Comme eux encore, ils ont contribué au retour de Marie et fait preuve de peu d'enthousiasme pour les prénoms mode les plus nouveaux du genre Audrey, Patricia, Jessica, Sabrina, Vanessa, Cindy, Jonathan, Jennifer ou même Nathalie, Valérie et Céline, leur préférant la plus traditionnelle Isabelle.
Ils n'ont pourtant pas résisté à l'attrait du neuf dans les cas de Sylvie et de Sébastien, ou plus récemment avec Maxime, Valentin ou Justine. Certains prénoms mode ont même reçu en milieu agricole un accueil particulièrement favorable : Béatrice, Nadine, Maryse, Joël, Damien en sont des exemples. En réalité, les goûts des agriculteurs deviennent de plus en plus difficiles à cerner, à mesure que leur nombre diminue et que leur retard dans l'adoption de l'innovation se réduit.

On a vu, en d'autres occasions, les agriculteurs faire front commun avec les ouvriers, alliance plus souvent négative que positive. Les deux groupes se rejoignent parfois dans leurs goûts, par exemple pour Christelle, Jocelyne, Nadine ou Amandine. Mais ils se sont retrouvés aussi dans une commune réticence à l'égard de certains prénoms de type bourgeois, comme Arnaud ou Catherine; et cette réticence confine à la résistance à l'égard des prénoms féminins homonymes de prénoms masculins : Dominique, Pascale, Emmanuelle, Frédérique. Joëlle est une exception, mais son succès en milieu agricole est beaucoup moins net que celui de Joël.

La connivence entre les agriculteurs et les artisans et commerçants n'est guère apparente. Sylvie semble être le cas le plus net où la solidarité des indépendants et des paysans se soit traduite par une préférence commune.

## Goûts populaires

Les prénoms mode les plus typiquement populaires sont en général des produits nouveaux, souvent d'importation, l'influence anglo-américaine étant prépondérante : Anthony, Cédric, David, Grégory, Jacky, Jonathan, Jordan, Kevin, Ludovic, Mickaël pour les garçons; Christelle, Cindy, Jennifer, Jessica, Mégane, Sabrina, Sandra, Séverine, Vanessa, Virginie pour les filles. Les prénoms populaires plus stables comme Lydie, Nadia, Nadège, Sonia ont aussi pour caractéristique d'être dépourvus de passé (en France tout au moins). Certains d'entre eux, comme Cédric, Jérémy ou Virginie, ont pu naître d'abord en milieu bourgeois; mais les cadres ont été prompts à s'en détourner. La plupart se diffusent d'ailleurs d'emblée en milieu populaire, sans que les cadres ou les professions intermédiaires qui les choisissent fassent preuve d'une adoption plus précoce. C'est là un phénomène assez nouveau qui entraîne une durée de vie souvent brève pour ce type de prénoms.

### ■ Antoine et Anthony

Cette différence entre goûts populaires et goûts bourgeois peut être illustrée par la comparaison des carrières récentes d'Antoine et de sa version anglo-américaine Anthony. D'un côté un grand prénom traditionnel français qui n'a jamais complètement disparu, de l'autre une véritable innovation.

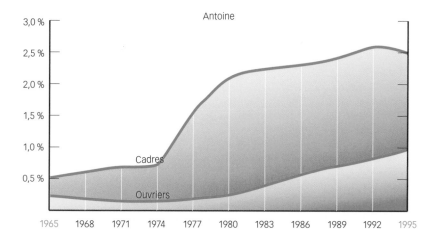

Antoine

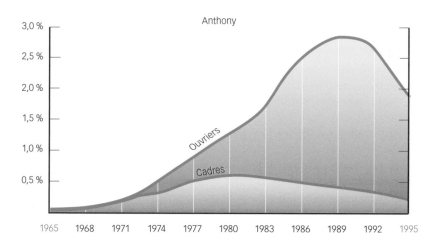

Anthony

# Goûts nobles

**Y**a-t-il encore des prénoms spécifiques aux familles aristocratiques ? Servent-elles de conservatoires à des espèces en voie d'extinction dont certaines reviennent périodiquement au goût du jour, ce qui les situerait à la fois à l'extrême arrière-garde et à l'extrême avant-garde ? L'étude des prénoms choisis depuis une vingtaine d'années par les familles à particule recensées dans le *Bottin mondain* incite à répondre de manière nuancée, mais plutôt par la négative (voir l'annexe sur les sources statistiques).

Se perpétuent dans une certaine mesure les prénoms emblèmes d'une famille, par exemple Gersende (jadis Garsande), Dauphine et Elzéar chez les Sabran, Josselin chez les Rohan, Sosthène chez les La Rochefoucauld, Gonzague chez les Broglie, Achille chez les Murat, Phyllis et Humbert chez les La Tour du Pin. Mais ils sont moins présents que naguère et ne figurent parfois qu'au second rang.

On trouve, il est vrai, une sur-représentation de prénoms rares, ou relativement rares. En voici des exemples :

- **Prénoms masculins** : Alban, Albéric, Amaury, Aubin, Augustin, Aymar(d), Aymeric, Baudouin (ou Baudoin), Côme, Cyprien, Edmond, Éloi, Enguerrand, Eudes, Foulques, Foucauld, François-Régis, François-Xavier, Geoffroy, Géraud, Ghislain, Godefroy, Gonzague, Grégoire, Guilhem, Henri ou Henry, Hugues, Renaud, Stanislas, Tancrède, Tanguy (ou Tanneguy), Tugdual, Vianney.
- **Prénoms féminins** : Adélaïde, Aliénor, Albane, Alix, Amicie, Astrid, Bérénice, Bérengère, Capucine, Clotilde ou Clothilde, Constance, Daphné, Diane, Domitille, Edwige, Éléonore, Élisabeth, Eugénie, Flore, Gersende, Guillemette, Guillemine, Gwenola, Hortense, Isaure, Joséphine, Lorraine, Mahaut, Marie-Alix, Marie-Astrid, Marie-Liesse, Marie-des-Lys, Marie-Lys ou Maylis et ses variantes, Ombeline (ou Ombline), Philippine, Priscille, Quitterie (ou Quiterie), Ségolène, Servane, Sibylle, Sixtine, Solène, Tiphaine, Victoire, Violaine.

Le répertoire médiéval est bien représenté, tout comme les formes archaïques du type Jehan, Géraud, Guilhem, Artus ou Béatrix. Il faut y voir sans doute une manière d'afficher l'ancienneté du lignage, de même que le choix de prénoms rares permet de se démarquer du vulgaire.

Mais on remarquera que nombre des prénoms énumérés ci-dessus sont actuellement en train d'émerger ou de grandir dans l'ensemble de la population. D'autres tournent depuis longtemps autour de la barre de 1 sur 1 000. On trouve enfin une sur-représentation de prénoms qui ont été assez connus naguère et qui sont aujourd'hui quasi démodés comme Arnaud, Bertrand, Xavier, Olivier, Élisabeth, voire hors d'usage, tel Hubert. Les nobles gardent longtemps les prénoms qu'ils chérissent. En ce sens, il est vrai que les familles aristocratiques sont à la fois à l'avant-garde et à l'arrière-garde.

Peut-on pour autant parler d'une spécificité des choix qui situeraient dans un autre univers les goûts nobles en raison, par exemple, de la valeur emblématique des prénoms ou de leur forte transmission d'une génération à l'autre ?

Depuis un siècle, les milieux aristocratiques ont donné leur faveur à des prénoms à cycle de vie lent, comme Anne, Élisabeth, Geneviève, Béatrice, Claire, Odile, Bénédicte, Bertrand, Guy, Yves, tout en amplifiant certains grands succès nationaux, tels que Bernard, Jacqueline ou Françoise. Ils ont boudé les innovations linguistiques, telles que les nouvelles terminaisons en *ette* ou en *iane*, ainsi que les féminisations inédites, comme Jeannine ou Danielle, et dédaigné dans la période récente l'exotisme anglo-américain. Ces caractéristiques ne font qu'amplifier celles du goût bourgeois. Les prénoms qui ont été le plus en vedette dans les familles aristocratiques sont des prénoms de type bourgeois au sens défini plus haut. Ils sont simplement encore plus sur-représentés chez les nobles que chez les cadres. La préférence pour les prénoms anciens, rares, ou calmes, tout comme la promptitude à adopter des prénoms sur le point d'émerger ou de revenir semblent bien relever moins d'une éventuelle tradition aristocratique que d'une position sociale privilégiée.

Il suffit pour s'en convaincre de comparer, aux mêmes moments, les choix des familles nobles à ceux des familles bourgeoises qui figurent dans le *Bottin mondain* : ils sont semblables, à quelques nuances près. De plus, il ne faudrait pas croire que les prénoms préférés de ces élites sociales soient inconnus du *vulgum*. La majorité des prénoms figurant au palmarès des dix premiers dans le *Bottin mondain* aux différentes périodes depuis un siècle ont figuré aussi, avec un retard variable, dans le palmarès national.

Tout cela nous amène à conclure que les prénoms des familles aristocratiques sont beaucoup moins spécifiques qu'on ne l'imagine parfois. Les goûts nobles ne sont que des goûts bourgeois portés à l'extrême.

# La polarisation sociale des goûts

Le prénom devient de plus en plus un marqueur social. Les prénoms de Neuilly ne ressemblent guère à ceux d'Aubervilliers.

Certes, le phénomène n'est pas nouveau. Mais, dans le modèle dominant jusqu'aux années 1960-70, les clivages sociaux s'exprimaient surtout par des avances ou des retards dans le moment où était choisi un même prénom. Ils tendent désormais à se traduire par des choix de prénoms différents.

On est bien loin de l'uniformisation supposée de la palette sociale des goûts et des couleurs que la société de masse fondrait en une même teinte.

Les décalages entre catégories sociales dans l'adoption des prénoms en ascension tendent à se combler, d'autant que, on l'a vu, certaines innovations apparaissent désormais partout au même moment. Mais, à mesure que se comblent ces écarts dans le temps, les différences dans les prénoms choisis se creusent.

On voit bien ce phénomène dans le tableau suivant qui présente, en ordre de fréquence décroissante, le palmarès des vingt prénoms les plus souvent choisis ces dernières années dans un milieu que l'on peut qualifier de BCBG, les familles qui sont répertoriées dans le *Bottin mondain* et celles qui font part de la naissance de leurs enfants dans le « Carnet du jour » du *Figaro*.

Ces palmarès ne ressemblent guère à ceux de l'ensemble de la population française. Les différences s'expliquent de moins en moins par l'avance de l'élite sociale dans le cycle de la mode. Aujourd'hui, elles reflètent surtout l'accroissement de la diversification sociale des goûts. On chercherait vainement dans le *Bottin mondain* ou *Le Figaro* les prénoms les plus typiquement populaires tels Amandine, Cindy, Anthony ou Jordan. La grande vedette des années récentes, Kevin, a brillé par son absence.

| LES PALMARÈS BCBG | | | |
|---|---|---|---|
| **Prénoms féminins** | | | |
| *Bottin mondain 2006-2007* | | *Le Figaro 2006-2007* | |
| 1. Charlotte | 11. Eugénie | 1. Charlotte | 11. Alice |
| 2. Joséphine | 12. Jeanne | 2. Louise | 12. Adèle |
| 3. Alice | 13. Louise | 3. Camille | 13. Alix |
| 4. Clémence | 14. Pauline | 4. Jeanne | 14. Inès |
| 5. Margaux | 15. Violette | 5. Margaux | 15. Pauline |
| 6. Marie | 16. Adélaïde | 6. Joséphine | 16. Aliénor |
| 7. Adèle | 17. Alix | 7. Clémence | 17. Anaïs |
| 8. Camille | 18. Apolline | 8. Marie | 18. Astrid |
| 9. Éléonore | 19. Constance | 9. Victoire | 19. Blanche |
| 10. Valentine | 20. Philippine | 10. Éléonore | 20. Constance |
| **Prénoms masculins** | | | |
| *Bottin mondain 2006-2007* | | *Le Figaro 2006-2007* | |
| 1. Alexandre | 11. Édouard | 1. Alexandre | 11. Maxime |
| 2. Paul | 12. Antoine | 2. Louis | 12. Thomas |
| 3. Louis | 13. Raphaël | 3. Arthur | 13. Antoine |
| 4. Augustin | 14. Gabriel | 4. Charles | 14. Jules |
| 5. Arthur | 15. Stanislas | 5. Gabriel | 15. Alexis |
| 6. Gaspard | 16. Charles | 6. Augustin | 16. Côme |
| 7. Jean | 17. Amaury | 7. Édouard | 17. Hadrien |
| 8. Hadrien | 18. Armand | 8. Gaspard | 18. Timothée |
| 9. Alexis | 19. Jules | 9. Jean | 19. Clément |
| 10. Grégoire | 20. Cyriaque | 10. Raphaël | 20. Oscar |

Il est frappant de constater la proximité des palmarès du *Bottin mondain* et du *Figaro* : pas moins de 14 prénoms sur 20 en commun pour les filles, et 13 pour les garçons. À l'inverse, on y trouve bien moins de grands succès nationaux actuels (tels Inès ou Raphaël), alors qu'y figurent des prénoms prisés de longue date dans l'aristocratie, ou bien devenus très rares aujourd'hui.

Ainsi échappent de peu aux deux palmarès :

- **chez les filles** : Domitille, Mathilde, Ombeline, Hortense, Faustine, Gabrielle.
- **chez les garçons** : Martin, Mayeul, Corentin, Hilaire, Maxence.

C'est surtout dans *Le Figaro* que l'on trouve une forte présence de Balthazar, Violette ou Angèle. Les gens du *Bottin mondain* se distinguent plutôt avec Alban, Ambroise, Wandrille, ou les plus rares Foulques, Albéric et Mayeul et, chez les filles, Ombeline, Angélique, ou les plus rares Bertille, Pia, Faustine ou Hermine.

Même si les adeptes du *Bottin mondain* sont souvent fidèles aux prénoms qu'ils chérissent, ces palmarès n'échappent pas aux mouvements de mode. On a assisté récemment à l'effondrement de Laure qui trôna aux premières places durant les années 1970-80 et à la poussée de Philippine, Sixtine, Victoire, Aliénor et Maylis. Mais ce qui frappe ces dernières années, c'est le succès de valeurs refuges que sont les grands prénoms traditionnels, comme Jean et Marie. Dans le même sens, on observe une sorte de repli sur des prénoms typiques de ces milieux. C'est ainsi que reviennent, ou se maintiennent, dans le palmarès du *Bottin mondain* des prénoms comme Stanislas ou Isaure qui sont prisés dans cette population depuis des décennies.

On peut cependant repérer dans cette population mondaine, conservatrice à certains égards, des innovations (relatives) et des frémissements dignes d'intérêt. On y a vu grandir Louis-Marie et Pierre-Louis, naître Ambroise, Wallerand, Amicie ou Thaïs, revivre des formes archaïsantes, comme Artus, Albéric, Dauphine, ou locales, comme Maylis, Géraud ou les bretons Efflam et Malo, et se mettre en marche les trois rois mages, Gaspard, Melchior et plus loin Balthazar.

La question qui se pose est de savoir si les prénoms «chics» aujourd'hui vont se démocratiser et se répandre dans l'ensemble de la population. Ce phénomène de flux vertical de l'innovation semble jouer de moins en moins. Nombre de prénoms de type bourgeois ne quittent plus leur sphère sociale. Ainsi, Charles, Édouard ou Laure, dans le peloton de tête des prénoms BCBG durant un quart de siècle, n'ont guère pénétré en milieu populaire, d'où la modestie de leur carrière. Il n'est pas du tout certain que les vedettes BCBG d'aujourd'hui, les Augustin, Alix, Baudouin ou Aliénor, quittent le douillet confort de leurs origines.

## Les prénoms de consensus social

Il ne faudrait pas cependant grossir à l'excès cette récente tendance à une différenciation sociale croissante des prénoms. D'abord, ne l'oublions pas, tous les prénoms, y compris les plus bourgeois ou les plus populaires, font l'objet de choix dans tous les groupes sociaux, même si les écarts de leur fréquence relative peuvent être considérables. En deuxième lieu, les décalages temporels dans l'adoption des prénoms selon les milieux tendent certes à se réduire, mais s'observent encore dans la plupart des cas. Enfin, même lorsque ces décalages sont infimes, une fraction non négligeable de prénoms se répartit très équitablement entre les divers groupes sociaux. Un prénom mode, comme Delphine, et un prénom plus calme, tel Sylvain, en sont de bons exemples récents.

Nous manquons un peu de recul pour repérer, parmi les prénoms qui triomphent aujourd'hui, ceux qui font l'objet d'un consensus social. Alexandre, quoique sa carrière ne soit pas achevée, nous paraît en fournir un exemple frappant. Il figure dans le peloton de tête de toutes les catégories sociales avec à peu près la même fréquence, les ouvriers ayant simplement un peu de retard dans son adoption. Il se situe au même rang dans les milieux BCBG et chez les Portugais vivant en France. C'est vraiment un prénom interclasses en même temps qu'international. Et bien d'autres prénoms sont peu marqués socialement et signalés comme tels dans la partie répertoire de ce livre.

# Prénoms
## et saints patrons

L e baptême est un des sacrements de l'Église catholique qui se maintient le mieux. Dans les enquêtes récentes, 9 adultes sur 10 déclarent être baptisés, alors qu'ils ne sont que 8 % à assister à la messe une fois par semaine. Quoique en recul (en raison peut-être des exigences croissantes du clergé), le baptême concerne encore aujourd'hui en France plus de 6 nouveau-nés sur 10, davantage si l'on ne tient pas compte de la population d'origine étrangère.

On devrait donc observer une forte relation entre l'importance des saints dans la doctrine catholique et les prénoms le plus fréquemment choisis. Pourtant cette relation n'apparaît guère.

Nous avons vu que les prénoms chrétiens s'étaient imposés aux XVIe et XVIIe siècles en même temps que se répandait la notion du saint patron, protecteur et modèle. De fait, la plupart des prénoms dominants à l'âge classique correspondent à l'entourage du Christ – Marie, Anne, Joseph, Jean-Baptiste, Marie-Madeleine –, aux principaux apôtres – Pierre, Jean, Jacques et André –, à des saints illustres et exemplaires – François, Antoine, Louis – ou à d'autres dont l'existence peut être douteuse, mais dont la légende est l'objet d'une ferveur populaire toute spéciale – Nicolas, Marguerite, Catherine d'Alexandrie. Dans le même sens, on peut observer que l'insuccès du prénom royal qu'est Henri vient sans doute de ce qu'il n'est pas doté d'un saint de grande envergure.

Mais cette correspondance globale ne va pas sans de notables exceptions. La plus frappante est celle de Paul, prénom qui ne fait guère parler de lui avant la fin du XIXe siècle, en dépit de la place centrale de saint Paul dans la tradition catholique. Les évangélistes Marc et Luc, les archanges Gabriel et Raphaël ne défraient pas outre mesure la chronique des familles. Dans un autre registre, les noms des papes Adrien, Alexandre, Benoît, Boniface, Clément, Grégoire, Innocent, Jules, Léon, Pie, Sixte, Urbain n'alimentent pas de manière substantielle le répertoire des prénoms usuels.

Qu'en est-il au XX$^e$ siècle? Les grandes enquêtes sociales sur lesquelles nous nous appuyons ne mentionnent pas la religion des personnes interrogées, *a fortiori* leur degré de pratique ou de conviction. Il nous faut donc procéder de manière détournée pour avoir une idée de l'impact éventuel de la religion sur le choix du prénom.

Il arrive que la béatification et la canonisation d'un nouveau saint ou d'une nouvelle sainte favorisent l'essor de son prénom. Sainte Thérèse de Lisieux, autour de laquelle un culte populaire s'était développé, en est le plus bel exemple: le prénom Thérèse culmine juste après sa canonisation (1925). Les cas de Catherine (canonisation de Catherine Labouré en 1947) et de Bernadette (1933) sont un peu moins probants, mais le même phénomène a pu jouer. Peut-être encore la béatification en 1905 de Jean-Marie Vianney, canonisé en 1925, a-t-elle eu sa part dans le regain de vigueur de Jean de 1910 à 1935. En sens inverse, on observera que Jeanne d'Arc est reconnue sainte en 1920, au moment même où s'amorce la dégringolade de Jeanne.

Une autre manière d'aborder la question est de voir s'il y a coïncidence entre les lieux où ont vécu et agi les saints (ou qu'ils patronnent) et les préférences régionales des prénoms. Là encore, Thérèse est le cas positif le plus net. On dirait que ce prénom se diffuse à partir de Lisieux, étant bien plus répandu en Basse-Normandie et dans les régions voisines qu'ailleurs. Mais d'autres exemples méritent d'être relevés. Colette est un prénom tout particulièrement prisé en Franche-Comté: or sainte Colette fonda le monastère de Besançon et ses reliques se trouvent à Poligny, dans le Jura. Geneviève rayonne à partir de Paris dans l'Île-de-France et les régions limitrophes. L'épicentre de l'aire d'extension de Solange paraît bien être le Berry et Bourges, qu'elle patronne. Jocelyne se développe d'abord dans le Nord-Pas-de-Calais où saint Josse serait mort. Odile met du temps à quitter l'Alsace, qu'elle patronne, pour émigrer vers la Bretagne où Anne, Yves et leurs dérivés jouissent d'une faveur particulière.

Cependant, les exemples négatifs ne manquent pas. Didier n'a aucune affinité avec la Haute-Marne ou l'Isère, leur préférant le Sud-Ouest. Béatrice a une nette prédilection pour le Nord-Ouest et non pour la Drôme. Delphine ne se sent pas chez elle dans le Vaucluse. Estelle s'épanouit en Alsace, nullement en Saintonge. Claude renaît bien loin de la Franche-Comté qu'il met du temps à rejoindre. Bernadette arrive du Nord-Ouest et non de Lourdes.

D'une manière plus générale, les mouvements de mode de grande ampleur qui affectent les prénoms au XX$^e$ siècle ne peuvent, à l'évidence, être mis en rapport avec l'éventuelle évolution de la place des saints qui les patronnent dans la doctrine ou les croyances catholiques. Il serait absurde de vouloir lire dans l'effondrement de Marie, suivi du recul de ses composés, puis dans son retour, les variations de la ferveur mariale. De plus, à quelque moment que l'on se place, on n'aperçoit plus de rapport entre la fréquence des prénoms et l'importance des saints qui leur correspondent dans la doctrine catholique.

Les prénoms ne sont donc pas choisis d'abord pour des raisons de piété. Nous ne prétendons pas que les motivations religieuses soient inexistantes, notamment pour les catholiques les plus convaincus. Mais l'éventail pour le choix de modèles de sainteté est si vaste que les convictions religieuses ne peuvent entraver le phénomène de mode. Elles peuvent au mieux orienter le choix d'une minorité de parents vers certains prénoms en vogue plutôt que d'autres qui seraient dépourvus de saints patrons ou dotés de patrons obscurs.

Car le répertoire des saints est immense et recouvre notamment, depuis longtemps, la quasi-totalité des noms de lointaine origine germanique. Pour l'enrichir encore, l'Église n'a pas hésité à reconnaître comme noms de baptême des patronymes de saints, surtout lorsque leurs prénoms étaient bien pourvus en patrons : Chantal (sainte Jeanne-Françoise de), Gonzague (saint Louis de), Xavier (saint François), Régis (saint Jean-François), Vianney (saint Jean-Marie, le curé d'Ars).

Et pourtant, alors que d'innombrables saints sont complètement délaissés, une fraction non négligeable de prénoms usuels ou relativement usuels sont dépourvus de saints patrons. On pense d'abord aux prénoms issus de la mythologie antique, comme Ulysse ou Hector (alors qu'il existe un saint Achille), ou aux rares prénoms du registre révolutionnaire qui ont survécu, tel Kléber. Mais c'est le cas aussi de prénoms du répertoire médiéval ou celtique dont certains sont revenus et dont d'autres pourraient réapparaître, comme Adémar, Amaury, Lancelot, Morgane, Muriel, Tancrède, Tristan. Et cela est encore plus vrai des prénoms anglo-saxons qui se sont imposés, tels Cédric, Cindy, Mélissa, Vanessa et bien d'autres.

L'Église catholique s'efforce de rattacher ces prénoms à des prénoms plus ou moins apparentés. Mistral n'eut pas trop de peine à faire admettre au curé qui baptisa la première Mireille qu'il s'agissait d'une forme provençale de l'hébreu Miriam, c'est-à-dire Marie. Et les auteurs d'ouvrages sur les prénoms laissent, en cette matière, libre cours à une imagination souvent débridée pour affecter, à tout prix, à chaque prénom la date d'une fête.

Il est assez logique que Lætitia soit patronnée par Notre-Dame de Liesse, encore que d'autres la rapprocheront du martyr Lætus. On peut déjà hésiter à voir en saint Dioscore le patron des Cora, Coralie et Corinne, que pourrait aussi revendiquer saint Corentin. Faut-il vraiment rattacher Virginie à la très obscure sainte Verge, ou à saint Virgile, quand la Sainte Vierge paraît une solution plus simple ? Le doute est permis sur la parenté réelle de Cédric avec saint Cedde, de Gaël avec saint Judicaël, et plus encore de Chloé avec sainte Clélia. Que ferait-on sans sainte Fleur, bien commode pour accueillir les Capucine, Hortense, Violette, Myrtille, Dahlia et même les Daphné ou Violaine ? Il faut beaucoup d'imagination, et même une certaine audace, pour rattacher Amaury, d'étymologie germanique, aux noms latins que sont Maur et Maurice, ainsi que Noémie à Grâce, Aurore à Lucie, Vanessa à Véronique, Sabrina à Sabine ou Cyprien, Muriel à Marie ou Eurielle. Nous ne savons pas le sort qui est réservé à Ophélie (que certains rattachent sans vergogne à Philippe).

# Célébrités et médias

**P**ourquoi un prénom devient-il à la mode ? Qu'est-ce qui l'attire des coulisses où il se morfond pour le propulser sur le devant de la scène ?

L'inclinaison la plus spontanée est de chercher l'origine de son succès dans l'influence de personnages célèbres qui l'ont porté, qu'il s'agisse de personnes réelles, rois, princesses, grandes figures politiques, littéraires ou artistiques, vedettes du spectacle, ou bien de héros de fiction.

## L'illusion des coïncidences

**D**e prime abord, les exemples démonstratifs de cette influence abondent. En voici quelques-uns puisés dans des registres très divers.

Le parcours des prénoms Georges et Raymond, dans leurs meilleures années, épouse les carrières politiques respectives de Clemenceau et de Poincaré. Albert est à son zénith pendant la Première Guerre mondiale, au moment même où Albert Ier, roi des Belges, connaît une immense popularité. Martine parvient à son sommet lorsque Martine Carol atteint la gloire ; il en va de même pour Michèle et Morgan, Brigitte et Bardot, Sylvie et Vartan, et bien d'autres. Thierry est au premier rang des prénoms masculins au moment précis de la diffusion du célèbre feuilleton *Thierry la Fronde* (novembre 1963-janvier 1966). Et l'on pourrait multiplier les exemples de pareilles coïncidences.

La cause est-elle entendue ? Avons-nous trouvé la clé de la mode des prénoms ? Il n'en est rien : tous les cas que nous venons de citer sont autant de contre-exemples. Et cela pour une raison simple : un prénom ne s'impose pas du jour au lendemain, il lui faut du temps pour émerger, grandir et parvenir à son zénith. Or, dans tous ces exemples, le prénom atteint son point culminant en même temps que le personnage devient célèbre. D'ailleurs il faut bien que le prénom existe pour avoir été donné, à sa naissance, à ce même personnage. À moins qu'il ne s'agisse d'un pseudonyme, choisi plus tard parmi les prénoms dans le vent : c'est le cas de Martine Carol, née Maryse Mourer en 1922, comme de Michèle Morgan, née Simone Roussel en 1920.

Il n'en allait pas autrement au siècle précédent. Prenons le cas célèbre de Jules : ce prénom atteint son plus haut niveau vers 1860, donc bien avant le «gouvernement des Jules», Ferry, Grévy, Méline ou Simon, nés respectivement en 1832, 1807, 1838 et 1814. Eugénie, il est vrai, culmine dans les années 1870-80 ; mais elle était sur sa lancée bien avant le Second Empire, à la remorque d'Eugène, et l'impératrice n'infléchit pas la courbe de sa progression. Victor commence à décliner alors que Hugo est au faîte de sa gloire. Et que dire alors de Napoléon, qui n'a eu presque aucune descendance ? Il est douteux que l'essor de Léon, dans la seconde moitié du XIXᵉ siècle, lui doive quelque chose.

On pourrait, certes, fournir bien d'autres cas de coïncidences ou de semi-coïncidences ; mais il serait facile d'y opposer une liste plus longue encore d'exemples négatifs.

Une légende tenace associe la vogue de Philippe au régime de Vichy. Elle est sans fondement. Philippe entame une lente progression à la fin des années 1920 et son véritable décollage ne date que de l'après-guerre : on peut donc difficilement l'imputer à Philippe Pétain, même si l'on observe une petite poussée en 1941, sans commune mesure avec le culte du Maréchal. Passons de Pétain à de Gaulle : le déclin régulier de Charles depuis le début du XXᵉ siècle n'est en aucune manière enrayé par le charisme du Général dans les années 1940. Mieux : c'est sous sa présidence que ce prénom atteint son plus bas niveau depuis des siècles, étant alors proche de l'inexistence. Autre exemple : le mariage, puis le couronnement d'Élisabeth II ont eu un retentissement immense en France ; ils n'ont pourtant pas entraîné un engouement pour ce prénom ni affecté le déroulement de son parcours tranquille.

Il n'est d'ailleurs pas d'exemple qu'une personnalité, quel que soit l'éclat de sa gloire (ou, si l'on préfère, son impact médiatique), ait jamais pu redresser la courbe descendante d'un prénom, ni même ralentir sa chute. Or, la grande majorité des personnes qui s'illustrent, dans quelque domaine que ce soit, n'atteint la notoriété que lorsque leurs prénoms, donnés vingt ou cinquante ans plus tôt, sont à la baisse. Ce que de Gaulle n'a pu accomplir pour Charles, Pompidou ou Marchais ne l'ont pas fait pour Georges, pas plus que Platini, Rocard ou Drucker pour Michel, Hinault ou Pivot pour Bernard, Belmondo ou le pape pour Jean-Paul et Benoît, Delon pour Alain, Philipe ou Depardieu pour Gérard, Zitrone pour Léon, Ockrent pour Christine, Sabatier pour Patrick, Montand ou Mourousi pour Yves, ni même la princesse de Monaco pour Stéphanie (il ne s'agit évidemment que d'un tout petit échantillon quasi aléatoire). Même phénomène pour les personnages de fiction : *Noëlle aux quatre vents,* feuilleton qui fit fureur dans les années 1960, a accompagné l'agonie de Noëlle, et la chanson des Beatles, *Michelle,* n'a pas empêché que ce prénom se démode en France.

Les top models, qui sont devenues les stars d'aujourd'hui, détrônant les actrices de cinéma, ne semblent pas avoir, malgré la ferveur qu'elles suscitent, d'impact décisif sur la carrière des prénoms.

Peuvent être mises à leur crédit la survie de Cindy, le second souffle d'Estelle, l'émergence, assez discrète, de Naomi, l'accélération d'Alizée (qui était connue avant la jeune chanteuse). Mais Claudia n'a aucune raison de broncher, pas plus que Linda.

## Le prénom comme moyen de renom

Peut-être avons-nous pris le problème à l'envers. Ne faudrait-il pas inverser la relation que l'on établit spontanément entre la renommée d'un personnage et le destin de son prénom ? Ce qui nous y inviterait c'est l'observation suivante : lorsqu'un prénom mode est porté, au moment même où il culmine, par un personnage dont la célébrité devient hors du commun, ce prénom connaît souvent une chute particulièrement rapide. Brigitte, qui dégringole à partir de 1962, en est un exemple vraiment frappant. Que l'on compare aussi la carrière de Thierry à celle d'Éric, son contemporain : le premier recule beaucoup plus vite. Ce n'est pas l'image positive ou négative des personnages réels ou de fiction qui est en cause ; c'est l'excès de visibilité qu'ils confèrent à leurs prénoms. Les parents, soucieux d'éviter ce qui est devenu trop commun, sont prompts à s'en détourner. Le même phénomène a pu se produire pour Gérard ou Chantal, lorsqu'ils sont devenus les symboles (imaginaires d'ailleurs) de prénoms bourgeois dans les années 1960.

Allons plus loin dans le renversement du rapport de cause à effet. Le fait d'être doté d'un prénom au goût du jour, porté par un flux ascendant ou qui vient de s'imposer, peut jouer un rôle non négligeable dans l'accès à la notoriété.

Le choix d'un prénom qui progresse, fait en humant l'air du temps ou en laissant parler ses préférences du moment, est presque le fruit d'une stratégie marketing dans le cas des pseudonymes, dont l'usage est courant dans le monde des arts, des lettres et du spectacle. Martine Carol, Michèle Morgan, déjà citées, mais aussi Michel Simon né en 1895, Catherine Sauvage (1929), Isabelle Aubret (1938), Nathalie Delon (1941), Valérie Lagrange (1942), Julien Clerc (1947) – pour ne mentionner que quelques prénoms mode, à grand succès, très improbables à la naissance de leurs porteurs – sont autant de pseudonymes ou de pseudo-prénoms choisis dans leur phase ascendante (ou à leur émergence dans le cas de Julien Clerc). Les écrivains (ou même cinéastes) ne sont pas en reste : Sébastien (Japrisot) est difficilement imaginable en 1931, tout comme Thierry (Maulnier) en 1909. Éric (Rohmer) est dans les limbes en 1920 et Alain (Bosquet) commence à peine à percer en 1919. Michel n'est que le troisième prénom de Leiris (1901). Le choix d'un pseudonyme peut encore se porter sur un prénom rare comme Anouk (Aimée ou Ferjac), Hugues (Aufray) ou Félicien (Marceau). Et puis il faut citer au moins un cas déviant: Louis Farigoule, né en 1885, adopte comme nom de plume Jules Romains, alors que Jules est en chute libre, ce qui lui donne un petit coup de vieux. Le présent livre permettra d'éviter de pareilles erreurs.

Considérons maintenant les vedettes qui atteignent la notoriété ou la gloire en même temps que leur *vrai* prénom parvient à son zénith. Les exemples n'en sont pas rares, notamment en littérature, comme si les parents des futurs écrivains étaient enclins à être en avance sur la mode.

En ce domaine, la prudence s'impose. On ne prétendra pas que le wagon de l'existentialisme était accroché à l'essor de Jean-Paul, ni que Sollers a obtenu le prix Médicis (novembre 1961) parce que Philippe était, à ce moment précis, au faîte de sa carrière. Mais, quand il s'agit de grandes vedettes du spectacle, on peut se demander si cette coïncidence n'a pas contribué – ou au moins ajouté – à leur popularité. Nous pensons naturellement à Bardot transformée en mythe au moment où Brigitte culmine, ou plus encore à Sylvie Vartan qui devient, alors que son prénom est hyperconformiste, un des symboles du temps des copains. Notons au passage que Johnny a été un prénom négligeable, encore moins répandu que d'autres du même genre, comme Jimmy, Freddy, Teddy, sans parler de Jacky.

Les cas de Brigitte Bardot et de Sylvie Vartan sont clairs en ceci qu'elles n'ont en rien contribué au succès de leurs prénoms. D'autres sont plus embrouillés. La chronologie n'exclut pas que Darrieux ait pu favoriser l'essor final de Danielle qui n'arrive à son terme qu'en 1942. Cependant, Danielle était déjà sur sa lancée, dans la foulée des prénoms en *el*, bien avant que l'actrice ait tourné le moindre film. Et l'on peut tout aussi bien dire qu'elle a eu la chance d'avoir un prénom dans le vent. On arrive, en somme, au dilemme classique: de l'œuf et de la poule, lequel engendre l'autre ?

## Télévision, chansons, romans

Il serait tout de même surprenant que les grands moyens de communication de masse qui touchent au même moment des millions de foyers ne jouent aucun rôle dans le lancement et la propagation de la mode. Les nouveaux prénoms d'origine anglo-américaine, qui se multiplient depuis les années 1970 et se répandent d'emblée en milieu populaire, ne viennent-ils pas en droite ligne des personnages ou des acteurs des feuilletons télévisés importés d'outre-Atlantique ? Alison, par exemple, est le prénom d'un personnage joué par Mia Farrow dans *Peyton Place*, diffusé en 1975 et 1978. Charlène est le prénom d'une actrice de *Dallas* ; Linda celui de plusieurs actrices, dont Linda Evans, vedette de *Dynastie* ; Kelly vient de *Santa Barbara* ; Brandon et Brenda de *Beverly Hills*.

Additionnés, ces prénoms anglo-américains forment une masse importante. Mais on aperçoit mal la relation entre l'importance médiatique des séries télévisées et la réussite des prénoms qu'elles colportent. Linda végète depuis 1972 ; les Paméla (personnage de *Dallas*) ne sont pas légion. Très rares ont été les petites filles qui ont reçu le nom de Candy, star du dessin animé en feuilleton. *La Dynastie des Forsyte,* série britannique à succès diffusée trois fois depuis 1969, n'a pas permis l'éclosion de Fleur.

Il est bien difficile d'assigner une origine médiatique précise aux prénoms qui ont atteint récemment le peloton de tête, comme Audrey, Jennifer, Jonathan. La chronologie exclut que Mickaël ait été lancé par Jackson, Kevin par Costner et Cindy par Crawford. La vogue des prénoms anglo-saxons semble procéder d'une américanisation diffuse, à laquelle, il est vrai, la télévision contribue pour une grande part. Son influence se fait non pas par une simple imitation, mais plutôt par imprégnation sonore : elle accoutume l'oreille à des sonorités nouvelles grâce aux séries américaines doublées où les prénoms des personnages sont prononcés plus ou moins à l'anglaise.

Sans doute la poussée récente de Dylan, de Cassandra ou de Brandon est-elle en relation évidente avec des séries télévisées. Mais Dylan était déjà né et Cassandra frémissait lorsqu'ils furent propulsés sur le devant de la scène par la télévision. Quant à Brandon, qui rime avec Jason, il ne sera peut-être qu'un feu de paille. Et sa compagne Brenda, si elle s'est un peu ébranlée, n'a pas vraiment décollé.

Changeons un peu de registre avec Cédric, très ancien prénom anglais, inconnu en France avant les années 1960. Le Cédric le plus célèbre du passé est sans doute le héros du *Petit Lord Fauntleroy* qui a été l'objet d'une adaptation télévisée. Mais celle-ci n'a pu lancer ce prénom : elle a été diffusée en France en 1978, au beau milieu de la période conformiste de Cédric, dans lequel il faut plutôt voir un avatar de la lignée Éric-Frédéric. De la même manière, le feuilleton *Fabien de la Drôme* est diffusé en 1983, quand Fabien culmine, et *Julien Fontanes magistrat* (1979) n'a pu lancer Julien. *Quentin Durward* (1971) serait un cas plus positif, encore qu'il soit bien antérieur à l'émergence de Quentin.

Les deux cas les plus incontestables de l'impact de feuilletons télévisés que nous avons pu repérer concernent deux prénoms qui ne viennent pas de l'étranger.

Ludivine est le prénom d'un des personnages des *Gens de Mogador,* livre à succès d'Élisabeth Barbier. Mais il faut attendre le feuilleton télévisé qui en est tiré, diffusé en 1972, pour voir naître aussitôt des petites Ludivine. L'autre cas, plus spectaculaire, est celui de Sébastien, prénom moins inconnu que Ludivine, mais inusité depuis des lustres. Il est lancé, et même propulsé, par *Belle et Sébastien*, feuilleton diffusé pendant l'automne 1965, et d'autant mieux, sans doute, que Sébastien est le prénom d'un petit garçon.

Dans les deux cas, le prénom nouveau se propage simultanément dans tous les groupes sociaux et sur l'ensemble du territoire, preuve supplémentaire de l'impact d'un média de masse.

Un des vecteurs privilégiés pour le lancement d'un prénom pourrait bien être la chanson. L'écoute répétée d'une chanson à succès – à condition qu'elle présente le prénom de manière positive et non dérisoire – peut faire découvrir ou accentuer l'attrait de cet objet sonore. La chanson de Gilbert Bécaud *Nathalie* (1964) fut un triomphe, à la mesure de l'engouement pour ce prénom. Elle a pu l'amplifier mais n'en fut pas à l'origine. Deux cas sont plus probants : *Lætitia* (1964), de Serge Gainsbourg, est antérieure à l'émergence du prénom, même si de très rares Lætitia étaient nées dès 1962. *Cécile, ma fille*, de Claude Nougaro, chanson qui s'adresse de surcroît à une petite fille qui vient de naître, est créée au moment précis où ce prénom se réveille (1962), et a certainement contribué un peu à ce progrès soudain.

Il reste que les choix des auteurs de chansons s'inscrivent eux aussi dans l'air du temps et se conforment, avec une avance variable, au goût collectif naissant. Les chansons ont donc surtout un effet d'amplification – *Émilie jolie*, de Philippe Chatel (1980), *Mélissa*, de Julien Clerc (1984) – et, là encore, il n'est pas facile de repérer de véritables créations.

La littérature nous en fournit des exemples. Mistral a forgé Mireille et découvert Magali ; Swift a créé Vanessa ; Boris Vian a lancé Chloé en France ; Bernardin de Saint-Pierre y a sans doute introduit Virginie et contribué peut-être au succès de Paul. *La Garçonne*, de Victor Margueritte (1922), a probablement joué un rôle dans l'envol de Monique. Mais il reste à comprendre pourquoi Mireille culmine dans les années 1940 alors que Magali s'ébranle vingt ans plus tard. La littérature «populaire» – *Caroline chérie*, *La Marquise des Anges* pour Angélique – peut aussi contribuer au retour de prénoms anciens que le cycle de la mode aurait remis de toute façon à l'ordre du jour.

La littérature offre aux esprits curieux un immense champ de recherche dès lors qu'on connaît, grâce au présent livre, les carrières des prénoms. Ce champ est probablement jalonné par plus d'échecs que de réussites – par exemple, Chateaubriand n'a pas déclenché l'essor de René et Pagnol n'est pour rien dans le succès récent de Fanny – et l'on achoppera souvent sur le dilemme de la poule et de l'œuf.

# Les sources
# statistiques

Pour étudier avec précision la carrière des prénoms attribués en France, sans se limiter aux plus courants, il fallait s'appuyer sur des sources statistiques suffisamment représentatives et portant sur une masse importante de relevés. Par ailleurs, la durée prise en compte (plus d'un siècle) nécessitait le recours à plusieurs sources statistiques.

Les informations relatives à la période 1890-1945 proviennent d'abord de deux échantillons constitués par l'INSEE pour l'étude de la mortalité.
L'un a été prélevé dans le recensement de 1954 : y figurent environ 460 000 hommes et 320 000 femmes nés en France entre 1885 et 1924. Ils appartiennent à un large éventail de catégories sociales, assurant la représentativité de ce point de vue. En raison de la mortalité et des mouvements migratoires, les personnes recensées en 1954 ne recouvrent pas exactement les personnes nées en France depuis 1890. Sauf peut-être pour les générations les plus anciennes, le biais correspondant est négligeable. L'autre échantillon, de près de 900 000 individus, a été tiré dans le recensement de 1975. Il couvre la période 1911-45.

Deux enquêtes différentes nous renseignent sur les années 1940-88. La première est l'enquête sur les familles effectuée à l'occasion du recensement de 1982. 300 000 femmes ont fourni, pour les enfants qu'elles ont mis au monde, différentes informations dont le prénom. Plus de 500 000 enfants nés en France entre 1940 et 1981 alimentent l'information sur les prénoms. Les enquêtes INSEE sur l'emploi de 1983 à 1989 (500 000 personnes représentatives de la population résidant en France) ont permis d'utiles recoupements.
Ce dispositif a été complété par l'utilisation du Répertoire national d'identification des personnes de l'INSEE concernant toutes les naissances pour une année sur dix depuis 1900 et pour les onze dernières années disponibles. Enfin, grâce à l'aimable concours de Michel Villac, Michel Castellan et Michel Grignon, nous avons pu consulter les prénoms des nouveau-nés de l'échantillon de la Caisse nationale des allocations familiales depuis 1986 (13 000 naissances par an).

Au total, la documentation rassemblée dans ce livre pour l'étude des prénoms en France provient de l'examen des prénoms d'environ 30 millions d'individus.

Dans la mesure du possible, le travail s'est concentré sur les prénoms des personnes nées en France. Depuis une vingtaine d'années, de 10 à 11 % des enfants sont nés de mère étrangère. Nombre d'entre eux ont reçu un prénom étranger. Ces prénoms ne sont pas mentionnés dans l'étude par périodes, d'abord en raison d'un manque de recul, ensuite parce qu'aucun d'eux n'a atteint une fréquence suffisante. Les seuls prénoms arabes qui auraient pu y figurer sont Mehdi et Mohamed, chacun d'eux étant donné aujourd'hui à près de 1 garçon sur 250 naissant en France.

Les statistiques réunies concernent le premier prénom consigné à l'état civil qui est aujourd'hui, très généralement, le prénom usuel. Mais il n'en a pas toujours été ainsi. Par exemple, au XIXe siècle, dans la région de Tournai, en Belgique, bon nombre de garçons recevaient comme premier prénom Joseph, et portaient en fait le deuxième prénom. Là, c'était affaire de tradition. En d'autres lieux ou en d'autres époques, l'abandon du premier prénom résulte d'un choix : par exemple, adopter un prénom moins commun ou moins démodé que celui qu'ont voulu les parents.

De ce point de vue, le matériau utilisé ici n'est pas totalement homogène. Pour les personnes nées de 1890 à 1924, on dispose du prénom déclaré à l'état civil. Pour celles qui sont nées entre 1911 et 1945, c'est le prénom inscrit dans le bulletin individuel de recensement qui est retenu. Le questionnement de l'enquête sur les familles et de l'enquête-emploi conduit plutôt au prénom usuel.

À vrai dire, la comparaison des différentes sources ne révèle pas de divergences notables. Cette comparaison permet aussi de résoudre le problème des prénoms composés, à savoir comment distinguer Jean, Louis, premier et second prénoms de Jean-Louis, prénom composé. L'absence de trait d'union, fréquente, ne signifie pas que le prénom usuel soit Jean. La confrontation des réponses fournies dans les enquêtes et des prénoms déclarés à l'état civil pour les mêmes périodes a permis d'estimer de manière assez précise les fréquences des prénoms composés et de reconstituer leur carrière.

Afin d'être en mesure de donner des indications spécifiques sur les prénoms dans l'aristocratie et la haute bourgeoisie, Philippe Besnard avait utilisé le travail effectué par Cyril Grange dans sa thèse, «Noblesse et bourgeoisie dans la France du XXe siècle : les gens du *Bottin mondain*», 1992. En collaboration avec lui, il avait étoffé son échantillon initial de 9 300 naissances pour le porter à 13 500. Ce travail a donné lieu à un article, «La fin de la diffusion verticale des goûts? Prénoms de l'élite et du vulgum» dans *L'Année sociologique 43*, 1994. Nous avons encore ajouté à ce corpus plus de 15 000 naissances de 1990 à 2007, afin d'établir le palmarès qui figure page 383. Pour le palmarès du *Figaro*, nous avons combiné, en leur apportant quelques corrections et pondérations, les listes établies pour 2006 et 2007.

Pour les siècles précédents, nous avons utilisé des travaux présentant des relevés locaux, notamment ceux qui sont réunis dans *Le Prénom. Mode et histoire*. Recueil de contributions préparé par J. Dupâquier, A. Bideau, M.-E. Ducreux. Paris, Éditions de l'École des hautes études en sciences sociales, 1984.

Nous nous sommes également fondés sur l'importante étude historique sur le Limousin réalisée par L. Pérouas, B. Barrière, J. Boutier, J.-C. Peyronnet, J. Tricard et le groupe Rencontre des historiens du Limousin : *Léonard, Jean, Marie et les autres. Les prénoms en Limousin depuis un millénaire*, Paris, Éditions du CNRS, 1984.

Pour le XIXe siècle, M. Jacques Dupâquier a eu l'extrême obligeance de mettre à notre disposition les données de son livre *Le Temps des Jules*, Paris, Christian, 1987, étude des prénoms du XIXe siècle fondée sur un échantillon de près de 90 000 personnes. Nous tenons à lui exprimer toute notre gratitude.

# La vraie liste des prénoms en 2009

# La liste, mode d'emploi

On trouvera ici la seule liste existante des prénoms attribués en France aujourd'hui. Quelques explications sont nécessaires pour bien comprendre comment elle a été établie et comment l'utiliser.

Comme dans les éditions précédentes de *La cote des prénoms*, la liste fait office d'index pour les prénoms étudiés ou évoqués dans le livre. Nombre d'entre eux sont mentionnés à plusieurs reprises. Nous nous sommes limités à trois renvois de pages (en italique sont indiquées les pages renvoyant aux entrées des prénoms du chapitre «La cote d'Adam à Zoé»). Mais nous avons voulu coller au plus près de la réalité et donner des indications sur la **fréquence actuelle de tous les prénoms en usage, y compris les plus rares**.

Nous avons adopté ici un système différent de celui qui prévaut dans le reste de l'ouvrage où le succès d'un prénom, à un moment donné, est mesuré par le pourcentage qu'il représente par rapport au total des naissances du même sexe. Dans cette liste, nous donnons une fréquence absolue, c'est-à-dire **le nombre de nouveau-nés à qui sera donné le prénom en l'an 2009**. Il ne s'agit évidemment pas du nombre précis puisque ces bébés ne sont pas encore nés, mais d'un pronostic. C'est pourquoi nous plaçons chaque prénom dans une catégorie de fréquence.

Voici ces catégories :
- *plus de 6 000* : signifie que le prénom Clara, par exemple, sera donné en 2009 à plus de 6 000 petites filles. Dans cette catégorie figurent les prénoms qui sont les plus en vedette ;
- *de 4 000 à 6 000* : le prénom sera donné à plus de 4 000, mais à moins de 6 000 nouveau-nés. La plupart des prénoms de cette catégorie figurent au palmarès des dix premiers pour chaque sexe ;
- *de 2 000 à 4 000* : prénom très courant aujourd'hui ;
- *de 1 000 à 2 000* : prénom bien connu aujourd'hui ;
- *de 600 à 1 000* : prénom connu, mais de fréquence assez modeste ;
- *de 300 à 600* : prénom connu, mais peu répandu ;

- *de 100 à 300* : prénom dont l'existence est discrète ;
- *de 60 à 100* : prénom d'usage confidentiel aujourd'hui ;
- *de 30 à 60* : prénom rarissime aujourd'hui ;
- *de 10 à 30* : prénom d'usage exceptionnel aujourd'hui ;
- *moins de 10* : prénom inexistant aujourd'hui, mais qui a été en usage, à un moment donné, depuis un siècle, et pourrait revenir.

Notons que presque tous les prénoms obtenant un score supérieur à 600 sont l'objet de descriptions précises, à un autre endroit du livre, sur leur fréquence passée, actuelle ou prévisible. Il en va de même pour beaucoup de prénoms situés dans la catégorie inférieure.

**La fréquence instantanée d'un prénom ne doit certainement pas être le seul critère de choix.** Il faut aussi connaître sa cote – est-il en progression, en déclin ? – fournie dans la partie centrale de l'ouvrage.

## Quelques explications sur les principes de notre sélection

Figurent d'abord dans cette liste tous les prénoms dont on peut prévoir qu'ils seront donnés en France, durant l'année 2009, à au moins 30 nouveau-nés.

Remarquons que ce seuil est déjà très bas : cela représente une naissance sur 24 000 environ. Mais nous descendons encore au-dessous dans de nombreux cas puisque nos deux dernières catégories, «de 10 à 30» et «moins de 10», regroupent 28 % des prénoms de notre liste. Ici nous avons fait des choix, surtout pour la catégorie «moins de 10» où figurent des prénoms complètement hors d'usage aujourd'hui. En voici les critères.

Nos dépouillements, portant sur 25 millions de naissances depuis un siècle – dont plus de 10 millions dans les années récentes –, nous ont amenés à écarter certains prénoms qui figurent en général dans les listes usuelles, parce qu'ils sont dotés d'un saint patron, mais qui, de longue date, sont en totale disgrâce. La chose va de soi pour Cucufat ou Polycarpe. Elle est moins évidente pour des prénoms comme Hercule (malgré Poirot), Innocent (malgré les papes), Sheila (malgré la chanteuse et une sainte patronne).

Voici d'autres exemples de prénoms que nous avons dû écarter, parfois à regret : **Adelinde, Alida, Andéol, Bernardin, Boniface, Brunelle, Domitien, Ermelin, Euphrosine, Ézéchiel, Fulbert, Gall, Gaubert, Hermès, Hildebert, Horace, Isaïe, Jacquelin, Junien, Magloire, Merri, Odon, Oswald, Pervenche, Radegonde, Rainier, Sigismond, Titus.**

Que l'on se rassure, notre liste comporte beaucoup de prénoms désuets, oubliés, et qui ne demandent qu'à reprendre du service. Si Juste et Parfait n'ont pas résisté à l'épreuve de la vérité statistique, Fidèle passe de justesse. Andéol est éliminé, mais Ferréol est présent.

Nous avons repêché les prénoms totalement négligés aujourd'hui dès lors qu'ils ont été en usage – même confidentiel – à un moment quelconque depuis un siècle. Car ils peuvent sortir un jour de leur purgatoire actuel. Par exemple, nous avons sauvé Sauveur, choisi par quelques parents de 1900 à 1970, ou encore Gillette, ce féminin de Gilles bien oublié mais qui a eu des adeptes au moment de la vogue des prénoms en *ette*.

Le même souci de fidélité aux faits nous a conduits à être bien plus laxiste qu'auparavant pour les variantes orthographiques. Nous avons longtemps résisté à Cloé qui fait fi de l'étymologie grecque de Chloé, mais il faut bien prendre acte de son expansion, comme nous avions été naguère contraints d'enregistrer la présence de la fautive Sybille au côté de Sibylle. On trouvera aussi des formes de prénoms anglais qui n'existent pas dans les pays anglophones, comme Steeve ou Steeven.

Cela nous amène à souligner une autre différence importante avec le reste du livre. En étudiant la cote et en établissant les palmarès, nous avons toujours regroupé les différentes formes orthographiques dès lors qu'elles se prononçaient de la même manière. **Ici, au contraire, les variantes ne sont pas regroupées. L'indication de fréquence concerne la forme du prénom telle qu'elle est inscrite à l'état civil.** Ainsi Thibaud se trouve dans la catégorie de fréquence de 300 à 600, alors qu'il y a plus de 1 000 Thibault et de 600 à 1 000 Thibaut. L'addition des trois formes aurait situé le prénom dans la catégorie « 2 000 à 4 000 ».

Il ne faudra donc pas s'étonner que l'indication de fréquence fournie ici ne coïncide pas toujours avec celle du répertoire central, où les variantes orthographiques sont additionnées. Il nous a semblé que cette information sur la fréquence de chacune des formes orthographiques d'un prénom intéresserait les futurs parents.

Naturellement, toutes les variantes imaginables ne figurent pas dans cette liste, mais on y trouvera toutes celles dont l'usage n'est pas, ou n'a pas été, négligeable. Sont ainsi répertoriées les huit formes principales de Tiphanie, Tiffany, etc.

Ce n'est pas sans quelque hésitation que nous avons pris ce parti. Nous espérons que cette liste ne va pas contribuer à accroître encore la dispersion graphique des prénoms. Le mauvais réflexe, pour ceux qui sont friands d'originalité, serait de choisir une variante très minoritaire d'un prénom à la mode. Par exemple Maryne au lieu de Marine, Alycia pour Alicia, ou le très choquant Téo à la place de Théo. Veut-on obliger son enfant à ânonner sa vie durant «Méganne avec deux *n*» «Luca sans *s*», etc.? Mieux vaut, à tous égards, s'en tenir à la forme majoritaire qui est, presque toujours, à la fois la plus classique, la plus correcte et la plus pratique. Comme exception, on peut citer le cas de Mallaury, forme actuellement dominante de ce prénom aux graphies multiples, alors qu'on pourrait préférer Malaurie.

Les prénoms qui sont mixtes aujourd'hui – c'est d'ailleurs le cas de la forme Malory – ont droit à deux entrées afin de distinguer les fréquences de chaque sexe. Le sexe est d'ailleurs indiqué pour chaque prénom, information loin d'être inutile, surtout pour des prénoms d'origine étrangère.

Nous indiquons les dates des fêtes et renvoyons, pour les prénoms dérivés ou proches, au prénom qui est doté d'un saint patron. Cela permet, du même coup, de marquer les filiations entre prénoms et de connaître, dans certains cas, leur origine. Quand le rapprochement nous paraît incertain, il est assorti d'un point d'interrogation. Beaucoup de prénoms d'aujourd'hui, notamment ceux d'origine anglo-saxonne, arabe ou africaine, sont dépourvus de dates de fête. Plutôt que de procéder à des analogies douteuses, nous laissons aux parents, ou au porteur du prénom, le choix d'une date: par exemple, on peut fêter Hector (issu de la mythologie) avec Victor, et Kléber (prénom républicain) avec un prénom à même terminaison (Robert, Norbert) ou bien – pourquoi pas? – avec Marceau.

| PRÉNOMS | FRÉQUENCE | FÊTES | PAGES |
|---|---|---|---|
| Aaron *m* | de 600 à 1000 | 1er juillet | |
| Abdel *m* | de 60 à 100 | | |
| Abdelkader *m* | de 60 à 100 | | |
| Abdoulaye *m* | de 100 à 300 | | |
| Abel *m* | de 100 à 300 | 5 août | |
| Abélard *m* | moins de 10 | Abel | p. 57, 161 |
| Abigaël *f* | de 60 à 100 | | |
| Abigaëlle *f* | de 100 à 300 | | |
| Abigail *f* | de 30 à 60 | | |
| Abraham *m* | de 30 à 60 | 20 décembre | |
| Achille *m* | de 300 à 600 | 12 mai | p. 52, 76, 380 |
| Achraf *m* | de 30 à 60 | | |
| Adam *m* | de 2 000 à 4 000 | 31 juillet | p. 38, 62-63, 91 |
| Adel *m* | de 100 à 300 | | |
| Adélaïde *f* | de 100 à 300 | 16 décembre | p. 76, 91, 383 |
| Adèle *f* | de 1000 à 2 000 | 24 décembre | p. 76, 91, 383 |
| Adélie *f* | de 60 à 100 | Adèle | |
| Adeline *f* | de 100 à 300 | 20 octobre | p. 92, 365 |
| Adem *m* | de 100 à 300 | Adam | |
| Adémar *m* | moins de 10 | | p. 76, 389 |
| Adil *m* | de 100 à 300 | | |
| Adolphe *m* | moins de 10 | 30 juin | p. 76 |
| Adolphine *f* | moins de 10 | Adolphe | |
| Adrian *m* | de 100 à 300 | Adrien | p. 93 |
| Adriana *f* | de 100 à 300 | Adrien | |
| Adrien *m* | de 1 000 à 2 000 | 8 septembre | p. 62-63, 92, 365 |
| Adrienne *f* | moins de 10 | Adrien | p. 77, 364 |
| Agathe *f* | de 1 000 à 2 000 | 5 février | p. 93, 364 |
| Aglaé *f* | de 100 à 300 | 14 mai | p. 57 |
| Agnès *f* | de 60 à 100 | 21 janvier | p. 93, 349, 364 |
| Ahmed *m* | de 300 à 600 | 21 août | |
| Aïcha *f* | de 100 à 300 | | |

| PRÉNOMS | FRÉQUENCE | FÊTES | PAGES |
|---|---|---|---|
| Aïda *f* | de 30 à 60 | | |
| Aimé *m* | de 60 à 100 | 13 septembre | p. 53 |
| Aimée *f* | de 30 à 60 | 20 février | p. 53, 163 |
| Aimeric *m* | de 10 à 30 | Aymeric | |
| Aïssatou *f* | de 60 à 100 | | |
| Akim *m* | de 10 à 30 | | |
| Alain *m* | de 30 à 60 | 9 septembre | p. 23, 34, 94 |
| Alan *m* | de 100 à 300 | Alain | p. 94 |
| Alaric *m* | de 10 à 30 | 29 septembre | |
| Alban *m* | de 600 à 1 000 | 22 juin | p. 63, 72, 95 |
| Albane *f* | de 300 à 600 | Alban | p. 73, 95 |
| Albanie *f* | moins de 10 | Alban | |
| Albéric *m* | de 10 à 30 | 21 juillet | p. 42, 380, 384 |
| Albert *m* | de 60 à 100 | 15 novembre | p. 95, 365, 391 |
| Albertine *f* | moins de 10 | Albert | p. 77 |
| Albin *m* | de 100 à 300 | 1er mars | p. 63, 95 |
| Albine *f* | moins de 10 | Albin | |
| Aldric *m* | de 10 à 30 | 7 janvier | |
| Alec *m* | de 30 à 60 | Alexandre | |
| Alessandro *m* | de 100 à 300 | Alexandre | |
| Alessia *f* | de 30 à 60 | Sandrine | |
| Alex *m* | de 300 à 600 | Alexandre | p. 47, 95 |
| Alexander *m* | de 30 à 60 | Alexandre | |
| Alexandra *f* | de 300 à 600 | Sandrine | p. 96, 364 |
| Alexandre *m* | de 2 000 à 4 000 | 22 avril | p. 24-25, 34, 96 |
| Alexandrine *f* | de 60 à 100 | Sandrine | p. 96 |
| Alexane *f* | de 100 à 300 | Alix | p. 97 |
| Alexi *m* | de 60 à 100 | Alexis | |
| Alexia *f* | de 600 à 1 000 | Alix | p. 64, 97 |
| Alexiane *f* | de 30 à 60 | Alix | p. 97 |
| Alexine *f* | de 10 à 30 | Alix | p. 97 |
| Alexis *m* | de 2 000 à 4 000 | 17 février | p. 25, 38, 97 |

| PRÉNOMS | FRÉQUENCE | FÊTES | PAGES |
|---|---|---|---|
| Alexy *m* | de 30 à 60 | Alexis | |
| Aleyna *f* | de 100 à 300 | | |
| Alfred *m* | de 30 à 60 | 15 août | p. 76, 97-98, 370 |
| Alfreda *f* | moins de 10 | Alfred | |
| Alfredine *f* | moins de 10 | Alfred | |
| Ali *m* | de 300 à 600 | | |
| Alia *f* | de 300 à 600 | | |
| Alice *f* | de 1 000 à 2 000 | Adélaïde | p. 64, 98, 383 |
| Alicia *f* | de 2 000 à 4 000 | Adélaïde | p. 63, 73, 99 |
| Aliénor *f* | de 100 à 300 | Éléonore | p. 159, 380, 383 |
| Aliette *f* | de 10 à 30 | Adélaïde ? | |
| Aline *f* | de 100 à 300 | Adeline | p. 99, 365 |
| Alisa *f* | de 10 à 30 | Adélaïde | |
| Alison *f* | de 100 à 300 | Adélaïde | p. 99, 395 |
| Alissa *f* | de 60 à 100 | Adélaïde | |
| Alisson *f* | de 10 à 30 | Adélaïde | p. 99 |
| Alix *f* | de 600 à 1 000 | 9 janvier | p. 47, 64, 98 |
| Alix *m* | de 100 à 300 | Alexandre | p. 47, 98, 384 |
| Alizé *f* | de 60 à 100 | Adélaïde | p. 100 |
| Alizéa *f* | de 10 à 30 | Adélaïde | |
| Alizée *f* | de 100 à 300 | Adélaïde | p. 46, *100* |
| Allan *m* | de 100 à 300 | Alain | p. *94* |
| Allison *f* | de 10 à 30 | Adélaïde | p. 99 |
| Alma *f* | de 60 à 100 | | |
| Aloïs *m* | de 300 à 600 | 21 juin | p. 47, 161 |
| Aloïse *f* | de 30 à 60 | Aloïs | |
| Alon *m* | de 10 à 30 | | |
| Alphonse *m* | de 10 à 30 | 1er août | p. 75, 349, 370 |
| Alphonsine *f* | moins de 10 | Alphonse | p. 77 |
| Althéa *f* | moins de 10 | | |
| Alvin *m* | de 60 à 100 | | |
| Alya *f* | moins de 10 | | |

| PRÉNOMS | FRÉQUENCE | FÊTES | PAGES |
|---|---|---|---|
| Alycia *f* | de 100 à 300 | Adélaïde | p. 98, 104 |
| Alysée *f* | de 30 à 60 | Adélaïde | |
| Alyson *f* | de 10 à 30 | Adélaïde | |
| Alyssa *f* | de 60 à 100 | Adélaïde | |
| Alyssia *f* | de 100 à 300 | Adélaïde | |
| Alysson *f* | de 10 à 30 | Adélaïde | |
| Amadou *m* | de 60 à 100 | | |
| Amaël *m* | de 60 à 100 | | |
| Amaëlle *f* | de 60 à 100 | | |
| Amaïa *f* | de 60 à 100 | | |
| Amal *f* | de 10 à 30 | | |
| Amanda *f* | de 30 à 60 | Amandine | p. 100 |
| Amandine *f* | de 600 à 1 000 | 9 juillet | p. 27, 44, *100* |
| Amar *m* | de 60 à 100 | | |
| Amaryllis *f* | moins de 10 | Fleur | |
| Amaury *m* | de 300 à 600 | | p. 66, 115, 383 |
| Amaya *f* | de 30 à 60 | | |
| Ambre *f* | de 2 000 à 4 000 | | p. 73, *100* |
| Ambrine *f* | de 100 à 300 | | p. 100 |
| Ambroise *m* | de 100 à 300 | 7 décembre | p. 76, 383-384 |
| Ambroisine *f* | moins de 10 | Ambroise | |
| Amédée *m* | moins de 10 | 30 mars | |
| Amel *f* | de 30 à 60 | | |
| Amélia *f* | de 100 à 300 | Amélie | p. 101 |
| Amélie *f* | de 300 à 600 | 5 janvier | p. *101* |
| Ameline *f* | de 30 à 60 | Amélie | p. 101 |
| Amelle *f* | de 100 à 300 | | |
| Amicie *f* | de 30 à 60 | Aimée | p. 380, 384 |
| Amin *m* | de 300 à 600 | | |
| Amina *f* | de 100 à 300 | | |
| Aminata *f* | de 100 à 300 | | |
| Amine *m* | de 300 à 600 | | |

| PRÉNOMS | FRÉQUENCE | FÊTES | PAGES |
|---|---|---|---|
| Amir *m* | de 100 à 300 | | |
| Amira *f* | de 100 à 300 | | |
| Amy *f* | de 60 à 100 | | p. 163 |
| Ana *f* | de 100 à 300 | Anne | p. 104 |
| Anaë *f* | de 30 à 60 | Anne | p. 101 |
| Anaël *f* | de 10 à 30 | Anne | p. 47-48 |
| Anaël *m* | de 60 à 100 | Anne | p. 47-48 |
| Anaëlle *f* | de 1 000 à 2 000 | Anne | p. 64, 73, *101* |
| Anaïs *f* | de 2 000 à 4 000 | Anne | p. 21, 27, *101-102* |
| Anas *m* | de 100 à 300 | | |
| Anastasia *f* | de 100 à 300 | Anastasie | p. 317 |
| Anastasie *f* | moins de 10 | 10 mars | p. 77, 317 |
| Anatole *m* | de 300 à 600 | 3 février | p. 75 |
| André *m* | de 30 à 60 | 30 novembre | p. 23, 34, *102* |
| Andréa *f* | de 600 à 1 000 | Andrée | p. 47, 64, *103* |
| Andrea *m* | de 100 à 300 | André | p. 47, 49, 103 |
| Andréane *f* | moins de 10 | Andrée | |
| Andreas *m* | de 60 à 100 | André | p. 349 |
| Andrée *f* | moins de 10 | 9 juillet | p. 26, *103* |
| Andrew *m* | de 60 à 100 | André | |
| Andy *m* | de 60 à 100 | André | p. 102 |
| Anémone *f* | moins de 10 | Anne ou Fleur | |
| Ange *f* | de 10 à 30 | 5 mai | p. 47, 103 |
| Ange *m* | de 100 à 300 | 5 mai | p. 47, 103-104 |
| Angel *m* | de 100 à 300 | Ange | p. 104 |
| Angela *f* | de 100 à 300 | Angèle | p. 103 |
| Angèle *f* | de 600 à 1 000 | 27 janvier | p. 73, *103-104*, 383 |
| Angelina *f* | de 600 à 1 000 | Angèle | p. 103 |
| Angeline *f* | de 100 à 300 | Angèle | p. 77, 103 |
| Angélique *f* | de 100 à 300 | Angèle | p. 27, *104*, 384 |
| Angelo *m* | de 100 à 300 | Ange | p. 72, 104 |
| Angie *f* | de 100 à 300 | Angèle | |

| PRÉNOMS | FRÉQUENCE | FÊTES | PAGES |
|---|---|---|---|
| Anicet *m* | moins de 10 | 17 avril | |
| Anis *m* | de 300 à 600 | | p. 339 |
| Anissa *f* | de 300 à 600 | | p. 104 |
| Anita *f* | de 60 à 100 | Anne | |
| Anna *f* | de 2 000 à 4 000 | Anne | p. 38, 63, *104* |
| Annabelle *f* | de 100 à 300 | Anne | p. 104 |
| Annaëlle *f* | de 300 à 600 | Anne | p. 101 |
| Anne *f* | de 60 à 100 | 26 juillet | p. 33, *105*, 376 |
| Anne-Cécile *f* | moins de 10 | Anne ou Cécile | |
| Anne-Charlotte *f* | de 10 à 30 | Anne ou Charlotte | p. 42, 105, 367 |
| Anne-Claire *f* | moins de 10 | Anne ou Claire | p. 105 |
| Anne-Gaëlle *f* | de 10 à 30 | Anne | |
| Anne-Laure *f* | de 30 à 60 | Anne | p. 42, *106*, 367 |
| Anne-Lise *f* | de 60 à 100 | Anne | p. 42-43, 105 |
| Anne-Marie *f* | de 10 à 30 | Anne ou Marie | p. 20, 26, *106* |
| Anne-Sophie *f* | de 30 à 60 | Anne ou Sophie | p. 42-43, *106*, 367 |
| Annette *f* | moins de 10 | Anne | p. 44, 105 |
| Annick *f* | moins de 10 | Anne | p. 26, 87, *107* |
| Annie *f* | de 10 à 30 | Anne | p. 26, 33, *107* |
| Anouchka *f* | de 60 à 100 | Anne | |
| Anouck *f* | de 60 à 100 | Anne | p. 107 |
| Anouk *f* | de 300 à 600 | Anne | p. 107, 394 |
| Anselme *m* | de 60 à 100 | 21 avril | p. 76, 349 |
| Anthéa *f* | de 100 à 300 | Fleur ? | |
| Anthonin *m* | de 30 à 60 | Antoine | p. 109 |
| Anthony *m* | de 600 à 1 000 | Antoine | p. 29, 34, *108* |
| Antoine *m* | de 2 000 à 4 000 | 13 juin | p. 25, 34, *108-109* |
| Antoinette *f* | de 10 à 30 | 27 octobre | p. *109*, 352, 363 |
| Anton *m* | de 100 à 300 | Antoine | |
| Antonia *f* | de 30 à 60 | Antoinette | |

| PRÉNOMS | FRÉQUENCE | FÊTES | PAGES |
|---|---|---|---|
| Antonin *m* | de 600 à 1 000 | 5 mai | p. 63, *109* |
| Antonine *f* | moins de 10 | Antoinette | |
| Antonio *m* | de 60 à 100 | Antoine | |
| Antony *m* | de 100 à 300 | Antoine | p. 108 |
| Apolline *f* | de 300 à 600 | 9 février | p. 73, 76, *109* |
| April *f* | de 10 à 30 | | |
| Archibald *m* | de 10 à 30 | 29 mars | |
| Argentine *f* | moins de 10 | | |
| Ariana *f* | moins de 10 | Ariane | |
| Ariane *f* | de 60 à 100 | 18 septembre | p. 249 |
| Ariel *m* | de 10 à 30 | Eurielle | |
| Arielle *f* | de 10 à 30 | Eurielle | p. 110 |
| Aristide *m* | de 60 à 100 | 31 août | |
| Arlette *f* | moins de 10 | Charlotte | p. *110*, 363 |
| Armance *f* | de 10 à 30 | Armand | |
| Armand *m* | de 300 à 600 | 9 juillet | p. 63, 75, *110* |
| Armande *f* | moins de 10 | Armand | p. 57 |
| Armandine *f* | moins de 10 | Armand | |
| Armel *m* | de 30 à 60 | 16 août | p. 110 |
| Armelle *f* | de 60 à 100 | Armel | p. *110* |
| Arnaud *m* | de 300 à 600 | 10 février | p. 46, *111*, 377 |
| Arno *m* | de 60 à 100 | Arnaud | p. 111 |
| Arnold *m* | moins de 10 | 15 août | p. 111 |
| Arsène *m* | de 300 à 600 | 19 juillet | |
| Arthur *m* | de 2 000 à 4 000 | 15 novembre | p. 38, *111-112*, 383 |
| Arthus *m* | de 100 à 300 | Arthur | |
| Artus *m* | de 30 à 60 | Arthur | p. 111, 380, 384 |
| Ashley *f* | de 60 à 100 | | |
| Asli *f* | de 10 à 30 | | |
| Asma *f* | de 30 à 60 | | |
| Assia *f* | de 300 à 600 | | |
| Astrée *f* | de 10 à 30 | Estelle | p. 54 |

| PRÉNOMS | FRÉQUENCE | FÊTES | PAGES |
|---|---|---|---|
| Astrid *f* | de 100 à 300 | 27 novembre | p. 198, 380, 383 |
| Athéna *f* | de 10 à 30 | | |
| Athénaïs *f* | de 100 à 300 | | p. 64, 74 |
| Aubane *f* | de 60 à 100 | Anne ? | |
| Aubert *m* | moins de 10 | 10 septembre | p. 349 |
| Aubin *m* | de 100 à 300 | Albin | p. 63, 95, 380 |
| Aubry *m* | moins de 10 | Albéric | |
| Aude *f* | de 100 à 300 | 18 novembre | p. 45, *112*, 364 |
| Audran *m* | de 30 à 60 | | |
| Audrey *f* | de 100 à 300 | 23 juin | p. 27, 33, *112* |
| Audric *m* | de 60 à 100 | Aldric | |
| Augusta *f* | moins de 10 | Augustine | |
| Auguste *m* | de 100 à 300 | 29 février | p. 75, 353 |
| Augustin *m* | de 600 à 1 000 | 28 août | p. 63, 113, 383 |
| Augustine *f* | de 30 à 60 | Augustin | p. 76, 353 |
| Aure *f* | de 60 à 100 | 4 octobre | p. 57, 286 |
| Aurèle *m* | de 60 à 100 | 27 juillet | |
| Aurélia *f* | de 60 à 100 | Aurélie | p. 113 |
| Aurélie *f* | de 100 à 300 | 15 octobre | p. 27, 33, *113* |
| Aurélien *m* | de 600 à 1 000 | 16 juin | p. 63, *113*, 365 |
| Aureline *f* | de 10 à 30 | Aurélie | p. 57 |
| Auriane *f* | de 10 à 30 | Aure | p. 114, *286* |
| Aurore *f* | de 100 à 300 | Aure ? | p. 45, *114*, 390 |
| Auxane *f* | de 30 à 60 | | |
| Auxence *m* | de 60 à 100 | | |
| Awa *f* | de 60 à 100 | | |
| Awen *m* | de 30 à 60 | | |
| Axel *m* | de 2 000 à 4 000 | 21 mars | p. 64, *114* |
| Axelle *f* | de 300 à 600 | Axel | p. 115 |
| Aya *f* | moins de 10 | | |
| Aylin *f* | de 100 à 300 | Hélène | |
| Ayman *m* | de 100 à 300 | | |

| PRÉNOMS | FRÉQUENCE | FÊTES | PAGES |
|---|---|---|---|
| Aymar *m* | moins de 10 | 29 mai | p. 380 |
| Aymen *m* | de 100 à 300 | | |
| Aymeric *m* | de 300 à 600 | 4 novembre | p. 45, *115*, 365 |
| Aymerick *m* | de 10 à 30 | Aymeric | p. 115 |
| Ayoub *m* | de 300 à 600 | | |
| Ayrton *m* | de 10 à 30 | | |
| Ayse *f* | de 30 à 60 | | |
| Aziz *m* | de 10 à 30 | | |
| | | | |
| Babette *f* | moins de 10 | Élisabeth | p. 44 |
| Balthazar *m* | de 100 à 300 | 6 janvier | p. 383, 384 |
| Baptiste *m* | de 2 000 à 4 000 | Jean-Baptiste | p. 72, *117*, 365 |
| Baptistin *m* | moins de 10 | Jean-Baptiste | |
| Baptistine *f* | moins de 10 | Jean-Baptiste | |
| Barbara *f* | de 60 à 100 | 4 décembre | p. *117* |
| Barberine *f* | moins de 10 | 4 décembre | p. 117 |
| Barnabé *m* | de 60 à 100 | 11 juin | p. 57 |
| Barthélemy *m* | de 60 à 100 | 24 août | p. 76, 277 |
| Basile *m* | de 300 à 600 | 2 janvier | p. 72, 76 |
| Bastian *m* | de 60 à 100 | Sébastien | |
| Bastien *m* | de 600 à 1 000 | Sébastien | p. 63, *118*, 365 |
| Bathilde *f* | moins de 10 | 30 janvier | |
| Baudoin *m* | moins de 10 | Baudouin | p. 380 |
| Baudouin *m* | moins de 10 | 17 octobre | p. 349, 380, 384 |
| Béatrice *f* | de 30 à 60 | 13 février | p. 26, *118*, 367 |
| Béatrix *f* | moins de 10 | 29 juillet | p. 349, 380 |
| Belinda *f* | de 30 à 60 | Béline | p. 234 |
| Béline *f* | de 10 à 30 | 8 septembre | p. 57 |
| Ben *m* | de 60 à 100 | Benjamin | |
| Bénédicte *f* | de 60 à 100 | 16 mars | p. 119, 376, 381 |
| Benjamin *m* | de 1 000 à 2 000 | 31 mars | p. 29, 63, *119* |
| Benjamine *f* | moins de 10 | Benjamin | |

| PRÉNOMS | FRÉQUENCE | FÊTES | PAGES |
|---|---|---|---|
| Benji *m* | de 10 à 30 | Benjamin | |
| Benoît *m* | de 100 à 300 | 11 juillet | p. 39, *120*, 376 |
| Benoîte *f* | moins de 10 | Bénédicte | p. 119 |
| Béranger *m* | moins de 10 | Bérenger | |
| Bérangère *f* | de 10 à 30 | Bérenger | p. 121 |
| Bérenger *m* | moins de 10 | 26 mai | p. 349 |
| Bérengère *f* | de 10 à 30 | Bérenger | p. 121, 380 |
| Bérénice *f* | de 100 à 300 | Véronique ou 4 octobre | p. 64, *331*, 380 |
| Bernadette *f* | moins de 10 | 18 février | p. *120*, 363, 388 |
| Bernard *m* | moins de 10 | 20 août | p. 28, 34, *121-122* |
| Bernardine *f* | moins de 10 | Bernadette | |
| Berthe *f* | moins de 10 | 4 juillet | p. 77, 258, 353 |
| Bertille *f* | de 100 à 300 | 6 novembre | p. 74, 77, 384 |
| Bertrand *m* | de 10 à 30 | 6 septembre | p. *122*, 349, 376 |
| Bettina *f* | de 60 à 100 | Élisabeth | |
| Betty *f* | de 30 à 60 | Élisabeth | p. 44, 159 |
| Beverly *f* | de 100 à 300 | | p. 54 |
| Bianca *f* | de 60 à 100 | Blanche | |
| Bilal *m* | de 600 à 1 000 | | |
| Bilel *m* | moins de 10 | | |
| Billy *m* | de 60 à 100 | Guillaume | |
| Bintou *f* | de 30 à 60 | | |
| Bixente *m* | de 30 à 60 | Vincent | |
| Blaise *m* | de 10 à 30 | 3 février | p. 76 |
| Blanche *f* | de 300 à 600 | 3 octobre | p. 77, 122, 383 |
| Blandine *f* | de 60 à 100 | 2 juin | p. *122* |
| Boris *m* | de 60 à 100 | 2 mai | p. *154* |
| Boubacar *m* | de 30 à 60 | | |
| Bouchra *f* | de 60 à 100 | | |
| Brad *m* | de 10 à 30 | | |

| PRÉNOMS | FRÉQUENCE | FÊTES | PAGES |
|---|---|---|---|
| Bradley *m* | de 30 à 60 | | |
| Brahim *m* | de 60 à 100 | | |
| Brandon *m* | de 100 à 300 | Brendan ? | p. 123, 395 |
| Brayan *m* | de 30 à 60 | Briac ? | p. 56, 62-63, 125 |
| Brenda *f* | de 10 à 30 | Brendan | p. 123, 395 |
| Brendan *m* | moins de 10 | 16 mai | p. 62, 123 |
| Brewen *m* | moins de 10 | | |
| Briac *m* | de 10 à 30 | 18 décembre | p. 125 |
| Brian *m* | de 30 à 60 | Briac ? | p. 125 |
| Brianna *f* | de 30 à 60 | | |
| Brice *m* | de 10 à 30 | 13 novembre | p. 123, 125, 365 |
| Brieuc *m* | de 60 à 100 | 1er mai | p. 123 |
| Brigitte *f* | moins de 10 | 23 juillet | p. 26, 33, 124 |
| Brittany *f* | de 30 à 60 | | |
| Bruce *m* | de 10 à 30 | Brieuc ? | p. 53, 123 |
| Brune *f* | de 60 à 100 | Bruno | |
| Brunehilde *f* | de 10 à 30 | Bruno | |
| Bruno *m* | de 60 à 100 | 6 octobre | p. 24, 34, 124-125 |
| Brutus *m* | moins de 10 | | p. 353 |
| Bryan *m* | de 600 à 1 000 | Briac ? | p. 56, 62-63, 125 |
| | | | |
| Calista *f* | de 100 à 300 | Calixte | |
| Calixte *m* | de 60 à 100 | 14 octobre | |
| Calvin *m* | de 100 à 300 | | |
| Calypso *f* | de 30 à 60 | | p. 54 |
| Camélia *f* | de 300 à 600 | Fleur | p. 74, 127 |
| Cameron *f* | moins de 10 | | |
| Cameron *m* | de 100 à 300 | | |
| Camilia *f* | de 100 à 300 | Camille | p. 127 |
| Camille *f* | de 2 000 à 4 000 | 14 juillet | p. 22, 47, 127 |
| Camille *m* | de 600 à 1000 | 14 juillet | p. 127 , 353, 361 |
| Candice *f* | de 1 000 à 2 000 | | p. 54, 64 |

| PRÉNOMS | FRÉQUENCE | FÊTES | PAGES |
|---|---|---|---|
| Candy *f* | de 10 à 30 | | p. 395 |
| Canelle *f* | de 30 à 60 | | |
| Cannelle *f* | de 30 à 60 | | |
| Capucine *f* | de 600 à 1 000 | Fleur | p. 66, 73, 128 |
| Carine *f* | de 10 à 30 | 24 mars, 7 novembre | p. 45, 82, 223 |
| Carl *m* | de 30 à 60 | Charles | |
| Carla *f* | de 300 à 600 | Charlotte | p. 62, 73, 128 |
| Carmen *f* | de 60 à 100 | Carmel0, 16 juin ? | |
| Carolane *f* | de 10 à 30 | Charlotte | p. 43, 129 |
| Carole *f* | moins de 10 | Charlotte | p. 26, 129 |
| Carole-Anne *f* | de 10 à 30 | Charlotte ou Anne | p. 43, 129 |
| Carolina *f* | de 10 à 30 | Caroline | |
| Caroline *f* | de 100 à 300 | Charlotte | p. 27, 33, 129-130 |
| Casimir *m* | moins de 10 | 4 mars | p. 46, 75 |
| Cassandra *f* | de 600 à 1 000 | | p. 53, 130, 395 |
| Cassandre *f* | de 300 à 600 | | p. 53, 73, 130 |
| Cassie *f* | moins de 10 | Cassandra | |
| Cassy *f* | moins de 10 | Cassandra | |
| Catherine *f* | de 30 à 60 | 29 avril, 25 novembre | p. 21, 26, 130-131 |
| Cathie *f* | de 10 à 30 | Catherine | p. 131 |
| Cathy *f* | de 400 à 600 | Catherine | p. 44, 131 |
| Cécile *f* | de 100 à 300 | 22 novembre | p. 32-33, 132, 364 |
| Cécilia *f* | de 100 à 300 | Cécile | p. 133 |
| Cédric *m* | de 100 à 300 | 7 janvier ? | p. 24, 29, 132-133 |
| Céleste *f* | de 300 à 600 | 14 octobre | p. 73, 77, 133 |
| Célestin *m* | de 100 à 300 | 19 mai | p. 63, 75 |
| Célestine *f* | de 100 à 300 | Célestin | p. 77, 133 |
| Célia *f* | de 2 000 à 4 000 | Cécile | p. 63-64, 73, 133 |
| Célian *m* | de 60 à 100 | | p. 133 |
| Célie *f* | de 30 à 60 | Cécile | p. 133 |

| PRÉNOMS | FRÉQUENCE | FÊTES | PAGES |
|---|---|---|---|
| Célina *f* | de 30 à 60 | Céline | |
| Céline *f* | de 100 à 300 | 21 octobre | p. 21, 26-27, *133-134* |
| Célya *f* | de 30 à 60 | Cécile | |
| Cerise *f* | de 60 à 100 | Fleur ? | p. 53 |
| César *m* | de 100 à 300 | 15 avril | p. 46, 77, 353 |
| Césarine *f* | de 30 à 60 | César | p. 77 |
| Chaïma *f* | de 600 à 1 000 | | |
| Chanel *f* | de 60 à 100 | | |
| Chanelle *f* | de 60 à 100 | | |
| Chantal *f* | moins de 10 | 12 décembre | p. 21, 26, *134* |
| Charlélie *m* | moins de 10 | Charles | p. 53 |
| Charlène *f* | de 100 à 300 | Charlotte | p. 134-135, 364, 395 |
| Charles *m* | de 600 à 1000 | 2 mars, 4 novembre | p. 75, *135*, 383 |
| Charles-Antoine *m* | moins de 10 | Charles ou Antoine | |
| Charles-Édouard *m* | moins de 10 | Charles ou Édouard | p. 42 |
| Charles-Henri *m* | moins de 10 | Charles ou Henri | p. 42 |
| Charles-Henry *m* | moins de 10 | Charles ou Henri | p. 46 |
| Charlette *f* | moins de 10 | Charlotte | p. 110 |
| Charlie *f* | de 60 à 100 | Charles | p. 47, 49 |
| Charlie *m* | de 30 à 60 | Charles | p. 47, 49, 135 |
| Charline *f* | de 300 à 600 | Charlotte | p. *136* |
| Charlotte *f* | de 1 000 à 2 000 | 17 juillet | p. 27, *136*, 383 |
| Charly *m* | de 300 à 600 | Charles | p. 135 |
| Charlyne *f* | de 30 à 60 | Charlotte | p. 136 |
| Chelsea *f* | de 100 à 300 | | |
| Cherine *f* | de 300 à 600 | | |
| Cheyenne *f* | de 60 à 100 | | |
| Chiara *f* | de 1 000 à 2 000 | Claire | p. 62, 73, 141 |
| Chimene *f* | moins de 10 | | |
| Chloé *f* | de 4 000 à 6 000 | Fleur ? | p. 38, 63, *136-137* |
| Chris *m* | de 100 à 300 | Christophe | |
| Christel *f* | moins de 10 | Christine | p. 137 |
| Christèle *f* | moins de 10 | Christine | |
| Christelle *f* | de 30 à 60 | Christine | p. 21, 26-27, 137 |
| Christian *m* | de 60 à 100 | 12 novembre | p. 23-24, 28, *138* |
| Christiane *f* | moins de 10 | Christine ou Nina | p. 26, 33, *138* |
| Christina *f* | de 100 à 300 | Christine | |
| Christine *f* | de 10 à 30 | 24 juillet | p. 21, 26, *139* |
| Christophe *m* | de 60 à 100 | 21 août | p. 24, 28-29, *139-140* |
| Christopher *m* | de 100 à 300 | Christophe | p. 140 |
| Chrystelle *f* | moins de 10 | Christine | p. 137 |
| Ciara *f* | de 100 à 300 | | p. 74 |
| Cindy *f* | de 100 à 300 | Diane ? | p. *140*, 377-378, 389 |
| Claire *f* | de 300 à 600 | 11 août | p. 32, 33, *141* |
| Claire-Marie *f* | moins de 10 | Claire ou Marie | |
| Clara *f* | plus de 6 000 | Claire | p. 27, 38, *141* |
| Clarence *m* | de 100 à 300 | | p. 47-48 |
| Clarisse *f* | de 600 à 1 000 | 12 août | p. 64, *142* |
| Claude *f* | moins de 10 | Claude | p. 47, *142-143*, 365 |
| Claude *m* | de 10 à 30 | 15 février, 6 juin | p. 23, 28, *142* |
| Claudette *f* | moins de 10 | Claude | p. *143*, 365 |
| Claudia *f* | de 60 à 100 | 20 mars, 18 mai | p. 143, 393 |
| Claudie *f* | moins de 10 | Claudia | p. *143* |
| Claudine *f* | moins de 10 | 30 septembre | p. 26, 33, *143* |
| Claudius *m* | moins de 10 | Claude | |
| Cléa *f* | de 300 à 600 | Clélia ? | p. 64, 74, 231 |
| Clélia *f* | de 100 à 300 | 13 juillet | p. 133, 390 |
| Clémence *f* | de 1 000 à 2 000 | 21 mars | p. *144*, 383 |
| Clément *m* | de 2 000 à 4 000 | 23 novembre | p. 38, 63, *144* |
| Clémentin *m* | de 10 à 30 | Clément | p. 57 |
| Clémentine *f* | de 600 à 1 000 | Clémence | p. 63, *144-145* |
| Cléo *f* | de 100 à 300 | 19 octobre | p. 46, 137 |

| PRÉNOMS | FRÉQUENCE | FÊTES | PAGES |
|---|---|---|---|
| Cléo *m* | de 10 à 30 | 19 octobre | p. 64 |
| Cléophée *f* | de 60 à 100 | Cléo ? | |
| Cloé *f* | de 60 à 100 | Chloé | p. 45, 137, 407 |
| Clotaire *m* | de 10 à 30 | 7 avril | p. 76 |
| Clothilde *f* | de 100 à 300 | Clotilde | p. 380 |
| Clotilde *f* | de 60 à 100 | 4 juin | p. 380 |
| Clovis *m* | de 300 à 600 | Louis | p. 76, 237 |
| Colas *m* | de 10 à 30 | Nicolas | p. 278 |
| Coleen *f* | de 30 à 60 | Nicolas | p. 145 |
| Colette *f* | de 60 à 100 | 6 mars | p. 26, 145, 388 |
| Colin *m* | de 100 à 300 | Nicolas | p. 63, 72, 278 |
| Coline *f* | de 600 à 1 000 | Nicolas | p. 145 |
| Colleen *f* | de 10 à 30 | Nicolas | p. 145 |
| Colombe *f* | de 60 à 100 | 31 décembre | p. 57 |
| Colombine *f* | moins de 10 | Colombe | p. 57 |
| Colyne *f* | de 10 à 30 | Nicolas | |
| Côme *m* | de 300 à 600 | 26 septembre | p. 149, 382, 383 |
| Conrad *m* | moins de 10 | 26 novembre | p. 349 |
| Constance *f* | de 300 à 600 | 8 avril | p. 73, 76, 144 |
| Constant *m* | de 60 à 100 | 23 septembre | p. 76 |
| Constantin *m* | de 30 à 60 | 21 mai | p. 146 |
| Coralie *f* | de 100 à 300 | Corentin ? | p. 146, 389 |
| Coraline *f* | de 100 à 300 | Corentin ? | p. 46, 146 |
| Corentin *m* | de 1 000 à 2 000 | 12 décembre | p. 63, *146*, 383 |
| Corentine *f* | de 10 à 30 | Corentin | |
| Corinne *f* | moins de 10 | Corentin ? | p. 21, 26, *147* |
| Cornélia *f* | moins de 10 | 16 septembre | |
| Corto *m* | de 30 à 60 | | |
| Cosette *f* | moins de 10 | | |
| Cristelle *f* | moins de 10 | Christine | |
| Crystal *f* | de 100 à 300 | Christine | |
| Curtis *m* | de 60 à 100 | | |

| PRÉNOMS | FRÉQUENCE | FÊTES | PAGES |
|---|---|---|---|
| Cybelia *f* | moins de 10 | Sibylle ? | |
| Cylia *f* | de 100 à 300 | | |
| Cynthia *f* | de 100 à 300 | Diane ? | p. 140, *147* |
| Cyprien *m* | de 300 à 600 | 16 septembre | p. 63, 146, 390 |
| Cyriaque *m* | de 30 à 60 | 8 août | p. 383 |
| Cyrielle *f* | de 100 à 300 | Cyrille | p. *148*, 364 |
| Cyril *m* | de 100 à 300 | Cyrille | p. *148* |
| Cyrille *m* | de 10 à 30 | Nicolas | p. *148* |
| Cyrine *f* | de 30 à 60 | Cyrille | |
| Cyrus *m* | moins de 10 | Cyriaque ? | |
| | | | |
| Daisy *f* | de 30 à 60 | Marguerite | |
| Dalia *f* | de 100 à 300 | | |
| Dalil *m* | de 30 à 60 | | |
| Dalila *f* | de 30 à 60 | | |
| Damien *m* | de 300 à 600 | 26 septembre | p. 63, *149*, 365 |
| Dan *m* | de 100 à 300 | Daniel | |
| Dana *f* | de 30 à 60 | Daniel ? | |
| Danaé *f* | de 60 à 100 | | p. 54, 74 |
| Daniel *m* | de 100 à 300 | 11 décembre | p. 24, 28, *149-150* |
| Danièle *f* | moins de 10 | Daniel | p. *150* |
| Danielle *f* | moins de 10 | Daniel | p. 26, *150*, 381 |
| Danny *m* | de 10 à 30 | Daniel | |
| Dany *m* | de 100 à 300 | Daniel | p. 150 |
| Daphné *f* | de 300 à 600 | Fleur | p. 74, 137, 380 |
| Daphnée *f* | de 30 à 60 | Fleur | |
| Darius *m* | de 30 à 60 | | |
| Darlène *f* | moins de 10 | | |
| Dauphine *f* | moins de 10 | Delphine | p. 152, 380, 384 |
| David *m* | de 600 à 1 000 | 29 décembre | p. 24, *151*, 349 |
| Davy *m* | de 60 à 100 | 20 septembre | p. 151 |
| Dawson *m* | de 30 à 60 | | |

| PRÉNOMS | FRÉQUENCE | FÊTES | PAGES |
|---|---|---|---|
| Débora f | de 10 à 30 | Déborah | |
| Déborah f | de 100 à 300 | 21 septembre | p. 151 |
| Delphine f | de 30 à 60 | 26 novembre | p. 27, 152, 364 |
| Denis m | de 100 à 300 | 9 octobre | p. 152-153, 377 |
| Denise f | de 30 à 60 | 15 mai | p. 33, 77, 153 |
| Deniz f | moins de 10 | Denise | p. 47 |
| Deniz m | de 10 à 30 | Denis | p. 47 |
| Désiré m | de 30 à 60 | 8 mai | p. 153 |
| Désirée f | de 10 à 30 | Désiré | p. 77 |
| Diana f | de 100 à 300 | Diane | |
| Diane f | de 300 à 600 | 9 juin | p. 52, 147, 380 |
| Didier m | moins de 10 | 23 mai | p. 24, 153, 388 |
| Diego m | de 1 000 à 2 000 | Jacques | p. 62 |
| Dilara f | de 30 à 60 | | |
| Dimitri m | de 600 à 1000 | 26 octobre | p. 154 |
| Dimitry m | de 30 à 60 | Dimitri | |
| Dina f | de 100 à 300 | | |
| Djamel m | de 30 à 60 | | |
| Djibril m | de 30 à 60 | | |
| Dolorès f | de 30 à 60 | 15 septembre | p. 236 |
| Dominique f | moins de 10 | 8 août | p. 21, 47, 155 |
| Dominique m | de 30 à 60 | 8 août | p. 24, 47, 154 |
| Domitille f | de 100 à 300 | 7 mai | p. 74, 155, 380 |
| Donald m | moins de 10 | 15 juillet | |
| Donatien m | de 30 à 60 | 24 mai | |
| Donatienne f | moins de 10 | Donatien | p. 56 |
| Donia f | de 30 à 60 | | |
| Donovan m | de 100 à 300 | | p. 62, 155 |
| Dora f | de 60 à 100 | Théodore | |
| Doria f | de 10 à 30 | Dorothée | |
| Dorian m | de 1 000 à 2 000 | Théodore | p. 63, 155 |
| Doriane f | de 100 à 300 | Théodore | p. 73, 156 |

| PRÉNOMS | FRÉQUENCE | FÊTES | PAGES |
|---|---|---|---|
| Dorine f | de 30 à 60 | Théodore | p. 156 |
| Doris f | de 30 à 60 | Dorothée | |
| Dorothée f | de 10 à 30 | 6 février | p. 156 |
| Doryan m | de 60 à 100 | Théodore | |
| Dounia f | de 100 à 300 | | |
| Driss m | de 60 à 100 | | |
| Duncan m | de 10 à 30 | | |
| Dune f | de 10 à 30 | | |
| Dylan m | de 1 000 à 2 000 | | p. 25, 62-63, 156 |
| | | | |
| Eda f | de 60 à 100 | | |
| Eddie m | moins de 10 | Édouard | |
| Eddy m | de 100 à 300 | Édouard | p. 156 |
| Eden f | de 300 à 600 | | p. 47, 49, 73 |
| Eden m | de 100 à 300 | | |
| Edern m | moins de 10 | 26 août | |
| Edgar m | de 300 à 600 | 8 juillet | p. 76, 157 |
| Edgard m | de 10 à 30 | Edgar | |
| Édith f | moins de 10 | 16 septembre | p. 157 |
| Edmée f | de 60 à 100 | Edmond | |
| Edmond m | de 60 à 100 | 20 novembre | p. 76, 380 |
| Edmonde f | moins de 10 | Edmond | |
| Édouard m | de 100 à 300 | 5 janvier | p. 75, 157, 383 |
| Edward m | moins de 10 | Édouard | p. 157 |
| Edwige f | moins de 10 | 16 octobre | p. 157, 380 |
| Edwin m | de 60 à 100 | 12 octobre | p. 54, 157 |
| Églantine f | de 100 à 300 | Fleur | p. 353 |
| Éléa f | de 1 000 à 2 000 | | p. 64, 73, 231 |
| Éléna f | de 1 000 à 2 000 | Hélène | p. 193 |
| Éléonore f | de 300 à 600 | 25 juin | p. 66, 159, 380 |
| Élia f | de 300 à 600 | Élie | p. 158 |
| Élian m | de 60 à 100 | Élie | p. 158 |

| PRÉNOMS | FRÉQUENCE | FÊTES | PAGES |
|---|---|---|---|
| Éliane *f* | de 30 à 60 | Élie ou Élisabeth | p. 63, *158*, 363 |
| Élias *m* | de 1 000 à 2 000 | Élie | p. 72, 158, 349 |
| Élie *m* | de 600 à 1 000 | 20 juillet | p. 72, 75, 158 |
| Éliès *m* | de 100 à 300 | Élie | |
| Éliette *f* | de 10 à 30 | Élie | p. 158 |
| Élif *f* | moins de 10 | | |
| Élina *f* | de 300 à 600 | Hélène | p. 74, 197 |
| Éline *f* | de 300 à 600 | Hélène | p. 73, 197 |
| Elio *m* | de 100 à 300 | Élie | p. 72 |
| Eliot *m* | de 600 à 1 000 | Élie ? | p. 54, 158 |
| Eliott *m* | de 1 000 à 2 000 | Élie ? | p. 54, 72, *158* |
| Élisa *f* | de 1 000 à 2 000 | Élisabeth | p. 44, 46, *159* |
| Élisabeth *f* | de 60 à 100 | 17 novembre | p. 32, 69, *159* |
| Élise *f* | de 1 000 à 2 000 | Élisabeth | p. 44, 46, *160* |
| Élisée *m* | de 30 à 60 | 14 juin | p. 46, 49 |
| Ella *f* | de 300 à 600 | 1er février | |
| Elliot *m* | de 300 à 600 | Élie ? | p. 158 |
| Elliott *m* | de 60 à 100 | Élie ? | p. 158 |
| Élodie *f* | de 100 à 300 | 22 octobre | p. 21, 27, *160* |
| Éloi *m* | de 30 à 60 | 1er décembre | p. 161, 380 |
| Éloïse *f* | de 1 000 à 2 000 | Louise ? | p. 45, *161* |
| Élona *f* | de 60 à 100 | | |
| Élora *f* | de 100 à 300 | | |
| Elouan *m* | de 600 à 1 000 | 28 août | p. 236 |
| Elsa *f* | de 1 000 à 2 000 | Élisabeth | p. 44, *161* |
| Elvina *f* | de 10 à 30 | | |
| Elvire *f* | de 10 à 30 | 16 juillet | p. 57 |
| Elvis *m* | moins de 10 | | |
| Elyès *m* | moins de 10 | Élie | |
| Élyse *f* | de 10 à 30 | Élisabeth | |
| Elzéar *m* | moins de 10 | 27 septembre | p. 380 |
| Ema *f* | de 60 à 100 | Emma | |

| PRÉNOMS | FRÉQUENCE | FÊTES | PAGES |
|---|---|---|---|
| Émelie *f* | moins de 10 | Émeline | |
| Émeline *f* | de 300 à 600 | 27 octobre | p. 45, *161* |
| Émelyne *f* | de 60 à 100 | Émeline | p. 161 |
| Émeric *m* | de 60 à 100 | Aymeric | p. *115* |
| Émerick *m* | de 10 à 30 | Aymeric | p. 115 |
| Émie *f* | de 60 à 100 | Emma ? | |
| Émile *m* | de 300 à 600 | 22 mai | p. 76, *162*, 353 |
| Émilia *f* | de 60 à 100 | Émilie | |
| Émilie *f* | de 1 000 à 2 000 | 19 septembre | p. 27, 62, 162-163 |
| Émilien *m* | de 600 à 1 000 | 12 novembre | p. 63, 72, 162 |
| Émilienne *f* | moins de 10 | 5 janvier | p. 162, 364 |
| Emilio *m* | de 30 à 60 | Émile | |
| Emily *f* | de 30 à 60 | Émilie | |
| Emma *f* | plus de 6 000 | 19 avril | p. 22, 38, *163* |
| Emmanuel *m* | de 300 à 600 | 25 décembre | p. 28, 164 |
| Emmanuelle *f* | de 100 à 300 | Emmanuel | p. *164*, 364, 378 |
| Emmeline *f* | de 30 à 60 | Émeline | p. 161 |
| Emmie *f* | de 60 à 100 | Emma | p. 163 |
| Emmy *f* | de 600 à 1 000 | Emma | p. 73, 163 |
| Emre *m* | de 60 à 100 | | |
| Emy *f* | de 100 à 300 | Emma ? | p. 163 |
| Enes *m* | de 100 à 300 | | |
| Enguerran *m* | moins de 10 | Enguerrand | |
| Enguerrand *m* | de 30 à 60 | 25 octobre | p. 380 |
| Énola *f* | de 300 à 600 | | p. 74, 165 |
| Énora *f* | de 600 à 1 000 | Honorine | p. 62, 74, 165 |
| Enza *f* | de 30 à 60 | Henriette | |
| Enzo *m* | plus de 6 000 | Henri | p. 25, 38, *165* |
| Éric *m* | de 100 à 300 | 18 mai | p. 24, 28, 166 |
| Érick *m* | moins de 10 | Éric | p. 166 |
| Érik *m* | de 10 à 30 | Éric | p. 166 |
| Érika *f* | de 100 à 300 | Éric | p. 166 |

| PRÉNOMS | FRÉQUENCE | FÊTES | PAGES |
|---|---|---|---|
| Erin f | de 100 à 300 | | |
| Érine f | de 100 à 300 | | |
| Ernest m | de 60 à 100 | 7 novembre | p. 75 |
| Ernestine f | de 60 à 100 | Ernest | p. 77 |
| Eros m | de 30 à 60 | | |
| Erwan m | de 1 000 à 2 000 | Yves | p. 63, 166 |
| Erwann m | de 300 à 600 | Yves | p. 166 |
| Erwin m | de 30 à 60 | Yves | |
| Esmeralda f | de 10 à 30 | | |
| Espérance f | de 10 à 30 | | |
| Esra f | de 30 à 60 | | |
| Esteban m | de 1 000 à 2 000 | Étienne | p. 62-63, 167 |
| Estelle f | de 100 à 300 | 11 mai | p. 167, 364, 388 |
| Esther f | de 300 à 600 | 1er juillet | p. 167 |
| Ethan m | plus de 6 000 | | p. 38, 71, 168 |
| Étienne m | de 400 à 600 | 26 décembre | p. 168, 366, 376 |
| Étiennette f | moins de 10 | Étienne | p. 318 |
| Eudes m | de 10 à 30 | 19 novembre | p. 349, 380 |
| Eudoxie f | moins de 10 | 1er mars | p. 57 |
| Eugène m | de 30 à 60 | 13 juillet | p. 75, 168, 360 |
| Eugénie f | de 300 à 600 | 7 février | p. 76, 168, 360 |
| Eulalie f | de 100 à 300 | 10 décembre | p. 77 |
| Euphrasie f | moins de 10 | 20 mars | p. 77 |
| Eurielle f | moins de 10 | 1er octobre | p. 390 |
| Eurydice f | de 30 à 60 | | p. 54 |
| Eustache m | moins de 10 | 20 septembre | p. 51, 317 |
| Éva f | de 4 000 à 6 000 | 6 septembre | p. 27, 38, 169 |
| Evan m | plus de 6 000 | Jean ou Ewen | p. 38, 62-63, 169 |
| Evann m | de 100 à 300 | Jean ou Ewen | p. 169 |
| Evans m | de 10 à 30 | | |
| Évariste m | moins de 10 | 26 octobre | p. 56 |
| Ève f | de 300 à 600 | Éva | p. 169 |

| PRÉNOMS | FRÉQUENCE | FÊTES | PAGES |
|---|---|---|---|
| Éveline f | moins de 10 | Éva | p. 169 |
| Évelyne f | de 10 à 30 | Éva | p. 33, 169, 364 |
| Évrard m | moins de 10 | 14 août | p. 57 |
| Ewan m | de 600 à 1 000 | Jean ou Ewen | p. 169 |
| Ewen m | de 600 à 1 000 | 3 mai | p. 62, 72, 169 |
| Ézéchiel m | de 100 à 300 | | |
| | | | |
| Fabian m | de 60 à 100 | Fabien | p. 171 |
| Fabien m | de 100 à 300 | 20 janvier | p. 63, 171, 395 |
| Fabienne f | moins de 10 | Fabien | p. 26, 171-172, 364 |
| Fabio m | de 300 à 600 | Fabien | p. 62, 72, 171 |
| Fabiola f | de 10 à 30 | 27 décembre | |
| Fabrice m | de 30 à 60 | 22 août | p. 28, 172, 365 |
| Faïza f | de 30 à 60 | | |
| Fanette f | de 30 à 60 | Françoise | |
| Fannie f | de 30 à 60 | Françoise | |
| Fanny f | de 600 à 1 000 | Françoise | p. 172, 365, 396 |
| Fanta f | de 30 à 60 | | |
| Fantin m | de 10 à 30 | François | |
| Fantine f | de 100 à 300 | Françoise | |
| Fany f | de 10 à 30 | Françoise | |
| Farah f | de 100 à 300 | | |
| Fares m | de 100 à 300 | | |
| Farid m | de 30 à 60 | | |
| Fatih m | de 30 à 60 | | |
| Fatima f | de 100 à 300 | | |
| Fatma f | de 60 à 100 | | |
| Fatoumata f | de 100 à 300 | | |
| Faustin m | de 30 à 60 | 23 septembre | |
| Faustine f | de 600 à 1 000 | Faustin | p. 73, 383, 384 |
| Faycal m | de 100 à 300 | | |
| Félicia f | de 60 à 100 | Félicité | |

| PRÉNOMS | FRÉQUENCE | FÊTES | PAGES |
|---|---|---|---|
| Félicie f | de 100 à 300 | Félicité | p. 77, 173 |
| Félicien m | de 100 à 300 | 9 juin | p. 75, 173, 394 |
| Félicienne f | moins de 10 | Félicité | p. 173 |
| Félicité f | de 10 à 30 | 7 mars | p. 77, 173, 353 |
| Félix m | de 300 à 600 | 12 février | p. 72, 75, 173 |
| Ferdinand m | de 60 à 100 | 30 mai | p. 75, 173 |
| Fernand m | de 60 à 100 | 27 juin | p. 173 |
| Fernande f | moins de 10 | Fernand | |
| Ferréol m | moins de 10 | 16 juin | p. 55, 407 |
| Fidèle m | moins de 10 | 11 octobre | p. 53, 407 |
| Fiona f | de 100 à 300 | | p. 62, 174 |
| Firmin m | de 30 à 60 | 24 avril | p. 76 |
| Flavia f | de 30 à 60 | Flavie | p. 174 |
| Flavian m | de 30 à 60 | Flavien | |
| Flavie f | de 300 à 600 | 7 mai | p. 174, 353 |
| Flavien m | de 100 à 300 | 18 février | p. 63, 72, 174 |
| Flavio m | de 100 à 300 | Flavien | |
| Fleur f | de 100 à 300 | 5 octobre | p. 175, 353, 395 |
| Fleurine f | moins de 10 | Fleur | |
| Flora f | de 600 à 1000 | 24 novembre | p. 174 |
| Flore f | de 100 à 300 | Fleur ou Flora | p. 175, 176, 380 |
| Floréal m | moins de 10 | Florent ? | |
| Florence f | de 30 à 60 | 1er décembre | p. 26, 174-175, 228 |
| Florent m | de 100 à 300 | 4 juillet | p. 175 |
| Florentin m | de 60 à 100 | 24 octobre | p. 175 |
| Florentine f | de 10 à 30 | Florentin | p. 77 |
| Florestan m | moins de 10 | Florentin | |
| Florian m | de 1 000 à 2 000 | 4 mai | p. 29, 63, 175 |
| Floriane f | de 100 à 300 | Florian | p. 176 |
| Florie f | de 10 à 30 | Fleur ou Flora | p. 176 |
| Florimond m | de 10 à 30 | Florian | p. 57 |
| Florine f | de 100 à 300 | 1er mai | p. 176 |

| PRÉNOMS | FRÉQUENCE | FÊTES | PAGES |
|---|---|---|---|
| Floris m | de 10 à 30 | Florian | |
| Fouad m | de 10 à 30 | | |
| Foucauld m | de 30 à 60 | Foulques | p. 380 |
| Foulques m | moins de 10 | 10 juin | p. 349, 380, 384 |
| France f | de 10 à 30 | Françoise | p. 176 |
| Franceline f | moins de 10 | Françoise | |
| Francesca f | de 60 à 100 | Françoise | |
| Francesco m | de 30 à 60 | François | |
| Francette f | moins de 10 | Françoise | p. 176 |
| Francine f | moins de 10 | Françoise | p. 176 |
| Francis m | de 10 à 30 | François | p. 177, 365 |
| Francisco m | de 60 à 100 | François | |
| Franck m | de 30 à 60 | François | p. 28, 177, 365 |
| François m | de 100 à 300 | 24 janvier, 4 octobre | p. 32, 177-178, 353 |
| Françoise f | moins de 10 | 9 mars, 12 décembre | p. 33, 178, 377 |
| François-Régis m | moins de 10 | 16 juin | p. 380 |
| François-Xavier m | moins de 10 | 3 décembre | p. 42, 380 |
| Frank m | moins de 10 | François | p. 177 |
| Fred m | moins de 10 | Frédéric | p. 44 |
| Freddy m | de 10 à 30 | Frédéric | p. 179, 394 |
| Frédéric m | de 30 à 60 | 18 juillet | p. 28, 34, 179 |
| Frédérick m | moins de 10 | Frédéric | |
| Frédérique f | de 10 à 30 | Frédéric | p. 179, 378 |
| Frida f | moins de 10 | Frédéric | |
| Frieda f | moins de 10 | Frédéric | |
| Furkan m | de 30 à 60 | | |
| | | | |
| Gabin m | de 1 000 à 2 000 | 19 février | p. 63, 72, 181 |
| Gabriel m | de 4 000 à 6 000 | 29 septembre | p. 181 |
| Gabriella f | de 60 à 100 | Gabriel | |

| PRÉNOMS | FRÉQUENCE | FÊTES | PAGES |
|---|---|---|---|
| Gabrielle *f* | de 1 000 à 2 000 | Gabriel | p. *181*, 364, 383 |
| Gaël *m* | de 300 à 600 | Judicaël ? | p. *182* |
| Gaëlle *f* | de 100 à 300 | Judicaël ? | p. *182*, 364 |
| Gaëtan *m* | de 300 à 600 | 7 août | p. *182* |
| Gaétan *m* | de 300 à 600 | Gaëtan | p. 63, *182*, 366 |
| Gaëtane *f* | de 100 à 300 | Gaëtan | p. 56, *182* |
| Gaïa *f* | de 60 à 100 | | |
| Garance *f* | de 600 à 1 000 | Fleur | p. 53, 73 |
| Gary *m* | de 10 à 30 | Gérard | p. 54 |
| Gaspard *m* | de 1 000 à 2 000 | 28 décembre | p. 72, 76, 383 |
| Gaston *m* | de 60 à 100 | 6 février | p. 76, *183*, 365 |
| Gatien *m* | de 100 à 300 | 18 décembre | |
| Gaultier *m* | moins de 10 | Gauthier | p. 184 |
| Gauthier *m* | de 60 à 100 | 9 avril | p. 46, *183-184*, 346 |
| Gautier *m* | de 10 à 30 | Gauthier | p. *183-184* |
| Gauvain *m* | de 10 à 30 | | |
| Gaylord *m* | de 10 à 30 | | p. 54 |
| Geneviève *f* | moins de 10 | 3 janvier | p. 33, *184*, 364 |
| Geoffrey *m* | de 100 à 300 | Geoffroy | p. 185 |
| Geoffroy *m* | moins de 10 | 8 novembre | p. 185, 380 |
| Georges *m* | de 100 à 300 | 23 avril | p. 23, *185*, 391 |
| Georgette *f* | moins de 10 | 15 février | p. *185-186*, 363 |
| Georgina *f* | de 10 à 30 | 15 février | |
| Gérald *m* | de 30 à 60 | 5 décembre | p. 186 |
| Géraldine *f* | de 10 à 30 | 29 mai | p. 186 |
| Gérard *m* | moins de 10 | 3 octobre | p. 23, 28, *186-187* |
| Géraud *m* | de 30 à 60 | 13 octobre | p. 186, 380, 384 |
| Germain *m* | de 60 à 100 | 28 mai | p. 187 |
| Germaine *f* | moins de 10 | 15 juin | p. 20, 77, *187* |
| Germinal *m* | moins de 10 | Germain ? | |
| Gérôme *m* | moins de 10 | Jérôme | p. 45, 212 |
| Gersende *f* | de 10 à 30 | | p. 380 |

| PRÉNOMS | FRÉQUENCE | FÊTES | PAGES |
|---|---|---|---|
| Gertrude *f* | moins de 10 | 16 novembre | |
| Gervais *m* | moins de 10 | 19 juin | |
| Gervaise *f* | moins de 10 | Gervais | p. 57 |
| Ghislain *m* | moins de 10 | 10 octobre | p. 188, 380 |
| Ghislaine *f* | moins de 10 | Ghislain | p. *188*, 364, 365 |
| Gianni *m* | de 100 à 300 | Jean | |
| Gilbert *m* | moins de 10 | 4 février, 7 juin | p. *188*, 352, 365 |
| Gilberte *f* | moins de 10 | 11 août | p. *188-189*, 368 |
| Gilda *f* | moins de 10 | | |
| Gildas *m* | de 10 à 30 | 29 janvier | |
| Gilles *m* | de 30 à 60 | 1er septembre | p. 28, 34, *189* |
| Gillette *f* | moins de 10 | Gilles | p. 407 |
| Gina *f* | de 60 à 100 | | |
| Ginette *f* | moins de 10 | Geneviève | p. 20, 26, *189-190* |
| Gino *m* | de 60 à 100 | | |
| Giovanni *m* | de 100 à 300 | Jean | |
| Gisèle *f* | moins de 10 | 7 mai | p. *190*, 364, 365 |
| Giselle *f* | moins de 10 | Gisèle | |
| Gislaine *f* | moins de 10 | Ghislain | p. 188 |
| Giulia *f* | de 100 à 300 | Julie | p. 220 |
| Giuliano *m* | de 10 à 30 | Julien | |
| Gladys *f* | de 60 à 100 | 29 mars | p. 192 |
| Glenn *m* | de 60 à 100 | 11 septembre | |
| Gloria *f* | de 30 à 60 | | |
| Godefroy *m* | moins de 10 | Geoffroy | p. 380 |
| Gontran *m* | moins de 10 | 28 mars | |
| Gonzague *m* | moins de 10 | 21 juin | p. 337, 380, 389 |
| Goran *m* | moins de 10 | | |
| Goulven *m* | de 10 à 30 | Goulwen | |
| Goulwen *m* | moins de 10 | 1er juillet | |
| Grâce *f* | de 60 à 100 | 21 août | p. 390 |
| Grâcieuse *f* | moins de 10 | Grâce | |

| PRÉNOMS | FRÉQUENCE | FÊTES | PAGES |
|---|---|---|---|
| Gratien *m* | moins de 10 | 22 décembre | |
| Graziella *f* | de 10 à 30 | Grâce | |
| Greg *m* | moins de 10 | Grégoire | |
| Grégoire *m* | de 300 à 600 | 3 septembre | p. *190*, 380, 383 |
| Grégory *m* | de 100 à 300 | Grégoire | p. *191*, 378 |
| Guénaëlle *f* | moins de 10 | Gwenaël | |
| Guénolé *m* | de 10 à 30 | Gwenolé | |
| Guilhem *m* | de 100 à 300 | Guillaume | p. 191, 380 |
| Guillaume *m* | de 600 à 1 000 | 10 janvier | p. 24, 29, *191* |
| Guillemette *f* | de 10 à 30 | Guillaume | p. 363, 380 |
| Guillemine *f* | moins de 10 | Guillaume | p. 380 |
| Guillian *m* | de 30 à 60 | | |
| Gurvan *m* | de 60 à 100 | 3 mai | |
| Gustave *m* | de 100 à 300 | 7 octobre | p. 46, 75 |
| Guy *m* | de 10 à 30 | 12 juin | p. 28, *192*, 381 |
| Guylaine *f* | moins de 10 | Ghislain | p. 188 |
| Gwenaël *m* | de 60 à 100 | 3 novembre | |
| Gwenaëlle *f* | de 100 à 300 | Gwenaël | p. 192 |
| Gwendal *m* | de 100 à 300 | 18 janvier | p. 72 |
| Gwendoline *f* | de 100 à 300 | 14 octobre | p. 192 |
| Gwenn *f* | de 60 à 100 | 18 octobre | p. 47-48 |
| Gwenn *m* | de 30 à 60 | 18 octobre | p. 47 |
| Gwennaëlle *f* | de 10 à 30 | Gwenaël | p. 192 |
| Gwenola *f* | de 60 à 100 | Gwenolé | p. 380 |
| Gwenolé *m* | moins de 10 | 3 mars | |
| Gwladys *f* | de 60 à 100 | Gladys | p. 192 |
| | | | |
| Habib *m* | de 60 à 100 | | |
| Hadrien *m* | de 100 à 300 | Adrien | p. 45, 93, 383 |
| Hajar *f* | de 100 à 300 | | |
| Hakan *m* | moins de 10 | | |
| Hakim *m* | de 60 à 100 | | |

| PRÉNOMS | FRÉQUENCE | FÊTES | PAGES |
|---|---|---|---|
| Halil *m* | de 30 à 60 | | |
| Halima *f* | de 30 à 60 | | |
| Hamza *m* | de 300 à 600 | | |
| Hana *f* | de 30 à 60 | Anne | |
| Hanaé *f* | de 600 à 1 000 | Anne | p. 101 |
| Hanna *f* | de 300 à 600 | Anne | p. 104 |
| Hannah *f* | de 100 à 300 | Anne | p. 104 |
| Hans *m* | de 10 à 30 | Jean | |
| Harmonie *f* | de 10 à 30 | | p. 81, 267 |
| Harmony *f* | de 10 à 30 | | |
| Harold *m* | de 10 à 30 | 1er novembre | |
| Haroun *m* | de 60 à 100 | | |
| Harry *m* | de 30 à 60 | Henri | |
| Hasan *m* | de 30 à 60 | | |
| Hassan *m* | de 100 à 300 | | |
| Hawa *f* | de 100 à 300 | | |
| Heather *f* | de 10 à 30 | | |
| Hector *m* | de 100 à 300 | | p. 389, 408 |
| Hedi *m* | moins de 10 | | |
| Hedwige *f* | moins de 10 | Edwidge | p. 157 |
| Heidi *f* | de 60 à 100 | Adélaïde | |
| Héléna *f* | de 300 à 600 | Hélène | p. 193 |
| Hélène *f* | de 100 à 300 | 18 août | p. 33, *193*, 358 |
| Héloïse *f* | de 600 à 1 000 | Louise ? | p. 45, 66, *161* |
| Henri *m* | de 100 à 300 | 13 juillet | p. 28, 76, *194* |
| Henriette *f* | de 10 à 30 | Henri | p. *194*, 363 |
| Henry *m* | de 30 à 60 | Henri | p. 194, 380 |
| Herbert *m* | moins de 10 | 20 mars | p. 349 |
| Hermance *f* | de 60 à 100 | Hermann | p. 57 |
| Hermann *m* | de 30 à 60 | 25 septembre | |
| Hermine *f* | de 60 à 100 | 9 juillet | p. 384 |
| Hermione *f* | de 60 à 100 | | p. 57 |

| PRÉNOMS | FRÉQUENCE | FÊTES | PAGES |
|---|---|---|---|
| Hervé *m* | de 10 à 30 | 17 juin | p. *195* |
| Herveline *f* | moins de 10 | Hervé | |
| Hicham *m* | de 100 à 300 | | |
| Hichem *m* | de 60 à 100 | | |
| Hilaire *m* | de 10 à 30 | 13 janvier | p. 76, 383 |
| Hilda *f* | de 10 à 30 | 17 novembre | |
| Hildegarde *f* | moins de 10 | 17 septembre | |
| Hind *f* | de 60 à 100 | | |
| Hippolyte *m* | de 100 à 300 | 13 août | p. 72, 75, 353 |
| Honoré *m* | de 100 à 300 | 16 mai | p. 46, 76, 349 |
| Honorine *f* | de 100 à 300 | 27 février | p. 77, 165 |
| Hortense *f* | de 100 à 300 | 11 janvier ou Fleur | p. 77, 144, 383 |
| Hubert *m* | de 10 à 30 | 3 novembre | p. *195*, 377, 381 |
| Hugo *m* | de 2 000 à 4 000 | Hugues | p. 25, 38, 196 |
| Hugolin *m* | de 10 à 30 | 10 octobre | p. 57 |
| Hugues *m* | de 30 à 60 | 1er avril | p. 196, 380, 394 |
| Huguette *f* | moins de 10 | Hugues | p. 196, 363 |
| Humbert *m* | moins de 10 | 25 mars | p. 380 |
| Hussein *m* | de 30 à 60 | | |
| Hyacinthe *m* | de 10 à 30 | 17 août | p. 353 |
| | | | |
| Iban *m* | de 60 à 100 | | |
| Ibrahim *m* | de 300 à 600 | Abraham | |
| Ibrahima *m* | moins de 10 | Abraham | |
| Ida *f* | de 30 à 60 | 13 avril | |
| Idris *m* | de 60 à 100 | | |
| Idriss *m* | de 100 à 300 | | |
| Ignace *m* | moins de 10 | 31 juillet | p. 331 |
| Igor *m* | de 10 à 30 | 5 juin | |
| Ikram *f* | de 60 à 100 | | |
| Ilan *m* | de 2 000 à 4 000 | 9 mars, 26 novembre | p. 62, 63, 71 |
| Ilana *f* | de 100 à 300 | Ilan | |

| PRÉNOMS | FRÉQUENCE | FÊTES | PAGES |
|---|---|---|---|
| Ilham *f* | de 30 à 60 | | |
| Ilian *m* | de 600 à 1 000 | | |
| Iliana *f* | de 100 à 300 | | |
| Ilias *m* | de 300 à 600 | | |
| Ilies *m* | de 100 à 300 | | |
| Illona *f* | de 100 à 300 | Hélène | |
| Ilona *f* | de 300 à 600 | Hélène | p. 73, 193, *197* |
| Ilyas *m* | de 60 à 100 | | |
| Ilyes *m* | de 600 à 1 000 | | |
| Imad *m* | de 100 à 300 | | |
| Iman *f* | de 30 à 60 | | |
| Imane *f* | de 300 à 600 | | |
| Imen *f* | de 100 à 300 | | |
| Imene *f* | de 100 à 300 | | |
| Imran *m* | de 100 à 300 | | |
| Inès *f* | de 4 000 à 6 000 | 10 septembre | p. 38, *197-198*, 383 |
| Iness *f* | de 60 à 100 | Inès | |
| Ingrid *f* | de 60 à 100 | 2 septembre | p. *198* |
| Iphigénie *f* | moins de 10 | 9 juillet | p. 57 |
| Irène *f* | de 30 à 60 | 5 avril | p. *198*, 364 |
| Irénée *m* | moins de 10 | 28 juin | p. 57 |
| Irina *f* | de 60 à 100 | | |
| Iris *f* | de 300 à 600 | 4 septembre | p. 64, 74, 198 |
| Irma *f* | moins de 10 | Hermine | p. 163 |
| Isaac *m* | de 300 à 600 | 20 décembre | |
| Isabelle *f* | de 60 à 100 | 2 février | p. 21, 26, *199* |
| Isaline *f* | de 100 à 300 | Isabelle | p. 199 |
| Isaure *f* | de 100 à 300 | Isabelle ou Aure | p. 199, 380, 384 |
| Iseult *f* | moins de 10 | | |
| Isidore *m* | de 30 à 60 | 4 avril | p. 76 |
| Isis *f* | de 100 à 300 | | p. 54, 74 |
| Ismaël *m* | de 600 à 1 000 | 13 mai | p. 72 |

| PRÉNOMS | FRÉQUENCE | FÊTES | PAGES |
|---|---|---|---|
| Ismaïl *m* | de 30 à 60 | | |
| Isolde *f* | moins de 10 | | p. 327 |
| Issam *m* | moins de 10 | | |
| Ivan *m* | de 10 à 30 | Jean | p. 342 |
| Ivana *f* | de 60 à 100 | Jeanne | |
| | | | |
| Jacinthe *f* | de 10 à 30 | 30 janvier | |
| Jack *m* | de 30 à 60 | Jean ou Jacques | p. 201 |
| Jackie *f* | moins de 10 | Jacqueline | |
| Jackie *m* | moins de 10 | Jean ou Jacques | |
| Jacky *m* | moins de 10 | Jean ou Jacques | p. *201*, 213 |
| Jacob *m* | de 60 à 100 | 20 décembre | p. 202 |
| Jacqueline *f* | moins de 10 | 8 février | p. 26, 33, *201-202* |
| Jacques *m* | de 30 à 60 | 3 mai, 25 juillet | p. 23, 28, *202* |
| Jade *f* | plus de 6 000 | | p. 38, 63, *203* |
| James *m* | de 100 à 300 | Jacques | p. 213 |
| Jane *f* | de 60 à 100 | Jeanne | |
| Janelle *f* | de 100 à 300 | Jeanne | |
| Janice *f* | de 60 à 100 | Jeanne | |
| Janick *f* | moins de 10 | Jeanne | |
| Janie *f* | moins de 10 | Jeanne | |
| Janina *f* | moins de 10 | Jeanne | |
| Janine *f* | moins de 10 | Jeanne | p. 19, 82, *210-211* |
| Janna *f* | de 60 à 100 | Jeanne | |
| Jannick *f* | moins de 10 | Jeanne | |
| Jannick *m* | moins de 10 | Jean | |
| Jany *f* | moins de 10 | Jeanne | |
| Jarod *m* | de 60 à 100 | | |
| Jasmine *f* | de 100 à 300 | Fleur | |
| Jason *m* | de 300 à 600 | 12 juillet | p. *203*, 395 |

| PRÉNOMS | FRÉQUENCE | FÊTES | PAGES |
|---|---|---|---|
| Jawad *m* | de 100 à 300 | | |
| Jayson *m* | de 30 à 60 | Jason | p. 203 |
| Jean *m* | de 600 à 1 000 | 24 juin, 27 décembre | p. 28, 34, *204* |
| Jean-Baptiste *m* | de 100 à 300 | 27 décembre | p. 42, *204*, 353 |
| Jean-Charles *m* | moins de 10 | Jean ou Charles | p. *135* |
| Jean-Christophe *m* | de 10 à 30 | Jean ou Christophe | p. *140* |
| Jean-Claude *m* | moins de 10 | Jean ou Claude | p. 23, 28, *205* |
| Jean-Daniel *m* | de 30 à 60 | Jean ou Daniel | |
| Jean-Eudes *m* | de 10 à 30 | Jean ou Eudes | p. 42 |
| Jean-François *m* | de 10 à 30 | 16 juin | p. 42, *205*, 389 |
| Jeanine *f* | moins de 10 | Jeanne | p. 19, 210, 364 |
| Jean-Jacques *m* | moins de 10 | Jean ou Jacques | p. *206*, 353, 367 |
| Jean-Louis *m* | de 10 à 30 | Jean ou Louis | p. 28, *206*, 208 |
| Jean-Loup *m* | de 10 à 30 | Jean ou Loup | p. 206 |
| Jean-Luc *m* | de 10 à 30 | Jean ou Luc | p. 28, *206-207*, 367 |
| Jean-Marc *m* | de 30 à 60 | Jean ou Marc | p. 206, *207*, 367 |
| Jean-Marie *m* | moins de 10 | 4 août | p. *207*, 367 |
| Jean-Michel *m* | de 10 à 30 | Jean ou Michel | p. 206, *208*, 367 |
| Jeanne *f* | de 2 000 à 4 000 | 30 mai, 12 décembre | p. 26, 76, *210* |
| Jeannette *f* | moins de 10 | Jeanne | p. 211 |
| Jeannick *f* | moins de 10 | Jeanne | |
| Jeannie *f* | moins de 10 | Jeanne | |
| Jeannine *f* | moins de 10 | Jeanne | p. 77, *210-211* |
| Jean-Noël *m* | moins de 10 | Jean ou Noël | p. *280* |
| Jean-Paul *m* | de 60 à 100 | Jean ou Paul | p. 28, *208*, 367 |
| Jean-Philippe *m* | de 10 à 30 | Jean ou Philippe | p. *208* |
| Jean-Pierre *m* | de 10 à 30 | Jean ou Pierre | p. 23, 28, *209* |
| Jean-Rémi *m* | moins de 10 | Jean ou Rémi | |
| Jean-René *m* | moins de 10 | Jean ou René | |
| Jean-Sébastien *m* | moins de 10 | Jean ou Bach | p. 42 |

| PRÉNOMS | FRÉQUENCE | FÊTES | PAGES |
|---|---|---|---|
| Jean-Yves *m* | moins de 10 | Jean ou Yves | *p. 209* |
| Jeff *m* | de 10 à 30 | Geoffroy | |
| Jefferson *m* | de 30 à 60 | | |
| Jeffrey *m* | de 30 à 60 | Geoffroy | p. 185 |
| Jehan *m* | de 30 à 60 | Jean | p. 351, 380 |
| Jehanne *f* | de 30 à 60 | Jeanne | p. 210 |
| Jenna *f* | de 100 à 300 | Geneviève ou Jeanne | p. 211 |
| Jennifer *f* | de 100 à 300 | Geneviève ou Jeanne | p. 21, *211*, 365 |
| Jenny *f* | de 60 à 100 | Geneviève ou Jeanne | p. 211 |
| Jennyfer *f* | de 10 à 30 | Geneviève ou Jeanne | |
| Jérémi *m* | moins de 10 | Jérémie | |
| Jérémie *m* | de 100 à 300 | 1ᵉʳ mai | p. 45, *212*, 365 |
| Jérémy *m* | de 300 à 600 | Jérémie | p. 29, 62, *212* |
| Jérôme *m* | de 10 à 30 | 30 septembre | p. 24, 29, *212* |
| Jessé *m* | de 10 à 30 | 4 novembre | p. 213 |
| Jessica *f* | de 100 à 300 | Jessé | p. 62, *213*, 365 |
| Jessie *f* | de 30 à 60 | Jessé | p. 47, 48, 213 |
| Jessy *f* | de 30 à 60 | Jessé | p. 47, 48, 213 |
| Jessy *m* | de 100 à 300 | Jessé | |
| Jibril *m* | de 300 à 600 | | |
| Jim *m* | de 10 à 30 | Jacques | |
| Jimmy *m* | de 100 à 300 | Jacques | p. 44, *213*, 394 |
| Joachim *m* | de 300 à 600 | 26 juillet | p. 72 |
| Joan *m* | de 10 à 30 | Jean | p. 55, 340 |
| Joana *f* | de 10 à 30 | Jeanne | |
| Joanie *f* | de 10 à 30 | Jeanne | p. 215 |
| Joanna *f* | de 30 à 60 | Jeanne | p. 215 |
| Joanne *f* | de 30 à 60 | Jeanne | p. 215 |
| Joannie *f* | moins de 10 | Jeanne | p. 215 |
| Joaquim *m* | de 30 à 60 | Jeanne | |

| PRÉNOMS | FRÉQUENCE | FÊTES | PAGES |
|---|---|---|---|
| Joceline *f* | moins de 10 | Josse | p. 214 |
| Jocelyn *m* | de 30 à 60 | Josse | p. 214 |
| Jocelyne *f* | moins de 10 | Josse | p. 26, *214*, 384 |
| Jodie *f* | de 30 à 60 | Judith | |
| Joé *m* | moins de 10 | Joseph | |
| Joël *m* | de 30 à 60 | 13 juillet | p. 28, *214*, 368 |
| Joëlle *f* | moins de 10 | Joël | p. *215*, 368, 378 |
| Joévin *m* | moins de 10 | 2 mars | |
| Joey *m* | de 30 à 60 | Joseph | |
| Joffre *m* | moins de 10 | Geoffroy | p. 185 |
| Joffrey *m* | moins de 10 | Geoffroy | p. 185 |
| Johan *m* | de 600 à 1 000 | Jean | p. 63, *340*, 365 |
| Johana *f* | de 10 à 30 | Jeanne | p. 215 |
| Johann *m* | de 300 à 600 | Jeanne, Jean | p. 340 |
| Johanna *f* | de 60 à 100 | Jeanne | p. 210, *215*, 349 |
| Johanne *f* | de 30 à 60 | Jeanne | p. 215 |
| John *m* | de 60 à 100 | Jean | p. 201, 216 |
| Johnny *m* | moins de 10 | Jean | p. 216, 394 |
| Jolan *m* | de 60 à 100 | | |
| Jonas *m* | de 300 à 600 | 21 septembre | p. 72, 216 |
| Jonathan *m* | de 300 à 600 | 1ᵉʳ mars | p. 29, 62, *216* |
| Jordan *m* | de 300 à 600 | 15 février | p. 47, 49, *216* |
| Jordane *f* | moins de 10 | Jordan | p. 47, 49 |
| Jordane *m* | de 10 à 30 | Jordan | p. 47, 54, 216 |
| Jordy *m* | moins de 10 | Jordan | p. 216 |
| Joris *m* | de 600 à 1 000 | Georges ou 26 juillet | p. 49, 64, *217* |
| José *m* | de 60 à 100 | Joseph | |
| Joseph *m* | de 600 à 1 000 | 19 mars | p. 28, 75, *217* |
| Josèphe *f* | moins de 10 | Joseph | |
| Joséphine *f* | de 300 à 600 | Joseph ou 9 février | p. 61, 76, *218* |

| PRÉNOMS | FRÉQUENCE | FÊTES | PAGES |
|---|---|---|---|
| Josette f | moins de 10 | Joseph | p. 20, 26, 218 |
| Joshua m | de 300 à 600 | Josué | p. 72, 203 |
| Josiane f | moins de 10 | Joseph | p. 26, 63, 219 |
| Josianne f | moins de 10 | Joseph | |
| Josse m | de 10 à 30 | 13 décembre | p. 214, 388 |
| Josselin m | de 10 à 30 | Josse | p. 214, 380 |
| Josseline f | moins de 10 | Josse | p. 214 |
| Josselyne f | moins de 10 | Josse | |
| Josué m | de 100 à 300 | 1er septembre | p. 72, 203, 217 |
| Josyane f | moins de 10 | Joseph | |
| Joy f | de 60 à 100 | Lætitia | p. 214 |
| Joyce f | de 10 à 30 | Josse | p. 47, 49, 214 |
| Juan m | de 60 à 100 | Jean | |
| Judicaël m | de 30 à 60 | 17 décembre | p. 182, 390 |
| Judith f | de 100 à 300 | 5 mai | |
| Jules m | de 2 000 à 4 000 | 12 avril | p. 38, 75, 219-220 |
| Julia f | de 1 000 à 2 000 | Julie | p. 63, 73, 220 |
| Julian m | de 600 à 1 000 | Julien | p. 63, 221 |
| Juliana f | de 100 à 300 | Julie | |
| Juliane f | de 60 à 100 | Julie | p. 73 |
| Julianne f | de 30 à 60 | Julie | |
| Julie f | de 2 000 à 4 000 | 8 avril | p. 27, 76, 220 |
| Julien m | de 1 000 à 2 000 | 2 août | p. 29, 63, 221 |
| Julienne f | moins de 10 | 16 février | p. 48, 221 |
| Juliette f | de 2 000 à 4 000 | 30 juillet | p. 45, 221 |
| Juline f | de 60 à 100 | Julie | |
| Julio m | moins de 10 | Julien | |
| Junior m | de 30 à 60 | | |
| Justin m | de 100 à 300 | 1er juin | p. 63, 222 |
| Justine f | de 1 000 à 2 000 | 12 mars | p. 27, 63, 222 |
| | | | |
| Kahina f | de 100 à 300 | | |

| PRÉNOMS | FRÉQUENCE | FÊTES | PAGES |
|---|---|---|---|
| Kaïs m | de 100 à 300 | | |
| Kamel m | de 60 à 100 | | |
| Kamelia f | de 10 à 30 | | |
| Karen f | de 30 à 60 | Karine | p. 223 |
| Karène f | moins de 10 | Karine | p. 223 |
| Karim m | de 100 à 300 | | |
| Karima f | de 30 à 60 | | |
| Karine f | de 30 à 60 | 24 mars | p. 21, 27, 223 |
| Karl m | de 100 à 300 | Charles | p. 135 |
| Karla f | moins de 10 | Charlotte | |
| Kassandra f | de 30 à 60 | | |
| Katarina f | de 30 à 60 | Catherine | |
| Kateline f | de 10 à 30 | Catherine | p. 131 |
| Katell f | de 60 à 100 | Catherine | p. 223 |
| Kathleen f | de 60 à 100 | Catherine | p. 55, 131 |
| Kathy f | de 10 à 30 | Catherine | p. 131 |
| Katia f | de 100 à 300 | Catherine | p. 44, 82, 223 |
| Katy f | de 10 à 30 | Catherine | p. 131 |
| Kelian m | de 300 à 600 | Killian | p. 225 |
| Kellian m | de 100 à 300 | Kilian | p. 225 |
| Kelly f | de 300 à 600 | | p. 62, 224, 395 |
| Kelvin m | de 60 à 100 | | |
| Kelyan m | de 100 à 300 | Killian | p. 225 |
| Kenny m | de 100 à 300 | | |
| Kenza f | de 300 à 600 | | p. 165 |
| Kenzo m | de 300 à 600 | | p. 165 |
| Keran m | de 60 à 100 | | |
| Keren f | de 30 à 60 | | |
| Kerian m | de 100 à 300 | | |
| Ketty f | de 30 à 60 | Catherine | |
| Keven m | de 30 à 60 | Kevin | p. 225 |
| Kevin m | de 600 à 1 000 | 3 juin | p. 29, 62, 224-225 |

| PRÉNOMS | FRÉQUENCE | FÊTES | PAGES |
|---|---|---|---|
| Khadija *f* | de 100 à 300 | | |
| Khaled *m* | de 30 à 60 | | |
| Khalid *m* | de 30 à 60 | | |
| Khalil *m* | de 60 à 100 | | |
| Kiara *f* | moins de 10 | Claire | |
| Kieran *m* | de 30 à 60 | | p. 225 |
| Kilian *m* | de 300 à 600 | Killian | p. 225 |
| Killian *m* | de 2 000 à 4 000 | 8 juillet | p. 25, 38, 225 |
| Kim *f* | de 100 à 300 | | p. 47, 49, 224 |
| Kim *m* | de 10 à 30 | | |
| Kimberley *f* | de 100 à 300 | | p. 49, 54, 224 |
| Kimberly *f* | de 30 à 60 | | p. 224 |
| Kléber *m* | moins de 10 | | p. 46, 389 |
| Kristel *f* | moins de 10 | Christine | |
| Kristèle *f* | moins de 10 | Christine | p. 82, 137 |
| Kylian *m* | de 600 à 1 000 | Killian | p. 225 |
| Kyllian *m* | de 100 à 300 | Killian | p. 225 |
| | | | |
| Ladislas *m* | de 10 à 30 | 27 juin | |
| Læticia *f* | de 10 à 30 | Lætitia | |
| Lætitia *f* | de 100 à 300 | 18 août | p. 27, 227, 396 |
| Laïla *f* | de 60 à 100 | | |
| Lalie *f* | de 300 à 600 | Nathalie | |
| Laly *f* | de 100 à 300 | Nathalie | |
| Lambert *m* | moins de 10 | 17 septembre | p. 57 |
| Lamia *f* | de 100 à 300 | | |
| Lana *f* | de 1 000 à 2 000 | | p. 73 |
| Lancelot *m* | de 30 à 60 | | p. 389 |
| Landry *m* | de 60 à 100 | 10 juin | p. 57 |
| Lara *f* | de 100 à 300 | | |
| Laura *f* | de 1 000 à 2 000 | Laurent | p. 27, 67, *227-228* |
| Laurane *f* | de 30 à 60 | Laurent | p. 230 |

| PRÉNOMS | FRÉQUENCE | FÊTES | PAGES |
|---|---|---|---|
| Lauranne *f* | de 10 à 30 | Laurent | p. 43, 230 |
| Laure *f* | de 100 à 300 | Laurent | p. *228*, 367, 384 |
| Laure-Anne *f* | de 10 à 30 | Anne | p. 43 |
| Laureen *f* | de 100 à 300 | Laurent | p. 55, 230 |
| Laureline *f* | de 30 à 60 | Laurent | p. 43, 230 |
| Lauren *f* | de 10 à 30 | Laurent | p. 229 |
| Laurena *f* | de 100 à 300 | Laurent | |
| Laurence *f* | de 10 à 30 | Laurent | p. 26, *228*, 367 |
| Laurène *f* | de 100 à 300 | Laurent | p. 45, *229*, 367 |
| Laurent *m* | de 60 à 100 | 10 août | p. 28, 229, 365 |
| Laurentine *f* | moins de 10 | Laurent | |
| Laurette *f* | de 10 à 30 | Laurent | p. 229, 367 |
| Lauriane *f* | de 100 à 300 | Laurent | p. 230, 367 |
| Laurianne *f* | de 30 à 60 | Laurent | p. 230 |
| Laurie *f* | de 10 à 30 | Laurent | p. *230*, 367 |
| Laurie-Anne *f* | de 10 à 30 | Anne | |
| Laurine *f* | de 600 à 1 000 | Laurent | p. *230* |
| Laury *f* | de 60 à 100 | Laurent | p. 48, 230 |
| Lauryn *f* | de 30 à 60 | Laurent | p. 230 |
| Lauryne *f* | de 100 à 300 | Laurent | p. 230 |
| Lazare *m* | de 60 à 100 | 23 février | |
| Léa *f* | de 4 000 à 6 000 | 22 mars | p. 22, 38, *230-231* |
| Leah *f* | de 60 à 100 | | |
| Léana *f* | de 1 000 à 2 000 | Léa | p. 73, 231 |
| Léandre *m* | de 300 à 600 | 27 février | p. 57, 232 |
| Léane *f* | de 1 000 à 2 000 | Léa | p. 73, 231 |
| Léanne *f* | de 100 à 300 | Léa | |
| Leelou *f* | de 60 à 100 | Élisabeth | p. 233 |
| Leia *f* | de 10 à 30 | | p. 64 |
| Leïla *f* | de 300 à 600 | | |
| Lélia *f* | de 100 à 300 | | |
| Lélio *m* | de 10 à 30 | | |

| PRÉNOMS | FRÉQUENCE | FÊTES | PAGES |
|---|---|---|---|
| Léna f | de 2 000 à 4 000 | Hélène | p. 38, 63, 231 |
| Lénaïc f | moins de 10 | Hélène | p. 48 |
| Lénaïc m | de 30 à 60 | Hélène | p. 48 |
| Lénaïg f | de 30 à 60 | Hélène | p. 48, 231 |
| Lenny m | de 1 000 à 2 000 | | p. 72, 232 |
| Leny m | de 100 à 300 | | |
| Léo m | de 4 000 à 6 000 | Léopold | p. 29, 38, 231-232 |
| Léocadie f | moins de 10 | 9 décembre | |
| Léon m | de 300 à 600 | 10 novembre | p. 76, 231, 365 |
| Léona f | de 60 à 100 | Léon | p. 232 |
| Léonard m | de 100 à 300 | 6 novembre | p. 76, 232, 352 |
| Léonardo m | de 60 à 100 | Léonard | |
| Léonce f | moins de 10 | 18 juin | p. 232 |
| Léonce m | de 30 à 60 | 18 juin | |
| Léone f | moins de 10 | Léon | p. 232 |
| Léonie f | de 1 000 à 2 000 | Léon | p. 73, 76, 232 |
| Léonne f | moins de 10 | Léon | p. 232 |
| Léonore f | de 100 à 300 | Éléonore | |
| Léontine f | moins de 10 | Léon | p. 76, 232 |
| Léo-Paul m | de 100 à 300 | Léopold ou Paul | p. 42, 204, 231 |
| Léopold m | de 100 à 300 | 15 novembre | p. 76, 232 |
| Léopoldine f | de 30 à 60 | Léopold | |
| Leslie f | de 60 à 100 | | p. 55, 232 |
| Lesly f | de 30 à 60 | | |
| Leyla f | de 30 à 60 | | |
| Lia f | de 100 à 300 | | |
| Liam m | de 600 à 1 000 | Guillaume | p. 72 |
| Lila f | de 600 à 1 000 | | p. 73 |
| Lili f | de 300 à 600 | Élisabeth | |
| Lilia f | de 300 à 600 | Liliane | |
| Lilian m | de 2 000 à 4 000 | Liliane | p. 38, 71, 233 |
| Liliane f | moins de 10 | 4 ou 27 juillet | p. 26, 233, 363 |

| PRÉNOMS | FRÉQUENCE | FÊTES | PAGES |
|---|---|---|---|
| Lilou f | de 4 000 à 6 000 | Élisabeth | p. 27, 38, 233 |
| Lily f | de 2 000 à 4 000 | Élisabeth | p. 38, 63, 73 |
| Lina f | de 4 000 à 6 000 | Adeline | p. 38, 63, 234 |
| Linda f | de 100 à 300 | | p. 234, 393 |
| Lindsay f | de 100 à 300 | | p. 54, 234 |
| Line f | de 300 à 600 | | p. 73, 234 |
| Lino m | de 100 à 300 | | p. 234 |
| Lionel m | de 10 à 30 | Léon | p. 234-235, 365 |
| Lisa f | de 2 000 à 4 000 | Élisabeth | p. 27, 69, 235 |
| Lisa-Marie f | de 30 à 60 | Élisabeth | p. 42, 43 |
| Lise f | de 600 à 1 000 | Élisabeth | p. 43, 44, 235 |
| Lisette f | de 10 à 30 | Élisabeth | p. 44 |
| Lison f | de 600 à 1 000 | Élisabeth | p. 73, 235 |
| Livia f | de 100 à 300 | Olivia ? | |
| Livio m | de 60 à 100 | | |
| Liza f | de 30 à 60 | Élisabeth | |
| Loan f | de 30 à 60 | Élouan | p. 47 |
| Loan m | de 1 000 à 2 000 | Élouan | p. 47, 63, 236-237 |
| Loana f | de 10 à 30 | Élouan | p. 237 |
| Loane f | de 1 000 à 2 000 | Élouan | p. 43, 73, 237 |
| Loann m | de 100 à 300 | Élouan | |
| Loanne f | de 100 à 300 | Élouan | p. 237 |
| Logan m | de 1 000 à 2 000 | | p. 62, 71, 236 |
| Logane f | de 10 à 30 | | |
| Loïc m | de 600 à 1 000 | Louis | p. 235-236, 242, 365 |
| Loïck m | de 100 à 300 | Louis | p. 236 |
| Loïs f | de 300 à 600 | Louise | p. 47, 49, 236 |
| Loïs m | de 300 à 600 | Louis | p. 47, 49, 236 |
| Loïse f | de 60 à 100 | Louise | |
| Lola f | de 4 000 à 6 000 | Dolorès | p. 27, 38, 236 |
| Lolita f | de 60 à 100 | Dolorès | p. 236 |
| Lorelei f | de 60 à 100 | | p. 230 |

| PRÉNOMS | FRÉQUENCE | FÊTES | PAGES |
|---|---|---|---|
| Lorena *f* | moins de 10 | Laurent | p. 74 |
| Lorène *f* | de 30 à 60 | Laurent | p. 229 |
| Lorenza *f* | de 10 à 30 | Laurent | p. 236 |
| Lorenzo *m* | de 1 000 à 2 000 | Laurent | p. 72, 229 |
| Lorette *f* | de 60 à 100 | Laurent | |
| Loriane *f* | de 60 à 100 | Laurent | p. 230 |
| Lorie *f* | moins de 10 | Laurent | p. *230* |
| Lorine *f* | de 10 à 30 | Laurent | p. 230 |
| Loris *m* | de 300 à 600 | Laurent | p. 210 |
| Lorraine *f* | de 60 à 100 | 30 mai (Jeanne) | p. 44, 229, 380 |
| Lory *f* | moins de 10 | Laurent | p. 230 |
| Lothaire *m* | de 30 à 60 | 7 avril | |
| Lou *f* | de 2 000 à 4 000 | Louise | p. 65, 69, 236 |
| Lou *m* | de 60 à 100 | Louis | p. 47, 236 |
| Louan *m* | de 30 à 60 | Élouan | p. 48 |
| Louana *f* | de 10 à 30 | Louise | p. 237 |
| Louane *f* | de 2 000 à 4 000 | Louise | p. 27, 38, 237 |
| Lou-Ann *f* | de 300 à 600 | Louise ou Anne | p. 42, 73, 237 |
| Lou-Anne *f* | de 2 000 à 4 000 | Louise ou Anne | p. 42, 73, 237 |
| Louanne *f* | de 300 à 600 | Louise | p. 73, 237 |
| Loubna *f* | de 100 à 300 | | |
| Louis *m* | de 4 000 à 6 000 | 25 août | p. 23, 38, *237-238* |
| Louisa *f* | de 100 à 300 | Louise | |
| Louise *f* | de 2 000 à 4 000 | 15 mars | p. 20, 46, *238* |
| Louise-Marie *f* | moins de 10 | Louise ou Marie | |
| Louisette *f* | moins de 10 | Louise | p. 238 |
| Louis-Marie *m* | de 10 à 30 | Louis | p. 238, 384 |
| Louison *f* | de 100 à 300 | Louise | p. 47, 48, 236 |
| Louison *m* | de 100 à 300 | Louis | p. 47, 236, 238 |
| Louis-Philippe *m* | moins de 10 | Louis ou Philippe | |

| PRÉNOMS | FRÉQUENCE | FÊTES | PAGES |
|---|---|---|---|
| Louka *m* | de 10 à 30 | Lucas | |
| Louna *f* | de 4 000 à 6 000 | | p. 38, 63, 236 |
| Lounis *m* | de 10 à 30 | | |
| Loup *m* | de 10 à 30 | 29 juillet | p. 206, 349 |
| Luana *f* | de 30 à 60 | | |
| Lubin *m* | de 100 à 300 | | p. 63 |
| Luc *m* | de 300 à 600 | 18 octobre | p. 238, 366 |
| Luca *m* | de 300 à 600 | Lucas | p. 239 |
| Lucas *m* | plus de 6 000 | Luc ou 27 août | p. 25, 38, *239* |
| Luce *f* | de 30 à 60 | Lucie | |
| Lucette *f* | moins de 10 | Lucie | p. *239*, 363, 365 |
| Lucia *f* | de 60 à 100 | Lucie | |
| Lucie *f* | de 2 000 à 4 000 | 13 décembre | p. 22, 63, *240* |
| Lucien *m* | de 100 à 300 | 8 janvier | p. 28, *240* |
| Lucienne *f* | moins de 10 | Lucie ou Lucien | p. 240, 364, 365 |
| Lucile *f* | de 300 à 600 | 16 février | p. 240, *241* |
| Lucille *f* | de 60 à 100 | Lucile | p. 241 |
| Lucy *f* | de 100 à 300 | Lucie | p. 240 |
| Ludivine *f* | de 300 à 600 | 14 avril | p. *241*, 395-396 |
| Ludmilla *f* | de 10 à 30 | 16 septembre | |
| Ludovic *m* | de 100 à 300 | Louis | p. 29, 242, 365 |
| Ludwig *m* | de 30 à 60 | Louis | p. 237, 242 |
| Luigi *m* | de 100 à 300 | Louis | |
| Luis *m* | de 100 à 300 | Louis | |
| Luka *m* | de 60 à 100 | Lucas | |
| Lukas *m* | de 60 à 100 | Luc | p. 239 |
| Luna *f* | de 2000 à 4 000 | | p. 73, 236 |
| Lydia *f* | de 100 à 300 | Lydie | p. 242 |
| Lydie *f* | de 100 à 300 | 3 août | p. *242*, 376, 378 |
| Lyes *m* | de 60 à 100 | | |
| Lylian *m* | de 10 à 30 | Liliane | |
| Lylou *f* | de 100 à 300 | Élisabeth | p. 233 |

| PRÉNOMS | FRÉQUENCE | FÊTES | PAGES |
|---|---|---|---|
| Lyna *f* | de 100 à 300 | Adeline | |
| Lynda *f* | de 10 à 30 | Linda | |
| Lysa *f* | de 100 à 300 | Élisabeth | |
| Lyse *f* | de 60 à 100 | Élisabeth | |
| Lysiane *f* | de 10 à 30 | Élisabeth | |
| | | | |
| Maceo *m* | de 100 à 300 | | |
| Madeleine *f* | de 300 à 600 | 22 juillet | p. 20, 76, *243* |
| Madeline *f* | de 100 à 300 | Madeleine | p. 243 |
| Madison *f* | de 100 à 300 | | p. 243 |
| Maé | de 100 à 300 | | p. 47, 74 |
| Maë *f* | de 300 à 600 | Maël | p. 47, 74 |
| Maël *m* | de 2 000 à 4 000 | 13 mai | p. 38, 47, 244 |
| Maëla *f* | de 60 à 100 | Maël | p. 244 |
| Maëlie *f* | de 300 à 600 | Maël | |
| Maëline *f* | de 10 à 30 | Maël | |
| Maëlis *f* | de 60 à 100 | Marie | p. 45, 244 |
| Maëliss *f* | de 10 à 30 | Marie | p. 244 |
| Maëlle *f* | de 1 000 à 2 000 | Maël | p. 64, 73, *244* |
| Maëlys *f* | plus de 6 000 | Marie | p. 27, 38, *244* |
| Maéva *f* | de 1 000 à 2 000 | 30 octobre | p. 64, 73, *245* |
| Magali *f* | de 10 à 30 | Marguerite | p. 27, *245*, 396 |
| Magalie *f* | moins de 10 | Marguerite | p. 45, 245 |
| Magdalena *f* | de 10 à 30 | Madeleine | |
| Magdeleine *f* | moins de 10 | Madeleine | |
| Mahaut *f* | de 600 à 1000 | Mathilde | p. 263, 380 |
| Maïa *f* | de 600 à 1 000 | Marie | p. 73 |
| Maïlis *f* | de 60 à 100 | Marie | |
| Maïlys *f* | de 600 à 1000 | Marie | p. 244 |
| Maïmouna *f* | de 100 à 300 | | |
| Maïssa *f* | de 100 à 300 | | |
| Maïssane *f* | de 100 à 300 | | |

| PRÉNOMS | FRÉQUENCE | FÊTES | PAGES |
|---|---|---|---|
| Maïté *f* | de 30 à 60 | Marie ou Thérèse | p. 255 |
| Maïwen *f* | de 100 à 300 | Marie | |
| Maïwenn *f* | de 300 à 600 | Marie | p. 62, 64, 244 |
| Malaurie *f* | de 10 à 30 | Laurent | p. 55, 246, 408 |
| Malaury *f* | de 30 à 60 | Laurent | p. 246 |
| Malcolm *m* | de 100 à 300 | | |
| Malcom *m* | de 30 à 60 | | |
| Malik *m* | de 100 à 300 | | |
| Malika *f* | de 30 à 60 | | |
| Mallaury *f* | de 100 à 300 | Laurent | p. 55, *245-246*, 408 |
| Mallory *f* | moins de 10 | Laurent ou Malo | p. 47, 55, 246 |
| Mallory *m* | moins de 10 | Laurent ou Malo | p. 47, 55, 246 |
| Malo *m* | de 600 à 1 000 | 15 novembre | p. 62, 72, 246 |
| Malorie *f* | moins de 10 | Laurent ou Malo | p. 246 |
| Malory *f* | moins de 10 | Laurent ou Malo | p. 55, 246, 408 |
| Malory *m* | de 10 à 30 | Laurent ou Malo | p. 55, 246, 408 |
| Malvina *f* | de 30 à 60 | Fleur | p. 267 |
| Mamadou *m* | de 100 à 300 | | |
| Mandy *f* | de 100 à 300 | Amandine | p. 44, 100 |
| Manel *f* | de 30 à 60 | | |
| Manfred *m* | moins de 10 | 28 janvier | |
| Manon *f* | de 4 000 à 6 000 | Marie ou Marianne | p. 22, 38, 246 |
| Manuel *m* | de 100 à 300 | 25 décembre | |
| Manuela *f* | de 30 à 60 | Manuel | |
| Manuella *f* | de 60 à 100 | Manuel | |
| Marc *m* | de 300 à 600 | 25 avril | p. 28, 34, *246-247* |

| PRÉNOMS | FRÉQUENCE | FÊTES | PAGES |
|---------|-----------|-------|-------|
| Marc-Antoine *m* | de 30 à 60 | Marc ou Antoine | p. 42, 247 |
| Marceau *m* | de 100 à 300 | Marcel | p. 72, 247, 408 |
| Marcel *m* | de 60 à 100 | 16 janvier | p. 23, 28, *247* |
| Marcelin *m* | de 10 à 30 | Marcellin | |
| Marceline *f* | moins de 10 | Marcelline | p. 248 |
| Marcelle *f* | moins de 10 | 31 janvier | p. 20, 26, *247-248* |
| Marcellin *m* | moins de 10 | 6 avril | |
| Marcelline *f* | de 10 à 30 | 17 juillet | p. 77, 133, 248 |
| Marco *m* | de 100 à 300 | Marc | p. 72, 165 |
| Marc-Olivier *m* | moins de 10 | Marc ou Olivier | |
| Marcus *m* | de 60 à 100 | Marc | p. 246 |
| Maréva *f* | de 30 à 60 | | |
| Margaux *f* | de 1 000 à 2 000 | Marguerite | p. 27, *248*, 383 |
| Margo *f* | de 30 à 60 | Marguerite | |
| Margot *f* | de 600 à 1 000 | Marguerite | p. *248* |
| Marguerite *f* | de 60 à 100 | 16 novembre | p. 20, 76, *248* |
| Maria *f* | de 60 à 100 | Marie | p. 250, 349 |
| Mariam *f* | de 300 à 600 | Marie | |
| Mariane *f* | de 10 à 30 | 9 juillet | |
| Marianne *f* | de 60 à 100 | 9 juillet | p. 43, 81, *249* |
| Marie *f* | de 2 000 à 4 000 | 15 août | p. 22, 38, *249-250* |
| Marie-Alice *f* | moins de 10 | Marie ou Adélaïde | p. 42, 43 |
| Marie-Alix *f* | moins de 10 | Marie ou Alix | p. 43, 380 |
| Marie-Amélie *f* | de 30 à 60 | Marie ou Amélie | p. 42, 43, 253 |
| Marie-Ange *f* | de 10 à 30 | Marie | p. 43 |
| Marie-Anne *f* | moins de 10 | Marie ou Anne | p. 43, 249 |
| Marie-Antoinette *f* | moins de 10 | Marie ou Antoinette | p. 43, 109, 366 |
| Marie-Astrid *f* | moins de 10 | Marie ou Astrid | p. 380 |

| PRÉNOMS | FRÉQUENCE | FÊTES | PAGES |
|---------|-----------|-------|-------|
| Marie-Caroline *f* | de 10 à 30 | Marie ou Charlotte | p. 250 |
| Marie-Cécile *f* | moins de 10 | Marie ou Cécile | |
| Marie-Chantal *f* | moins de 10 | Marie ou Chantal | p. 134, 187 |
| Marie-Charlotte *f* | de 10 à 30 | Marie ou Charlotte | p. 253 |
| Marie-Christine *f* | moins de 10 | Marie ou Christine | p. 26, *250*, 366 |
| Marie-Claire *f* | moins de 10 | Marie ou Claire | p. 251, 366 |
| Marie-Claude *f* | moins de 10 | Marie ou Claude | p. 26, 251, 366 |
| Marie-Dominique *f* | moins de 10 | Marie ou Dominique | p. 43, 250 |
| Marie-Élisabeth *f* | moins de 10 | Marie ou Élisabeth | |
| Marie-Ève *f* | moins de 10 | Marie ou Ève | p. 43 |
| Marie-France *f* | de 10 à 30 | Marie ou Françoise | p. *251-252*, 366 |
| Marie-Françoise *f* | moins de 10 | Marie ou Françoise | p. *251-252*, 366 |
| Marie-Hélène *f* | moins de 10 | Marie ou Hélène | p. 43, *252* |
| Marie-Jeanne *f* | moins de 10 | Marie ou Jeanne | p. 366 |
| Marie-José *f* | moins de 10 | Marie | p. *253* |
| Marie-Josée *f* | moins de 10 | Marie | p. 253 |
| Marie-Joseph *f* | moins de 10 | Marie | p. 253 |
| Marie-Josèphe *f* | moins de 10 | Marie | p. 253 |
| Marie-Laure *f* | de 10 à 30 | Marie | p. 43, *253* |
| Marie-Liesse *f* | moins de 10 | Marie ou Lætitia | p. 380 |
| Marie-Line *f* | moins de 10 | Marie | p. 260 |
| Marie-Lise *f* | moins de 10 | Marie ou Élisabeth | p. 43 |
| Marielle *f* | de 10 à 30 | Marie | p. 250 |
| Marie-Lou *f* | de 60 à 100 | Marie ou Louise | p. 42, 253 |

| PRÉNOMS | FRÉQUENCE | FÊTES | PAGES |
|---|---|---|---|
| Marie-Louise f | moins de 10 | Marie ou Louise | p. 20, 44, 253-254 |
| Marie-Madeleine f | moins de 10 | Marie ou Madeleine | p. 43, 252, 366 |
| Marien m | moins de 10 | 6 mai | p. 57 |
| Marie-Noëlle f | moins de 10 | Marie | p. 254 |
| Marie-Odile f | moins de 10 | Marie ou Odile | p. 284 |
| Marie-Paule f | moins de 10 | Marie ou Paule | p. 254, 366 |
| Marie-Pier f | moins de 10 | Marie | p. 43 |
| Marie-Pierre f | moins de 10 | Marie | p. 43, 255, 367 |
| Marie-Rose f | moins de 10 | Marie ou Rose | |
| Marie-Sarah f | de 10 à 30 | Marie ou Sarah | p. 42, 43 |
| Marie-Soleil f | moins de 10 | Marie | |
| Marie-Sophie f | de 10 à 30 | Marie ou Sophie | |
| Marie-Thérèse f | de 10 à 30 | Marie ou Thérèse | p. 20, 26, 255 |
| Mariette f | de 10 à 30 | Marie | p. 250 |
| Marilou f | de 600 à 1000 | Marie ou Lou | p. 254 |
| Marilyn f | moins de 10 | Marie | p. 260 |
| Marilyne f | moins de 10 | Marie | p. 260 |
| Marin m | de 100 à 300 | 3 mars | p. 72, 256 |
| Marina f | de 100 à 300 | 20 juillet | p. 256 |
| Marine f | de 1 000 à 2 000 | Marina | p. 22, 27, 256 |
| Marinette f | moins de 10 | Marina | p. 256 |
| Mario m | de 60 à 100 | Marius | p. 258 |
| Marion f | de 600 à 1 000 | Marie | p. 21, 27, 257 |
| Marius m | de 600 à 1 000 | 19 janvier | p. 7, 257-258 |
| Marjolaine f | moins de 10 | Marguerite ou Fleur | p. 258 |
| Marjorie f | de 30 à 60 | Marguerite | p. 258 |
| Marlène f | de 30 à 60 | Marie ou Hélène | p. 44, 252, 364 |
| Marlon m | de 60 à 100 | | |

| PRÉNOMS | FRÉQUENCE | FÊTES | PAGES |
|---|---|---|---|
| Marouane m | de 60 à 100 | | |
| Marthe f | de 30 à 60 | 29 juillet | p. 77, 258, 353 |
| Martial m | de 10 à 30 | 30 juin | p. 15, 259, 353 |
| Martin m | de 1 000 à 2 000 | 11 novembre | p. 43, 63, 259 |
| Martine f | moins de 10 | 30 janvier | p. 21, 26, 259 |
| Marvin m | de 100 à 300 | | p. 260 |
| Marvyn m | de 30 à 60 | | p. 260 |
| Marwa f | de 100 à 300 | | |
| Marwan m | de 600 à 1000 | | |
| Marwane m | de 30 à 60 | | |
| Mary f | de 30 à 60 | Marie | p. 250 |
| Maryam f | de 60 à 100 | Marie | |
| Marylène f | moins de 10 | Marie ou Hélène | p. 260 |
| Maryline f | de 30 à 60 | Marie | p. 260 |
| Marylou f | de 60 à 100 | Marie ou Louise | p. 236, 254 |
| Maryne f | de 10 à 30 | Marina | p. 45, 256, 408 |
| Maryse f | moins de 10 | Marie | p. 44, 260-261, 377 |
| Maryvonne f | moins de 10 | Marie ou Yves | p. 261 |
| Massimo m | moins de 10 | Maxime | |
| Mateo m | de 1 000 à 2 000 | Matthieu | p. 62, 263 |
| Mathéo m | plus de 6 000 | Matthieu | p. 25, 38, 263 |
| Mathias m | de 1 000 à 2 000 | Matthias | p. 261 |
| Mathieu m | de 1 000 à 2 000 | Matthieu | p. 24, 29, 262 |
| Mathilda f | de 100 à 300 | Mathilde | p. 262 |
| Mathilde f | de 1 000 à 2 000 | 14 mars | p. 27, 262, 383 |
| Mathis m | plus de 6 000 | Matthieu | p. 25, 38, 262-263 |
| Mathurin m | de 100 à 300 | 9 novembre | p. 76 |
| Mathys m | de 600 à 1 000 | Mathieu | p. 262 |
| Matis m | de 300 à 600 | Matthieu | p. 262 |
| Matisse m | de 100 à 300 | Matthieu | p. 262 |
| Matteo m | de 4 000 à 6 000 | Matthieu | p. 64, 263 |
| Mattheo m | de 300 à 600 | Matthieu | |

| PRÉNOMS | FRÉQUENCE | FÊTES | PAGES |
|---|---|---|---|
| Matthew *m* | de 100 à 300 | Matthieu | p. 263 |
| Matthias *m* | de 300 à 600 | 14 mai | p. *261* |
| Matthieu *m* | de 300 à 600 | 21 septembre | p. 44, 45, *262* |
| Matthis *m* | de 100 à 300 | Matthieu | p. 262 |
| Mattis *m* | de 100 à 300 | Matthieu | p. 262 |
| Matys *m* | de 60 à 100 | Matthieu | |
| Maud *f* | de 100 à 300 | Mathilde | p. 112, *263*, 365 |
| Maude *f* | de 60 à 100 | Mathilde | p. 45, 263 |
| Maurane *f* | de 10 à 30 | Marie | p. 264 |
| Maureen *f* | de 60 à 100 | Marie | p. 62, 230, 264 |
| Maurice *m* | de 10 à 30 | 22 septembre | p. 23, 28, 264 |
| Mauricette *f* | moins de 10 | Maurice | p. *264* |
| Maurine *f* | de 30 à 60 | Marie | p. 55, 230, 264 |
| Maverick *m* | de 30 à 60 | | |
| Max *m* | de 100 à 300 | Maxime | p. 265 |
| Maxence *m* | de 2 000 à 4 000 | Maxime | p. 47, *265*, 383 |
| Maxim *m* | de 30 à 60 | Maxime | |
| Maxime *m* | de 2 000 à 4 000 | 14 avril | p. 47, *265*, 383 |
| Maximilien *m* | de 300 à 600 | 14 août | p. 63, 265, 353 |
| Maximilienne *f* | moins de 10 | Maximilien | |
| Maximin *m* | moins de 10 | 29 mai | |
| Maxine *f* | de 60 à 100 | Maxime | p. 55 |
| Maya *f* | de 1 000 à 2 000 | | p. 63, 73 |
| Mayeul *m* | de 100 à 300 | 11 mai | p. 383, 384 |
| Maylis *f* | de 100 à 300 | Marie | p. 244, 380, 384 |
| Mazarine *f* | moins de 10 | | |
| Médéric *m* | de 30 à 60 | 29 août | |
| Medhi *m* | de 300 à 600 | | |
| Megan *f* | moins de 10 | Marguerite | p. 55, 266 |
| Mégane *f* | de 30 à 60 | Marguerite | p. 55, *265-266*, 378 |
| Meggie *f* | de 10 à 30 | | p. 265 |
| Meggy *f* | de 10 à 30 | Marguerite | p. 265 |

| PRÉNOMS | FRÉQUENCE | FÊTES | PAGES |
|---|---|---|---|
| Meghan *f* | moins de 10 | Marguerite | p. 265 |
| Meghane *f* | moins de 10 | Marguerite | p. 266 |
| Mehdi *m* | de 300 à 600 | | p. 400 |
| Mehmet *m* | de 100 à 300 | | |
| Mélaine *f* | de 10 à 30 | 6 janvier | |
| Mélanie *f* | de 300 à 600 | 26 janvier | p. 21, 27, *266* |
| Mélany *f* | moins de 10 | Mélanie | |
| Melchior *m* | de 100 à 300 | 6 janvier | p. 384 |
| Mélina *f* | de 1 000 à 2 000 | | p. 267 |
| Mélinda *f* | de 100 à 300 | | p. 234, 267 |
| Méline *f* | de 1 000 à 2 000 | | p. 73, 267 |
| Mélisande *f* | de 30 à 60 | | p. 267 |
| Mélissa *f* | de 1 000 à 2 000 | Déborah | p. 151, 266-267 |
| Mélissandre *f* | de 30 à 60 | | |
| Mélodie *f* | de 100 à 300 | 1er octobre | p. 53, 81, *267* |
| Mélody *f* | de 60 à 100 | 1er octobre | p. 267 |
| Mélusine *f* | de 30 à 60 | | p. 267 |
| Melvin *m* | de 600 à 1 000 | | p. *267* |
| Melvyn *m* | de 300 à 600 | | p. 267 |
| Mélyssa *f* | de 10 à 30 | Déborah | |
| Mérédith *f* | moins de 10 | | |
| Mériadec *m* | moins de 10 | 7 juin | |
| Mériem *f* | de 100 à 300 | Marie | p. 273 |
| Merlin *m* | de 60 à 100 | | |
| Merve *f* | de 30 à 60 | | |
| Meryem *f* | de 30 à 60 | Marie | |
| Méryl *f* | de 100 à 300 | Eurielle ? | p. 272 |
| Mia *f* | de 100 à 300 | | p. 64 |
| Michaël *m* | de 60 à 100 | Michel | p. 34, *268*, 365 |
| Michel *m* | de 30 à 60 | 29 septembre | p. 24, 38, *268-269* |

| PRÉNOMS | FRÉQUENCE | FÊTES | PAGES |
|---|---|---|---|
| Michèle f | de 10 à 30 | Michel ou Micheline | p. 21, 26, 269 |
| Micheline f | moins de 10 | 19 juin | p. 26, 270, 364 |
| Michelle f | moins de 10 | Michel ou Micheline | p. 47, 82, 269 |
| Mickaël m | de 300 à 600 | Michel | p. 24, 44, 268 |
| Miguel m | de 100 à 300 | Michel | |
| Mika m | moins de 10 | Michel | |
| Mikaël m | de 30 à 60 | Michel | p. 19, 268 |
| Mikail m | de 60 à 100 | Michel | |
| Mike m | de 100 à 300 | Michel | p. 268 |
| Mila f | de 300 à 600 | | |
| Milan m | de 300 à 600 | Émile ? | |
| Miléna f | de 100 à 300 | Marie ou Hélène | |
| Milène f | moins de 10 | Marie ou Hélène | p. 252 |
| Milo m | de 100 à 300 | | |
| Mina f | de 100 à 300 | | |
| Mireille f | moins de 10 | Marie ? | p. 270, 389 |
| Miriam f | de 10 à 30 | Marie | p. 389 |
| Mohamed m | de 1 000 à 2 000 | | p. 400 |
| Mohammed m | de 100 à 300 | | |
| Moïse m | de 60 à 100 | 4 septembre | p. 217 |
| Moïsette f | moins de 10 | Moïse | |
| Mona f | de 100 à 300 | Monique ? | p. 271 |
| Monica f | de 10 à 30 | Monique | |
| Monique f | moins de 10 | 27 août | p. 20, 26, 271 |
| Montaine f | moins de 10 | | |
| Morgan f | moins de 10 | | p. 47, 271 |
| Morgan m | de 300 à 600 | | p. 47, 63, 271 |
| Morgane f | de 600 à 1 000 | | p. 48, 272 |
| Morgann f | de 60 à 100 | | p. 47 |
| Mouna f | de 60 à 100 | | |

| PRÉNOMS | FRÉQUENCE | FÊTES | PAGES |
|---|---|---|---|
| Mounia f | de 10 à 30 | | |
| Mounir m | de 30 à 60 | | |
| Mourad m | de 10 à 30 | | |
| Moussa m | de 100 à 300 | | |
| Muriel f | moins de 10 | Eurielle | p. 272, 364, 389 |
| Murielle f | moins de 10 | Eurielle | p. 45, 272 |
| Mustafa m | de 100 à 300 | | |
| Mya f | de 30 à 60 | | |
| Mylène f | de 60 à 100 | Marie ou Hélène | p. 42, 252 |
| Myriam f | de 600 à 1 000 | Marie | p. 249, 270, 273 |
| Myrtille f | de 60 à 100 | Fleur | p. 74 |
| Nabil m | de 100 à 300 | | |
| Nada f | de 60 à 100 | Nadège | |
| Nadège f | de 10 à 30 | 18 septembre | p. 275, 276, 364 |
| Nadia f | de 100 à 300 | Nadège | p. 275, 364, 376 |
| Nadine f | de 10 à 30 | Bernadette ou Nadège | p. 26, 276, 377 |
| Nadir m | de 100 à 300 | | |
| Naël m | de 300 à 600 | | |
| Naëlle f | de 100 à 300 | | |
| Naïm m | de 100 à 300 | | |
| Naïma f | de 100 à 300 | | |
| Naïs f | de 100 à 300 | Anne | p. 64, 74, 102 |
| Nancy f | de 60 à 100 | Anne | |
| Nans m | de 30 à 60 | | |
| Naomi f | de 60 à 100 | | p. 281, 393 |
| Naomie f | de 300 à 600 | | p. 281 |
| Narcisse m | moins de 10 | 29 octobre | p. 353 |
| Nasser m | de 10 à 30 | | |
| Nassim m | de 600 à 1 000 | | |

| PRÉNOMS | FRÉQUENCE | FÊTES | PAGES |
|---|---|---|---|
| Nassima f | de 60 à 100 | | |
| Nastasia f | moins de 10 | Anastasie | p. 53 |
| Natacha f | de 60 à 100 | 26 août | p. 276 |
| Nathalie f | de 30 à 60 | 27 juillet | p. 21, 27, 276-277 |
| Nathan m | plus de 6 000 | 7 mars | p. 29, 38, 277 |
| Nathanaël m | de 300 à 600 | Barthélemy | p. 277 |
| Nathanaëlle f | de 30 à 60 | Barthélemy | |
| Nawa f | moins de 10 | | |
| Nawel f | de 100 à 300 | | |
| Neil m | de 100 à 300 | | p. 278 |
| Nell f | de 100 à 300 | | |
| Nelly f | de 60 à 100 | Hélène ou 26 octobre | p. 44, 278 |
| Nelson m | de 100 à 300 | 3 février | p. 54, 278 |
| Néo m | de 100 à 300 | | p. 64 |
| Nesrine f | de 60 à 100 | | |
| Ness f | moins de 10 | | |
| Nestor m | de 10 à 30 | 26 février | p. 57 |
| Nicolas m | de 1 000 à 2 000 | 6 décembre | p. 25, 29, 278 |
| Nicole f | de 10 à 30 | Nicolas | p. 26, 33, 279 |
| Niels m | de 30 à 60 | Nicolas | p. 278 |
| Nikita f | de 30 à 60 | | |
| Nils m | de 300 à 600 | Nicolas | p. 278 |
| Nina f | de 1 000 à 2 000 | 14 janvier | p. 279 |
| Nine f | de 100 à 300 | Nina | p. 279 |
| Nino m | de 300 à 600 | | p. 62, 72, 279 |
| Ninon f | de 600 à 1 000 | 15 décembre | p. 73, 279 |
| Nisriné f | de 100 à 300 | | |
| Noa f | de 100 à 300 | Noé | p. 47, 280 |
| Noa m | de 600 à 1 000 | Noé | p. 47, 280 |
| Noah m | plus de 6 000 | Noé | p. 25, 29, 280 |
| Noam m | de 1 000 à 2 000 | | |
| Noé m | de 2 000 à 4 000 | 10 novembre | p. 38, 64, 280 |

| PRÉNOMS | FRÉQUENCE | FÊTES | PAGES |
|---|---|---|---|
| Noël m | de 30 à 60 | 25 décembre | p. 280, 349 |
| Noële f | moins de 10 | 25 décembre | |
| Noélie f | de 100 à 300 | 25 décembre | p. 281 |
| Noéline f | de 100 à 300 | 25 décembre | p. 281 |
| Noëlla f | de 30 à 60 | 25 décembre | |
| Noëlle f | moins de 10 | 25 décembre | p. 281, 392 |
| Noëllie f | de 30 à 60 | 25 décembre | p. 281 |
| Noémie f | de 2 000 à 4 000 | | p. 73, 281, 390 |
| Nolan m | de 4 000 à 6 000 | | p. 38, 63, 71 |
| Nolwen f | moins de 10 | 6 juillet | p. 47, 48, 281 |
| Nolwenn f | de 100 à 300 | 6 juillet | p. 47, 281 |
| Nora f | de 600 à 1 000 | Éléonore | p. 73 |
| Norbert m | moins de 10 | 6 juin | p. 46, 195, 408 |
| Nordine m | de 30 à 60 | | |
| Norman m | de 10 à 30 | | |
| Nour f | de 300 à 600 | | p. 47, 49 |
| Numa m | de 10 à 30 | | |
| | | | |
| Océan m | de 30 à 60 | | |
| Océane f | de 2 000 à 4 000 | Marina ? | p. 22, 27, 283 |
| Océanne f | de 60 à 100 | Marina ? | p. 283 |
| Octave m | de 100 à 300 | 20 novembre | p. 76 |
| Octavie f | de 30 à 60 | Octave | p. 77 |
| Odette f | moins de 10 | 20 avril | p. 20, 26, 283 |
| Odile f | de 10 à 30 | 14 décembre | p. 284, 365, 377 |
| Odilon m | moins de 10 | 4 janvier | |
| Okan m | de 30 à 60 | | |
| Olga f | de 30 à 60 | 11 juillet | |
| Olive f | moins de 10 | Olivia | p. 284 |
| Olivia f | de 600 à 1 000 | 5 mars | p. 284 |
| Olivier m | de 100 à 300 | 12 juillet | p. 24, 29, 285 |
| Olympe f | de 60 à 100 | 17 décembre | |

| PRÉNOMS | FRÉQUENCE | FÊTES | PAGES |
|---|---|---|---|
| Omar *m* | de 100 à 300 | | |
| Ombeline *f* | de 100 à 300 | 21 août | p. 66, 380, 383 |
| Omer *m* | de 60 à 100 | 9 septembre | |
| Ondine *f* | de 60 à 100 | | p. 57 |
| Onésime *m* | de 10 à 30 | 16 février | p. 46 |
| Ophélia *f* | de 30 à 60 | | p. 285 |
| Ophélie *f* | de 100 à 300 | | p. 285, 360, 390 |
| Orane *f* | de 10 à 30 | Aure | |
| Oriane *f* | de 100 à 300 | Aure | p. 73, 286 |
| Orianne *f* | de 60 à 100 | Aure | p. 286 |
| Orlane *f* | de 100 à 300 | Rolande | p. 73, 286, 304 |
| Ornella *f* | de 100 à 300 | | p. 74 |
| Orphée *f* | de 10 à 30 | | |
| Orphée *m* | de 10 à 30 | | |
| Oscar *m* | de 1 000 à 2 000 | 3 février | p. 72, 76, 383 |
| Othilie *f* | de 10 à 30 | Othon | |
| Othman *m* | de 100 à 300 | | |
| Othon *m* | moins de 10 | 2 juillet | |
| Otto *m* | moins de 10 | Othon | |
| Ousmane *m* | de 60 à 100 | | |
| Owen *m* | de 300 à 600 | | p. 169 |
| | | | |
| Pablo *m* | de 300 à 600 | Paul | p. 62, 72, 290 |
| Paco *m* | de 100 à 300 | | |
| Pacôme *m* | de 100 à 300 | 9 mai | |
| Palmyre *f* | de 10 à 30 | | |
| Paloma *f* | de 300 à 600 | | |
| Paméla *f* | moins de 10 | | p. 395 |
| Paola *f* | de 100 à 300 | Paule | |
| Paolo *m* | de 300 à 600 | Paul | |
| Paquerette *f* | moins de 10 | Fleur | |
| Pascal *m* | de 30 à 60 | 17 mai | p. 24, 28, 287 |

| PRÉNOMS | FRÉQUENCE | FÊTES | PAGES |
|---|---|---|---|
| Pascale *f* | moins de 10 | Pascal | p. 26, 287-288, 365 |
| Pascaline *f* | moins de 10 | Pascal | p. 288 |
| Patrice *m* | moins de 10 | Patrick | p. 172, 288, 365 |
| Patricia *f* | de 10 à 30 | Patrick | p. 21, 26, 288 |
| Patrick *m* | de 30 à 60 | 17 mars | p. 24, 28, 289 |
| Paul *m* | de 2 000 à 4 000 | 29 juin | p. 29, 76, 289-290 |
| Paula *f* | de 30 à 60 | Paule | p. 367 |
| Paul-Antoine *m* | de 60 à 100 | Paul ou Antoine | p. 42 |
| Paule *f* | moins de 10 | 26 janvier | p. 290, 367 |
| Paul-Émile *m* | de 60 à 100 | Paul ou Émile | p. 42 |
| Paulette *f* | moins de 10 | Paule | p. 20, 26, 290 |
| Paul-Henri *m* | de 30 à 60 | Paul ou Henri | p. 42 |
| Paulin *m* | de 60 à 100 | 11 janvier | p. 290 |
| Pauline *f* | de 1 000 à 2 000 | Paule | p. 63, 290-291, 383 |
| Paul-Louis *m* | moins de 10 | Paul ou Louis | p. 42 |
| Pedro *m* | de 60 à 100 | Pierre | |
| Peggy *f* | moins de 10 | Marguerite | p. 42, 69, 291 |
| Pélagie *f* | moins de 10 | 8 octobre | p. 57 |
| Pénélope *f* | de 300 à 600 | | p. 54, 371 |
| Perceval *m* | de 30 à 60 | | |
| Perle *f* | de 60 à 100 | Marguerite ? | |
| Perrette *f* | moins de 10 | Pierre ou Pétronille | p. 294, 351 |
| Perrine *f* | de 300 à 600 | Pierre ou Pétronille | p. 77, 291, 351 |
| Peter *m* | de 30 à 60 | Pierre | |
| Pétronille *f* | moins de 10 | 31 mai | p. 291, 351, 367 |
| Philémon *m* | de 30 à 60 | 22 novembre | |
| Philibert *m* | moins de 10 | 20 août | p. 76 |
| Philippe *m* | de 100 à 300 | 3 mai | p. 23, 28, 292 |
| Philippine *f* | de 60 à 100 | Philippe | p. 66, 73, 292 |
| Philomène *f* | de 60 à 100 | 10 août | p. 8 |

| PRÉNOMS | FRÉQUENCE | FÊTES | PAGES |
|---|---|---|---|
| Phœbe *f* | de 10 à 30 | | |
| Pia *f* | de 60 à 100 | 21 août | p. 394 |
| Pierre *m* | de 1 000 à 2 000 | 29 juin | p. 29, 75, 293 |
| Pierre-Alain *m* | de 10 à 30 | Pierre ou Alain | p. 293 |
| Pierre-Alexandre *m* | de 30 à 60 | Pierre ou Alexandre | p. 293 |
| Pierre-Alexis *m* | de 10 à 30 | Pierre ou Alexis | |
| Pierre-André *m* | de 10 à 30 | Pierre ou André | p. 293 |
| Pierre-Antoine *m* | de 30 à 60 | Pierre ou Antoine | p. 42, 293 |
| Pierre-Édouard *m* | moins de 10 | Pierre ou Édouard | |
| Pierre-Emmanuel *m* | de 10 à 30 | Pierre ou Emmanuel | p. 293 |
| Pierre-Étienne *m* | moins de 10 | Pierre ou Étienne | |
| Pierre-François *m* | moins de 10 | Pierre ou François | |
| Pierre-Henri *m* | moins de 10 | Pierre ou Henri | p. 293 |
| Pierre-Jean *m* | moins de 10 | Pierre ou Jean | |
| Pierre-Louis *m* | de 100 à 300 | Pierre ou Louis | p. 42, 293, 384 |
| Pierre-Marie *m* | moins de 10 | Pierre | p. 255, 293 |
| Pierre-Olivier *m* | moins de 10 | Pierre ou Olivier | p. 293 |
| Pierrette *f* | moins de 10 | Pierre | p. 294, 363, 367 |
| Pierre-Yves *m* | de 10 à 30 | Pierre ou Yves | p. 293 |
| Pierrick *m* | de 100 à 300 | Pierre | p. 293 |
| Pierrine *f* | moins de 10 | Pierre | |
| Placide *m* | moins de 10 | 5 octobre | p. 15, 353 |
| Pol *m* | de 10 à 30 | 12 mars | |
| Precilia *f* | moins de 10 | Priscille | |
| Precillia *f* | moins de 10 | Priscille | |
| Prescilia *f* | moins de 10 | Priscille | p. 294 |
| Prescilla *f* | moins de 10 | Priscille | p. 294 |
| Prescillia *f* | de 30 à 60 | Priscille | p. 294 |

| PRÉNOMS | FRÉQUENCE | FÊTES | PAGES |
|---|---|---|---|
| Prisca *f* | de 30 à 60 | 18 janvier | p. 294 |
| Priscilia *f* | moins de 10 | Priscille | |
| Priscilla *f* | de 10 à 30 | Priscille | p. *294* |
| Priscille *f* | de 10 à 30 | 8 juillet | p. 74, 294, 380 |
| Priscillia *f* | de 30 à 60 | Priscille | p. 294 |
| Prosper *m* | de 30 à 60 | 25 juin | |
| Prudence *f* | de 10 à 30 | 6 avril | p. 57 |
| Prune *f* | de 100 à 300 | Fleur ? | p. 53 |
| Quentin *m* | de 1 000 à 2 000 | 31 octobre | p. 29, 63, 295 |
| Quiterie *f* | moins de 10 | 22 mai | p. 380 |
| Quitterie *f* | de 30 à 60 | Quiterie | p. 380 |
| Rachel *f* | de 300 à 600 | 15 janvier | p. 297 |
| Rachelle *f* | de 30 à 60 | Rachel | |
| Rachid *m* | de 10 à 30 | | |
| Rafaël *m* | de 60 à 100 | Raphaël | p. 298 |
| Randy *m* | de 10 à 30 | | |
| Rania *f* | de 300 à 600 | | |
| Raoul *m* | de 30 à 60 | 7 juillet | p. 76, 302, 349 |
| Raphaël *m* | plus de 6 000 | 29 septembre | p. 29, 38, 297-298 |
| Raphaëlle *f* | de 300 à 600 | Raphaël | p. 298 |
| Rayan *m* | de 1 000 à 2 000 | | p. 225, 306 |
| Rayane *m* | de 300 à 600 | | p. 306 |
| Raymond *m* | de 10 à 30 | 7 janvier | p. 28, 298, 391 |
| Raymonde *f* | moins de 10 | Raymond | p. *298* |
| Rébecca *f* | de 60 à 100 | 23 mars | p. 297 |
| Reda *m* | de 100 à 300 | | |
| Redouane *m* | de 60 à 100 | | |
| Régina *f* | moins de 10 | Reine | |
| Réginald *m* | moins de 10 | 21 février | |
| Régine *f* | moins de 10 | Reine | p. *299, 368, 377* |

| PRÉNOMS | FRÉQUENCE | FÊTES | PAGES |
|---|---|---|---|
| Régis *m* | moins de 10 | 16 juin | p. *299*, 377, 389 |
| Reine *f* | moins de 10 | 7 septembre | p. 299 |
| Réjane *f* | moins de 10 | Reine | |
| Rémi *m* | de 600 à 1 000 | 15 janvier | p. 34, *299-300*, 377 |
| Rémy *m* | de 100 à 300 | Rémi | p. 46, *299-300*, 377 |
| Renan *m* | de 10 à 30 | Ronan | |
| Renaud *m* | de 10 à 30 | 17 septembre | p. *300*, 380 |
| René *m* | moins de 10 | 19 octobre | p. 23, 28, *300* |
| Renée *f* | moins de 10 | René | p. 26, 47, *301* |
| Reynald *m* | moins de 10 | Renaud | |
| Ricardo *m* | de 30 à 60 | Richard | |
| Richard *m* | de 30 à 60 | 3 avril | p. *301*, 349, 376 |
| Rita *f* | de 100 à 300 | 22 mai | |
| Robert *m* | de 10 à 30 | 30 avril | p. 23, 29, *301-302* |
| Roberte *f* | moins de 10 | Robert | |
| Robin *m* | de 1 000 à 2 000 | Robert | p. 63, *302* |
| Robinson *m* | de 30 à 60 | Robert | |
| Roch *m* | de 10 à 30 | 16 août | |
| Rodolphe *m* | de 10 à 30 | 21 juin | p. *302* |
| Rodrigue *m* | de 60 à 100 | 13 mars | p. 302 |
| Roger *m* | moins de 10 | 30 décembre | p. 23, 28, *303* |
| Roland *m* | moins de 10 | 15 septembre | p. *303*, 349, 365 |
| Rolande *f* | moins de 10 | 13 mai | p. *304*, 365 |
| Rolland *m* | moins de 10 | Roland | |
| Rollande *f* | moins de 10 | Rolande | |
| Romain *m* | de 1 000 à 2 000 | 28 février | p. 29, 72, *304* |
| Romaine *f* | moins de 10 | Romain | p. 304 |
| Roman *m* | de 300 à 600 | Romain | p. 304 |
| Romane *f* | de 2 000 à 4 000 | Romain | p. 27, 63, *304-305* |
| Romaric *m* | de 60 à 100 | 10 décembre | p. 304 |
| Roméo *m* | de 300 à 600 | 25 février | p. 304 |
| Romuald *m* | de 60 à 100 | 19 juin | p. 304 |

| PRÉNOMS | FRÉQUENCE | FÊTES | PAGES |
|---|---|---|---|
| Romy *f* | de 60 à 100 | Rose ou Marie | |
| Ronald *m* | moins de 10 | Renaud | |
| Ronan *m* | de 100 à 300 | 1er juin | p. 72, 304 |
| Rosa *f* | de 10 à 30 | Rose | p. 305 |
| Rosalie *f* | de 100 à 300 | 4 septembre | p. 305, 360, 364 |
| Rose *f* | de 1 000 à 2 000 | 23 août | p. *305*, 353 |
| Roseline *f* | moins de 10 | 17 janvier | p. *305* |
| Roselyne *f* | moins de 10 | 17 janvier | p. *305* |
| Rose-Marie *f* | moins de 10 | Rose ou Marie | p. 305 |
| Rosemonde *f* | moins de 10 | 30 avril | p. 305 |
| Rosette *f* | moins de 10 | Rose | p. 305 |
| Rosine *f* | moins de 10 | 11 mars | p. 305 |
| Roxane *f* | de 300 à 600 | | p. 64, 305 |
| Roxanne *f* | de 30 à 60 | | p. 305 |
| Rozenn *f* | de 60 à 100 | | |
| Ruben *m* | de 600 à 1 000 | | |
| Rubens *m* | de 30 à 60 | | |
| Rudy *m* | de 100 à 300 | Rodolphe | p. 302 |
| Ruth *f* | de 30 à 60 | 2 octobre | p. 63 |
| Ryad *m* | de 100 à 300 | | |
| Ryan *m* | de 1 000 à 2 000 | | p. 29, 38, *306* |
| | | | |
| Sabine *f* | moins de 10 | 29 août | p. *307*, 390 |
| Sabri *m* | de 100 à 300 | | |
| Sabrina *f* | de 300 à 600 | | p. 21, 27, *307-308* |
| Sabrine *f* | de 60 à 100 | | p. 308 |
| Sacha *f* | de 100 à 300 | Sandrine | p. 47, *308* |
| Sacha *m* | de 2 000 à 4 000 | Alexandre | p. 38, 47, *308* |
| Safia *f* | de 100 à 300 | | |
| Sahra *f* | de 10 à 30 | Sarah | |
| Saïd *m* | de 100 à 300 | | |
| Salim *m* | de 100 à 300 | | |

| PRÉNOMS | FRÉQUENCE | FÊTES | PAGES |
|---|---|---|---|
| Salima *f* | de 30 à 60 | | |
| Salma *f* | de 300 à 600 | | |
| Salomé *f* | de 600 à 1 000 | 22 octobre | *p. 308* |
| Salomon *m* | de 30 à 60 | 25 juin | |
| Sam *m* | de 100 à 300 | Samuel | p. 309 |
| Samantha *f* | de 60 à 100 | Samuel ? | *p. 309* |
| Sami *m* | de 100 à 300 | Samuel | p. 309 |
| Samia *f* | de 100 à 300 | | |
| Samir *m* | de 60 à 100 | | |
| Samira *f* | de 30 à 100 | | |
| Sammy *m* | de 30 à 60 | Samuel | p. 309 |
| Samson *m* | moins de 10 | 28 juillet | p. 57 |
| Samuel *m* | de 1 000 à 2 000 | 20 août | *p. 309* |
| Samy *m* | de 600 à 1 000 | Samuel | p. 309 |
| Sana *f* | de 300 à 600 | | |
| Sandie *f* | moins de 10 | Sandrine | p. 55, 310 |
| Sandra *f* | de 60 à 100 | Sandrine | p. 82, *310*, 364 |
| Sandrine *f* | de 10 à 30 | 2 avril | p. 21, 27, *310* |
| Sandro *m* | de 100 à 300 | Alexandre | |
| Sandy *f* | de 30 à 60 | Sandrine | p. 47, 54, 310 |
| Sandy *m* | moins de 10 | Alexandre | p. 44, 47 |
| Sara *f* | de 100 à 300 | 22 octobre | p. 311 |
| Sarah *f* | de 4 000 à 6 000 | 9 octobre | p. 27, 38, *311* |
| Sasha *f* | de 60 à 100 | Sandrine | p. 47, 48, 308 |
| Sasha *m* | de 300 à 600 | Alexandre | p. 47, 48, 308 |
| Satine *f* | de 60 à 100 | | |
| Sauvanne *f* | moins de 10 | Sylvie | |
| Sauveur *m* | de 10 à 30 | 18 mars | p. 407 |
| Savannah *f* | de 60 à 100 | | |
| Saya *f* | de 10 à 30 | | |
| Scott *m* | de 60 à 100 | | |
| Sean *m* | de 100 à 300 | Jean | |

| PRÉNOMS | FRÉQUENCE | FÊTES | PAGES |
|---|---|---|---|
| Sebastian *m* | de 60 à 100 | Sébastien | |
| Sébastien *m* | de 100 à 300 | 20 janvier | p. 24, 29, *311-312* |
| Ségolène *f* | moins de 10 | 24 juillet | p. 11, *312*, 315 |
| Séléna *f* | de 100 à 300 | | |
| Selim *m* | de 100 à 300 | | |
| Selin *f* | moins de 10 | | p. 134 |
| Sélina *f* | de 10 à 30 | Céline ? | |
| Selma *f* | de 300 à 600 | Anselme ? | |
| Séphora *f* | de 60 à 100 | | |
| Séraphin *m* | de 30 à 60 | 12 octobre | |
| Séraphine *f* | de 10 à 30 | 9 septembre | p. 77 |
| Séréna *f* | de 100 à 300 | | |
| Serge *m* | de 10 à 30 | 7 octobre | p. 28, 34, *313* |
| Serine *f* | de 60 à 100 | | |
| Servane *f* | de 60 à 100 | Servan | p. 73, 380 |
| Séverin *m* | moins de 10 | 27 novembre | p. 57, 313 |
| Séverine *f* | de 10 à 30 | Séverin | p. 21, 27, *313-314* |
| Shaïna *f* | de 300 à 600 | | |
| Shana *f* | de 300 à 600 | | |
| Shannon *f* | de 100 à 300 | | |
| Sharon *f* | de 60 à 100 | | |
| Sherazade *f* | de 100 à 300 | | |
| Shirel *f* | de 60 à 100 | | |
| Shirley *f* | de 60 à 100 | | |
| Sibel *f* | de 30 à 60 | Sibylle | |
| Sibylle *f* | de 100 à 300 | 3 octobre | p. 74, 380, 407 |
| Sidney *f* | de 60 à 100 | Denis | p. 47 |
| Sidney *m* | de 60 à 100 | Denis | p. 47 |
| Sidonie *f* | de 100 à 300 | Sidoine | p. 77 |
| Siham *f* | de 100 à 300 | | |
| Silvain *m* | moins de 10 | Sylvain | p. 319, 352 |
| Silvère *m* | moins de 10 | 20 juin | |

| PRÉNOMS | FRÉQUENCE | FÊTES | PAGES |
|---|---|---|---|
| Siméon *m* | de 100 à 300 | 1er février | p. 349 |
| Simon *m* | de 1 000 à 2 000 | 23 octobre | p. *314*, 368 |
| Simone *f* | de 10 à 30 | Simon | p. 20, 26, *314* |
| Simonne *f* | moins de 10 | Simon | p. 82, 314 |
| Sindy *f* | moins de 10 | Diane ? | p. 140 |
| Sira *f* | de 10 à 30 | | |
| Sirine *f* | de 300 à 600 | | p. 73, 148 |
| Sixte *m* | moins de 10 | 3 avril | p. 384 |
| Sixtine *f* | de 100 à 300 | Sixte | p. 73, 380, 384 |
| Sofia *f* | de 600 à 1000 | Sophie | p. 316 |
| Sofian *m* | de 60 à 100 | | |
| Sofiane *f* | moins de 10 | Sophie ? | |
| Sofiane *m* | de 300 à 600 | | p. 54, 316 |
| Soizic *f* | de 30 à 60 | Françoise | |
| Solal *m* | de 100 à 300 | | |
| Solange *f* | de 10 à 30 | 10 mai | p. *315*, 364, 388 |
| Solen *f* | de 30 à 60 | Solène | |
| Solène *f* | de 600 à 1 000 | 17 octobre | p. *315*, 364, 388 |
| Solenn *f* | de 60 à 100 | Solène | p. 315 |
| Solenne *f* | de 60 à 100 | Solène | p. 315 |
| Soline *f* | de 100 à 300 | Solène | p. 315 |
| Solveig *f* | moins de 10 | | p. 315 |
| Sonia *f* | de 100 à 300 | Sophie | p. 275, *316*, 364 |
| Sonny *m* | de 60 à 100 | | |
| Sony *m* | de 10 à 30 | | |
| Sophia *f* | de 100 à 300 | Sophie | p. 316 |
| Sophie *f* | de 100 à 300 | 25 mai | p. 21, 27, *316* |
| Soraya *f* | de 100 à 300 | | |
| Sosthène *m* | de 30 à 60 | 28 novembre | p. 380 |
| Soufiane *m* | moins de 10 | | |
| Soukaïna *f* | de 60 à 100 | | |
| Souleymane *m* | de 100 à 300 | | |

| PRÉNOMS | FRÉQUENCE | FÊTES | PAGES |
|---|---|---|---|
| Soumaya *f* | de 100 à 300 | | |
| Soumia *f* | de 10 à 30 | | |
| Stacy *f* | de 60 à 100 | Anastasie | p. 54, *317* |
| Stan *m* | de 100 à 300 | Stanislas | |
| Stanislas *m* | de 100 à 300 | 11 avril | p. 66, 380, 383 |
| Stanley *m* | de 30 à 60 | | |
| Stecy *f* | de 30 à 60 | Anastasie | p. 317 |
| Steeve *m* | moins de 10 | Étienne | p. 318 |
| Steeven *m* | moins de 10 | Étienne | p. *317-318* |
| Steevy *m* | de 10 à 30 | Stéphane | |
| Stéfan *m* | de 30 à 60 | Étienne | p. 317 |
| Steffie *f* | moins de 10 | Étienne | |
| Steffy *f* | de 10 à 30 | Étienne | |
| Stella *f* | de 300 à 600 | Estelle | p. 167 |
| Stephan *m* | de 10 à 30 | Étienne | p. 317 |
| Stéphane *m* | de 30 à 60 | Étienne | p. 24, 29, *317* |
| Stéphanie *f* | de 60 à 100 | Étienne ou 2 janvier | p. 21, 27, *318* |
| Stephen *m* | de 30 à 60 | Étienne | p. 317, 318 |
| Stessy *f* | de 60 à 100 | Anastasie | p. 317 |
| Steve *m* | de 30 à 60 | Étienne | p. 318 |
| Steven *m* | de 100 à 300 | Étienne | p. *318* |
| Stevens *m* | moins de 10 | Étienne | p. 318 |
| Sullivan *m* | de 100 à 300 | | p. 54, 62 |
| Sullyvan *m* | de 60 à 100 | | |
| Suzanne *f* | de 100 à 300 | 11 août | p. 20, 26, *319* |
| Suzette *f* | moins de 10 | Suzanne | p. 319 |
| Suzie *f* | de 100 à 300 | Suzanne | p. 319 |
| Suzon *f* | de 60 à 100 | Suzanne | p. 319 |
| Suzy *f* | moins de 10 | Suzanne | p. 319 |
| Swan *m* | de 100 à 300 | | |
| Swann *f* | de 100 à 300 | | p. 47 |
| Swann *m* | de 100 à 300 | | p. 47, 53 |

| PRÉNOMS | FRÉQUENCE | FÊTES | PAGES |
|---|---|---|---|
| Sybille *f* | moins de 10 | Sibylle | p. 407 |
| Sydney *f* | moins de 10 | Denise | p. 47 |
| Sydney *m* | moins de 10 | Denis | p. 47 |
| Sylvain *m* | de 100 à 300 | 4 mai | p. 63, *319*, 385 |
| Sylvaine *f* | moins de 10 | Sylvain | p. 320 |
| Sylvestre *m* | moins de 10 | 31 décembre | |
| Sylvette *f* | moins de 10 | Sylvie | p. 320 |
| Sylvia *f* | de 30 à 60 | Sylvie | p. 320 |
| Sylviane *f* | moins de 10 | Sylvie | p. *320* |
| Sylvianne *f* | moins de 10 | Sylvie | p. 320 |
| Sylvie *f* | moins de 10 | 5 novembre | p. 21, 26, *320* |
| Syrine *f* | moins de 10 | | |
| | | | |
| Talia *f* | de 300 à 600 | | |
| Tamara *f* | de 100 à 300 | 1er mai | |
| Tancrède *m* | de 60 à 100 | | p. 380, 389 |
| Tangi *m* | moins de 10 | Tanguy | p. 321 |
| Tanguy *m* | de 60 à 100 | 19 novembre | p. *321*, 380 |
| Tania *f* | de 100 à 300 | Tatiana | |
| Tao *m* | de 100 à 300 | | p. 64, 322 |
| Tara *f* | de 100 à 300 | | |
| Tarek *m* | de 60 à 100 | | |
| Tarik *m* | de 30 à 60 | | |
| Tatiana *f* | de 100 à 300 | 12 janvier | |
| Téa *f* | de 60 à 100 | | p. 74 |
| Teddy *m* | de 100 à 300 | Édouard ou Théodore | p. 44, 157, 394 |
| Téo *m* | de 60 à 100 | Théo | p. 408 |
| Térence *m* | de 30 à 60 | 21 juin | |
| Terry *m* | de 60 à 100 | Térence | |
| Tess *f* | de 300 à 600 | Thérèse | p. 322 |

| PRÉNOMS | FRÉQUENCE | FÊTES | PAGES |
|---|---|---|---|
| Tessa *f* | de 300 à 600 | Thérèse | p. 74, 322 |
| Thadée *m* | moins de 10 | 28 octobre | |
| Thaïs *f* | de 600 à 1 000 | 8 octobre | p. 64, 74, 322 |
| Thalia *f* | moins de 10 | Nathalie | |
| Théa *f* | de 300 à 600 | Théodore | p. 64, 74, 322 |
| Théau *m* | moins de 10 | Théo | p. 322 |
| Thelma *f* | de 100 à 300 | | |
| Théo *m* | de 2 000 à 4 000 | Théodore ou Théophile | p. 29, 38, *321-322* |
| Théodora *f* | moins de 10 | Théodore ou 28 avril | |
| Théodore *m* | de 300 à 600 | 9 novembre | p. 156, 157, 321 |
| Théodule *m* | moins de 10 | 3 mai | p. 321 |
| Théophane *m* | de 10 à 30 | 2 février | p. 321 |
| Théophile *m* | de 100 à 300 | 20 décembre | p. 72, 76, 321 |
| Théotime *m* | de 100 à 300 | 20 avril | p. 46, 72, 321 |
| Thérésa *f* | de 10 à 30 | Thérèse | |
| Thérèse *f* | moins de 10 | 1er ou 15 octobre | p. 26, *322*, 388 |
| Thibaud *m* | de 300 à 600 | Thibault | p. 19, 323, 407 |
| Thibault *m* | de 1 000 à 2 000 | 8 juillet | p. 19, *323*, 407 |
| Thibaut *m* | de 600 à 1 000 | Thibault | p. 19, *323*, 407 |
| Thierry *m* | de 30 à 60 | 1er juillet | p. 24, 28, *323-324* |
| Thomas *m* | de 2 000 à 4 000 | 3 juillet, 28 janvier | p. 25, 29, *324* |
| Tia *f* | de 30 à 60 | | |
| Tiago *m* | de 600 à 1000 | | |
| Tifaine *f* | de 10 à 30 | 6 janvier | p. 325 |
| Tifanie *f* | moins de 10 | 6 janvier | |
| Tifanny *f* | de 10 à 30 | 6 janvier | |
| Tifany *f* | de 10 à 30 | 6 janvier | p. 325 |
| Tifenn *f* | de 30 à 60 | 6 janvier | p. 325 |
| Tiffanie *f* | de 30 à 60 | 6 janvier | p. 325 |
| Tiffany *f* | de 100 à 300 | 6 janvier | p. 45, *325*, 408 |

| PRÉNOMS | FRÉQUENCE | FÊTES | PAGES |
|---|---|---|---|
| Tim *m* | de 100 à 300 | Timothée | p. 44, 325 |
| Timéo *m* | de 2 000 à 4 000 | Timothée | p. 38, 64, 71 |
| Timo *m* | de 10 à 30 | | |
| Timothé *m* | de 300 à 600 | Timothée | p. 325 |
| Timothée *m* | de 1 000 à 2 000 | 26 janvier | p. 72, *324-325*, 383 |
| Timothy *m* | de 60 à 100 | Timothée | p. 325 |
| Tina *f* | de 100 à 300 | Valentine | |
| Tino *m* | de 60 à 100 | Valentin | |
| Tiphaine *f* | de 300 à 600 | 6 janvier | p. 47, 48, 325 |
| Tiphanie *f* | de 30 à 60 | 6 janvier | p. *325*, 408 |
| Tiphany *f* | moins de 10 | 6 janvier | |
| Titouan *m* | de 1 000 à 2 000 | Antoine ? | p. 54, 62, 326 |
| Tobias *m* | de 60 à 100 | | p. 62 |
| Tom *m* | de 4 000 à 6 000 | Thomas | p. 29, 38, 326 |
| Tommy *m* | de 60 à 100 | Thomas | p. 326 |
| Tomy *m* | de 30 à 60 | Thomas | |
| Toni *m* | de 10 à 30 | Antoine | |
| Tony *m* | de 300 à 600 | Antoine | p. 327 |
| Toscane *f* | de 60 à 100 | | |
| Toussaint *m* | moins de 10 | 1er novembre | p. 325 |
| Toussainte *f* | moins de 10 | 1er novembre | |
| Tracy *f* | de 60 à 100 | Thérèse ? | p. 322 |
| Tristan *m* | de 1 000 à 2 000 | | p. 63, 72, 327 |
| Trystan *m* | de 30 à 60 | | |
| Tugdual *m* | de 10 à 30 | 30 novembre | p. 380 |
| Typhaine *f* | de 10 à 30 | 6 janvier | p. 325 |
| Typhanie *f* | moins de 10 | 6 janvier | p. 325 |
| | | | |
| Ugo *m* | de 30 à 60 | Hugues | p. 196, 349 |
| Ulrich *m* | de 10 à 30 | 10 juillet | |
| Ulysse *m* | de 100 à 300 | | p. 54, 353, 371 |
| Urbain *m* | moins de 10 | 19 décembre | p. 387 |

| PRÉNOMS | FRÉQUENCE | FÊTES | PAGES |
|---|---|---|---|
| Ursula *f* | moins de 10 | Ursule | |
| Ursule *f* | moins de 10 | 21 octobre | |
| | | | |
| Valentin *m* | de 2 000 à 4 000 | 14 février | p. 29, 63, *329* |
| Valentine *f* | de 600 à 1 000 | 25 juillet | p. 77, *329*, 383 |
| Valère *m* | de 10 à 30 | 14 juin | p. 330 |
| Valérian *m* | de 100 à 300 | Valéry | |
| Valériane *f* | moins de 10 | Valérie ou Fleur | p. 330 |
| Valérie *f* | moins de 10 | 28 avril | p. 21, 26, *330* |
| Valéry *m* | moins de 10 | 1er avril | p. 330 |
| Vanessa *f* | de 100 à 300 | | p. *330*, 337 |
| Vanille *f* | de 30 à 60 | | p. 330 |
| Vanina *f* | de 30 à 60 | Jeanne | p. 330 |
| Venceslas *m* | moins de 10 | Wenceslas | |
| Véra *f* | de 10 à 30 | 18 septembre | p. 57 |
| Véronique *f* | moins de 10 | 4 février | p. 21, 26, *331* |
| Vianney *m* | de 100 à 300 | 4 août | p. 380, 389 |
| Vicky *f* | de 30 à 60 | Victoire | p. 332 |
| Victoire *f* | de 300 à 600 | 15 novembre | p. 73, 77, 380 |
| Victor *m* | de 1 000 à 2 000 | 21 juillet | p. 61, 75, *331-332* |
| Victoria *f* | de 600 à 1 000 | Victoire | p. *332* |
| Victorien *m* | de 10 à 30 | Victor | p. 63, 332 |
| Victorin *m* | de 10 à 30 | Victor | |
| Victorine *f* | de 60 à 100 | Victoire | p. 77 |
| Vince *m* | de 60 à 100 | Vincent | |
| Vincent *m* | de 300 à 600 | 22 janvier, 27 septembre | p. 24, 29, *332* |
| Vincenzo *m* | de 30 à 60 | Vincent | |
| Vinciane *f* | de 30 à 60 | 11 septembre | p. 73 |
| Violaine *f* | de 30 à 60 | Fleur | p. 341, 380, 390 |
| Violette *f* | de 600 à 1 000 | Fleur | p. 341, 383, 390 |

| PRÉNOMS | FRÉQUENCE | FÊTES | PAGES |
|---|---|---|---|
| Virgil *m* | de 10 à 30 | Virgile | |
| Virgile *m* | de 300 à 600 | 10 octobre | p. 333, 389 |
| Virginia *f* | moins de 10 | Marie | p. 333 |
| Virginie *f* | de 30 à 60 | Marie | p. 21, 27, 333 |
| Vital *m* | moins de 10 | 28 avril | |
| Viviane *f* | de 10 à 30 | 2 décembre | p. 333, 363 |
| Vivien *m* | de 60 à 100 | 10 mars | p. 333 |
| Vladimir *m* | de 30 à 60 | 15 juillet | |
| Walid *m* | de 300 à 600 | | |
| Wallerand *m* | moins de 10 | | p. 384 |
| Walter *m* | moins de 10 | Gauthier | p. 183 |
| Wanda *f* | moins de 10 | | p. 335 |
| Wandrille *m* | de 30 à 60 | 22 juillet | p. 383 |
| Warren *m* | de 100 à 300 | | |
| Wassila *f* | de 30 à 60 | | |
| Wassim *m* | de 300 à 600 | | |
| Wenceslas *m* | moins de 10 | 28 septembre | |
| Wendy *f* | de 100 à 300 | | p. 335 |
| Werner *m* | moins de 10 | 19 avril | |
| Wesley *m* | de 100 à 300 | | p. 54 |
| Whitney *f* | de 30 à 60 | | |
| Wilfrid *m* | moins de 10 | Wilfried | p. 335 |
| Wilfried *m* | moins de 10 | 12 octobre | p. 335 |
| William *m* | de 600 à 1 000 | Guillaume | p. 69, 335-336 |
| Willy *m* | de 30 à 60 | Guillaume | p. 336 |
| Wilson *m* | de 30 à 60 | | |
| Winona *f* | moins de 10 | | |
| Wissal *f* | moins de 10 | | |
| Wissam *f* | moins de 10 | | |
| Wissam *m* | de 100 à 300 | | |

| PRÉNOMS | FRÉQUENCE | FÊTES | PAGES |
|---|---|---|---|
| Xavier *m* | de 100 à 300 | 3 décembre | p. 337, 376, 389 |
| Xavière *f* | moins de 10 | Xavier | p. 337, 367 |
| Yacine *m* | de 300 à 600 | | |
| Yaël *f* | de 10 à 30 | | |
| Yaël *m* | de 100 à 300 | | |
| Yaëlle *f* | de 300 à 600 | | |
| Yamina *f* | de 30 à 60 | | |
| Yan *m* | de 10 à 30 | Jean | p. 339 |
| Yanis *m* | de 4 000 à 6 000 | Jean | p. 64, 72, 339 |
| Yann *m* | de 600 à 1 000 | Jean | p. 339, 340, 365 |
| Yannick *m* | de 100 à 300 | Jean | p. 340, 365 |
| Yannis *m* | de 300 à 600 | Jean | p. 339, 365 |
| Yasin *m* | de 60 à 100 | | |
| Yasmina *f* | de 100 à 300 | | |
| Yasmine *f* | de 600 à 1 000 | Fleur | p. 339 |
| Yassin *m* | de 60 à 100 | | |
| Yassine *m* | de 600 à 1000 | | p. 339 |
| Yazid *m* | de 30 à 60 | | |
| Ylan *m* | de 100 à 300 | Ilan | |
| Yoan *m* | de 300 à 600 | Jean | p. 340 |
| Yoann *m* | de 100 à 300 | Jean | p. 63, 340, 365 |
| Yohan *m* | de 300 à 600 | Jean | p. 340 |
| Yohann *m* | de 100 à 300 | Jean | p. 340 |
| Yohanna *f* | de 10 à 30 | Jean | p. 46 |
| Yolaine *f* | moins de 10 | Yolande | p. 341 |
| Yolande *f* | moins de 10 | 11 juin | p. 304, 341, 365 |
| Yolène *f* | moins de 10 | Yolande | |
| Yona *f* | moins de 10 | | |
| Yoni *m* | de 60 à 100 | | |
| Youcef *m* | de 60 à 100 | Joseph | |
| Youna *f* | de 100 à 300 | | |

| PRÉNOMS | FRÉQUENCE | FÊTES | PAGES |
|---|---|---|---|
| Younes *m* | de 300 à 600 | | |
| Youness *m* | de 60 à 100 | | |
| Youri *m* | de 60 à 100 | | |
| Yousra *f* | de 100 à 300 | | |
| Youssef *m* | de 300 à 600 | Joseph | |
| Ysaline *f* | de 100 à 300 | Isabelle | |
| Ysé *f* | de 10 à 30 | | p. 327 |
| Ysée *f* | de 60 à 100 | | p. 327 |
| Yseult *f* | de 10 à 30 | | p. 46, 327 |
| Yuna *f* | de 60 à 100 | | |
| Yusuf *m* | de 100 à 300 | | |
| Yvan *m* | de 100 à 300 | Jean | p. 342 |
| Yvann *m* | de 60 à 100 | Jean | |
| Yveline *f* | moins de 10 | Yves | p. 57 |
| Yves *m* | de 30 à 60 | 19 mai | p. 28, 34, *341-342* |
| Yvette *f* | moins de 10 | 13 janvier | p. 20, 26, *342* |
| Yvon *m* | moins de 10 | Yves | p. *342* |

| PRÉNOMS | FRÉQUENCE | FÊTES | PAGES |
|---|---|---|---|
| Yvonne *f* | moins de 10 | Yves ou Yvette | p. 20, 26, *343* |
| | | | |
| Zacharie *m* | de 300 à 600 | 5 novembre | p. 72 |
| Zachary *m* | de 30 à 60 | Zacharie | |
| Zakaria *m* | de 100 à 300 | Zacharie | |
| Zélia *f* | de 60 à 100 | Solène | |
| Zélie *f* | de 300 à 600 | Solène | p. 315 |
| Zéphir *m* | de 30 à 60 | Zéphirin | |
| Zéphirin *m* | moins de 10 | 26 août | p. 57 |
| Zeynep *f* | de 100 à 300 | | |
| Ziad *m* | de 100 à 300 | | |
| Zineb *f* | moins de 10 | | |
| Zinedine *m* | de 60 à 100 | | |
| Zoé *f* | de 4 000 à 6 000 | 2 mai | p. 38, 73, *345* |
| Zohra *f* | de 100 à 300 | | |
| Zouhir *m* | de 10 à 30 | | |

## REMERCIEMENTS

Par ordre alphabétique de leurs prénoms, un grand merci à ceux qui, d'une manière ou d'une autre, ont apporté leur soutien à ce millésime : Albane, Anne-Sophie, Arthur, Bertil, Bruno, Éva, Jacques, Jean-Daniel, Jean-François, Jeanne, Joëlle, Laurent, Olivier, Régine, Stéphane, Valérie Marie, Vincent.

Enfin, nos remerciements vont à Jean-Baptiste Rutard pour son aide et ses conseils éclairés prodigués avec une gentillesse toujours égale.